Val McDermid

Moment van Afscheid

SIJTHOFF

Uitgeverij Sijthoff en Drukkerij HooibergHaasbeek vinden het belangrijk om op milieuvriendelijke en verantwoorde wijze met natuurlijke bronnen om te gaan.

Oorspronkelijke titel: *The Retribution*
Vertaling: Frank Lefevere
Omslagontwerp: Wouter van der Struys / Twizter.nl
Omslagfotografie: Yolande de Kort/Trevillion Images

ISBN 978 90 218 0634 1
NUR 305

www.uitgeverijsijthoff.nl
www.boekenwereld.com
www.watleesjij.nu

Voor meneer David, die mij eraan herinnerde hoe leuk dit eigenlijk is, die een frisse wind door mijn ideeën deed waaien en die vertrouwen in mij stelde.

Nemesis is mank, maar ze heeft een reusachtig postuur, net zoals de goden, en soms strekt ze voordat ze haar zwaard trekt haar enorme linkerarm uit om haar slachtoffer vast te grijpen. De machtige hand is onzichtbaar, maar het slachtoffer wankelt in de ijselijke greep.

– **George Eliot,** ***Scenes of Clerical Life***

I

Ontsnappingskunst was als magie. Het geheim schuilde in misleiding. Sommige ontsnappingen kwamen tot stand door het creëren van een nauwkeurig geplande illusie, andere waren staaltjes van kracht, durf en flexibiliteit, zowel in geestelijk als in lichamelijk opzicht, en sommige waren een mengeling van beide. Maar wat de methode ook was, het element van misleiding speelde altijd een cruciale rol. En als het om misleiding ging, erkende hij geen meerdere.

De beste misleiding van allemaal was er een waarvan de toeschouwer niet eens wist dat ze plaatsvond. Om dat te bereiken moest je ervoor zorgen dat je afleidingsactie opging in het spectrum van het alledaagse.

In sommige omgevingen was dat lastiger dan andere. Zoals in een kantooromgeving waar alles volgens een vast stramien werkte. Het zou daar moeilijk worden om een afleidingsactie te camoufleren, omdat alles wat afweek zou opvallen en de mensen zou bijblijven. Maar in de gevangenis waren er zoveel onvoorspelbare variabelen: lichtgeraakte personen, complexe machtsstructuren, onbeduidende geschillen die binnen luttele seconden explosief konden worden en opgekropte frustraties die als een rijpe puist op springen stonden. Er kon elk moment wel van alles losbarsten, en wie zou dan kunnen zeggen of het een geplande gebeurtenis was of alleen maar een van de honderd kleine plaatselijke problemen dat uit de hand was gelopen? Alleen het bestaan van die variabelen boezemde sommige mensen al angst in. Maar hem niet. Voor hem stond elk afwijkend scenario voor een nieuwe kans, een andere mogelijkheid die hij in detail onderzocht totdat hij uiteindelijk de perfecte combinatie van omstandigheden en personen zou aantreffen.

Hij had overwogen een en ander in scène te zetten en een paar gasten te betalen om een opstootje in de vleugel te veroorzaken. Maar daar kleefden te veel nadelen aan. Om te beginnen was er meer kans op verraad naarmate er meer mensen van zijn plannen wisten. En bovendien zaten de meeste mensen hier vast omdat hun eerdere pogingen tot misleiding hopeloos waren mislukt. Dus dat waren waarschijnlijk niet de geschiktste personen om er een overtuigende voorstelling van te maken. En je kon je reinste stommiteit natuurlijk ook nooit helemaal uitsluiten. Dus van doen alsof kon geen sprake zijn.

Maar het mooie van de gevangenis was dat er nooit een tekort aan pressiemiddelen was. Mannen die vastzaten vielen altijd ten prooi aan angst voor wat er zich buiten de gevangenis afspeelde. Ze hadden geliefden, vrouwen, kinderen en ouders die kwetsbaar waren voor geweld of verleiding. Of alleen al voor de dreiging daarvan.

En dus had hij opgelet en afgewacht terwijl hij informatie vergaarde en die evalueerde om uit te vinden waar de mogelijkheden de grootste kans van slagen hadden. De mensen buiten de gevangenismuren op wie hij een beroep kon doen hadden hem van de informatie voorzien waarmee hij de hiaten in zijn eigen kennis kon opvullen. Het had eigenlijk helemaal niet lang geduurd voordat hij het perfecte drukpunt had gevonden.

En nu was hij er klaar voor. Vanavond zou hij in actie komen. Morgenavond zou hij in een breed, comfortabel bed met veren kussens slapen. De perfecte afsluiting van een perfecte avond. Een kort gebakken biefstuk met een berg knoflookpaddenstoelen en rösti, voortreffelijk omlijst door een fles rode wijn die er alleen maar beter op zou zijn geworden in de twaalf jaar dat hij weg was geweest. Een bord met knapperige Bath Oliver-crackers en een stuk stilton van Long Clawson om de slechte smaak te verdrijven van wat in de gevangenis voor kaas doorging. Vervolgens een lang heet bad, een glas cognac en een Cubaanse Cohiba-sigaar. Hij zou van elke schakering met al zijn zintuigen genieten.

Er drong een scherpe kakofonie van luide stemmen door tot zijn visualisatie, een alledaagse ruzie over voetbal die over de overloop heen en weer kaatste. Een bewaker brulde hun toe dat ze niet zo'n lawaai moesten maken en daarna werd het iets rustiger. Het geruttel van een radio in de verte vulde de pauzes tussen de beledigingen op en hij bedacht dat bevrijd te zijn van andermans lawaai hem nog beter zou bevallen dan de biefstuk, de drank en de sigaar.

Dat was het enige wat mensen nooit opnoemden wanneer ze hun mening te kennen gaven over hoe vreselijk het in de gevangenis moest zijn. Ze spraken over het ongemak, het gebrek aan vrijheid, de angst voor je medegevangenen en het verliezen van al je persoonlijke comfort. Maar zelfs de fantasierijksten onder hen hadden het nooit over de nachtmerrie van het verlies van stilte.

Morgen zou die nachtmerrie voorbij zijn. Dan kon hij zo stil of zo luid zijn als hij wilde. Maar het zou zijn lawaai zijn.

Nou ja, grotendeels het zijne. Er zouden ook andere geluiden zijn. Geluiden waar hij naar uitkeek. Geluiden die hij zich graag mocht voorstellen als hij iets nodig had om het te kunnen volhouden. Geluiden waarvan hij zelfs langer had gedroomd dan dat hij zijn ontsnappingsroute aan het voorbereiden was geweest. Het geschreeuw, het gesnik en de gestamelde smeekbeden om genade die nooit zou komen. De soundtrack van vergelding.

Jacko Vance, moordenaar van zeventien tienermeisjes en een politieagent in functie, een man die ooit tot de meest sexy man op de Britse televisie was verkozen, kon amper wachten.

2

De forse man zette twee grote, tot de rand gevulde glazen koperkleurig bier op tafel. '*Piddle in the Hole*,' zei hij terwijl hij zijn brede lijf op een kruk liet zakken die uit het zicht verdween onder zijn dijen.

Dr. Tony Hill trok zijn wenkbrauwen op. 'Daag je me nu uit voor een plaswedstrijd? Of moet het soms humor uit Worcester voorstellen?'

Rechercheur Alvin Ambrose hief zijn glas bij wijze van toost. 'Geen van beide. De brouwerij staat in een dorp dat Wyre Piddle heet en daarom denken de inwoners dat ze zich dat woordgrapje wel kunnen veroorloven.'

Tony nam een grote slok bier en keek vervolgens nadenkend naar zijn glas. 'Oké,' zei hij, 'het is een best biertje.'

Beide mannen gunden het bier een moment respectvolle stilte, waarna Ambrose zei: 'Ze heeft mijn baas ontzettend kwaad gemaakt, die Carol Jordan van jou.'

Zelfs na zoveel jaar kostte het Tony nog altijd moeite zijn gezicht in de plooi te houden wanneer Carol Jordan ter sprake kwam. Maar het loonde de moeite daarvoor zijn best te blijven doen. Om te beginnen wilde hij zichzelf nooit in een kwetsbare positie plaatsen. Maar belangrijker nog: hij had het altijd onmogelijk gevonden te definiëren wat Carol voor hem betekende en hij was niet van plan anderen de kans te geven overhaast verkeerde conclusies te trekken. 'Ze is niet mijn Carol Jordan,' zei hij mild. 'Carol Jordan is eerlijk gezegd van niemand.'

'Je zei dat ze hier bij jou in huis zou komen wonen als ze de baan zou krijgen,' zei Ambrose zonder het verwijt in zijn stem te verbergen.

Een onthulling waarvan Tony nu zou willen dat hij hem nooit

had gedaan. Hij had het zich laten ontvallen tijdens een van de gesprekken laat op de avond waarin deze onwaarschijnlijke vriendschap tussen twee behoedzame mannen die weinig met elkaar gemeen hadden werd beklonken. Tony vertrouwde Ambrose, maar dat betekende nog niet dat hij hem wilde toelaten in het doolhof van tegenstellingen en complicaties dat voor zijn emotionele leven doorging. 'Ze woont nu ook al als huurder in het souterrain van mijn andere huis. Dat komt op hetzelfde neer. Het is een groot huis,' zei hij met neutrale stem, maar zijn hand spande zich om het glas.

De ogen van Ambrose vernauwden zich iets in de hoeken, maar de rest van zijn gezicht bleef uitdrukkingsloos. Tony vermoedde dat het politie-instinct in hem zich afvroeg of hij moest aandringen. 'En ze is een zeer aantrekkelijke vrouw,' zei Ambrose uiteindelijk.

'Dat is ze zeker.' Tony hief zijn glas naar Ambrose om dat te onderstrepen. 'En waarom is inspecteur Patterson zo woedend op haar?'

Ambrose haalde een gespierde schouder op met een beweging die de naad van zijn jasje strak trok. Zijn bruine ogen verloren hun waakzaamheid en hij ontspande nu hij veilig terrein betrad. 'Het gebruikelijke. Hij heeft zijn hele carrière in West Mercia gewerkt, grotendeels hier in Worcester. Hij dacht dat zijn voeten al onder het bureau staken als de positie van hoofdinspecteur zou vrijkomen. En toen liet jouw... hoofdinspecteur Jordan weten dat ze interesse had om naar Bradfield over te stappen.' Zijn glimlach was zo zuur als de citroenschil op de rand van een cocktailglas. 'En hoe zou West Mercia nee tegen haar kunnen zeggen?'

Tony schudde zijn hoofd. 'Zeg jij het maar.'

'Met een staat van dienst als de hare? Eerst werkte ze bij de hoofdstedelijke politie, daarna deed ze iets mysterieus bij Interpol, vervolgens zette ze haar eigen Team Zware Misdrijven op binnen het op drie na grootste korps van het land en daarnaast heeft ze ook nog die klootzakken van de contraterrorismedienst op hun eigen terrein verslagen... Er is maar een handjevol smerissen in het hele land met haar ervaring dat nog steeds in de frontlinie wil staan in plaats van achter het bureau te kruipen. Patterson wist meteen vanaf het moment dat de geruchtenstroom op gang kwam dat hij geen enkele kans meer maakte.'

'Niet noodzakelijkerwijs,' zei Tony. 'Sommige bazen zouden Carol als een bedreiging kunnen zien. Als de vrouw die te veel weet. Ze zouden haar als de vos in het hoenderhok kunnen beschouwen.'

Ambrose grinnikte, een laag onderaards gerommel. 'Hier niet. Ze zijn hier van mening dat ze het neusje van de zalm zijn. Ze vergelijken zichzelf met die smeerlappen van hiernaast in West Midlands en paraderen rond als pauwen. Ze zouden hoofdinspecteur Jordan als een prijsduif zien die terugkeert naar de til waar ze thuishoort.'

'Heel poëtisch.' Tony nam kleine slokjes van zijn bier en genoot van de bittere scherpte van de hop. 'Maar zo ziet die inspecteur Patterson van jou het niet?'

Ambrose maakte zijn bier grotendeels soldaat terwijl hij over zijn antwoord nadacht. Tony was gewend aan wachten. Het was een techniek die even goed werkte tijdens zijn werk als in zijn vrije tijd. Hij had nooit begrepen waarom de mensen die hij behandelde patiënten werden genoemd terwijl hij de enige was die het geduld van een patiencespeler moest opbrengen. Iemand die een bedreven klinisch psycholoog wilde worden kon het zich niet veroorloven te veel gretigheid aan de dag te leggen als het ging om het zoeken naar antwoorden.

'Het is moeilijk voor hem,' zei Ambrose uiteindelijk. 'Het is een hard gelag als je weet dat je wordt gepasseerd omdat je tweede keus bent. Daarom moet hij iets verzinnen waardoor hij een beter gevoel over zichzelf krijgt.'

'En wat heeft hij daarop bedacht?'

Ambrose liet zijn hoofd zakken. In het halfduister van de kroeg veranderde zijn donkere huid hem in een schaduwpoel. 'Hij uit openlijk kritiek op haar motieven voor de verhuizing en beweert bijvoorbeeld dat ze helemaal geen affiniteit heeft met West Mercia, maar alleen maar jou volgt nu je dat grote huis hebt geërfd en hebt besloten je hielen uit Bradfield te lichten...'

Het was niet aan hem om de keuzes die Carol Jordan maakte te verdedigen, maar niets zeggen was ook geen optie. Zwijgen zou Pattersons verbitterde analyse alleen maar onderschrijven. Het minste wat Tony kon doen was Ambrose een alternatief geven om in de kantine en de teamkamer naar voren te kunnen brengen. 'Misschien. Maar ze vertrekt niet vanwege mij uit Bradfield. Dat gaat om bureaupolitiek en heeft niets met mij te maken. Ze heeft een nieuwe baas gekregen die niet geloofde dat haar team zijn geld waard was. Ze kreeg drie maanden de tijd om zijn ongelijk te bewijzen.' Tony schudde zijn hoofd en kreeg een spottende glimlach op zijn gezicht. 'Ik zou echt niet weten wat ze nog meer zou hebben kunnen doen. Ze kreeg een seriemoordenaar te pakken, loste in die periode twee coldcase-moorden op en verijdelde een mensensmokkeloperatie waarbij kinderen ons land werden binnengebracht voor de sekshandel.'

'Dat is toch een zeer hoog oplossingspercentage te noemen,' zei Ambrose.

'Niet goed genoeg voor James Blake. De drie maanden zijn om en hij heeft aangekondigd dat hij het team eind deze maand zal opdoeken en de leden ervan over de algemene opsporingsdienst zal verspreiden. Ze had al besloten dat ze niet op die manier wilde worden ingezet. Dus ze wist al dat ze uit Bradfield weg zou gaan. Ze wist alleen nog niet waar ze naartoe zou gaan. En toen was daar opeens deze baan in West Mercia waarvoor ze niet eens van huisbaas zou hoeven te wisselen.'

Ambrose keek hem geamuseerd aan en leegde zijn glas. 'Ben je al klaar voor een volgende?'

'Ik ben nog met deze bezig. Maar het is mijn beurt om te bestellen,' protesteerde Tony toen Ambrose weer naar de bar liep. Hij zag de blik die de jonge barmeid hun toewierp, een lichte frons op haar zachte gezicht. Hij kon zich voorstellen dat ze een vreemd stel vormden, hij en Ambrose. Een potige zwarte man met een geschoren hoofd en een gezicht als van een bokser van de zwaargewichtklasse, die zijn das wat losser had gedaan onder een zwart pak dat strak om zijn dikke spieren zat. Zijn ontzagwekkende verschijning zou de meeste mensen aan een heuse lijfwacht doen denken, terwijl Tony er naar hij aannam uitzag alsof hij niet eens in staat zou zijn om zijn eigen lijf te verdedigen, laat staan dat van iemand anders. Hij had een gemiddelde lengte, was tenger gebouwd en peziger dan je zou verwachten van iemand wiens voornaamste lichaamsbeweging bestond uit het spelen van *Rayman's Raving Rabbids* op zijn Wii. Hij droeg een leren jack over een sweatshirt met capuchon en een zwarte spijkerbroek. In de loop der jaren had hij ervaren dat het enige wat mensen zich van hem herinnerden de verrassend sprankelende blauwe kleur van zijn ogen was, die scherp afstak tegen de bleekheid van zijn huid. De ogen van Ambrose waren ook gedenkwaardig, maar alleen omdat ze een zachtheid suggereerden die nergens anders in zijn manier van doen zichtbaar was. De meeste mensen merkten dat niet op, dacht Tony, en lieten zich leiden door hun eerste indruk. Hij vroeg zich af of de barmeid het had gezien.

Ambrose kwam terug met een vers glas bier. 'Smaakt het bier je vanavond niet?'

Tony schudde zijn hoofd. 'Ik ga nog terug naar Bradfield.'

Ambrose keek op zijn horloge. 'Zo laat nog? Het is al tien uur geweest.'

'Ik weet het, maar er is rond deze tijd 's avonds praktisch geen verkeer op de weg. Ik kan in minder dan twee uur thuis zijn. Ik krijg morgen nog patiënten in Bradfield Moor. De laatste afspraken voordat ik hen overdraag aan iemand van wie ik hoop dat die hen zal behandelen als de beschadigde hoopjes mens die ze zijn. 's Avonds rijden levert een stuk minder stress op. Nachtmuziek en lege wegen.'

Ambrose grinnikte. 'Dat klinkt als een countryliedje.'

'Soms heb ik het gevoel dat mijn hele leven een countryliedje is,' mopperde Tony. 'En niet een van de vrolijkste.' Terwijl hij dat zei ging zijn telefoon over. Hij klopte verwoed op zijn zakken en vond zijn mobieltje uiteindelijk in de voorzak van zijn spijkerbroek. Hij herkende het mobiele nummer op het schermpje niet, maar gunde het het voordeel van de twijfel. Als het personeel van Bradfield Moor problemen had met een van zijn halvegaren gebruikten ze soms hun eigen telefoon om hem te bellen. 'Hallo,' zei hij op zijn hoede.

'Spreek ik met dr. Hill? Dr. Tony Hill?' Het was een vrouwenstem die aan de randen van zijn geheugen kietelde, maar niet helemaal op zijn plaats viel.

'Met wie spreek ik?'

'Met Penny Burgess, dr. Hill. Van de *Evening Sentinel Times*. We hebben elkaar al eens eerder gesproken.'

Penny Burgess. Hij herinnerde zich een vrouw in een regenjas waarvan ze de kraag had opgezet tegen de regen, met een harde gelaatsuitdrukking en weerbarstig lang donker haar. Hij herinnerde zich ook hoe hij in de artikelen die op haar naam stonden nu eens als alwetende wijze werd opgevoerd en dan weer als idiote zondebok. 'Beduidend minder vaak dan u uw lezers heeft doen geloven,' zei hij.

'Ik doe alleen maar mijn werk, dr. Hill.' Haar stem klonk een stuk hartelijker dan hun verleden rechtvaardigde. 'Er is weer een vrouw vermoord in Bradfield,' vervolgde ze. Ze was ongeveer net zo goed in praten over koetjes en kalfjes als hij, dacht Tony, die de verdere implicaties van haar woorden uit de weg probeerde te gaan. Toen hij geen antwoord gaf, zei ze: 'Een prostituee. Net zoals de twee van vorige maand.'

'Het spijt me dat te horen,' zei Tony, die zijn woorden koos alsof het voetstappen in een mijnenveld waren.

'Waarom ik u bel... mijn bron zegt me dat er bij deze sprake was van dezelfde signatuur als bij de vorige twee. En ik vraag me af wat u daarvan vindt.'

'Ik heb geen idee waarover u het heeft. Ik ben momenteel niet operationeel verbonden aan de opsporingsdienst van de politie van Bradfield.'

Penny Burgess maakte een laag keelgeluid dat in de buurt van gegrinnik kwam. 'Ik weet zeker dat uw bronnen minstens zo goed zijn als de mijne,' zei ze. 'Ik kan niet geloven dat hoofdinspecteur Jordan geen weet van deze zaak heeft, en als zij iets weet, dan weet u het ook.'

'U houdt er zeer vreemde opvattingen over mijn wereld op na,' zei Tony resoluut. 'Ik heb geen idee waarover u het heeft.'

'Ik heb het over een seriemoordenaar, dr. Hill. En als het om seriemoordenaars gaat, dan bent u de man.'

Tony brak het gesprek abrupt af en schoof zijn telefoon terug in zijn zak. Hij sloeg zijn ogen op en keek Ambrose aan, die hem zat op te nemen. 'Broodschrijver,' zei hij. Hij nam een flinke slok van zijn bier. 'Of eigenlijk is ze nog meer dan dat. Carols team heeft haar meer dan eens voor schut gezet, maar ze doet gewoon alsof dat tot de risico's van het vak behoort.'

'Maar evengoed...' zei Ambrose.

Tony knikte. 'Je hebt gelijk. Je kunt hen respectvol behandelen zonder bereid te zijn hun iets te geven.'

'Wat wilde ze?'

'Ze was aan het vissen. Er zijn in Bradfield de afgelopen weken twee straatprostituees vermoord. Nu is er sprake van een derde. Voor zover ik wist was er geen reden om de eerste twee met elkaar in verband te brengen, omdat het om een totaal andere modus operandi ging.' Hij haalde zijn schouders op. 'Dat zeg ik nu wel, maar officieel weet ik van niets. Het zijn geen zaken van Carol en zelfs als ze dat wel waren, zou ze geen informatie met me delen.'

'Maar die broodschrijver vertelt iets anders?'

'Zij zegt dat er een verband is op basis van de signatuur. Maar dat heeft nog altijd niets met mij te maken. Zelfs als ze besluiten dat ze een profiel nodig hebben, zullen ze er niet mee naar mij toe komen.'

'Stomme klootzakken. Je bent de beste die er is.'

Tony dronk zijn glas leeg. 'Dat kan misschien wel zo zijn, maar wat James Blake betreft is intern afhandelen goedkoper en bovendien kan hij dan de zaken in eigen hand houden.' Een spottend lachje. 'Ik snap dat wel. Als ik hem was, zou ik mij waarschijnlijk ook niet inhuren. Te veel gedoe voor wat het oplevert.' Hij schoof zijn stoel achteruit van de tafel en stond op. 'En met die vrolijke kanttekening ga ik maar eens de autosnelweg op.'

'Is er niet een deel van je dat zou willen dat je daar op die plaats delict was?' Ambrose dronk zijn tweede glas bier leeg en stond op, waarbij hij met opzet afstand hield zodat hij niet boven zijn vriend uittorende.

Tony dacht hierover na. 'Ik zal niet ontkennen dat de mensen die dit soort dingen doen me fascineren. Hoe gestoorder ze zijn, hoe meer ik erachter wil komen wat hen drijft. En hoe ik hen kan helpen met het iets beter laten functioneren van het mechanisme.' Hij zuchtte. 'Maar ik heb genoeg van het aanschouwen van de eindresultaten. Vanavond, Alvin, ga ik naar huis en naar bed, en geloof me, er is geen plek waar ik liever zou willen zijn.'

3

De veiligste plek om iets te verstoppen was in het volle zicht. Mensen zien altijd alleen maar wat ze verwachten te zien. Dat waren enkele waarheden die hij lang voordat zijn leven door toedoen van gevangenismuren was geslonken had geleerd. Maar hij was slim en hij was vastbesloten, dus het feit dat zijn leefgebied werd ingeperkt betekende nog niet dat hij was opgehouden met leren.

Sommige mensen klapten dicht zodra ze achter de tralies terechtkwamen. Ze werden verleid door een minder chaotisch leven en getroost door voorspelbaarheid. Een van de minder bekende aspecten van het gevangenisleven was de hoge frequentie van dwangneuroses. Gevangenissen zaten vol met mannen en vrouwen die troost vonden in herhaalgedrag dat buiten de gevangenis nooit bij hen was opgekomen. Jacko Vance had zich van begin af aan gewapend tegen de verleiding van de routine.

Niet dat hij überhaupt veel routine had gekend. Gevangenen doen niets liever dan een beroemde gevangene opfokken. Toen George Michael gevangen werd gezet, hield de volledige vleugel hem de hele nacht wakker door valse vertolkingen van zijn grootste hits te brullen, waarbij ze in de loop van de nacht de tekst aan hun stemming aanpasten. Bij Vance begonnen ze zodra ze voor de nacht werden ingesloten de herkenningsmelodie van zijn tv-programma te fluiten, almaar door, als een herhaald afgespeeld liedje. Toen ze eenmaal genoeg hadden van *Vance's Visits* waren ze verdergegaan met voetbalspreekkoren over zijn vrouw en haar vriendin. Het was een vervelende introductie geweest, maar hij had zich er niet door van zijn stuk laten brengen. Hij was de volgende morgen net zo zelfverzekerd en kalm de gang van het cellenblok in gelopen als hij de avond ervoor was geweest.

Er was een reden voor zijn zelfbeheersing. Vanaf het allereerste

begin was hij vastbesloten geweest om eruit te komen. Hij wist dat het jaren zou duren en hij had zichzelf ertoe gedwongen dat te accepteren. Er waren juridische wegen te verkennen, maar hij was er niet van overtuigd dat die iets zouden opleveren. En daarom moest hij er zo snel mogelijk voor zorgen dat hij plan B paraat had, zodat hij iets had om zich op te richten. Iets om na te streven.
Die zelfbeheersing was de eerste stap van de reis. Hij moest bewijzen dat hij respect verdiende zonder de indruk te wekken dat hij probeerde het territorium van iemand anders te betreden, vooral omdat ze allemaal wisten dat hij tienermeisjes had vermoord, wat hem tot een soort halve kinderlokker maakte. Dat was allemaal niet eenvoudig geweest en hij had onderweg zo nu en dan fouten gemaakt. Maar Vance had nog altijd contact met mensen buiten de gevangenis die vasthielden aan hun geloof in zijn onschuld. En hij was zonder meer bereid om die contacten ten volle te benutten. Het te vriend houden van de alfamannetjes hierbinnen was vaak niet meer dan een kwestie van hun zaakjes daarbuiten smeren. Vance had nog steeds genoeg invloed op plaatsen waar het telde.

Geen problemen veroorzaken binnen het systeem was een ander hoofdbestanddeel van het plan. Wat hij ook uitspookte, het moest lijken alsof hij zich aan de regels hield. Goed gedrag, dat was wat hij wilde dat het gevangenispersoneel van hem zou zien. Slik die shit en gedraag je, Jacko. Maar het was net zo'n act als al het andere.

Jaren geleden had hij zitten kijken naar een aflevering van het informatieve tv-programma dat zijn ex-vrouw vroeger presenteerde. Daarin interviewde ze de directeur van een gevangenis waar een vreselijke opstand had plaatsgevonden waarbij de gevangenen feitelijk drie dagen lang de macht hadden overgenomen. De directeur had een levensmoede indruk op hem gemaakt en Vance zag hem nog steeds voor zich wanneer hij weer aan zijn woorden dacht: 'Wat je hun ook in de weg legt, ze zullen een omweg vinden.' Vance was destijds geïntrigeerd geweest en had zich afgevraagd of er iets in zat voor een tv-programma voor hem en zijn team. Nu omarmde hij de werkelijke betekenis van die woorden.

In de gevangenis waren je mogelijkheden vanzelfsprekend beperkt als het erop aankwam waar dan ook een omweg omheen te vinden. Je was weer aangewezen op je eigen middelen. Dat gaf

Vance een voorsprong op de meesten van zijn medegevangenen, die niet veel hadden om mee te werken. Maar de eigenschappen die hem tot de populairste mannelijke presentator op de Britse televisie hadden gemaakt, kwamen hem uitstekend van pas in de gevangenis. Hij was charismatisch, knap en charmant. En omdat hij een sportman van wereldklasse was geweest voor het ongeluk dat hem uiteindelijk tot zijn tv-carrière had gebracht, kon hij aanspraak maken op het imago van een echte man. En dan was er nog het George Cross waarmee hij werd onderscheiden omdat hij zijn leven had gewaagd om kleine kinderen te redden na een door mist veroorzaakte aanrijding tussen meerdere voertuigen op de autosnelweg. Of misschien was het bedoeld als troost voor het feit dat hij zijn arm was kwijtgeraakt tijdens de mislukte poging om een vrachtwagenchauffeur te redden die vastzat in zijn in elkaar gedrukte cabine. Hoe dan ook, hij dacht niet dat er een andere bajesklant in het land was aan wie de hoogste onderscheiding voor burgerlijke heldenmoed was toegekend. Dat waren allemaal zaken die in zijn voordeel werkten.

De kern van zijn plan had bestaan uit één simpel element: vrienden worden met de mensen die de macht bezaten zijn wereld te veranderen. De leiders die de gevangenen in hun macht hebben, de bewakers die bepalen wie in aanmerking komt voor de extraatjes en de psycholoog die beslist hoe jij je tijd uitzit. En ondertussen zou hij voortdurend zijn ogen openhouden voor de sleutelfiguur die hij nodig zou hebben om het allemaal te laten slagen.

Steen voor steen had hij de funderingen voor zijn ontsnapping opgebouwd. Zoals het elektrische scheerapparaat. Hij had opzettelijk zijn pols verstuikt zodat hij kon aanvoeren dat hij zich als eenarmige man onmogelijk op een andere manier zou kunnen scheren. En dan was er nog het gemak van de mensenrechtenwetgeving die hem de toegang tot geavanceerde prothesen verzekerde. Omdat het geld dat hij had verdiend voordat hij werd ontmaskerd als een seriemoordenaar van tienermeisjes niet afkomstig was van misdrijven, konden de autoriteiten er niet aan komen. Dus was zijn kunstarm de allerbeste die er in de handel was; hij was voorzien van een eenvoudige bediening en maakte individuele bewegingsfuncties van de vingers mogelijk. De synthetische huid was zo goed dat mensen die niet beter wisten niet zouden geloven dat hij niet echt was. Als je niet naar namaak op zoek was, zou je het ook niet zien. Oog voor detail, dat was wat telde.

Er was een moment gekomen dat hij dacht dat al zijn werk voor niets was geweest, maar dan wel op een goede manier. Tot verbazing van de meeste mensen had een andere rechtbank het vonnis tegen hem uiteindelijk in hoger beroep nietig verklaard. Een gelukzalig moment lang had hij gedacht als vrij man weer naar buiten te kunnen lopen. Maar die klootzaken van een politieagenten hadden hem een andere moord ten laste gelegd voordat hij ook maar uit de beklaagdenbank had kunnen komen. En die moordzaak was hem aan blijven kleven als lijm, zoals hij altijd al had gevreesd. En daarom was het dus terug naar de cel en terug naar af.

Geduld hebben en zich aan het plan houden was zwaar geweest. Jaren waren langzaam verstreken zonder veel resultaat. Maar hij had eerder zware tijden doorstaan. Het herstel van het vreselijke ongeluk dat hem had beroofd van zijn olympische medailledroom en van de vrouw van wie hij hield, had hem reserves aan wilskracht gegeven waarover maar weinig mensen konden beschikken. Jaren van training om de absolute top in zijn sport te bereiken hadden hem de waarde van doorzettingsvermogen geleerd. Vannacht zou dat alles resultaat opleveren. Binnen enkele uren zou het dat allemaal waard zijn geweest. Nu moest hij alleen nog de laatste voorbereidingen treffen.

En dan zou hij een aantal mensen een lesje leren dat ze nooit zouden vergeten.

4

Het slachtoffer was niet echt duidelijk te zien vanwege de forensische technici in witte pakken die op de plaats delict bezig waren. Wat commissaris Pete Reekie betrof was dat geen slechte zaak. Niet dat hij teergevoelig was; hij had door de jaren heen genoeg bloed gezien om praktisch immuun te zijn geworden voor het misselijkmakende potentieel ervan. Hij kon elke hoeveelheid rechttoe, rechtaan geweld aan. Maar wanneer hij werd geconfronteerd met het perverse deed hij er gewoonlijk alles aan om het soort oogcontact met de doden te vermijden waardoor hun gebroken en geschonden lichamen in zijn geheugen gegrift zouden blijven. Commissaris Reekie had niet graag dat zieke geesten toegang tot zijn hoofd hadden.

Het was al erg genoeg om zijn inspecteur een en ander over de telefoon met hem te hebben moeten horen doornemen. Reekie had een prima avond voor zijn enorme plasmascherm gehad, waar hij met een blik Stella in zijn ene hand en een sigaar in de andere zat te kijken hoe Manchester United zich aan een voorsprong van 1-0 vastklampte tegen een stijlvollere tegenstander in het Europese kampioenschap, toen zijn mobieltje was overgegaan.

'Met inspecteur Spencer,' had zijn beller zich bekendgemaakt. 'Het spijt me u te moeten storen, commissaris, maar we hebben een akelig geval hier en ik dacht dat u er wel van op de hoogte zou willen worden gebracht.'

Vanaf het moment dat hij de opsporingsdienst van de noordelijke divisie van Bradfield had overgenomen, had Reekie zijn onderdanen duidelijk gemaakt dat hij nooit onaangenaam verrast wilde worden door een zaak waarvan de media besloten die tot een publiekstrekkende kruistocht te maken. En dit was daar de keerzijde van: met nog een kwartier te gaan bij een belangrijke wedstrijd vandaan gesleurd worden. 'Kan het niet tot morgen wachten?' wilde Reekie weten, hoewel hij het antwoord al wist voordat hij zijn vraag had gesteld.

'Ik denk dat u hier wel bij wilt zijn,' zei Spencer. 'Het is weer een moord op een prostituee en volgens de arts heeft ze eenzelfde tatoeage op haar pols.'

'Wil je beweren dat we met een seriemoordenaar te maken hebben?' Reekie deed geen poging zijn ongeloof te verbergen. Sinds Hannibal Lecter wilde iedere vervloekte rechercheur zijn eigen seriemoordzaak.

'Moeilijk te zeggen, commissaris. Ik heb de eerste twee nooit gezien, maar de arts zegt dat het er hetzelfde uitziet. Alleen...'

'Voor de dag ermee, Spencer.' Reekie had inmiddels al met tegenzin zijn bierblikje op de tafel naast zijn stoel neergekwakt en zijn sigaar uitgedrukt.

'De modus operandi... nou ja, die is behoorlijk extreem in vergelijking met de andere twee.'

Reekie zuchtte en liep achterwaarts de kamer uit met zijn hoofd nog half bij de trage centrale aanvaller, die naar een perfect geplaatste pass kuierde. 'En wat moet ik me daar dan verdomme bij voorstellen, Spencer? "Behoorlijk extreem?"'

'Ze is gekruisigd. Daarna is ze ondersteboven neergezet. En vervolgens werd haar keel doorgesneden. In die volgorde, volgens de arts.' Spencers stem klonk staccato. Reekie wist niet zeker of dat kwam omdat Spencer zelf geschokt was of dat hij probeerde zijn baas schrik aan te jagen. Hoe dan ook, het miste zijn uitwerking zeker niet op Reekie. Hij voelde zuur opkomen achter in zijn keel, waar alcohol en rook in gal veranderden.

Dus hij had zelfs voordat hij het huis had verlaten al geweten dat hij deze nieuwe niet zou hoeven zien. En nu stond Reekie met zijn rug naar het afgrijselijke tafereel toe te luisteren naar Spencers pogingen om iets substantieels te destilleren uit het kleine beetje informatie dat ze tot dusver hadden. Toen Spencer er wel zo'n beetje doorheen was, onderbrak Reekie hem. 'Je zei dat de arts er zeker van is dat het de derde op rij is?'

'Voor zover we weten. Ik bedoel: er zouden er nog meer kunnen zijn.'

'Precies. Een verdomde nachtmerrie. Om nog maar te zwijgen van wat voor een aanslag het op het budget zal zijn.' Reekie rechtte zijn schouders. 'Met alle respect, inspecteur Spencer, maar ik denk dat dit er een voor de specialisten is.'

Hij zag in Spencers ogen dat het hem begon te dagen. Er was een manier waarop de inspecteur de talloze onbetaalde overwerkuren, het constante gewicht van de medialast op zijn schouders en de emotionele druk op zijn agenten kon vermijden. Spencer was geen lijntrekker, maar iedereen wist hoe je ziel uitgeput raakte door zaken als deze. En daar was geen noodzaak toe, niet als er mensen waren die zich graag met dit soort ellende bezighielden. En protocollen die vereisten dat bepaalde soorten zaken terzijde zouden moeten worden geschoven. Spencer knikte. 'Zoals u wilt, commissaris. Ik ken mijn beperkingen.'

Reekie knikte en liep bij de felle lampen en het zachte geritsel van bewegingen vandaan die de plaats delict markeerden. Hij wist precies wie hij moest bellen.

5

Hoofdinspecteur Carol Jordan greep naar de handgreep van de onderste la aan de linkerkant van haar bureau. Dit was de prijs die ze moest betalen voor haar besluit om Bradfield te verlaten. Aan het einde van de maand zou haar geroutineerde team van experts worden opgeheven en zou ze hier vertrekken. Tegen die tijd zou elke bureaulade, elke archiefkast of andere kast in haar kantoor leeggemaakt moeten zijn. Er zouden persoonlijke zaken zijn die ze zou willen meenemen: foto's, ansichtkaarten, briefjes van collega's, strips uit tijdschriften en kranten die Carol en haar collega's aan het lachen hadden gemaakt. Er zou beroepsmatig materiaal zijn dat ergens op het terrein van het politiebureau van Bradfield zou moeten worden opgeslagen. Er zouden neergekrabbelde aantekeningen zijn waaraan geen touw was vast te knopen buiten de context van het betreffende onderzoek. En er zou ook nog voldoende overblijven voor de papierversnipperaar: al die papiertjes die niemand anders ooit zou hoeven zien. Daarom was ze nagebleven om er een begin mee te maken, nadat de rest van het team het voor die dag voor gezien had gehouden.

Maar ze werd overvallen door zwaarmoedigheid zodra ze de la opentrok. Hij zat propvol met als geologische strata gelaagde zaakdossiers. Zaken die schokkend waren geweest, afschuwelijk, frustrerend, raadselachtig. Het soort zaken dat ze waarschijnlijk nooit meer onder ogen zou krijgen. Dit was niet iets wat ze zonder enige versterking zou moeten gaan aanpakken. Carol draaide rond in haar stoel en stak haar hand uit naar de la van de middelste archiefkast waarvan ze de inhoud beter kende. Ze pakte er een van de miniflesjes wodka uit die ze had verzameld uit de minibars van hotelkamers, uit treinrestauraties en tijdens zakelijke vluchten. Ze goot het restant koffie uit een mok in de prullenbak, veegde hem schoon met een zakdoekje en schonk de wodka erin. Het leek wat weinig. Ze pakte een tweede flesje en schonk dat ook uit. Het zag er nog steeds amper uit als een borrel. Ze sloeg hem achterover en vond dat het ook nauwelijks als een borrel aanvoelde. Ze goot nog twee flesjes in de mok en zette hem op het bureau neer.

'Om af en toe een slokje van te nemen,' zei Carol hardop. Ze had geen drankprobleem. Wat Tony Hill ook mocht denken, zij had de alcohol onder controle in plaats van andersom. Er waren momenten in haar verleden geweest dat het niet veel had gescheeld, maar die lagen nu achter haar. Er plezier aan beleven dat een paar drankjes de zaken enigszins verzachtten, vormde nog niet meteen een probleem. Het deed geen afbreuk aan de kwaliteit van haar werk en het had geen negatieve invloed op haar persoonlijke relaties. 'Wat die dan ook mogen zijn,' mopperde ze terwijl ze een bundel dossiers uit de la trok.

Ze had genoeg van de stapel doorgespit om het overgaan van de telefoon als een redding te ervaren. Het scherm op haar telefoon gaf aan dat het om een politiemobieltje ging, maar ze herkende het nummer niet. 'Hoofdinspecteur Jordan,' zei ze terwijl ze de mok pakte, die tot haar verrassing leeg bleek.

'Commissaris Reekie van de noordelijke divisie hier,' sprak een norse stem.

Carol kende Reekie niet, maar het moest wel belangrijk zijn als iemand van zo hoog op de ladder 's avonds nog zo laat aan het werk was. 'Waarmee kan ik u van dienst zijn, commissaris?'

'We hebben hier een zaak waarvan ik denk dat het echt iets voor jouw team is,' zei Reekie. 'Het leek mij het beste om jullie er zo snel mogelijk bij te halen. Nu de plaats delict nog vers is.'

'Zo hebben we ze graag,' zei Carol. 'Maar mijn team wordt opgeheven, weet u.'

'Ik heb inderdaad gehoord dat je bezig zou zijn over je ontslagvoorwaarden,' zei Reekie. 'Maar je bent toch nog steeds in functie? Ik dacht dat je je tanden nog wel in een laatste speciale zaak zou willen zetten.'

Het waren niet de woorden die zij zou hebben gekozen, maar ze begreep wat hij bedoelde. Ze herkenden allemaal wel het verschil tussen alledaags huiselijk geweld en de criminele machtsstrijd die de bestanddelen van de meeste moordzaken vormden en moorden die erop duidden dat er een gestoorde geest aan het werk was geweest. Zaken waarmee iets mysterieus aan de hand was, waren betrekkelijk zeldzaam. Dus eigenlijk was 'speciaal' nog niet eens zo'n vreemd woord om aan een moord toe te kennen. 'Stuur me een sms met de locatie en ik zal er zo snel mogelijk zijn,' zei ze terwijl ze de nog niet onderzochte dossiers teruglegde en de la dichtschopte.

Haar oog viel op de lege mok. Technisch gezien had ze al te veel op. Ze voelde zich uitstekend in staat om te rijden, een uitspraak die ze gedurende haar carrière van tientallen protesterende dronkenlappen in arrestatieruimten had gehoord. Aan de andere kant wilde ze ook niet in haar eentje bij een plaats delict komen opdagen. Als ze besloten de zaak over te nemen, dan moesten er onmiddellijk bepaalde zaken in werking worden gezet, en dat was nu niet het beste gebruik van haar tijd of vaardigheden. Ze ging in gedachten haar teamleden langs. Van haar twee brigadiers had Chris Devine de laatste tijd al te vaak tot 's avonds laat gewerkt bij de voorbereiding van een zaak voor een groot proces en Kevin Matthews was zijn trouwdag aan het vieren. Reekie had niet al te bezorgd geklonken, dus het was het waarschijnlijk niet waard om een zeldzaam avondje uit te verpesten. Dus bleven haar agenten over. Stacey Chen voelde zich altijd meer op haar gemak met machines dan met mensen en Carol had nog altijd het gevoel dat Sam Evans meer om zijn eigen carrière gaf dan om de slachtoffers voor wie ze er eigenlijk waren, zodat Paula McIntyre overbleef. Terwijl ze Paula's nummer belde, besefte ze dat het altijd Paula zou zijn.

Sommige dingen veranderen nooit, dacht Paula; naar een moordlocatie rijden met de opkomende tinteling van adrenaline in je lichaam. Telkens weer voelde ze die opwinding in haar bloed.

'Het spijt me dat ik je moest oproepen,' zei Carol.

Dat meende ze niet echt, dacht Paula. Maar Carol was er altijd goed in om ervoor te zorgen dat haar teamleden nooit het gevoel kregen dat er geen rekening met hen werd gehouden. Paula's ogen bleven op de weg gericht. Ze reed flink wat harder dan de maximumsnelheid, maar had de auto nog wel onder controle. Niemand wilde herinnerd worden als een van die agenten die een onschuldi-

ge omstander neermaaide in zijn haast om de doden te bereiken.
'Geen probleem, chef,' zei ze. 'Elinor heeft oproepdienst, dus we hadden gewoon een rustig avondje thuis. Een spelletje scrabble en een afhaalmaaltijd.' Carol was niet de enige die iedereen te vriend wilde houden.

'Maar toch...'

Paula grinnikte. 'Ik was toch aan het verliezen. Waar gaat het om?'

'Reekie belde via een openbare verbinding, dus we hebben het niet over de details gehad. Alles wat ik weet, is dat hij denkt dat het echt iets voor ons is.'

'Niet zo heel erg lang meer,' zei Paula, zich bewust van de bitterheid en de spijt in haar stem.

'Het zou ook zijn gebeurd als ik was gebleven.'

Paula schrok op. 'Ik geef u ook niet de schuld, chef. Ik weet aan wie we het te danken hebben.' Ze wierp een snelle blik op Carol. 'Ik vroeg me af...'

'Natuurlijk zal ik een goed woordje voor je doen.'

'Eigenlijk had ik gehoopt op iets meer dan dat.' Paula haalde diep adem. Ze probeerde al dagen een geschikt moment te vinden, maar er was steeds iets tussen gekomen. Als ze niet haar voordeel deed met het feit dat ze Carol nu voor zich alleen had, wie weet wanneer zich dan weer zo'n kans zou voordoen? 'Als ik zou solliciteren, zou er dan een baan voor me zijn in West Mercia?'

Dit overviel Carol. 'Ik weet het niet. Het is nooit bij me opgekomen dat iemand zou...' Ze ging verzitten om Paula beter te kunnen opnemen. 'Het zal niet zoals hier zijn, weet je. Het aantal moordzaken daar is verwaarloosbaar in vergelijking met Bradfield. Het zal veel meer lijken op routinewerk bij de opsporingsdienst.'

Paula's gezicht krulde op in een glimlach. 'Daar zou ik mee kunnen leven. Ik heb wat mij betreft mijn portie in de frontlinies bij verknipte zaken wel gehad.'

'Dat kan ik niet ontkennen. Als dat is wat je wilt, dan zal ik daar mijn best voor doen,' zei Carol. 'Maar ik dacht dat je hier redelijk gesetteld was. Met Elinor?'

'Elinor is niet het probleem. Althans, niet op de manier die u suggereert. Het geval wil dat ze de volgende stap in haar medische carrière moet zetten. Ze heeft gehoord dat er in Birmingham een goede baan aan zit te komen. En de reis van Bradfield naar Birmingham is er niet een die je elke dag wilt maken als je bij je volle verstand bent. Dus...' Paula ging langzamer rijden voor een kruising en speurde de weg in beide richtingen af voordat ze eroverheen schoot. 'Als ze voor die baan gaat, moet ik mijn mogelijkheden overdenken. En als u naar West Mercia gaat, leek het me dat ik net zo goed gebruik kon maken van mijn connecties.' Ze keek Carol aan en grijnsde.

'Ik zal zien wat ik kan doen,' zei Carol. 'Er is niemand die ik liever in mijn team zou hebben,' voegde ze er nog aan toe, en dat meende ze.

'Ik kon goed opschieten met die brigadier met wie we hebben samengewerkt bij die RigMarole-moorden,' zei Paula om haar punt nog maar eens te onderstrepen. 'Alvin Ambrose. Ik zou graag weer met hem willen samenwerken.'

Carol kreunde. 'Ik heb het begrepen, Paula. Je hoeft het er niet zo dik bovenop te leggen. En het kan zijn dat het uiteindelijk niet aan mij is. Je weet hoe de zaken momenteel liggen, hoe de bezuinigingen erin hakken bij de agenten aan de frontlijn.'

'Ik weet het. Het spijt me, chef.' Ze keek fronsend naar haar navigatiesysteem en maakte toen aarzelend een bocht naar links, een klein industrieterrein op, waar prefab pakhuizen met hun zwak aflopende daken langs de kronkelende weg stonden. Toen ze de laatste bocht omkwamen, wist Paula dat ze op de juiste plek was. Een klein aantal politieauto's en voertuigen van de forensische dienst stond om het laatste pakhuis op het terrein heen, hun blauwe zwaailichten gedoofd in een poging geen aandacht te trekken. Maar je kon de fladderende slingers van politielint waarmee het gebouw was afgezet niet missen. Paula reed ernaartoe, deed de motor uit en zette zich schrap. 'Daar zijn we dan.'

Dit waren de gelegenheden waarbij Carol inzag dat het nooit genoeg zou zijn, ook al was ze nog zo'n goede politieagent. Dat je altijd na de daad kwam aanzetten werd moeilijker te verdragen naarmate ze dit werk langer deed. Ze zou willen dat Tony bij haar was, en niet alleen omdat hij de plaats delict anders zou lezen dan zij.

Hij begreep haar verlangen om voorvallen als dit te voorkomen, gebeurtenissen die de levens van mensen aan flarden scheurden en hen achterlieten met gapende gaten in de structuur van alledag. Gerechtigheid was waarnaar Carol hunkerde, maar tegenwoordig had ze het gevoel dat die zelden kwam opdagen.

Commissaris Reekie had niet veel gezegd en daar was ze blij om. Voor sommige dingen waren geen woorden en te veel agenten probeerden hun afschuw op afstand te houden met geklets. Maar niets kon een aanblik als deze op een afstand houden.

De vrouw was naakt. Carol kon meerdere smalle oppervlakkige snijwonden op haar huid zien en vroeg zich af of de moordenaar haar de kleren van het lijf had gesneden. Ze zou de fotograaf van de technische recherche vragen ervoor te zorgen dat ze op zijn foto's zouden staan, zodat ze ze konden vergelijken als de kleren boven water zouden komen.

Het lichaam van de vrouw was met stevige, vijftien centimeter lange spijkers door haar polsen en enkels aan een kruis bevestigd. Carol probeerde niet te huiveren bij de gedachte aan hoe dat moest hebben geklonken; de klap van een hamer op spijkers, het gekraak van botten, de schreeuw van ondraaglijke pijn die van de metalen wanden weerkaatste. Vervolgens was het kruis ondersteboven tegen de wand neergezet, zodat haar geblondeerde haar over de zanderige cementen vloer streek, de haarwortels een donkere lijn op haar voorhoofd.

Maar haar dood was niet het gevolg van kruisiging. Carol bedacht dat je de woeste houw in haar keel misschien wel als een vorm van barmhartigheid moest bestempelen, maar dan van het soort dat zij nooit hoopte nodig te hebben. De snee was zo diep dat de belangrijkste bloedvaten waren doorgehakt. Door de bloeddruk had het bloed een indrukwekkende afstand afgelegd en waren de spatten overal op de vloer om haar heen zichtbaar behalve op één stukje. 'Daar stond hij,' zei ze half tegen zichzelf. 'Hij moet met bloed doorweekt zijn geweest.'

'Hij moet vreselijk sterk zijn,' zei Paula. 'Het is zwaar werk om een houten kruis met een lichaam erop te verplaatsen. Ik denk niet dat het mij zou lukken.'

De gedaante in het witte pak die het dichtst bij het lijk aan het werk was, draaide zich om en keek hen aan. Zijn woorden werden enigszins gedempt door zijn masker, maar Carol kon ze duidelijk genoeg verstaan. Ze herkende het Canadese accent van de patholoog van Binnenlandse Zaken, Grisja Sjatalov. 'Het hout is maar twee bij vijftien centimeter. En zij stelt al helemaal niets voor: klassieke fysiologie van een verslaafde, alleen wijst niets erop dat ze spoot. Ik wil wedden dat je haar zonder al te veel moeite zou kunnen optillen en op haar plaats zou kunnen zetten, rechercheur McIntyre.'

'Hoe lang is ze al dood, Grisja?' zei Carol.

'Je stelt nooit de vragen die ik kan beantwoorden,' zei hij met een vermoeid soort humor in zijn stem. 'Mijn beste gok op dit moment is dat ze ongeveer vierentwintig uur dood is.'

'Deze ruimte staat al zo'n vier maanden leeg,' zei Reekie. 'De bewaker heeft niet opgemerkt dat de achterdeur geforceerd was.' Zijn minachting was overduidelijk.

'Hoe hebben we haar dan gevonden?' vroeg Carol.

'Zoals wel vaker. Een man die zijn hond aan het einde van de avond uitliet. De hond rende regelrecht op de achterdeur af. Het beest moet het bloed hebben geroken.' Reekie trok zijn neus op. 'Niet verwonderlijk. Volgens de eigenaar vloog de hond tegen de deur op en zwaaide de deur open, waarna de hond naar binnen verdween en niet meer naar buiten wilde komen toen hij hem riep. Daarom is hij naar binnen gegaan met zijn zaklantaarn aan. Hij had aan één blik genoeg om ons te bellen.' Hij lachte vreugdeloos. 'Hij was in ieder geval zo verstandig om de hond vast te grijpen voordat hij de plaats delict compleet kon verstoren.'

'Maar dr. Sjatalov denkt dat ze gisteravond al werd vermoord. Hoe kan het dan dat de hond haar toen niet heeft gevonden?'

Reekie keek over zijn schouder naar waar zijn inspecteur stond die het eerst ter plekke was. Hij had tot dan toe gezwegen, maar hij wist wat er van hem werd verwacht. 'Volgens de eigenaar zijn ze gisteravond niet deze kant opgegaan. Dat zullen we vanzelfsprekend nog nagaan.'

'Vertrouw nooit de vinder van het lichaam,' zei Reekie.

Alsof wij dat niet zouden weten, dacht Carol. Ze staarde naar het lijk, nam elk detail in zich op en vroeg zich af welke loop der gebeurtenissen deze jonge vrouw hiernaartoe had gebracht. 'Enige vorm van identificatie?' zei ze.

'Tot nu toe niet,' zei Spencer. 'We hebben wat last van straatprostitutie langs de weg naar het vliegveld. Voornamelijk Oost-Europese vrouwen. Waarschijnlijk komt ze daarvandaan.'

'Tenzij hij haar uit het centrum heeft meegenomen. Van Temple Fields,' zei Paula.

'De eerste twee kwamen hiervandaan,' zei Reekie.

'Laten we dan maar hopen dat Grisja haar er menselijk genoeg kan laten uitzien om haar op grond van een foto te kunnen identificeren,' zei Carol. 'U zei "de eerste twee", commissaris. Weet u zeker dat we hier met een reeks te maken hebben?'

Reekie draaide zich weer om naar het lichaam. 'Laat het haar maar zien, dokter.'

Grisja wees naar iets wat eruitzag als een tatoeage op de binnenkant van de pols van de vrouw. Hij was gedeeltelijk bedekt met bloed, maar Carol kon de letters wel onderscheiden. VAN MIJ. Een boodschap die walgelijk, ziek en brutaal was. Desalniettemin fluisterde een duiveltje in Carols achterhoofd: 'Haal hier alles uit wat erin zit. Als je naar West Mercia gaat, zul je nooit meer zo'n interessante plaats delict onder ogen krijgen.'

6

Tegen alle verwachtingen in hadden jaren van ogenschijnlijk voorbeeldig gedrag hem een plek opgeleverd in de vleugel van de therapeutische gemeenschap in de gevangenis van Oakworth midden op het platteland van Worcestershire. Er was geen vaste tijd waarop de verlichting uitging in deze vleugel, omdat hij was afgescheiden van de rest van de gevangenis: de gevangenen mochten het licht uitdoen wanneer ze wilden. En de piepkleine badkamer die bij zijn cel hoorde, gaf hem een mate van privacy waarvan hij het bestaan al bijna was vergeten. Vance deed het licht uit, maar liet de televisie aanstaan, zodat hij niet in totale duisternis hoefde te werken. Hij spreidde een krant uit op de tafel en hakte zijn haar er vervolgens nauwgezet af met een scheermes. Toen het kort genoeg was, haalde hij het elektrische scheerapparaat heen en weer over zijn schedel tot hij zo glad was als een biljartbal. Dankzij zijn bleke gevangeniskleurtje zou er geen verschil in huidskleur zijn tussen de zojuist geschoren huid en zijn gezicht. Daarna schoor hij de volle baard af die hij de afgelopen weken had laten staan en liet slechts een sikje en een snor over. De afgelopen paar jaar had hij zijn gezichtshaar steeds anders getrimd – van een volle baard tot een gladgeschoren gezicht, van ringbaardje tot Zapata-snor – zodat niemand er aandacht aan zou schenken wanneer hij zich het uiterlijk zou aanmeten waar het hem om te doen was.

Het belangrijkste onderdeel van zijn gedaanteverandering lag nog voor hem. Hij strekte zijn arm uit naar de boekenplank boven de tafel en pakte er een groot formaat boek af, een gelimiteerde uitgave van een verzameling litho's van hedendaagse Russische kunstenaars. Noch Vance noch de gemiddelde gevangene had enige interesse voor kunst. Wat dit boek waardevol maakte, was het zware kartonpapier waarop het was gedrukt: het papier was zo dik dat de pagina's konden worden opengesneden om te worden gebruikt om dunne plastic vellen met overdrukken van tatoeages in te verbergen.

De overdrukken waren nauwgezet nagemaakt op basis van foto's die Vance met zijn naar binnen gesmokkelde smartphone had gemaakt. Ze gaven tot in detail de uitvoerige en bonte bodyart weer waarmee de armen en de hals van Jason Collins waren bedekt, de man die op dit moment in Vance' bed sliep. Want Vance bevond zich niet in zijn eigen cel vannacht. De afleidingsmanoeuvre die hij had gecreëerd, had perfect gewerkt.

Een foto van Damon Todds vrouw die zich tegen de broer van Cash Costello aandrukte in de bar van een of andere nachtclub was alles wat daarvoor nodig was geweest. Vance had hem terloops op de tafeltennistafel laten vallen toen hij er vanavond tijdens de recreatietijd voorbij was gelopen. Zoals hij had voorzien, had iemand hem vervolgens natuurlijk opgepakt en onmiddellijk de betekenis ervan ingezien. Gejoel en uitingen van spot waren het gevolg en Todd was uiteraard woedend geworden, waarna hij zich op Costello had gestort. Dat zou het einde betekenen van hun tijd in de vleugel van de therapeutische gemeenschap, al hun goede gedrag ongedaan gemaakt in één onbeheerste woedeaanval. Niet dat het Vance iets kon schelen. Hij had zich nooit iets aangetrokken van nevenschade.

Waar het om ging, was dat de ordeverstoring de aandacht van de bewakers in de vleugel net lang genoeg had afgeleid om Vance en Collins de gelegenheid te geven naar de verkeerde cel terug te keren. Tegen de tijd dat de rust was weergekeerd en de gevangenbewaarders hun laatste ronde langs de cellen liepen, hadden beide mannen hun lichten al uit en deden ze net alsof ze in diepe slaap waren. Er was geen reden om aan te nemen dat ze niet waren waar ze behoorden te zijn.

Vance stond op en liet koud water in de wasbak lopen. Hij scheurde de eerste geprepareerde bladzijde uit het boek en pulkte de twee lagen papier los van het plastic. Hij dompelde de dunne plastic folie onder in de wasbak en toen de doordruk van de tatoeage begon los te komen bracht hij hem uiterst nauwkeurig aan op zijn prothese. Het was een langdurig procedé, maar het ging lang niet zo onhandig als toen hij het op zijn andere arm aanbracht. De nieuwe kunstarm was weliswaar buitengewoon goed, maar wat hij ermee kon stond nog ver af van de fijne motoriek van een echte arm. En alles hing af van het feit of hij de details goed kon krijgen.

Tegen de tijd dat hij klaar was, stond het zweet op zijn hoofd en liepen er dunne straaltjes transpiratievocht langs zijn rug en flanken omlaag. Hij had het naar beste kunnen gedaan. Als je hem naast Collins zou zetten, zou je met gemak de echte tatoeages van de nagemaakte kunnen onderscheiden, maar tenzij de zaken vreselijk misliepen, zou dat niet gaan gebeuren. Vance pakte de nagemaakte bril van Collins op die zijn helper buiten de gevangenis voor hem had laten maken en zette hem op. De wereld schommelde en vervaagde, maar niet zo erg dat hij er niet mee uit de voeten zou kunnen. De glazen waren veel minder sterk dan die van Collins' eigen bril, maar een vluchtige controle zou aantonen dat ze niet van ongeslepen glas waren gemaakt. Details, het kwam allemaal op details aan.

Hij sloot zijn ogen en riep het geluid van Collins' nasale Midlands-accent op. Dat was het moeilijkste onderdeel van de imitatie voor Vance. Hij was nooit echt goed geweest in het imiteren van anderen. Hij had altijd genoeg gehad aan zichzelf. Maar voor deze ene keer zou hij zichzelf moeten verliezen in andermans stem. Hij zou proberen het praten tot een minimum te beperken, maar hij moest ervoor waken niet op zijn eigen warme gebruikelijke toon te antwoorden. Hij moest denken aan de scène uit *The Great Escape* waarin Gordon Jacksons personage zichzelf verraadt door automatisch antwoord te geven wanneer hij in het Engels wordt aangesproken. Vance zou het er beter vanaf moeten brengen. Hij kon het zich niet veroorloven te verslappen, geen moment. Niet voordat hij vrij en veilig buiten was.

Het had jaren gekost om zover te komen. Eerst om überhaupt toegelaten te worden tot de therapeutische gemeenschap en vervolgens om iemand te vinden die ongeveer even groot was als hij en dezelfde bouw had en bovendien grote behoefte had aan wat Vance hem kon bieden. Hij had Jason Collins in het vizier gehad vanaf de eerste dag dat die akelige kleine brandstichter de groepstherapie was komen binnenlopen. Collins had altijd in opdracht gewerkt en stak bedrijven in brand voor geld. Maar Vance had er geen psycholoog voor nodig om hem te vertellen dat Collins' motieven duisterder en dieper waren dan dat. Dat hij überhaupt in de groep zat, zei al genoeg.

Vance had aangepapt met Collins, had zijn verdriet over het verlies van zijn gezinsleven blootgelegd en begon de zaadjes der mogelijkheden te planten: wat Vance' geld voor Collins' drie kinderen zou kunnen betekenen en voor zijn vrouw. Lange tijd had Vance het gevoel dat hij geen enkele vooruitgang boekte. Het belangrijkste struikelblok was dat hulp bieden aan Vance meer jaren zou toevoegen aan Collins' bestaande veroordeling.

En toen kreeg Collins een ander soort straf: leukemie. Van het soort waarbij je maar een kans van veertig procent hebt dat je vijf jaar na de aanvankelijke diagnose nog in leven bent. En dat betekende dat hij waarschijnlijk nooit een tweede kans zou krijgen om zijn kinderen of zijn vrouw een toekomst te geven. Zelfs als hij de maximale aftrek van zijn straf zou krijgen, had Collins nog het gevoel dat hij alleen maar naar huis zou terugkeren om te sterven. 'Ze zouden je evengoed wel naar huis laten gaan als de dood zo dichtbij komt,' had Vance hem duidelijk gemaakt. 'Kijk maar naar wat er is gebeurd met die bommenlegger van Lockerbie.' Het leek een perverse vorm van een win-winsituatie. Collins kon Vance helpen met ontsnappen en het zou zonder verdere gevolgen blijven: ze zouden hem er evengoed uit laten wanneer hij heel erg ziek werd. Hij zou hoe dan ook zijn laatste dagen met zijn gezin kunnen doorbrengen. En als ze het op Vance' manier deden, zouden zijn vrouw en kinderen zich nooit meer zorgen hoeven maken om geld.

Vance had al zijn overtuigingskracht moeten inzetten en meer geduld moeten hebben dan hij wist dat hij in zich had om Collins er op zijn manier over te laten denken. 'Jullie raken allemaal ontwend aan vriendelijkheid,' had zijn psycholoog ooit opgemerkt. Dat had Vance een krachtig instrument in handen gegeven en uiteindelijk was het hem gelukt. Collins' oudste zoon zou naar de beste particuliere school in Warwickshire gaan en Jacko Vance stond op het punt om uit de gevangenis weg te wandelen.

Vance ruimde op en scheurde het doorweekte papier in stukken, waarna hij het samen met zijn haar, dat hij in dunne pakjes toiletpapier had gewikkeld, doorspoelde. Hij verfrommelde de plastic folie tot kleine balletjes, die hij vervolgens tussen de tafel en de muur propte. Toen hij niets meer kon bedenken ging hij uiteindelijk op het smalle bed liggen. De lucht deed het zweet op zijn lichaam afkoelen en hij trok rillend het dekbed over zich heen.

Het zou allemaal goed komen. Morgen zou de cipier Jason Collins komen ophalen voor de eerste dag van zijn voorwaardelijke invrijheidsstelling. Voorwaardelijke invrijheidsstelling was waarvan elke gevangene in de therapeutische gemeenschap droomde: de dag dat ze de gevangenispoorten zouden uit lopen om een dag in een fabriek of een kantoor door te brengen. Wat vreselijk armzalig, dacht Vance. Een therapie die de horizon van een man zo versmalde dat een dag van alledaagse eentonigheid iets werd om naar te streven. Het had hem elk greintje van zijn vermogen tot huichelarij gekost om zijn verachting voor het regime te verbergen. Maar het was hem gelukt, omdat hij wist dat dit de sleutel was tot zijn terugkeer naar een leven buiten de gevangenismuren.

Want niet iedereen in de therapeutische gemeenschap zou toestemming krijgen om naar buiten te gaan. Voor Vance en een handjevol anderen zou dat altijd met een te groot risico gepaard gaan. Het maakte niet uit dat hij die vervloekte teef van een psychologe ervan had overtuigd dat hij een ander mens was geworden dan de man die de uiterst schokkende moord had gepleegd waarvoor hij was veroordeeld. Om maar te zwijgen van al die andere tienermeisjes voor wier dood hij technisch gezien niet verantwoordelijk was omdat hij nooit schuldig was bevonden aan die moorden. Maar geen enkele minister van Binnenlandse Zaken wilde bekend komen te staan als de persoon die Jacko Vance op vrije voeten had gesteld. Het maakte niet uit hoe de opgelegde straf van de rechter luidde. Vance wist dat er voor hem nooit sprake zou zijn van een officiële terugkeer in de maatschappij. En hij moest toegeven dat hij zichzelf ook niet vrij zou laten als hij het voor het zeggen had. Maar hij wist dan ook precies waartoe hij in staat was. De autoriteiten konden daar alleen maar naar gissen.

Vance glimlachte in het donker. Hij was van plan zeer spoedig een einde aan het giswerk te maken.

7

De politieauto maakte op Carols aanwijzing een langzame bocht naar links. 'Derde huis aan de linkerkant,' zei ze, haar stem een vermoeide zucht. Ze had Paula op de plaats delict achtergelaten om erop toe te zien dat de zaken werden afgehandeld op de manier zoals het Team Zware Misdrijven het graag zag. Carol had geen moeite met delegeren, niet met een door haarzelf uitgekozen team zoals dit. Ze vroeg zich af of ze in Worcester over diezelfde luxe zou kunnen beschikken.

'Hoofdinspecteur?' De chauffeur, een wat trage verkeersagent van ergens in de twintig, klonk op zijn hoede.

Carol bracht zichzelf ertoe op te letten. 'Ja? Wat is er?'

'Er zit een man in een geparkeerde auto voor het derde huis aan de linkerkant. Het lijkt erop dat hij met zijn hoofd op het stuur hangt,' zei hij. 'Wilt u dat ik het nummerbord door de nationale politiecomputer laat controleren?'

Toen ze op gelijke hoogte met de auto kwamen, keek Carol uit het raam. Ze was verrast maar niet geschokt daar Tony aan te treffen die, zoals de agent had gezegd, inderdaad met zijn hoofd op zijn armen op het stuur lag. 'Het is niet nodig de computer te raadplegen,' zei ze. 'Ik weet wie hij is.'

'Wilt u dat ik even met hem ga praten?'

Carol glimlachte. 'Bedankt, maar dat zal niet nodig zijn. Hij is volkomen ongevaarlijk.' Dat was strikt genomen niet waar, maar in het beperkte referentiekader van een verkeersagent kwam het daar wel zo'n beetje op neer.

'Zoals u wilt,' zei hij terwijl hij voor Tony's auto tot stilstand kwam. 'Welterusten, hoofdinspecteur.'

'Welterusten. Je hoeft niet te wachten, het is in orde zo.' Carol stapte de auto uit en liep naar Tony's auto. Ze wachtte nog even tot de politiewagen wegreed, deed toen de passagiersdeur open en stapte in. Door het dichtklikken van het slot schoot Tony's hoofd naar achteren en hij hapte naar lucht alsof hij een klap had gekregen.

'Godverdomme,' zei hij met een angstige en gedesoriënteerde stem. Zijn hoofd schoot van links naar rechts terwijl hij probeerde te bevatten waar hij was. 'Carol? Wat doe jij...?'

Ze klopte hem op zijn arm. 'Je bent voor je huis in Bradfield. Je lag te slapen. Ik kwam thuis van mijn werk en zag je zitten. Het leek me niet waarschijnlijk dat het je bedoeling was de hele nacht hier in de auto voor pampus te liggen.'

Hij wreef met zijn handen over zijn gezicht alsof hij water over zich heen gooide en keek haar toen met opengesperde ogen geschrokken aan. 'Ik was naar een *podcast* aan het luisteren. De onvolprezen dr. Gwen Adshead van Broadmoor had het over het omgaan met de rampen die onze patiënten zijn. Toen ik thuiskwam was ze nog steeds bezig en ik wilde het helemaal afluisteren. Ik kan niet geloven dat ik in slaap ben gevallen: ze zei verstandigere dingen dan ik iemand in lange tijd heb horen zeggen.' Hij gaapte en schudde zichzelf wakker. 'Hoe laat is het?'

'Even na drieën.'

'Mijn god. Ik ben niet lang na middernacht thuisgekomen.' Hij rilde. 'Ik heb het behoorlijk koud.'

'Dat verbaast me niets.' Carol opende de deur. 'Ik weet niet wat jij doet, maar ik ga naar binnen.'

Tony haastte zich aan zijn kant de auto uit en haalde haar in. 'Waarom kom je pas na drieën thuis? Wil je iets drinken? Ik ben nu toch klaarwakker.'

Hij kon zo op een klein kind lijken, dacht ze. Zomaar uit het niets was hij een en al geestdrift en nieuwsgierigheid. 'Ik wil nog wel een slaapmutsje bij je komen drinken,' zei ze, waarna ze hem naar zijn voordeur volgde in plaats van naar de zijdeur die naar haar opzichzelfstaande appartement in het souterrain leidde.

Binnen hing nog de stilstaande koude lucht van een ruimte die meer dan een paar uur lang leeg is geweest. 'Doe de kachel in mijn kantoor aan, die wordt sneller warm dan die in de woonkamer,' zei Tony terwijl hij naar de keuken liep. 'Wijn of wodka?'

Hij kende haar goed genoeg om te weten dat hij haar niets anders hoefde aan te bieden. 'Wodka,' riep ze terwijl ze gehurkt ging zitten om de strijd met de ontsteking van de gaskachel aan te gaan. Ze was de tel kwijt hoe vaak ze hem had aangeraden onderhoud aan de kachel te laten plegen, zodat hij zonder geworstel aan de praat te krijgen zou zijn. Maar dat deed er nu niet meer toe. Binnen een paar weken zou de verkoop van dit huis en haar bijbehorende appartement zijn afgerond en zou hij de problemen van een heel nieuw huis hebben om te kunnen negeren. Maar dan zouden de problemen niet de kans krijgen om uit te groeien tot irritaties die haar zouden dwarszitten. Want zij zou er dan ook wonen en ze kon dat soort gekmakend gedoe niet verdragen.

De kachel sprong eindelijk aan toen Tony terugkwam met een fles Russische wodka, een fles calvados en twee bekerglazen die eruitzagen alsof hij ze ergens in de jaren tachtig gratis bij het tanken had gekregen. 'Ik heb de mooie glazen al ingepakt,' zei hij.

'Allebei?' Carol pakte de fles vast en kromp ineen van de kou. Hij had duidelijk in het vriesvak gelegen en de sterkedrank gleed in trage golfjes uit de fles toen ze hem inschonk.

'Dus waarom kom je pas na drieën thuis? Je ziet er niet uit alsof je van een feestje komt.'

'Commissaris Reekie van de noordelijke divisie wil dat ik met een schitterende gloriedaad afsluit,' zei ze droog.

'Dan gaat het zeker om een zaak die zwaar op zijn budget zou drukken?' Tony hief zijn glas in een cynische toost. 'Je zou verwachten dat het uit een compleet ander potje zou komen en niet gewoon bij een andere afdeling binnen dezelfde organisatie vandaan. Het is verbazingwekkend hoeveel zaken het stempel "Team Zware Misdrijven" hebben gekregen sinds de bezuinigingsactie van de hoofdcommissaris.'

'En dat is alleen nog maar meer geworden sinds bekend is geworden dat ik ga vertrekken.' Carol zuchtte. 'Maar deze zaak... in minder sobere tijden zouden we er sowieso met de noordelijke divisie om hebben gestreden.'

'Een erge?'

Carol nam een flinke slok wodka en vulde haar glas bij. 'Van het ergste soort. Jouw soort. Iemand heeft een prostituee aan een kruis genageld. Ondersteboven. Daarna heeft hij haar keel doorgesneden.' Ze haalde diep adem en ademde langzaam weer uit. 'De noordelijke divisie denkt dat hij het eerder heeft gedaan. Niet op dezelfde manier natuurlijk, want dan hadden we er wel van gehoord. Maar ze hebben daar recentelijk nog twee vermoorde prostituees gehad. Verschillende methoden: de een gewurgd en de ander verdronken.'

Tony leunde met zijn ellebogen op zijn knieën naar voren in zijn stoel en zijn ogen stonden zo wakker als wat. 'Ik werd eerder op de avond door Penny Burgess gebeld. Ik denk dat het wel eens hiermee te maken zou kunnen hebben gehad.'

'Echt waar? Wat had ze dan te melden?'

'Ik weet het niet, ik luisterde niet echt. Maar ze leek te denken dat ik erbij betrokken moest worden. Dat er iets met een seriemoordenaar gaande is.'

'Ze zou wel eens gelijk kunnen hebben. Alle drie de slachtoffers hebben op de binnenkant van hun pols iets staan wat op een tatoeage lijkt. VAN MIJ staat er.'

'En ze hebben geen verband gelegd tussen de eerste twee?' Tony leek het niet te kunnen geloven.

'Om eerlijk te zijn kregen ze gisteren pas de kans om dat verband te leggen. Het lichaam van de verdronken vrouw was nu niet bepaald in goede staat. Grisja heeft het lichaam niet lang tot zijn beschikking gehad en het heeft even geduurd voordat ze er zeker van waren waarnaar ze op zoek waren.' Carol trok haar schouders op en haalde haar vingers door haar verwarde blonde haar. 'Het was lastig om de betekenis ervan in te zien op het eerste lichaam, omdat ze ook nog andere tatoeages op haar armen en bovenlichaam had en er dus geen reden was om aan te nemen dat VAN MIJ meer te betekenen had dan het op haar onderrug getatoeëerde BECKHAM.'

'En deze laatste? Heeft zij ook VAN MIJ op haar pols staan? Interessant.'

'Daar ziet het wel naar uit. Er is sprake van veel bloed en zwellingen, omdat hij haar door haar pols aan het hout heeft gespijkerd...' Carol huiverde. 'Maar er staat zeker iets. Daarom heeft Reekie me gebeld en heeft hij het aan ons overgedragen. Zij zullen het gewone recherchewerk doen.'

'Maar het zal nog steeds uit jouw budget komen en het erop laten lijken dat jij degene bent die veel geld uitgeeft in plaats van Reekie. De vrouwen, de slachtoffers, kwamen die uit het noorden vandaan? Of werkten ze op Temple Fields of iets dergelijks en werden ze gewoon buiten het stadscentrum vermoord?'

'Allebei uit het noorden. Niet professioneel, op straat, ze werkten niet binnenshuis.'

'Jong? Ouder?'

'Jong. Drugsgebruikers, zoals te verwachten viel. En vanwege de manier waarop ze hun geld verdienden kunnen we er ook niet zeker van zijn dat ze seksueel waren aangerand.' Ze stak een hand in de lucht. 'Ik weet het, ik weet het. De kans is groot dat seks er op de een of andere manier ook mee te maken heeft.'

'Alleen niet altijd op een voor de hand liggende manier.' Tony snoof aan zijn glas en trok een gezicht. 'Hij is altijd beter waar je hem koopt, nietwaar? Dit spul rook heerlijk in Bretagne. Nu lijkt het wel aanstekergas.' Hij nam aarzelend een slokje. 'Het smaakt beter dan het ruikt. En ben je van plan een profielschetser te gaan gebruiken?'

'Dat zou wel de meest voor de hand liggende stap zijn. Maar Blake zal niet voor je willen betalen en ik wil niet werken met de producten uit de eigen kweek van de nationale academie.' Ze rolde met haar ogen. 'Herinner je je nog die idioot die ze naar ons toe stuurden bij de RigMarole-moorden? Hij had de emotionele intelligentie van een bakstenen muur. Ik heb het team beloofd dat ik dat nooit meer zou doen. We kunnen het beter zonder gaan doen dan dat ik de hoofdcommissaris er ons nog zo een laat opdringen.'

'Zou je mij willen hebben?' zei Tony. Zijn opgetrokken wenkbrauwen leken een minieme kans op dubbelzinnigheid te suggereren, maar Carol hapte niet.

'Het is de verstandigste keus als we zo snel mogelijk resultaat willen boeken.' Ze pakte de fles en vulde haar glas nogmaals bij. 'Maar ik zal het niet voor elkaar krijgen dat soort bedragen te mogen uitgeven.'

'Wat als het je niets zou kosten?'

Carol fronste haar voorhoofd. 'Zoals ik je al eerder heb gezegd: ik weiger misbruik te maken van onze persoonlijke relatie...'

'Wat die ook mag zijn...'

'Wat die ook mag zijn. Je bent een professional. Wanneer we gebruikmaken van expertise van buiten het politiekorps moeten we er ook voor betalen.'

'Een arbeider is zijn loon waard,' zei hij, waarbij hij zijn donkere toon afzwakte met een scheve glimlach. 'We hebben hier vaker over gekibbeld en we zullen geen van beiden een haarbreed toegeven. Jij zegt wit en ik zeg zwart.' Hij wuifde met zijn hand in de lucht alsof hij een insect van zich af sloeg. 'Ik denk dat we dit op zo'n manier kunnen doen dat ik word betaald en dat jij over mijn expertise kunt beschikken.'

Carol fronste. 'En hoe zie je dat voor je?'

Tony tikte tegen de zijkant van zijn neus. 'Ik moet met iemand bij Binnenlandse Zaken gaan praten.'

'Tony, het is misschien aan je voorbijgegaan, maar we hebben een nieuwe regering. Er is geen geld. Niet eens voor het allernoodzakelijkste, laat staan voor een luxe als psychologische profielschetsers.' Carol zuchtte gefrustreerd.

'Ik weet dat je denkt dat ik op een andere planeet leef, Carol, maar dat wist ik heus wel.' Hij trok een droevig clownsgezicht dat de lijnen die zijn baan daar had ingekerfd nog meer deed uitkomen. 'Maar mijn mannetje bij Binnenlandse Zaken op wie ik altijd kan terugvallen staat boven het politieke gekrakeel. En ik geloof dat hij bij me in het krijt staat.' Tony zweeg een moment en zijn ogen richtten zich op de linkerbovenhoek van de kamer. 'Ja, ik heb nog iets te goed van hem.' Hij ging verzitten in zijn stoel en staarde Carol recht aan. 'Jaren geleden zijn we iets begonnen in deze stad. Reekie heeft gelijk: je zou met een schitterende gloriedaad moeten afsluiten. En ik zou je terzijde moeten staan, net zoals toen die eerste keer.'

8

De dag brak aan en hij had niet geslapen. Maar Jacko Vance was opgewonden, niet moe. Hij luisterde naar de geluidjes van de tot leven komende vleugel in de gelukkige gedachte dat dit de laatste keer zou zijn dat hij gedwongen was de dag in gezelschap van zovelen te beginnen. Hij keek om de paar minuten op Collins' horloge en wachtte op het juiste moment om op te staan en de dag te beginnen. Hij had in dit alles rekening moeten houden met de mentaliteit van een andere man. Collins zou gretig zijn, maar niet te gretig. Vance had altijd al een goed gevoel voor timing gehad. Het was een van de factoren die hem als atleet zo succesvol hadden gemaakt. Maar vandaag hing er veel meer van die timing af dan alleen maar een medaille.

Toen hij dacht dat het perfecte moment was aangebroken kwam hij uit bed en liep naar het toilet. Hij haalde het elektrische scheerapparaat nog een keer over zijn hoofd en zijn kin en trok toen Collins' morsige spijkerbroek en slobberige poloshirt aan. De tatoeages zagen er precies goed uit, dacht Vance. En mensen zagen toch wat ze verwachtten te zien. Zonder kenmerken die op het tegendeel wijzen moet een man met Collins' tatoeages en kleren Collins wel zijn.

De minuten kropen voorbij. Eindelijk werd er met een vuist op zijn deur geslagen en riep een stem: 'Collins? Opschieten, het is tijd om te gaan.'

Tegen de tijd dat de deur opengging, was de bewaker al afgeleid en lette hij meer op een ruzie over de voetbaluitslagen van gisteravond verderop in de gang dan op de man die uit de cel tevoorschijn kwam. Vance kende de bewaker: Jarvis, een lid van het vaste dagteam. Hij was prikkelbaar en lichtgeraakt, maar het was niet iemand die ooit enige interesse had getoond in een van de mannen die hij onder zijn hoede had. Tot nu toe liep alles goed. De gevangenbewaarder wierp een vluchtige blik over zijn schouder en ging hem toen voor door de gang. Vance hield afstand toen de eerste deur automatisch werd ontsloten en genoot van de zware dreun van het openschuivende disselslot. Vervolgens liep hij achter de bewaker aan tussen de sluishekken en probeerde normaal te ademen terwijl de ene deur dichtging en de andere openging.

En toen hadden ze de vleugel verlaten en liepen ze door het administratieve hoofdgedeelte van de gevangenis naar de uitgang toe. In een poging om te kalmeren door aan iets anders te denken vroeg Vance zich af waarom iemand voor een werkomgeving met lichtgele muren en zacht blauwgrijs geschilderd metaalwerk zou kiezen. Om je dagen hier door te brengen zonder in een diepe depressie terecht te komen moest je over geen enkele visuele smaak beschikken.

Nog een stel sluishekken en daarna de laatste hindernis. Een stel verveeld uitziende bewakers zat achter ramen met dik glas zoals dat van bankloketten, waarin sleuven zaten waardoor documenten heen en weer geschoven konden worden. Jarvis knikte naar de dichtstbijzijnde, een magere jongeman met stekeltjeshaar en een slechte huid. 'Is de maatschappelijk werkster voor Collins er?' zei hij.

Waarschijnlijk niet, dacht Vance. Niet als de zaken volgens plan waren verlopen. Niet veel vrouwen zouden op het werk verschijnen nadat ze de nacht daarvoor wakker waren geworden van iemand die zich met geweld toegang tot hun huis probeerde te verschaffen. En al helemaal niet gezien het feit dat de vermeende inbreker/verkrachter uit voorzorg alle vier de banden van haar auto had doorgesneden en haar telefoonlijn had doorgeknipt. Ze had geluk gehad. Als hij het klusje zelf had geklaard in plaats van dat hij het had moeten delegeren, zou hij haar hond de keel hebben doorgesneden en hem aan de voordeur hebben vastgespijkerd. Sommige dingen kon je niet uitbesteden. Hopelijk zou wat hij had weten te regelen voldoende zijn. Jammer eigenlijk voor die arme Jason. Hij zou aan zijn voorwaardelijke verlofdag moeten beginnen zonder de steun van iemand die hem kende.

'Nee,' zei de man achter de balie. 'Ze komt vandaag niet.'

'Wat?' zei Jarvis op klagende toon. 'Hoe bedoel je, ze komt vandaag niet?'

'Persoonlijke omstandigheden.'

'En wat moet ik nu met hem?' Hij bewoog zijn hoofd in de richting van Vance.

'Er staat een taxi klaar.'

'Hij vertrekt in een taxi? Zonder begeleiding?' Jarvis schudde zijn hoofd en trok een ongelovig gezicht naar zijn toehoorders.

'Wat doet dat ertoe? Hij zal hoe dan ook de hele dag van zijn voorwaardelijke invrijheidsstelling zonder begeleider doorbrengen. Het betekent alleen dat die iets eerder begint, dat is alles.'

'En hoe zit het dan met voorlichting? Zou hij niet een soort oriëntatiegesprek met de maatschappelijk werkster moeten hebben?'

Stekeltjeshaar pulkte aan een puistje, onderzocht zijn vingernagel en haalde wederom zijn schouders op. 'Niet ons probleem, toch? We hebben het nagevraagd bij de onderdirecteur en hij zei dat het in orde was. Hij zei dat er geen reden tot bezorgdheid was wat betreft Collins.' Hij keek naar Vance. 'Ga je daarmee akkoord, Collins? Anders wordt het voorwaardelijke verlof ingetrokken.'

Vance haalde gewoon ook zijn schouders naar hem op. 'Nu ik hier toch al ben kan ik net zo goed gewoon gaan.' Hij was zeer tevreden met hoe dat eruit was gekomen. Hij dacht dat het een acceptabele weergave was van hoe Collins praatte. En belangrijker nog: hij klonk totaal niet als zichzelf. Hij stak zijn handen in zijn zakken zoals hij Collins talloze keren had zien doen: met licht opgetrokken schouders.

'Ik wil dat er een aantekening wordt gemaakt van het feit dat ik hier niet gelukkig mee ben, wat de onderdirecteur ook zegt,' bromde Jarvis terwijl hij Vance door het hoge draaihek voerde dat naar de buitenwereld leidde. Hij duwde de deur open en Vance volgde hem naar een bestraat gebied langs een rijweg. Er stond een versleten uitziende Skoda met ratelende dieselmotor langs de stoep geparkeerd. Vance rook de smerige uitlaatgassen, een weeïg accent in de frisse ochtendlucht. Het was een combinatie die hij lang niet had ervaren.

Jarvis trok de passagiersdeur open en stak zijn hoofd naar binnen. 'Je brengt hem naar Evesham Fabrications, begrepen? Nergens anders naartoe. Het kan me niet schelen of hij zegt dat hij een verdomde hartaanval krijgt en naar het ziekenhuis moet of dat hij zichzelf onder zal schijten als hij niet onmiddellijk naar een toilet kan. Ga niet langs start. Ontvang geen tweehonderd pond. Evesham Fabrications.'

De chauffeur leek verbijsterd. 'Doe eens een beetje rustig, makker,' zei hij. 'Je bezorgt jezelf nog een beroerte. Ik weet hoe het werkt.' Hij strekte zijn hals uit zodat hij langs Jarvis kon kijken. 'Kom er maar in, maat.'

'Voorin, waar de chauffeur een oogje op je kan houden.' Jarvis deed een stap naar achteren, zodat Vance zich op de passagiersstoel kon laten glijden. Hij strekte zijn prothese uit naar de veiligheidsgordel en hoopte dat zijn eventuele onhandigheid zou worden toegeschreven aan de lange tijd dat hij niet meer in een auto had gezeten. 'Ik wil niet horen dat je problemen hebt veroorzaakt, Collins,' zei Jarvis, die daarna de deur dichtsmeet. De auto rook naar luchtverfrisser met synthetische dennengeur vermengd met een vleugje koffie.

De taxichauffeur, een wanordelijk uitziende Aziatische man van een jaar of vijfendertig, grinnikte toen hij wegreed. 'Die heeft een lekkere bui.'

'Het is geen bui, zo is hij altijd,' zei Vance. Zijn hart ging als een razende tekeer. Hij kon het zweet op zijn onderrug voelen. Hij kon het niet helemaal geloven. Het was hem gelukt door de voordeur naar buiten te komen. En hij was met de minuut verder verwijderd van de Oakworth-gevangenis en dichter in de buurt van zijn vrijheidsdroom. Oké, er waren nog genoeg hindernissen te nemen tussen hem en die maaltijd met biefstuk, maar het moeilijkste gedeelte had hij achter de rug. Hij herinnerde zichzelf eraan dat hij altijd had geloofd dat hij een geluksvogel was. De jaren in de gevangenis waren alleen maar een onderbreking van zijn natuurlijke toestand geweest en geen eindpunt. De dobbelstenen waren hem weer gunstig gezind.

Als hij al behoefte had zich gesterkt te voelen in die overtuiging, dan gebeurde dat toen Vance zijn onmiddellijke omgeving wat beter bekeek. De auto was een automaat en dat zou het allemaal een stuk eenvoudiger maken voor hem. Hij had sinds zijn arrestatie geen auto meer gereden; achter het stuur kruipen zou ook zonder zich met schakelen te moeten bezighouden al een lastige herhalingsoefening worden. Vance ontspande een heel klein beetje en keek glimlachend naar keurige veldjes lentegras met hun strak eromheen geplaatste heggen. Er stonden dikke schapen op te grazen, hun trage lammeren voor het grootste deel de dartelfase voorbij. Ze passeerden boomgaarden: rijen geknotte bomen vol bloesem die er al een beetje verwelkt begon uit te zien. De weg was amper breed genoeg voor twee elkaar passerende auto's. Het was het ideaalbeeld dat buitenlanders van het Engelse platteland hadden.

'Het moet een fijne afwisseling voor je zijn om er even uit te kunnen,' zei de taxichauffeur.

'Je hebt geen idee,' zei Vance. 'Ik hoop dat dit nog maar het begin is. Reclassering, dat is wat dit voor mij heeft betekend. Ik ben een ander mens geworden.' Veranderd in de zin dat hij vastbesloten was nooit meer het soort vergissingen te maken waardoor hij in de gevangenis was beland. Maar hij was nog altijd een moordenaar; hij had alleen maar geleerd hoe hij een betere kon zijn.

Nu bestudeerde hij het landschap en vergeleek hun route met de kaart in zijn hoofd. Nog twaalf kilometer rustige landwegen voordat ze de grote verkeersslagader naar Birmingham zouden oprijden.

Vance had drie plekken uitgekozen waar hij het volgende onderdeel van zijn plan ten uitvoer kon brengen. Het hing allemaal af van het verkeer. Hij wilde geen getuigen, niet in een fase van zijn ontsnapping waarin hij nog geen wapen had om zich te verdedigen. Tot nu toe was hun één bestelwagen tegemoet komen rijden, maar nu ze een lange steile helling beklommen was er voor hen niets in zicht. Hij ging verzitten zodat hij op dusdanige wijze een blik op de achteruitkijkspiegel kon werpen dat het leek alsof hij het uitzicht in zich opnam. 'Verdomde mooi hier,' zei hij. 'Dat vergeet je daarbinnen.' Toen veerde hij oprecht geschrokken op. 'Wat is dat in godsnaam?' vroeg hij dringend.

De chauffeur lachte. 'Hoe lang ben je weg geweest? Het is een windmolenpark. Enorme windmolens. Ze vangen de wind op en maken er elektriciteit van. Er is genoeg wind hier, dus er staan ook heel wat windmolens.'

'Jezus,' zei Vance. 'Ze zijn verdomme reusachtig.' En hun gesprekje had er onverwachts voor gezorgd dat de chauffeur iets minder oplettend was. Het was een perfect moment. Ze naderden een T-splitsing, de eerste van Vance' mogelijke aanvalsplekken. De auto kwam langzaam tot stilstand en de chauffeur nam even de tijd om nog meer windmolens aan de horizon aan te wijzen voordat hij keek of er verkeer aankwam.

In een flits ramde Vance de onderarm van zijn prothese tegen de zijkant van het hoofd van de taxichauffeur. De man gaf een gil en stak zijn handen omhoog om zich te beschermen. Maar Vance was meedogenloos en zijn kunstarm was een wapen dat veel steviger was dan de botten en spieren van een menselijke arm. Hij liet hem nogmaals op het hoofd van de man neerkomen, sloeg hem daarna hard in zijn gezicht en glimlachte toen het bloed uit zijn neus spoot. Vance gebruikte zijn andere hand om zijn veiligheidsgordel los te maken, zodat hij meer kracht kon uitoefenen. Hij kwam naar voren en gaf hem weer een knal tegen zijn hoofd, zo hard dat hij van het raam terugstuiterde. De man schreeuwde nu en graaide met zijn handen naar Vance.

'Nu is het wel mooi geweest,' siste Vance. Hij werkte zijn hand achter het hoofd van de chauffeur en ramde hem met zijn gezicht recht tegen het stuur aan. Na het derde weerzinwekkende, knarsende geluid verslapte de man eindelijk. Vance maakte de autogordel van de chauffeur los en bevrijdde hem eruit. Terwijl de adrenaline nog door zijn lichaam raasde, sprong hij uit de auto en haastte zich om de auto heen naar de bestuurderskant. Toen hij de deur opendeed zakte de chauffeur voorover naar de weg. Vance ging gehurkt zitten en zette een schouder onder het bovenlichaam van de man. Hij haalde diep adem en kwam met moeite overeind. Al die uren in de sportzaal waren het waard geweest. Hij had ervoor gezorgd dat hij kracht en uithoudingsvermogen kweekte in plaats van overdreven spiermassa; hij had nooit enig nut gezien in het etaleren van zijn kracht.

Vance wankelde helemaal naar de haag die langs de rand van de weg liep. Zwaar hijgend, terwijl zijn hart in zijn borst tekeerging, liet hij de chauffeur boven op de bovenste buis van een metalen veldhek vallen, waarna hij hem eroverheen kieperde. Hij grijnsde bij het zien van de geschrokken uitdrukking op de koppen van de dichtstbijzijnde schapen toen de taxichauffeur naar de grond tuimelde, waarbij zijn armen en benen zwakjes zwaaiden.

Hij leunde even tegen het hek om op adem te komen en zijn lichaam te laten herstellen van de overdosis aan vecht-of-vluchthormonen. Daarna ging hij terug naar de auto en ging dit keer op de bestuurdersstoel zitten. Hij schakelde de richtingaanwijzer naar rechts uit, zette de auto in de rijstand en sloeg toen links af in de tegengestelde richting van de route naar Evesham Fabrications. Hij schatte dat hij er ongeveer veertig minuten over zou doen om een tankstation langs de autosnelweg te bereiken voor de volgende fase van het plan.

Hij kon niet nalaten zich af te vragen hoe lang het zou duren voordat iemand zou merken dat Jason Collins nog steeds in de vleugel van de therapeutische gemeenschap was. En dat Jacko Vance er niet meer was. Voordat ze begrepen dat een van de beruchtste en productiefste seriemoordenaars die Groot-Brittannië ooit had voortgebracht was ontsnapt. En dat hij erop gebrand was de verloren tijd in te halen.

Dit keer hield zijn brede glimlach heel wat langer stand dan een paar minuten.

9

Paula schudde haar papieren op en onderdrukte een geeuw. 'Als jullie er klaar voor zijn,' zei ze terwijl ze dichter bij de whiteboards ging staan die een van de wanden van de rommelige teamkamer bedekten. Carol vroeg zich af of ze überhaupt wel aan slaap was toegekomen. Paula had op de plaats delict moeten blijven om te zorgen dat alles volgens de protocollen van het Team Zware Misdrijven werd afgehandeld. Daarna zou ze met hun rechercheurs naar het hoofdkwartier van de noordelijke divisie zijn teruggekeerd om een actielijst op te stellen waarmee de ochtendploeg zich zou moeten bezighouden, wederom volgens Carols richtlijnen. En nu was het haar taak om de ochtendbriefing te verzorgen voor deze hechte kring collega's die zich elkaars manier van doen eigen hadden gemaakt met dezelfde intensiteit als die ze ooit voor een geliefde hadden overgehad.

Dit was het team dat Carol zelf had uitgekozen en tot de beste eenheid had gemaakt waarmee ze ooit had mogen werken. Als James Blake met zijn persoonlijke missie om tot op het bot te gaan bezuinigen lang voordat de premier op dat idee kwam geen beslag op de post van hoofdcommissaris had weten te leggen, zou ze maar wat graag bij deze groep mensen zijn gebleven tot ze aan haar pensioen toe was. In plaats daarvan stond ze op het punt weer een van haar sprongen in het duister te maken. Alleen voelde het dit keer alsof ze volger in plaats van leider was. Niet het geruststellendste vooruitzicht dat ze ooit had gehad.

'Briefing over vijf minuten,' schreeuwde ze, waarmee ze hun de tijd gaf om af te ronden waarmee ze bezig waren. Stacey Chen, hun computerspecialist, bromde iets onverstaanbaars, onzichtbaar achter haar batterij van zes monitoren. Sam Evans was druk in gesprek aan de telefoon, maar stak zijn duim naar haar op. Haar twee brigadiers, Kevin Matthews en Chris Devine, staken hun hoofden omhoog vanuit de ineengedoken houding die ze boven hun bekers koffie hadden aangenomen en knikten.

'Heb je alles wat je nodig hebt?' vroeg Carol.

'Ik denk het wel.' Paula pakte haar beker koffie. 'De noordelijke divisie heeft me alles van de eerste twee sterfgevallen toegestuurd, maar ik heb geen tijd gehad om het in detail door te nemen.'

'Doe je best,' zei Carol, waarna ze naar de koffiemachine liep en een *caffe latte* met een extra *shot* erin voor zichzelf klaarmaakte. Nog iets wat ze zou gaan missen. Ze hadden geld bij elkaar gelegd om het Italiaanse apparaat te kopen zodat ieders cafeïnebehoefte kon worden bevredigd. Behalve Stacey, die aan *earl grey* thee vasthield. Ze betwijfelde of er iets vergelijkbaars zou zijn in Worcester.

En over gemis gesproken: Tony was nergens te bekennen. Ondanks zijn mooie beloften zag het ernaar uit dat het hem niet was gelukt die in te lossen. Ze probeerde de dreigende teleurstelling van zich af te zetten: het had tenslotte nooit echt waarschijnlijk geleken. Ze zouden zich er bij deze zaak gewoon zonder zijn hulp doorheen moeten slaan.

Carol liep weer terug naar de whiteboards, waar de rest van het team zich nu ook meldde. Ze kon niet nalaten de exquise snit van Staceys mantelpak te bewonderen. Het was duidelijk op maat gemaakt en duur. Ze was zich ervan bewust dat de computerfreak van het team los van haar politiewerk nog haar eigen softwarebedrijf had. Carol had daar nooit te ver over doorgevraagd, omdat ze van mening was dat ze allemaal recht hadden op een privéleven los van de ellende waar ze op hun werk doorheen moesten waden. Maar het was alleen al op grond van haar garderobe duidelijk dat Stacey een inkomen had dat wat de rest van hen verdiende in het niet deed verzinken. Ooit zou Sam Evans de haast onwaarneembare aanwijzingen opmerken die erop wezen dat Stacey gek op hem was. Wanneer de oppervlakkige Sam dat zou combineren met haar nettowaarde zou hij niet meer te stoppen zijn. Maar naar het zich liet aanzien zou Carol allang vertrokken zijn voordat dat zou gebeuren. Dat was één drama waarover ze niet rouwig was dat ze het zou missen.

Paula schraapte haar keel en rechtte haar schouders. Haar gekreukte spijkerbroek en bruine sweater, dezelfde kleren die ze aan had gehad toen ze Carol gisteravond was komen ophalen, leken in niets op maatkleding. 'We werden gisteravond om hulp gevraagd door de noordelijke divisie. Er was een lichaam van een nog niet geïdentificeerde vrouw gevonden in een leegstaand pakhuis op industrieterrein Parkway.' Ze bevestigde twee foto's aan een whiteboard, de ene van de plaats delict in zijn geheel met het gekruisigde lichaam in het midden ervan en de andere van het gezicht van de vrouw. 'Zoals jullie kunnen zien werd ze aan een houten kruis gespijkerd en vervolgens tegen de muur rechtop gezet. Ondersteboven. Gruwelijk, maar op zich waarschijnlijk nog niet genoeg om ons erbij te betrekken.'

Ze klemde nog drie andere foto's vast aan het bord. Twee ervan waren herkenbaar als getatoeëerde menselijke polsen en de andere foto kon elk stuk ander materiaal voorstellen waarop letters waren geschreven. In alle gevallen vormden de letters de woorden VAN MIJ. Paula draaide zich om en keek haar collega's aan. 'Wat maakt dat het er een voor ons is, is het feit dat het ogenschijnlijk nummer drie is. Het verband tussen hen is die tatoeage op de pols. Dat en het feit dat ze allemaal werden gevonden op het werkterrein van de noordelijke divisie, niet een plek waar je per definitie verwacht dode prostituees te vinden.'

'Waarom niet?' Chris Devine was het teamlid dat het minst bekend was met de nuances van de sociale geografie van Bradfield, omdat zij oorspronkelijk vanuit de hoofdstad naar het noorden was gekomen.

'Straatprostitutie vindt grotendeels plaats rond Temple Field in het stadscentrum. En de meeste bordeelprostitutie ook,' zei Kevin. 'Er zijn nog wel een paar gebiedjes langs de uitvalswegen, maar het noordelijke district is over het algemeen redelijk schoon.'

'Mijn contactpersoon bij de noordelijke divisie is een rechercheur genaamd Franny Riley,' zei Paula. 'Hij vertelde me dat ze de laatste tijd te maken hebben gehad met een probleemgebied in de buurt van het bouwterrein voor het nieuwe ziekenhuis. Een stuk of zes vrouwen die het gebied waar de bouwvakkers hun auto's parkeren afwerken. Hij denkt dat het in de meeste gevallen om Oost-

Europese vrouwen ging die hier waarschijnlijk naartoe zijn gesmokkeld. Maar onze eerste twee slachtoffers waren beiden van hier en hadden daar dus misschien niets mee te maken.' Op de volgende foto was een afgemat gezicht te zien met diepliggende ogen, uitstekende jukbeenderen en stijf samengeperste lippen. Niemand zag er ooit goed uit op een politiefoto, maar deze vrouw zag er echt pisnijdig uit. 'Het eerste slachtoffer, Kylie Mitchell. Drieëntwintig jaar oud en crackverslaafde. Vijf veroordelingen voor tippelen en eentje voor bezit van een kleine hoeveelheid drugs. Ze werkte meestal rond Temple Fields, maar ze groeide op in de hoge flats verderop in Skenby – en dat ligt pal in het midden van het noordelijke district, Chris. Ze werd drie weken geleden gewurgd en onder het viaduct van de ringweg gedumpt.' Paula knikte naar Stacey. 'Stacey is bezig de dossiers op ons netwerk te zetten.'

Staceys glimlach was zo vluchtig dat iemand die met zijn ogen knipperde hem gemist zou hebben. 'Ze zullen tegen het einde van de briefing beschikbaar zijn,' zei ze.

'Kylies geschiedenis is het gebruikelijke deprimerende verhaal. Van school gegaan zonder diploma en gek op feesten. Al snel gepromoveerd naar seks voor drugs, waarna ze op straat ging werken om in haar crackverslaving te kunnen voorzien. Ze kreeg op haar twintigste een kind, dat onmiddellijk in de pleegzorg terechtkwam en een halfjaar later werd geadopteerd.' Paula schudde haar hoofd en zuchtte. 'Wat betreft de prostitutie stond ze onder aan de voedselketen. Er was voor haar geen weg terug meer. Geen vaste verblijfplaats, geen pooier die haar in de gaten hield. Een willig slachtoffer voor iemand die op zoek is naar avontuurtjes van het ergste soort.'

'Hoe vaak hebben we dit verhaal niet moeten aanhoren?' Sam klonk zo verveeld als hij eruitzag.

'Te vaak. Geloof me, Sam, niemand zou gelukkiger zijn dan ik als we het nooit meer hoefden te horen,' zei Carol. Haar afkeuring was overduidelijk. 'Wat weten we over haar laatste gangen, Paula?'

'Niet zoveel. Ze liet niet eens een van de andere meiden een beetje op haar letten. Ze was berucht om het feit dat ze slecht voor zichzelf zorgde. Ze was overal voor in en maakte zich niet druk om condoomgebruik. De andere meiden hadden haar opgegeven. Of zij had de anderen opgegeven, het is niet helemaal duidelijk van welke kant dat kwam. De avond van de moord werd ze om ongeveer negen uur gezien op Campion Way, vlak aan de rand van Temple Fields. We denken dat een paar van de vaste bezoeksters haar daar weg wilden hebben. En dat is het dan. Niets, totdat ze opduikt onder het viaduct.'

'En wat heeft de technische recherche gevonden?' vroeg Kevin.

'Spermasporen van vier verschillende bronnen. Ze zitten geen van allen in de database, dus daar hebben we alleen maar iets aan als we iemand op het oog hebben. Afgezien daarvan is de tatoeage het enige wat we hebben. Na haar dood aangebracht, daarom is er ook geen sprake van ontsteking.'

'Betekent dat dat we op zoek zijn naar een tatoeagekunstenaar? Iemand die het vak verstaat?' vroeg Chris.

'Dat moeten we aan een expert vragen,' zei Carol. 'En we moeten uitvinden hoe eenvoudig het is om aan een tatoeëerinstrument te komen. Vraag het aan leveranciers en zie of we een lijst van recente aankopen kunnen krijgen.'

Sam stond op om de foto's van de tatoeages van dichterbij te kunnen bekijken. 'Het ziet er wat mij betreft niet zo erg professioneel uit. Maar goed, dat zou op zich ook weer met opzet gedaan kunnen zijn.'

'Het is nog te vroeg om daarover te speculeren,' zei Carol. 'Wie heeft haar gevonden, Paula?'

'Een stel tieners. Rechercheur Riley denkt dat ze op zoek waren naar een stil plekje om een fles cider achterover te slaan. Er staat daar een oude, leeggeplunderde Transit, die min of meer dienstdoet als honk voor de plaatselijke jeugd. Ze was in het voorste gedeelte geschoven, waar de motor zou zijn als er nog een motor in had gezeten. Er was niet echt een poging gedaan om haar te verbergen. De noordelijke divisie heeft al een huis-aan-huisonderzoek in de buurt gedaan, maar de dichtstbijzijnde huizen staan er ruim vijftig meter vandaan en bovendien met hun achterkant naar de plaats delict toe. Geen enkel succes.'

'Laten we dat nog maar eens overdoen,' zei Carol. 'Ze werd niet vanuit de ruimte neergestraald. Paula, regel dat met rechercheur Riley.'

'Zal ik doen.' Paula bevestigde nog een politiefoto op het bord.

'Dit is Suzanne Black, beter bekend als Suze. Zevenentwintig jaar oud. Een stuk of zes veroordelingen voor tippelen. Ze stond niet zo laag op de ladder als Kylie. Suze deelde een appartement in een van de torenflats in Skenby met een andere prostituee, een schandknaap genaamd Nicky Reid. Volgens Nicky pikte ze haar klanten altijd op in de Flyer...'

'Wat is de Flyer?' onderbrak Carol haar.

'Dat is een kroeg aan de achterkant van het vliegveld in de buurt van het vrachtgebied. Het lijkt een beetje op een ouderwets wegrestaurant. Het dateert nog uit de tijd dat het vliegveld in de oorlog uit niet meer dan het Brackley Field-vliegterrein bestond,' zei Kevin. 'Het is geen plek waar je je vrouw en kinderen mee naartoe neemt voor de zondagmiddaglunch, maar het is nog wel een paar treetjes hoger dan een clandestiene kroeg.'

'Nicky zei dat ze een paar vaste klanten had,' vervolgde Paula. 'Voor het merendeel expeditiemedewerkers op de luchthaven. Ze was net zoals Kylie verslaafd, maar haar voorkeursdrug was heroïne. Nicky vertelde dat ze al jaren gebruikte en dat ze redelijk goed functioneerde. Bovendien had ze net zomin als Kylie een pooier. Hij zegt dat ze al jarenlang een regeling met haar drugsleverancier had: als er problemen waren met iemand die zich in haar zaken wilde indringen, dan zou hij met hem afrekenen. Ze was een goede klant.' Paula's ene mondhoek krulde omhoog in een wrange glimlach. 'En ze voorzag hem bovendien van nieuwe klandizie.'

'Wanneer heeft Nicky haar voor het laatst gezien?'

'Twee weken geleden. Ze verlieten samen de flat. Hij ging naar Temple Fields en zij ging op weg naar de Flyer. Toen hij de volgende ochtend opstond was ze er niet. En niets wees erop dat ze terug was geweest. Hij keek het een paar dagen aan, voor het geval ze met een van haar vriendinnen of vaste klanten was weggegaan, hoewel dat ongebruikelijk voor haar zou zijn.' Paula schudde licht verbijsterd haar hoofd. 'Zoals Nicky het beschrijft leefden ze eigenlijk best wel in een huiselijke situatie.'

'Wie had dat gedacht?' Sam klonk vol minachting.

'Dus op de derde dag probeerde Nicky Suze als vermist op te geven. Het dichtstbijzijnde politiebureau voor hem was toevallig het hoofdkwartier van de noordelijke divisie. Beweren dat ze geen interesse toonden zou enorm zwak uitgedrukt zijn. Nicky ging vervolgens door het lint aan de balie en werd zelf bijna gearresteerd. Maar er werd geen actie ondernomen. Het lichaam dook vier dagen geleden op tijdens een viswedstrijd in Brade Canal. Volgens de patholoog werd ze verdronken, maar niet in de Brade.'

Paula drukte een knop in op de aanwijsstok in haar hand en er verscheen een videovenster op het whiteboard. De patholoog dr. Grisja Sjatalov glimlachte naar hen in zijn operatiejas. Zijn warme stem met het zachte Canadese accent werd door de goedkope luidsprekers tot een blikkerig geluid gereduceerd. 'Wanneer we ogenschijnlijk met verdrinking te maken hebben is het eerste wat we bekijken of er wel echt sprake van verdrinking is. Zeker wanneer het slachtoffer drugsgebruiker is, zoals in dit geval. Want vanwege de manier waarop de longen zich met vloeistof vullen kan een overdosis drugs er soms als verdrinking uitzien. Maar ik kan jullie met zekerheid zeggen dat dit geen overdosis is geweest, hoewel Suzanne Black heroïnegebruikster was.

Dus nu moeten we uitzoeken of ze is verdronken op de plaats waar ze werd gevonden. Heb ik jullie wel eens over kiezelwieren verteld? Het maakt ook niet uit, ik ga het jullie nog een keer vertellen. Kiezelwieren zijn microscopisch kleine beestjes, zoiets als plankton. Ze hebben dekschilden gemaakt van silicaat en leven in open water. Zoet water, zout water. Meren en rivieren. Elke watermassa heeft andere kiezelwieren. Ze zijn als vingerafdrukken en verschillen ook afhankelijk van de tijd van het jaar.' Zijn glimlach werd breder. 'Jullie zijn vast gefascineerd, nietwaar? Oké, ik zal ter zake komen: als je verdrinkt, banen de kiezelwieren zich een weg in je weefsel. Longen, nieren, beenmerg, dat soort zaken. We laten het weefsel oplossen in zuren en wat er overblijft toont aan in welke rivier of welk meer je bent verdronken.

Dus we hebben die analyse gedaan en er blijken geen kiezelwieren in Suzanne Blacks lichaam te zitten. Dat kan echt maar één ding beteken: ze is niet in het kanaal gestorven. Ze is in kraanwater om het leven gekomen. Of misschien in gefilterd water. We hebben wat testen op haar longen uitgevoerd en hebben zeepsporen gevonden, wat volgens mij de mogelijkheden beperkt tot een bad of een diepe wasbak. Ik hoop dat deze kleine lezing nuttig was.'

Carol schudde haar hoofd. 'Gladjanus. Ooit zal ik de aanklager een van zijn vrolijke videootjes laten afspelen voor de jury. Maar goed, dit is wel echt nuttige informatie. We zijn niet op zoek naar een worsteling bij het kanaal, maar naar de plek waar hij haar een bad heeft gegeven.'

'Misschien heeft hij haar mee naar huis genomen,' opperde Kevin.

'Hij lijkt voorzichtig te zijn,' zei Carol. 'Ik denk niet dat hij een dergelijk risico zou hebben genomen. We moeten uitvinden waar ze haar klanten mee naartoe nam. Oké, ga maar weer verder, Paula.'

'Ze had al haar kleren aan toen ze werd gevonden,' zei Paula. 'Haar lichaam was niet verzwaard, maar ze was achter het gebruikelijke kanaalpuin blijven haken, waardoor ze een behoorlijke tijd in het water had gelegen. Ze hebben de tatoeage in eerste instantie niet opgemerkt omdat de huid zo gedegradeerd was.'

Carol huiverde bij het horen van dat woord. Het maakte niet uit dat het ook zo door Grisja zelf zou zijn gebruikt; het voelde niettemin aan als een bijvoeglijk naamwoord dat niet paste bij een menselijk lichaam. 'Maar er bestaat geen twijfel over?'

Paula schudde haar hoofd. 'Dr. Sjatalov is er duidelijk over. Het is een na haar dood aangebrachte tatoeage en hij lijkt erg op die van Kylie en ons nog niet geïdentificeerde slachtoffer.'

'Als ze in een bad werd verdronken, is er een kans dat iemand haar met haar moordenaar heeft gezien. Hij heeft haar ergens naartoe moeten brengen waar een bad was. Een huis, een hotel of zoiets,' zei Chris.

'Precies. We moeten zorgen dat haar foto op de lokale televisie komt en zien of dat iets oplevert. Kevin, ga met haar huisgenoot Nicky praten. Kijk of hij foto's van haar heeft.' Carol fronste haar voorhoofd en dacht na. 'Laten we het verband tussen de moorden voorlopig nog even stilhouden als het kan. Penny Burgess is wel aan het rondsnuffelen geweest, maar dr. Hill heeft haar op botte wijze afgescheept. Als ze met een van jullie spreekt, doe dan hetzelfde.' Ze hield haar blik op Kevin gericht, maar hij was ogenschijnlijk iets in zijn notitieboekje aan het opschrijven. 'We zullen commissaris Reekie de pers laten afhandelen en het Team Zware Misdrijven voorlopig nog buiten beeld houden, zodat de media denken dat dit zijn zaak is. Als onze moordenaar denkt dat hij onze aandacht niet heeft getrokken, zou dat hem ertoe kunnen brengen iets van zichzelf te laten zien.'

'Of weer een moord te plegen,' zei Paula terwijl ze haar schouders liet zakken. 'Want op dit moment hebben we bijna niets wat je een aanknopingspunt zou kunnen noemen.'

'Is er een kans dat we Tony hiernaar kunnen laten kijken?' Iedereen verstijfde toen Kevin deze vraag stelde. Sam hield op met onrustig bewegen, Chris hield op met aantekeningen maken, Stacey hield op met op haar smartphone te tikken en Paula's gezichtsuitdrukking bleef steken in ongeloof.

Carols mond verstrakte en ze schudde haar hoofd. 'Jullie weten net zo goed als ik dat we daar geen budget voor hebben.' Haar stem klonk scherper dan ze van haar gewend waren.

Kevin bloosde en zijn sproeten vervaagden tegen het scharlakenrood. 'Ik dacht gewoon... omdat ze ons team toch gaan opheffen, waarom niet? Weet u. U gaat weg bij ons. Wat heeft u te verliezen?'

Voordat Carol de voor zijn doen ongebruikelijke uiting van opstandigheid kon beantwoorden, vloog de deur van de teamkamer open. Op de drempel stond Tony Hill; zijn haar zat in de war, er hing een slip van zijn overhemd uit zijn broek en de kraag van zijn jasje zat scheef. Hij keek verwilderd om zich heen voordat zijn blik op Carol bleef hangen. Hij hapte naar adem en zei vervolgens: 'Carol, we moeten praten.'

Haar boze blik was van alle warmte of geduld verstoken. 'Ik zit midden in een briefing voor een moordzaak, Tony,' zei ze op ijzige toon.

'Dat kan wachten,' zei hij terwijl hij de ruimte verder in liep en de deur met een soort zucht achter zich liet dichtvallen. 'Wat ik heb te zeggen niet.'

10

Een uur daarvoor zat Tony Hill met zijn gamecontroller in zijn handen in zijn favoriete leunstoel en dansten zijn duimen over de knoppen terwijl hij de tijd doodde tot het redelijkerwijze viel te verwachten dat Piers Lambert in zijn kantoor bij Binnenlandse Zaken zou zitten. De drammende triltoon van zijn telefoon verbrak zijn concentratie en zijn auto vloog met piepende remmen en gierende banden van de weg. Hij keek kwaad naar de telefoon op de tafel naast hem. De beste kans die hij in tijden had gehad om de laatste reeks levels te halen was nu verkeken. Hij liet de controller vallen en pakte de telefoon op terwijl hij zag dat het inmiddels laat genoeg was om Piers te bellen. Zodra hij klaar zou zijn met degene die hem nu belde.

'Hallo?' Uit zijn begroeting sprak geen verwelkoming.

'Ben jij dat, Tony?' De stem klonk als die van een conservatief kabinetslid: een bekakt accent waarvan de scherpste randjes welbewust waren afgeschaafd. Iemand die bijgeloviger was dan Tony zou er de kriebels van hebben gekregen. Tony hield de telefoon domweg een paar centimeter bij zijn gezicht vandaan en fronste zijn voorhoofd voordat hij hem weer bij zijn oor hield.

'Piers? Ben jij dat echt?'

'Goed gehoord, Tony. Meestal kom je er niet zo snel achter.'

'Dat komt omdat ik gewoonlijk niet aan je zit te denken, Piers.'

'En vandaag blijkbaar wel? Ik zou dat als een compliment opvatten als ik minder zou weten van de manier waarop jouw brein werkt. Waarom zit je aan me te denken?'

Er was geen bijzondere aanleiding waarom een telefoontje van Piers Lambert Tony van zijn stuk zou moeten brengen. Maar in zijn ervaring was er nooit sprake van vreugdevolle berichten wanneer hooggeplaatste mandarijnen hun eigen telefoontjes pleegden. 'Jij eerst,' zei hij. 'Het is jouw telefoonrekening.'

'Ik ben bang dat ik nogal verontrustend nieuws heb,' zei Lambert.

O, o. Waar mannen als Lambert termen als 'nogal verontrustend' gebruikten zouden de meeste mensen direct naar 'nachtmerrieachtig', 'verschrikkelijk' en 'hels' neigen. 'Waar gaat het dan om?'

'Het heeft met Jacko Vance te maken.'

Tony had die naam al jaren niet meer gehoord, maar hij was nog altijd in staat hem een misselijk gevoel te bezorgen. Jacko Vance was een psychopathische charmeur zonder ook maar een greintje geweten. Dat maakte hem verre van uniek in Tony's ervaringen met de donkere kant van het menselijke gedrag. Maar Vance' vernietigingsdrang had een grote belofte verwoest met wie Tony persoonlijk had gewerkt. Vance had het vertrouwen geschaad op manieren die weinig mensen zich zouden kunnen hebben voorgesteld voordat de door hem veroorzaakte verschrikkelijke schade bekend werd. Mededogen en empathie waren de principes die Tony altijd had geprobeerd te hanteren in zijn beroep. Maar van de vele roofdieren waarvan de activiteiten hadden gedreigd hem van deze eigenschappen te ontdoen was Jacko Vance daar het dichtst bij in de buurt gekomen. Over de persoon Vance wilde Tony alleen maar nieuws van zijn overlijden horen. 'Wat is er gebeurd?' zei hij met een van bezorgdheid rauw geworden stem.

'Het ziet ernaar uit dat hij uit de gevangenis is ontsnapt.' Piers klonk verontschuldigend. Tony kon zijn pijnlijke glimlach voor zich zien, zijn schichtige ogen en de manier waarop hij de knoop van zijn das ter geruststelling zou aanraken. Op dit moment wilde hij die das vastgrijpen en er heel hard aan trekken.

'Ontsnapt? Hoe heeft dat nu verdomme kunnen gebeuren?' Hij werd door woede overmand; binnen enkele seconden van nul naar honderdveertig.

'Hij heeft de plaats ingenomen van een andere gevangene, die voor voorwaardelijke invrijheidsstelling in aanmerking kwam. Hij zou de dag in een plaatselijke fabriek doorbrengen. De maatschappelijk werkster die hem moest begeleiden was niet op haar werk en het schijnt dat Vance de taxichauffeur heeft aangevallen die hem naar zijn arbeidsplek in de fabriek moest brengen, waarna hij er in de taxi vandoor is gegaan.'

'Jezus christus!' schreeuwde Tony. 'Wat deed hij in godsnaam ook maar in de buurt van de categorie gevangenen die voor voorwaardelijke invrijheidsstelling in aanmerking kan komen? Hoe heeft dat kunnen gebeuren?'

Lambert schraapte zijn keel. 'Hij zat al een paar maanden in de vleugel van de therapeutische gemeenschap van Oakworth. Een voorbeeldige gevangene volgens alle betrokkenen. En dat al jaren.'

Tony opende en sloot zijn mond een paar keer en probeerde tevergeefs de juiste woorden te vinden.

'Er was geen enkele aanwijzing dat Vance iets van plan zou zijn,' vervolgde Lambert met zachte en kalme stem.

Tony hervond zijn stem. 'Pierce, kun je me uitleggen wat Vance in hemelsnaam in de vleugel van een therapeutische gemeenschap deed? Hij is verdomme tot levenslang veroordeeld. Waarom heeft hij een plek bij een reclasseringsprogramma dat is bedoeld voor mensen die met hun misdaden in het reine zijn gekomen? Mensen die naar een vrijlating toe werken? Mensen die over een toekomst beschikken die zich niet in de gevangenis afspeelt? Geef me verdomme antwoord! Wie heeft hem op een plek gezet die hij kon uitbuiten? Een plaats die hij naar zijn hand kon zetten? De perfecte vervloekte plek voor iemand als hij om zijn voordeel mee te kunnen doen?'

Lambert zuchtte diep. 'Er zal natuurlijk een onderzoek volgen. De psycholoog die aan hem was toegewezen heeft zich er sterk voor gemaakt om hem naar de vleugel van de therapeutische gemeenschap te verhuizen. Hij behoort nu al een aantal jaren tot de C-categorie, moet je weten.'

'De C-categorie?' Tony ontplofte van woede. 'Na wat hij gedaan heeft? God weet hoeveel tienermeisjes hij heeft verminkt en vermoord, en hij is gedegradeerd van de A-categorie naar de C-categorie?'

'Technisch gezien dient hij één enkele levenslange gevangenisstraf uit voor één enkele moord...'

'Om nog maar te zwijgen van de moord op een politieagente,' vervolgde Tony zonder acht te slaan op Lamberts antwoord. 'Een politieagente die ervoor probeerde te zorgen dat er niet nog meer meisjes zouden omkomen.'

'Maar goed, we kunnen alleen maar bestraffen wat we kunnen bewijzen. En in hoger beroep heeft het hof de veroordeling met betrekking tot rechercheur Bowman onzeker bevonden. Zoals gezegd, Vance was een voorbeeldige gevangene. De directeur van zijn vorige gevangenis heeft het zo lang mogelijk uitgesteld, maar er waren geen gronden waarop de autoriteiten konden weigeren zijn risicocategorie te verlagen.' Tony kon enige frustratie in Lamberts stem horen. Het deed hem goed dat hij niet de enige was die woedend was over wat hij hoorde. 'Zijn advocaat dreigde ons met mensenrechtenwetgeving om de oren te slaan en we weten allebei hoe dat zou hebben uitgepakt. Daarom werd Vance dus gedegradeerd naar de C-categorie en overgeplaatst naar Oakworth.'

'Die psycholoog, was dat een vrouw?'

'Ja, toevallig wel.' Lambert klonk geschrokken. 'Maar zonder meer competent.'

'En zonder meer gevoelig voor Jacko Vance' charisma,' zei Tony somber. 'Als iemand het aan mij had gevraagd zou ik erop hebben gestaan dat er geen vrouwelijk personeel in direct contact met Vance zou komen. Hij is slim, hij is charmant en hij heeft de gave mannen en vrouwen, maar vooral vrouwen, het gevoel te geven alsof ze de enige persoon ter wereld zijn. Hij zal al de juiste geluiden hebben laten horen over wroeging en boetedoening, en wat zou het voor kwaad kunnen om hem te verhuizen naar een gevangenisgemeenschap waar hij kon leren omgaan met zijn problemen uit het verleden? Zelfs als hij nooit in de samenleving zou mogen terugkeren, was het systeem hem die kleine gunst toch wel verschuldigd.' Tony bracht een scherp geluid voort om uiting aan zijn afschuw te geven. 'Ik zou het script hebben kunnen schrijven, Piers.'

'Daar ben ik van overtuigd, Tony. Jammer genoeg hebben we niet een systeem waarbij de mensen die zich hebben beziggehouden met het opsporen van de misdadiger inspraak wordt verleend in wat er met hem gebeurt nadat hij eenmaal onder verantwoordelijkheid van het gevangeniswezen komt te vallen.'

Tony sprong overeind uit zijn stoel en ijsbeerde door de kamer. 'En hij is erin geslaagd een andere gevangene goed genoeg te imiteren om uit Oakworth te komen? Hoe is hem dat in godsnaam gelukt? Ik bedoel, Vance is het prototype van de eenarmige man. Hij heeft verdomme een kunstarm. Nog afgezien van het feit dat hij vroeger primetimetelevisie maakte. Miljoenen mensen zouden hem er bij een confrontatie zo uit kunnen pikken. Hoe kan het dan dat de dienstdoende bewakers nota bene Jacko Vance niet hebben herkend?'

'Ze hebben je niet op de hoogte gehouden, hè? Herinner je je nog dat Vance een mensenrechtenzaak tegen Binnenlandse Zaken heeft aangespannen?'

'Jawel, hij beweerde dat hij werd gediscrimineerd omdat hij niet over het modernste soort prothese kon beschikken. En het hof gaf hem gelijk. Maar het blijft een prothese, Piers. Het is geen arm zoals jij en ik hebben.'

'Je weet niet zoveel van de allernieuwste prothesen, hè, Tony? We hebben het hier niet over een of andere doorsnee ziekenfondskunstarm. Wat Vance tegenwoordig heeft is bijna niet te onderscheiden van wat jij en ik hebben. Volgens het rapport dat ik heb gekregen heeft hij operaties ondergaan om zenuwen om te leiden, die op hun beurt signalen naar de elektronica in de arm en de hand doorgeven. Hij kan de vingers en de duim onafhankelijk van elkaar bewegen. En eroverheen ligt op maat gemaakte zogenaamde *cosmesis*, wat blijkbaar kunsthuid compleet met sproeten, aders, pezen en alles is. Die hele zwik heeft duizenden ponden gekost.'

'En dat hebben wij betaald?'

'Nee. Hij is particulier gegaan.'

'Dat geloof je toch niet,' zei Tony. 'Hij is een veroordeelde moordenaar en hij kan zomaar gebruikmaken van de particuliere gezondheidszorg?'

'Zijn multimiljonairschap was legitiem. Hij kon het zich veroorloven en de rechtbanken zeiden dat hij recht had op de beste behandeling die er te krijgen was. Ik weet dat het krankzinnig klinkt, maar zo werkt de wet nu eenmaal.'

'Je hebt gelijk: het klinkt inderdaad krankzinnig.' Tony kwam weer bij de andere muur en sloeg er hard met zijn vlakke hand tegenaan. 'Ik dacht dat de families van zijn slachtoffers hem voor het gerecht hadden gedaagd? Hoe komt het dan dat hij nog steeds zwemt in het geld?'

'Omdat hij er slim mee omgesprongen is.' Eindelijk kroop er iets van boosheid in Lamberts stem. 'Toen hij werd gearresteerd heeft Vance er onmiddellijk voor gezorgd dat zijn geld naar het buitenland werd verkast. Het zit allemaal vast in trustfondsen in het buitenland, het soort rechtsbevoegdheden waarvan we op geen enkele manier kunnen achterhalen wie de lasthebbers zijn of wie de begunstigden van de trustfondsen zijn. De veroordelingen van de civiele rechtbank tegen Vance kunnen niet ten uitvoer worden gebracht met betrekking tot trustfondsen in het buitenland. Maar als hij kapitaal nodig had voor een operatie werd ervoor gezorgd dat er geld beschikbaar was. Het is uitermate weerzinwekkend, maar er is niets wat we krachtens de wet kunnen ondernemen om het te verhinderen.'

'Ongelooflijk.' Tony schudde zijn hoofd. 'Maar zelfs als de arm niet is opgevallen, hoe is hij er dan in geslaagd iedereen om de tuin te leiden?'

Lambert kreunde. 'God mag het weten. Wat ik hoor is dat de betreffende gevangene een kaalgeschoren hoofd heeft, een bril draagt en karakteristieke tatoeages op zijn armen en hals heeft. En dat alles heeft Vance gekopieerd. Iemand heeft kennelijk op maat gemaakte tatoeagemouwen of doordrukken met de juiste patronen naar binnen gesmokkeld. De persoon die waarschijnlijk de meeste kans had gemaakt om te merken dat het om de verkeerde man ging was de maatschappelijk werkster, en zij was niet op haar werk vandaag.'

Tony lachte sarcastisch. 'Niets zeggen, laat me raden. Er is haar iets volkomen onverwachts overkomen. Haar vriendje werd ontvoerd of haar huis werd opgeblazen, of zoiets dergelijks.'

'Ik heb geen idee, Tony. Alles wat ik weet is dat ze er niet was en dus hebben de bewakers in hun oneindige wijsheid besloten hem in een taxi naar zijn werkplek te sturen. Er is me verteld dat dat in gevallen als deze de standaardprocedure is. Vergeet niet dat de gevangenen die naar dit soort werkplekken worden gestuurd op een traject naar vrijlating zitten. Het is in hun eigen belang om niet in de fout te gaan.'

'Dit is het angstaanjagendste nieuws dat ik in tijden heb gehoord, weet je dat? Er zullen meer lijken volgen, Piers.' Er kroop een onwillekeurige huivering over Tony's schouders. 'Hoe is het met de taxichauffeur? Is hij nog in leven?'

'Hij heeft hoofdletsel, maar men zegt dat het niet levensbedreigend is.' Lambert klonk geringschattend. 'Wat ik het belangrijkste vind is dat we Vance zo snel mogelijk weer oppakken. En daar kom jij in het spel.'

'Ik? Ik heb Vance niet meer gesproken sinds vlak voor zijn eerste rechtszaak. Ik heb geen idee hoe zijn hoofd er tegenwoordig bij staat. Je beschikt over een gevangenispsychologe die hem goed genoeg kende om hem in een therapeutische gemeenschap te plaatsen, praat maar met haar.' Tony ademde kwaad en hard uit.

'Dat gaan we vanzelfsprekend ook doen, maar ik heb enorm veel respect voor je talenten, Tony. Ik stond bijna volledig aan de zijlijn toen jij jaren geleden Vance wist te stoppen, maar ik herinner me de impact die je werk had op de houding van Binnenlandse Zaken ten opzichte van het maken van profielschetsen. Ik wil je de dossiers over Vance sturen en ik wil dat je ons een zo gedetailleerd mogelijke inschatting geeft van wat hij waarschijnlijk gaat doen en waar hij waarschijnlijk naartoe zal gaan.' Lambert had zijn zelfverzekerdheid hervonden. Zijn verzoek had alle kracht van een eis zonder dat het er te dik bovenop lag.

'Het zou op zijn best giswerk worden.' Als het om het grote bureaucratische beest ging was Tony wel zo wijs om zelfs niet het minste greintje hoop te geven, zodat men dat later niet zou kunnen gebruiken als stok om hem mee te slaan.

'Jouw giswerk is stukken beter dan de weldoordachte meningen van je meeste collega's.'

Als niets lijkt te werken, dacht Tony, dan wordt het tijd voor vleierij. 'Eén ding wil ik wel zeggen, zelfs zonder het voordeel van inzage in de dossiers...'

'En dat is?'

'Ik weet niet waar Micky Morgan zich tegenwoordig bevindt, maar je moet haar opsporen en vertellen dat Vance op vrije voeten is. In Vance' wereldbeeld zal ze nog altijd zijn vrouw zijn. Het maakt niet uit dat het überhaupt nooit een echt huwelijk is geweest of dat ze het nietig heeft laten verklaren. Wat hem betreft heeft zij hem laten vallen. En hij houdt er niet van om tegengewerkt te worden.' Tony hield op met ijsberen en leunde met zijn voorhoofd tegen de deur. 'Zoals we de vorige keer allemaal door schade en schande hebben ondervonden. Hij is een moordenaar, Piers. Iedereen die hem ooit heeft gedwarsboomd loopt een ernstig risico.'

Het bleef enige tijd stil. Toen Lambert weer sprak, klonk er een zachtheid in zijn stem door die Tony nog niet eerder had gehoord. 'Geldt dat dan ook niet voor jou, Tony? Voor jou en voor hoofdinspecteur Jordan? Jullie zijn degenen die hem ten val hebben gebracht. Samen met jullie team van beginnende profielschetsers. Als je denkt dat hij het gemunt heeft op de mensen die hij als schuldigen van zijn opsluiting ziet, dan moet jij toch zeker boven aan de lijst staan?'

Het was een indicatie van Tony's gebrek aan narcisme dat een bezorgdheid als die van Lambert echt niet bij hem was opgekomen. Zijn jaren als klinisch psycholoog hadden hem geleerd zijn eigen kwetsbaarheid zo diep te begraven dat hij er bijna zelf het zicht op had verloren. En hoewel hij zeer goed op de hoogte was van Carols zwakke plekken was hij er zo aan gewend om haar als haar eigen ergste vijand te beschouwen dat hij haast zou vergeten dat er ook nog andere bedreigingen buiten haarzelf bestonden, bedreigingen die haar veel erger aan het wankelen zouden kunnen brengen dan haar eigen zwakheid. 'Daar had ik niet aan gedacht,' zei hij nu terwijl hij zijn hoofd schudde en niet wilde geloven dat hij zelf een mogelijk doelwit was. Want als hij daar eenmaal aan zou toegeven, zou alles wat hij deed gekleurd en vertekend worden door de angst voor wie Vance als volgende zou vernietigen.

'Ik denk dat je je wel bewust moet zijn van die mogelijkheid,' zei Lambert. 'Ik zal de dossiers laten uploaden en je de wachtwoorden sturen om de bestanden te openen. Zodra we iets van de politie in North Yorkshire horen laat ik het je weten.'

'Ik heb nooit gezegd...'

'Maar je gaat het doen, Tony. Je weet dat je het gaat doen. We spreken elkaar snel weer.'

En weg was hij. Een fractie van een seconde dacht Tony erover om Carol te bellen. Maar nieuws zoals dit kon altijd beter persoonlijk worden gebracht. Hij pakte zijn autosleutels en zijn jasje en liep naar de deur toe. Hij was al halverwege het hoofdkwartier van de politie van Bradfield toen hij zich herinnerde dat hij zo zijn eigen redenen had gehad om met Piers Lambert te willen spreken. Maar ook al dacht hij dat hij echt geloofde dat het ene leven niet meer waard was dan het andere, moest hij toegeven dat Carol Jordan redden het altijd van al het andere zou winnen als puntje bij paaltje kwam.

Dat was niet echt een aangename bevinding, maar het was onontkoombaar.

11

Tony kwam verder de kamer in en hield zijn ogen op Carol gericht. 'Het spijt me,' zei hij. 'Maar ik moet je onmiddellijk spreken. Onder vier ogen.'

Omdat ze wel zag hoezeer het hem ernst was, veranderde Carols gezichtsuitdrukking van geërgerd naar onthutst. Tony had in al de jaren dat ze hem kende nog nooit vals alarm geslagen. Waarover het ook ging, er was hier duidelijk geen sprake van een onbelangrijke onderbreking. 'In mijn kantoor,' zei ze terwijl ze met haar hoofd naar de openstaande deur knikte. Tony hield niet eens in. Carol zuchtte en spreidde haar handen wijd uiteen naar haar politiemensen in een gebaar van machteloosheid. Haar team was wel gewend aan Tony's zonderlinge gedrag, maar het was evengoed om kwaad van te worden zoals hij binnen kwam lopen alsof hij het er voor het zeggen had. En ook besliste over alles wat er daarbinnen gebeurde. 'Zoals ik al zei: Kevin, ga met Suze Blacks huisgenoot praten. Ik denk dat je Paula maar mee moet nemen. Sam, vraag dr. Sjatalov naar het soort foto dat we kunnen gebruiken om haar te identificeren. Chris, help Stacey met het bijwerken van de whiteboards aan de hand van de dossiers. En vergeet de tatoeëerinstrumenten niet.' Ze keek over haar schouder en zag dat Tony al aan het ijsberen was. 'Ik kom zo terug,' zei ze vermoeid.

Carol deed de deur van haar kantoor achter zich dicht, maar nam niet de moeite om de jaloezieën te sluiten. Ze verwachtte niet dat het gesprek een kant op zou gaan die een zodanige privacy nodig zou maken. 'Ik hoop voor je dat je met iets belangrijks komt, Tony,' zei ze terwijl ze zich zwaar in haar stoel liet vallen. 'Ik heb drie moordzaken op het bord staan. Ik heb geen tijd voor iets anders dan zaken van leven of dood.'

Tony hield op met ijsberen, zette zijn handen op haar bureau en keek haar aan. 'Ik denk dat dit zeker aan die omschrijving voldoet,' zei hij. 'Jacko Vance is vanmorgen uit de gevangenis ontsnapt.'

Carols gezicht werd uitdrukkingsloos van schrik. 'Wat?' Het was een automatische reactie. Tony vond het niet nodig zichzelf te herhalen. Ze staarde hem een lang moment aan en zei toen: 'Hoe hebben ze dat kunnen laten gebeuren?'

Tony maakte een geringschattend geluid. 'Omdat Vance slimmer is dan alle anderen in een categorie-C-gevangenis.'

'Categorie C? Hoe kan hij nu in de C-categorie zitten? Hij is een veroordeelde moordenaar.'

'En een modelgevangene, volgens Binnenlandse Zaken. Hij heeft in al die jaren dat hij opgesloten zit nooit één misstap begaan. Of beter gezegd: hij heeft zijn sporen zo goed uitgewist dat het er zo uitziet.' Er klonk boosheid in zijn stem, maar hij deed geen moeite die te onderdrukken. Als hij in het bijzijn van Carol niet enige emotie kon tonen, dan was er geen enkele plek in zijn leven waar hij een deur kon openzetten naar wat er in zijn binnenste school. 'En hij zat niet alleen in de C-categorie, maar bovendien in een vleugel van de therapeutische gemeenschap. Dat geloof je toch niet? Vrije associatie, cellen als hotelkamers en groepstherapie die hij als meesterlijke manipulator eenvoudig naar zijn hand kan zetten.' Hij duwde zich af van de tafel en liet zich in een stoel vallen. 'Ik zou mijn hoofd wel op je bureau willen leggen en kunnen janken.'

'Heeft iemand hem dan geholpen? Is hij over de muur geklommen?'

'Hij heeft duidelijk veel hulp gekregen, zowel van binnen als van buiten de gevangenis. Hij heeft zich als een andere gevangene voorgedaan die een dag voorwaardelijk verlof zou krijgen. Een van die voorwaardelijke-invrijheidsstellingdingetjes waarvan de bedoeling is dat ze leren hoe ze zich weer aan de buitenwereld moeten aanpassen.' Hij sloeg met zijn handen op zijn dijen. 'De andere gevangene moet met hem onder één hoedje hebben gespeeld. Je herinnert je nog wel wat Vance met kwetsbaarheid kan doen. Hij ontwart het, richt zich er vervolgens op en geeft mensen het gevoel dat hij het door de hemel gestuurde antwoord is op wat hun ook maar mankeert. Hij zal iets in de aanbieding hebben gehad wat die andere vent nodig had.' Hij sprong op uit de stoel en begon weer te ijsberen. Carol kon zich niet heugen wanneer ze hem voor het laatst zo vol lichamelijke onrust had gezien. Maar toen wist ze het weer. Een appartement in Berlijn. Toen haar persoonlijke veiligheid in het geding was. Het begon haar te dagen dat zijn onrust wel eens wortels in dezelfde grond zou kunnen hebben.

'Je maakt je zorgen om me,' zei ze. 'Je denkt dat hij me te grazen zou kunnen komen nemen.'

Tony bleef plotseling staan. 'Natuurlijk maak ik me zorgen om je. Ik herinner me wat je me hebt verteld. Wat hij tegen je zei op de avond dat je hem arresteerde.'

Carol voelde een koude rilling in haar nek. De zacht uitgesproken boze woorden van Vance hadden haar destijds de stuipen op het lijf gejaagd en ze kwamen haar nog maandenlang opzoeken in donkere en verknipte dromen. Soms ervoer ze haar gave om alles wat ze hoorde exact te onthouden eerder als een vloek. 'Je zult nog spijt gaan krijgen van deze avond,' had hij gezegd. Hij wasemde gevaar uit als een geur die haar leek te bezoedelen en haar angst inboezemde. Ze kreeg opeens een droge mond en probeerde te slikken. 'Hij zal hier toch zeker niet blijven rondhangen om wraak te nemen?' zei ze in een poging vooral zichzelf te overtuigen. 'Hij zal wel een schuilplaats achter de hand hebben. Ergens waar hij het gevoel kan hebben dat hij zijn leven in eigen hand heeft. En dat zal niet in dit land zijn, laat staan ergens dicht bij mij in de buurt.'

'Daar zou ik niet op rekenen,' zei Tony. 'Denk maar eens aan wat hij met Shaz Bowman heeft gedaan.'

Zich in herinnering roepen wat Vance had gedaan deed Carol denken aan de jonge politieagente die bij Tony in de leer was als profielschetser. Ze had vlammend blauwe ogen en was een briljante analiste en een impulsieve wetsdienaar. Shaz had tot tevredenheid van haar meerderen een groep potentiële slachtoffers van een seriemoordenaar ontdekt. Ze had bovendien sportheld en tv-ster Jacko Vance als de onmogelijk onwaarschijnlijke verdachte aangewezen. Omdat ze niet door haar collega's werd gesteund had ze op eigen houtje actie ondernomen om Vance met haar vermoedens te confronteren. En hij had haar op de wreedst mogelijke manier ontmenselijkt en vermoord. 'Ze was een bedreiging voor zijn veiligheid. Voor zijn vrijheid,' zei Carol, hoewel ze wist dat het een zwak antwoord was.

Tony schudde boos zijn hoofd. 'Niemand luisterde naar Shaz. Zelfs ik niet, tot mijn eeuwige schande. Ze had niets in handen wat een hogergeplaatste politieman overtuigd zou hebben om onderzoek naar Vance te doen, laat staan dat ze hem zouden arresteren. Hij was het grote beest van het oerwoud en zij was maar een mug. Hij vermoordde haar omdat ze hem kwaad had gemaakt. De ironie is dat dat de reden is waarom hij überhaupt in de gevangenis is beland. Als hij Shaz met rust had gelaten, zou ze zijn afgeschreven als een dwaze vrouw die ergens door geobsedeerd werd. Door haar te vermoorden heeft hij ons allemaal wakker geschud.'

Carol knikte instemmend en liet haar schouders zakken. 'En hij is niet dom. Hij zal dat nu wél inzien, ook al begreep hij dat destijds nog niet. Hij is duidelijk jarenlang bezig geweest met deze ontsnapping. Waarom zou hij dan alleen maar omdat hij wraak wil nemen het risico lopen dat hij weer wordt opgepakt?' Ze wierp een blik door het raam naar het drukke kantoor erachter. Ze snakte naar een borrel, maar ze wilde niet dat haar team haar in diensttijd zou zien drinken. Ze wilde dat ze de jaloezieën had dichtgedaan, maar daar was het nu te laat voor. 'Hij zal toch niet gewoonweg in de buurt blijven om wraak te nemen? In al die tijd die hij voor de voorbereiding heeft gehad moet hij wel een uitweg hebben geregeld. En die zal dan toch wel naar het buitenland leiden? Naar een land dat geen uitleveringsverdragen met ons heeft?' Ze probeerde zichzelf te overtuigen om de angst op een afstand te houden.

'Hij bekijkt de wereld niet zoals wij dat doen, Carol. Vance is een psychopaat. Het ontvoeren, verkrachten, martelen en vermoorden van tienermeisjes was wat zijn leven jarenlang betekenis gaf. En wij hebben hem dat afgenomen. Daar heeft hij zich al die tijd over zitten opvreten. Geloof me, ons daarvoor laten lijden staat helemaal boven aan zijn lijstje. Ik ken Vance. Ik heb tegenover hem aan tafel gezeten en heb gezien hoe zijn geest werkt. Hij zal vergelding willen en hij zal jou in het vizier hebben.' Tony ging abrupt zitten en greep met zijn handen de leuningen van de stoel vast.

Carol fronste haar voorhoofd. 'Niet alleen mij, Tony. Ik heb hem alleen maar gearresteerd. Jij was degene die zijn misdaden en zijn gedrag heeft geanalyseerd. Als hij een lijstje in zijn hoofd heeft, dan sta jij ook ergens bovenaan. En niet alleen jij. Wat dacht je van die beginnende profielschetsers die zij aan zij stonden om hun collega te wreken? Die horen er dan ook bij. Leon, Simon en Kay.' Carol begon zich nog iets te realiseren en gebaarde naar de ruimte achter het glas. 'En Chris. Ik vergeet altijd weer dat ik Chris toen voor het eerst heb ontmoet, omdat we vanaf een heel andere kant met het onderzoek bezig waren. Chris zal ook op zijn lijst staan. Er was niemand die er vuriger naar verlangde om Vance voor de moord op Shaz te pakken dan Chris. Zij is een doelwit. Ze zijn allemaal doelwitten. En ze moeten gewaarschuwd worden.' Er welde plotseling woede op in Carols borst. 'Waarom heb ik hier niet via de officiële kanalen over gehoord? Waarom moet ik het van jou horen?'

Tony haalde zijn schouders op. 'Daar weet ik het antwoord niet op. Misschien omdat ik mijn risicoanalyse nog niet heb ingeleverd. Maar je hebt mogelijk gelijk. Ik ben er niet van overtuigd dat ze zo'n belangrijke rol hebben gespeeld in de ogen van Vance dat hij ze nu ook in het vizier heeft, maar ze moeten er wel over worden ingelicht.'

'En zijn ex-vrouw,' zei Carol. 'Jezus. Zeg me alsjeblieft dat ze Micky Morgan ervan op de hoogte hebben gebracht.'

'Ik heb hun meteen gezegd dat ze haar moesten waarschuwen,' zei Tony. 'Hij zal wat ze heeft gedaan als verraad opvatten. Ze heeft niet alleen nagelaten hem te steunen, maar ze koos er ook nog eens voor om hem te vernederen. Zo zal hij dat zien. In plaats van van hem te scheiden heeft ze het huwelijk nietig laten verklaren. Jij en ik begrijpen wel waarom Vance een schijnhuwelijk wilde, maar in de ogen van de gemiddelde bajesklant betekent het niet voltrekken van je huwelijk maar één ding.' Hij keek Carol spottend aan. 'Dat je een zielige klootzak bent die hem niet omhoog kan krijgen.'

Carol zag de pijn in zijn ogen en voelde de steek onder water. Het was niet alleen zijn impotentie die in de loop der jaren tussen hen in was komen te staan, maar die had hun relatie zeer zeker geen goed gedaan. 'Je bent geen zielige klootzak,' zei ze kortaf. 'Hou eens op met medelijden met jezelf te hebben. Ik begrijp wat je over Micky zegt: dat de manier waarop ze zich van Vance heeft ontdaan hem in het gunstigste geval vatbaar voor spot heeft gemaakt.'

'Dat zal hij als opzet hebben beschouwd,' zei Tony. 'Maar ik denk niet dat zij degene is die hij als eerste zal aanvallen. Wat ze heeft gedaan kwam achteraf, zo je wilt. De werkelijke schurken zijn degenen die hem zijn leven hebben afgenomen.'

'En dat zijn wij dus,' zei Carol. Haar angst begon naar paniek te neigen. Ze had die borrel nu echt nodig.

'Ik denk dat we nog even de tijd hebben voordat hij tot actie overgaat,' zei Tony. 'Vance is nooit iemand geweest die risico's nam. Hij zal uitgerust willen zijn en hij zal zich ervan willen verzekeren dat de plannen die hij vanuit de gevangenis in werking heeft gezet ook in de praktijk zullen werken. Dat geeft ons allemaal de tijd onze levens op orde te brengen en onder te duiken.'

Carol keek hem verbijsterd aan. Het idee van toegeven aan je angsten was vloeken in de kerk. 'Onderduiken? Ben je gek geworden? We moeten er juist opaf om met het zoekteam samen te werken.'

'Nee,' zei Tony. 'Dat is de laatste plek waar je wilt zijn. Je wilt daar zijn waar hij niet zal gaan zoeken. Halverwege de top van een berg in Wales of in een drukke straat in Londen. Maar zeker niet bij het zoekteam, want hij zal zijn best doen om juist die mensen in de gaten te houden. Carol, ik wil dat we dit allemaal overleven. En de beste manier om dat te doen is onszelf in veiligheid brengen totdat ze Vance oppakken en hem terugzetten waar hij thuishoort.'

Carol keek hem woedend aan. 'En wat als ze hem niet te pakken krijgen? Hoe lang blijven we dan buiten beeld? Hoe lang schorten we ons leven op voordat het veilig is om ons weer te vertonen?'

'Ze zullen hem te pakken krijgen. Hij is Superman niet. Hij heeft geen idee van de beveiligde samenleving die is ontstaan sinds hij naar de gevangenis werd gestuurd.'

Carol viel uit tegen hem: 'Zou je denken? Het harde bewijs dat ervoor heeft gezorgd dat hij werd opgesloten werd geleverd door de vroegste varianten van waar we tegenwoordig over beschikken. Ik denk dat hij zich zeer goed bewust is van de huidige situatie. En als hij in de vleugel van een therapeutische gemeenschap heeft gezeten, dan heeft hij de beschikking gehad over een tv en een radio. Misschien zelfs wel over beperkte internettoegang. Tony, Vance zal precies weten waar hij mee te maken krijgt en hij zal zijn plannen daaraan hebben aangepast.'

'Des te meer reden om ons gedeisd te houden,' zei Tony koppig. Hij sloeg met zijn handen op de armleuningen van zijn stoel. 'Verdomme, Carol, ik wil niet nog iemand verliezen aan die sadistische klootzak.' Alle emotionele geslotenheid was van zijn gezicht verdwenen en ze werd eraan herinnerd hoe persoonlijk hij de dood van Shaz Bowman had opgevat. De schuld die hij op zijn schouders had genomen had hem jarenlang neergedrukt, niet in het minst omdat de verschillende rechtbanken Vance hadden laten ontsnappen aan de consequenties van die buitengewoon wrede daad.

'Dat zal ook niet gebeuren,' zei ze met zachte en warme stem. 'Het zal niet zo gaan als de vorige keer. Maar agenten zoals wij verstoppen zich niet voor beesten als Jacko Vance. We gaan achter ze aan.' Ze stak een hand omhoog om hem tegen te houden toen hij zijn mond opende om iets te zeggen. 'En ik zeg dat niet in een vlaag van overijverige stommiteit. Ik zeg het omdat ik erin geloof. Als ik me eenmaal door angst ga laten regeren, kan ik er net zo goed meteen mee ophouden. Laat die nieuwe start dan maar zitten. Het enige wat ik dan in overweging moet nemen is een vervroegd pensioen.'

Tony slaakte een zucht, omdat hij wist wanneer hij verslagen was. 'Ik kan je er niet toe dwingen,' zei hij.

'Nee, dat klopt. En behalve wanneer de anderen in de afgelopen tien, twaalf jaar heel erg veel veranderd zijn, zul je hen er ook niet toe kunnen dwingen. We moeten eropaf om hem op te sporen.'

Tony vertrok zijn gezicht. 'Doe dat alsjeblieft niet, Carol. Alsjeblieft. Waarschuw toch vooral de anderen, maar doe gewoon je normale werk. Laat de klopjacht over aan mensen die hij niet de moeite waard vindt om te vermoorden.'

'En jij? Ga jij achter hem aan?'

Tony merkte dat hij haar niet in de ogen kon kijken, hoewel hij vond dat er niets was waarover hij zich zou moeten schamen. 'Ik zal een eind bij de frontlijn uit de buurt blijven en een risicoanalyse voorbereiden. Suggesties over wat Vance zoal zou willen gaan ondernemen. Waar hij naartoe zal willen gaan. Ik was van plan me samen met jou halverwege de top van een berg in Wales schuil te gaan houden zodat ik ook van jouw kennis gebruik zou kunnen maken, maar dat gaat niet gebeuren, hè?' Hij was zich opnieuw bewust van de woede die in zijn stem kroop. Dit keer drukte hij het gevoel de kop in en dwong hij zichzelf op vriendelijke toon te praten. 'Dus ik ga waarschijnlijk regelen dat iemand anders mijn afspraken in Bradfield Moor van vandaag afhandelt, zodat ik naar Worcester terug kan rijden om daar in alle rust te kunnen werken.'

Het was geen oplossing die Carol beviel. Ze wilde hem op een plek waar ze hem in de gaten kon houden. 'Ik heb liever dat je hier blijft,' zei ze. 'Als we niet gaan onderduiken moeten we in ieder geval dicht bij elkaar in de buurt blijven en vermijden dat we Vance enige kans geven om toe te slaan.'

Tony keek bedenkelijk. 'Je zit midden in een onderzoek naar een seriemoordenaar en ik word niet geacht met je samen te werken. Als je geliefde hoofdcommissaris me hier ziet rondhangen zal hij een aneurysma krijgen.'

'Jammer dan. En bovendien dacht ik dat je een manier had gevonden om dat te omzeilen?'

Tony keek haar nog altijd niet in de ogen. 'Daar ben ik niet meer aan toegekomen. Door deze hele toestand ben ik het helemaal vergeten. En nu moet ik aan de slag met die analyse over Vance. Weet je wat? Ik zal in jouw kantoor werken en de jaloezieën dichtdoen. En als ik dan mijn rapport bij Binnenlandse Zaken inlever, zal ik het meteen regelen. Oké?'

Carol werd verrast door haar eigen lach. 'Je bent hopeloos, weet je dat?'

'Maar dan moet jij mij ook iets beloven...'

'En dat is?'

'Als hij ook maar in de buurt van een van ons komt, dan duik je onder.'

'Ik ga niet schuilen op een berg ergens midden in Wales.' Carols mond vormde zich tot een strakke streep.

'Nee, dat begrijp ik. Maar ik heb nog altijd mijn kanaalschip in de haven van Worcester liggen. We zouden kunnen wegvaren zoals de uil en het poesje uit het nonsensgedicht van Edward Lear. Dat zou onze gedachten wat van Vance afleiden.'

Carol fronste haar voorhoofd. Dit was niet de Tony Hill die ze al jaren kende. Hij had kortgeleden dan wel beweerd dat hij grondig was veranderd vanwege de ontdekking van de identiteit van zijn biologische vader, zodat hij nu begreep waarom de man geen rol in zijn leven had gespeeld. En hij had ook zijn erfenis leren aanvaarden. Maar ze had zo haar twijfels gehad en had weinig tekenen van verandering waargenomen afgezien van het onbeduidende besluit om uit Bradfield weg te gaan en naar het prachtige huis uit de tijd van koning Edward in Worcester te verhuizen. Oké, dat betekende ook dat hij zijn baan bij de beveiligde psychiatrische inrichting Bradfield Moor moest opgeven, maar Carol was ervan overtuigd dat het stoppen met werken niet meer dan een paar weken zou duren. Tony vereenzelvigde zich te veel met de studie van beschadigde geesten om er lang mee te stoppen. Er zou een andere beveiligde inrichting komen, een andere reeks verwarde hoofden. Daar twijfelde ze niet aan.

Maar het idee om met een kanaalboot te vertrekken op een niet-geplande excursie zonder duidelijke bestemming was helemaal niets voor hem en leek een echte indicatie van verandering. Ze kon zich zijn laatste jaarlijkse verlof niet heugen, laat staan dat hij daadwerkelijk op vakantie was gegaan. Misschien voelde hij ook de angst wel aan zijn hart knagen. 'Die brug kunnen we altijd nog onderdoor varen,' mompelde ze terwijl ze opstond en naar de deur liep. 'Maar het eerste wat ik moet doen is het slechte nieuws aan Chris vertellen. Daarna moeten we aan de slag om de anderen op te sporen en op de hoogte te stellen.'

Tony stond op.

'Nee, jij blijft waar je bent,' zei Carol terwijl ze langs hem reikte en de jaloezieën dichttrok.

'Ik moet naar huis om mijn laptop op te halen,' protesteerde hij.

'Nee hoor. Je kunt mijn computer gebruiken.'

'Maar daar staat mijn vaste opzetje niet op.'

Carol glimlachte onverbiddelijk. 'Als je je standaardinleiding soms bedoelt, dan gebruik je er gewoon maar een van een oude profielschets. Je kunt ze vinden in de map die ik voor het gemak "profielschetsen" heb genoemd. Het spijt me Tony, maar als dit zo ernstig is als je beweert, dan moet je net zo goed op jezelf passen als je op mij zou willen doen.'

Daar kon hij helemaal niets tegen inbrengen, dacht ze toen ze de teamkamer binnen stapte.

12

Vance had een baseballcap van de Boston Red Sox in het handschoenenkastje van de taxichauffeur gevonden. Het was eigenlijk geen vermomming, maar als er al een signalement van hem naar buiten was gebracht, dan maakte de pet daar geen deel van uit. Het was waarschijnlijk voldoende om hem een klein beetje respijt te geven. Hij was aangenaam verrast door het nieuwe tankstation langs de autosnelweg. In de tijd dat hij achter de tralies ging was een tankstation langs de autosnelweg een naargeestige noodzakelijkheid waar de tijd sinds de jaren zestig had stilgestaan. Tegenwoordig was dit hier in ieder geval veranderd in een aantrekkelijk wegrestaurant zonder veel tussenmuren met een voedingsmiddelenwinkel van Marks & Spencer, een espressobar met twintig verschillende soorten warme dranken en een motel. Wat maakte het uit dat het platteland eraan ging? Dit was een enorme verbetering.

Vance reed naar een rustig gedeelte van het parkeerterrein toe, zo ver mogelijk van het motel verwijderd. Hij controleerde waar de camera's van het gesloten videosysteem hingen en zorgde ervoor dat hij op een plek geparkeerd stond waar de nummerborden niet gezien konden worden. Alle tijd die hij kon winnen werkte in deze fase in zijn voordeel.

Uit nieuwsgierigheid trok hij de kofferbak open. In een hoek achterin was wat kleding weggestopt. Hij pakte het bundeltje op en schudde de vouwen uit een lichtgewicht regenjack. Perfect. Het zat een beetje strak om zijn schouders, maar het bedekte zijn getatoeeerde armen, die het opvallendste aspect aan zijn huidige verschijning waren. Dat zou hem goed van pas komen bij het binnengaan en verlaten van het motel.

Hij liet de sleutels in het contact zitten in de hoop dat iemand de taxi zou stelen en liep kordaat over het geplaveide pad naar het motel, waarbij hij zijn gezicht in de opgezette kraag van het jack verborg. Terwijl hij zo liep kon hij de spanning in zijn lichaam voelen. Het was geen angst; er was nog geen aanleiding voor angst. Het was een mengeling van spanning en intuïtie, dacht hij. Het was een verhoogde staat van bewustzijn die hem voor gevaar zou behoeden. Niet alleen nu, maar voor zolang als hij nodig had om zijn plannen ten uitvoer te brengen.

Hij sloeg af tussen de laatste twee rijen geparkeerde auto's en bekeek ze goed in het voorbijgaan. Halverwege zag hij de donkerblauwe Mercedes stationcar staan waarnaar hij op zoek was. Op het dashboard stond een stukje papier met een getal erop. De laatste drie cijfers waren 314.

Vance liep weg van de auto en ging recht op het motel af. Hij duwde de deur open en liep vol zelfvertrouwen door de foyer naar de liften toe. Geen van de mensen die op sofa's zaten te kletsen of koffie zaten te drinken aan de functionele tafeltjes wierp ook maar een blik op hem. De receptionist, die het druk had met een andere nieuwe gast, keek amper zijn kant op. Alles was precies zoals hij had verwacht. Terry had goed werk verricht bij het regelen hiervan en door hem tijdens zijn bezoekjes de opvallendste details door te spelen. Vance drukte op de liftknop en stapte meteen naar binnen toen de deuren opengingen. Op de derde etage sloeg hij links af een hal in waar de scherpe chemische geur van kunstmatige aroma's hing. Hij liep de gang door tot hij bij een deur kwam waarop 314 stond. Hij klopte drie keer en stapte toen weg van de deur, zodat hij klaarstond om weg te rennen als dat nodig zou blijken.

Maar er was geen reden tot zorg. De deur zwaaide geluidloos open en de pezige gestalte met het apengezicht van Terry Gates kwam tevoorschijn, de ware gelovige die Vance' bevelen vanaf de dag dat hij werd gearresteerd tot in detail had uitgevoerd. Het was Terry geweest wiens valse getuigenis twijfel had veroorzaakt ten aanzien van zijn eerste veroordelingen voor moord, Terry die wat er van hem werd gevraagd nooit ter discussie stelde, Terry wiens geloof in Vance' onschuld nooit aan het wankelen was gebracht. Even leek hij onzeker, maar toen keken ze elkaar in de ogen en ontblootte hij zijn tanden in een brede grijns. Hij spreidde zijn armen wijd en liep achteruit. 'Kom er toch in, man,' zei hij, zijn Noord-Engelse accent zelfs in die korte begroeting duidelijk hoorbaar.

Vance stapte snel de drempel over en deed de deur achter zich dicht. Hij ademde lang en sissend uit en beantwoordde Terry's grijns. 'Het is geweldig om je te zien, Terry,' zei hij terwijl hij ontspannen terugviel op zijn eigen, honingzoete spreektrant.

Terry kon niet stoppen met glimlachen. 'Het is top, Jacko. Top. Het was zo deprimerend om je al die jaren alleen maar daarbinnen te zien.' Hij maakte een armgebaar naar de kamer. 'En hoe fraai is dit dan?'

Het was eerlijk gezegd een stuk beter dan Vance had verwacht van deze halte op zijn reis terug naar de luxe en het comfort waarnaar hij hunkerde als naar iets waar hij recht op had. De kamer was schoon en vrij van oude luchtjes van sigaretten of sterkedrank. De inrichting was eenvoudig: witte muren en beddengoed, donkere houten lambrisering achter het bed en de tafel, die ook als bureau dienstdeed. De gordijnen waren tabakskleurig. De enige fellere kleuren waren te vinden in het tapijt en in de beddensprei. 'Dat heb je goed gedaan, Terry,' zei hij terwijl hij de pet afzette en het jack afschudde.

'Hoe ging het? Moet ik een bak thee voor je zetten? Heb je iets nodig? Ik heb al je papieren en je identiteitsbewijzen in de aktetas hier. En ik heb een paar lekkere salades en sandwiches van Marks & Spencer,' kakelde Terry.

'Het liep gesmeerd,' zei Vance terwijl hij zich uitgebreid uitrekte. 'Geen enkele kink in de kabel.' Hij sloeg Terry op zijn schouder. 'Bedankt. Maar eerst belangrijkere zaken. Wat ik nu nodig heb is een douche.' Hij keek met afkeer naar zijn armen. 'Ik wil af van deze beledigingen voor het oog. Waarom iemand zichzelf zoiets zou aandoen is een mysterie voor me.' Hij liep naar de badkamer toe.

'Maar goed dat Jason het toch heeft gedaan,' zei Terry. 'Met zulke tatoeages kijkt niemand al te goed naar je gezicht, hè?'

'Precies. Heb je een scheermesje, Terry? Ik wil van het sikje af.'

'Dat ligt allemaal daarbinnen, Jacko. Alles waar je om hebt gevraagd, al je normale toiletspullen.' Terry glimlachte weer kort naar hem, behaagziek als altijd.

Vance sloot de deur van de badkamer en zette de douche aan. Terry was net als je eigen hond. Waar Vance ook om vroeg, het zou er onmiddellijk zijn. Het maakte niet uit hoe veeleisend Vance was, Terry leek nog steeds het gevoel te hebben dat híj degene was die bij Vance in het krijt stond. Dat berustte op één simpel gegeven: toen hij nog een nationale held was, had Vance uren aan het bed van Terry's tweelingzus Phyllis gezeten terwijl ze lag te sterven als gevolg van de kanker die in haar lichaam had huisgehouden. Terry dacht dat Vance dat uit medeleven deed. Hij had nooit begrepen dat Vance bij stervenden aan het bed zat omdat hij het fijn vond om toe te kijken hoe het leven uit hen wegstroomde. Hij genoot ervan te zien hoe hun menselijkheid osloste tot ze niet meer dan een lege huls waren geworden. Gelukkig voor hem was dat zelfs nog nooit bij Terry opgekomen als een mogelijk motief voor wat hij als een daad van intense goedheid had beschouwd. Phyllis had altijd genoten van *Vance's Visits*. De man in levenden lijve naast haar bed te hebben zitten was het enige lichtpuntje in haar leven geweest toen dat uit haar wegvloeide.

Vance deed zijn prothese af en stapte de douchecabine in, waar hij ten volle genoot van een eindeloze waterstroom waarvan hij de temperatuur helemaal zelf in de hand had. Het was verrukkelijk. Hij waste zichzelf van top tot teen met een dure douchegel die naar echte limoenen en kaneel rook. Hij schrobde de tatoeage van zijn hals en schoor het sikje eraf, maar liet de snor staan. Hij bleef lang onder de straal staan en genoot van het gevoel dat hij weer heer en meester over zijn eigen lot was. Uiteindelijk begon de doordruk van de tatoeage los te laten, zodat hij als een prent van Dalí van zijn arm gleed. Vance wreef zijn arm tegen zijn borst en buik om het sneller in een kleverig mengsel te laten oplossen, dat vervolgens in het afvoerputje verdween, zodat elk spoor van Jasons bodyart werd weggespoeld.

Hij stapte onder de douche vandaan en wikkelde een dikke handdoek om zich heen. Die voelde onwerkelijk zacht aan tegen zijn huid. Daarna bedekte hij de kunsthuid van zijn prothese met douchegel en verwijderde de tatoeagemouw voorzichtig door ook deze te laten oplossen en ervan af te laten glijden, zodat er geen enkel spoor achterbleef van wat er daar had plaatsgevonden. Terwijl hij zich stond af te drogen moest Vance weer aan Terry denken. Hij had meineed gepleegd voor Vance. Joost mocht weten hoeveel misdrijven hij het afgelopen jaar ten behoeve van Vance had gepleegd: alles van het verkrijgen van een vals identiteitsbewijs tot het witwassen van geld. Hij had de praktische aspecten van Vance' ontsnapping geregeld. Er was zelfs nooit maar een indicatie geweest dat hij de man die hij nog altijd als een held vereerde zou kunnen verraden. Maar toch...

Hij kon niet om het feit heen dat Terry de man was die te veel wist. Hij was al die tijd trouw aan zijn geloof gebleven, omdat hij zichzelf ervan had weten te overtuigen dat Vance onschuldig was. Hij kon onmogelijk geloven dat de man die de laatste weken van zijn zuster draaglijk had gemaakt ook een moordenaar kon zijn. Maar dit keer zou het anders zijn. Vance had plannen. Helse plannen. En wanneer de verschrikkingen begonnen, wanneer de omvang van zijn wraak duidelijk zou worden, zou er geen speelruimte voor twijfel zijn. Zelfs Terry zou niet aan de confrontatie met de aanstaande storm kunnen ontkomen. Terry zou een zekere persoonlijke verantwoordelijkheid op zich moeten nemen voor de verwoestingen die Vance van plan was aan te richten. Dat zou een vreselijk moment voor hem worden. Maar er was geen ontkomen aan dat Terry een man was die de moed had naar zijn overtuigingen te handelen. Omdat hij al die tijd vierkant achter Vance had gestaan, zou het besef van zijn fout Terry rechtstreeks in de armen van de politie drijven. Hij zou niet anders kunnen.

En daardoor werd Terry onmiskenbaar de man die te veel wist. Als hij zou onthullen wat hij had gedaan en zou laten zien wat hij wist, zou dat het einde van alles betekenen. Dat was iets wat Vance niet kon laten gebeuren.

13

Rechercheur Alvin Ambrose probeerde zich niet al te veel op te winden tijdens de veiligheidscontroles die hij moest ondergaan om de Oakworth-gevangenis binnen te komen. Bodyscans, metaaldetectoren, je telefoons inleveren en je mobilofoon afgeven... Als ze net zo voorzichtig waren met de mensen die ze eruit lieten, zou hij hier nu niet zijn.

Niet dat hij hier eigenlijk zou moeten zijn. Het was waar dat Oakworth binnen het werkterrein van West Mercia lag en dicht genoeg bij Worcester was om de ontsnapping tot de onbetwistbare verantwoordelijkheid van de opsporingsdienst van die stad te maken. Dat betekende dat deze taak door zijn baas zou moeten worden afgehandeld, dacht Ambrose. Maar vanaf het moment dat Carol Jordans benoeming voor de baan die hij had gewild werd aangekondigd, leek het wel alsof inspecteur Stuart Patterson in staking was gegaan. Alles wat hij op Ambrose kon afschuiven werd op het bureau van de rechercheur gedumpt. En zo was het hiermee ook gegaan. Elk beetje hoop dat Ambrose had gehad dat hij zijn baas zijn verantwoordelijkheid zou zien nemen, verdween op het moment dat de identiteit van de ontsnapte gevangene bekend werd gemaakt. Het feit dat Carol Jordan bij zijn aanvankelijke arrestatie betrokken was geweest had simpelweg bekrachtigd wat standaardprocedure in hun kantoor begon te worden.

Wat het hoofd van de opsporingsdienst betrof handelde Patterson de zaak af. Maar in werkelijkheid had Ambrose de leiding. Ongeacht het feit dat de gevangenisdirecteur zou verwachten dat iemand met een hogere rang dan brigadier de leiding over de jacht op een gevaarlijke ontsnapte gevangene zoals Vance zou hebben. Ambrose zou het gewoon moeten slikken en op zijn ontzagwekkende verschijning moeten vertrouwen om zich erdoorheen te slaan. Hij zou tenminste wel vast een beroep kunnen doen op Carol Jordans deskundigheid voordat ze in Worcester zou komen werken. Toen hij eerder met haar had samengewerkt, was hij onder de indruk geweest. En het was niet eenvoudig om indruk te maken op Alvin Ambrose.

Eindelijk was hij langs de controleposten en door de sluishekken en sleepte hij zich voort door een gang naar een kantoor, waar een verrassend jonge man achter een rommelig bureau zat. Hij sprong op, hield de zwaaiende voorkant van zijn jasje met één hand tegen zich aan en stak de andere uit om Ambrose te begroeten. Hij was lang, slank en vol energie. Toen Ambrose dicht genoeg bij hem was om zijn hand te kunnen schudden, kon hij zien dat zijn huid door tientallen fijne lijntjes doorkruist werd. Hij was ouder dan hij leek. 'John Greening,' zei hij en zijn handdruk was net zo energiek als zijn verschijning. 'Onderdirecteur. De baas is naar Londen om met Binnenlandse Zaken te praten.' Hij sperde zijn ogen open en trok zijn wenkbrauwen op. Hij deed Ambrose denken aan David Tennants vertolking van dr. Who. Hij werd alleen al moe van het idee. Greening maakte een gebaar naar een stoel, maar Ambrose bleef staan.

'Dat viel te verwachten,' zei Ambrose. 'Onder de gegeven omstandigheden.'

'Niemand is méér in verlegenheid gebracht over de ontsnapping van Jacko Vance dan wij.'

'In verlegenheid gebracht' leek Ambrose een jammerlijk ontoereikende uitdrukking. Een seriemoordenaar had de gevangenis van deze man via de voordeur verlaten. Als hij in zijn schoenen zou staan, zou Ambrose verlamd van schaamte zijn geweest. 'Tja, naar een blunder van deze omvang zal ongetwijfeld onderzoek worden gedaan, maar dat is niet waarvoor ik hier nu ben.'

Greening leek geërgerd. Niet kwaad of beschaamd, dacht Ambrose, maar op zijn tenen getrapt. Alsof iemand aanmerkingen op zijn das had gemaakt, en die zou eerlijk gezegd alle kritiek verdiend hebben. 'Ik kan u verzekeren dat er geen aanwijzingen zijn dat er van corruptie bij ons personeel sprake is,' zei hij.

Ambrose snoof minachtend. 'Dat is bijna nog erger, vindt u niet? Met corruptie had u misschien wel minder diep in de nesten gezeten dan met incompetentie. Hoe dan ook, ik ben nu hier omdat ik met Jason Collins moet praten.'

Greening knikte stijfjes. 'We hebben de verhoorkamer voor u klaargemaakt, compleet met audio- en videoapparatuur. We zijn allemaal erg verbaasd over Jasons betrokkenheid. Hij ging zo goed vooruit in de vleugel van de therapeutische gemeenschap.'

Ambrose schudde vol ongeloof zijn hoofd. 'Een voorbeeldige leerling, kennelijk.'

Greening knikte naar de bewaker die Ambrose naar binnen had gebracht. 'Agent Ashmall zal u naar de verhoorkamer brengen.'

Ambrose begreep dat hij wel kon gaan en volgde de bewaker weer terug de gang in, door andere sluishekken en dieper het doolhof van de gevangenis in. 'Kende je Vance?' vroeg Ambrose.

'Ik wist wie hij was. Maar ik heb nooit direct contact met hem gehad.'

En daarmee kwam ook meteen een einde aan dat gesprek. Nog een hoek om en toen stopten ze voor een deur. De bewaker haalde hem met een magneetkaart van het slot en hield de deur voor hem open. Ambrose bleef een lang moment vlak voorbij de deuropening staan en nam de man op die aan een tafel zat die met bouten aan de vloer was bevestigd. Geschoren hoofd, een sikje en tatoeages, net zoals men hem had beschreven. Collins keek op en staarde Ambrose met een strakke blik vol verachting recht in de ogen aan. 'Wat moet je?' Ambrose had dat soort provocatie zo vaak meegemaakt in zijn jaren bij de politie dat het van hem afketste zonder hem iets te doen.

Hij zei niets. Hij keek de kamer rond alsof hij de grijze wanden, de tl-verlichting en de tegelvloer taxeerde voor een makelaarsbrochure. De ruimte rook naar onfrisse lichamen en scheten. Het deed Ambrose haast verlangen naar de tijd dat er nog gerookt mocht worden. Hij was in twee stappen bij de lege stoel tegenover Collins en nadat de gevangenismedewerker de knop had aangewezen waarop Ambrose moest drukken als hij klaar was, liet hij hen alleen.

'Jason, ik ben rechercheur Alvin Ambrose van de politie van West Mercia en ik ben hier om met je te praten over je betrokkenheid bij de ontsnapping van Jacko Vance.'

'Ik weet waarom je hier bent,' zei Jason met norse en zware stem. 'Alles wat ik weet, is dat hij me gisteravond heeft gevraagd van cel te ruilen.'

Ambrose barstte in lachen uit, een zwaar joviaal gebrul dat de ruimte vulde. Collins zag er geschrokken en bang uit. 'Doe me een lol,' zei Ambrose toen hij eenmaal was bijgekomen. 'Hou op met dat gelul en vertel me wat je weet.'

'Ik weet niets. Luister, het was als een grap bedoeld. Hij dacht dat hij voor mij kon doorgaan en ik dacht van niet. Ik had nooit gedacht dat het zo ver als dit zou komen.' Collins grijnsde alsof hij wilde zeggen: 'Bewijs maar dat ik lieg.'

'Daar moet wel heel veel voorbereiding bij nodig zijn geweest, voor een grap,' zei Ambrose sarcastisch.

Collins haalde zijn schouders op. 'Dat was mijn pakkie-an niet. Hij was degene die beweerde dat hij ermee kon wegkomen. Hij was degene die moest zorgen dat het zou werken.' Hij stak allebei zijn duimen omhoog. 'Verdomde goed van hem.'

'Ik geloof je niet.'

Collins haalde weer zijn schouders op. 'Je gelooft maar wat je wilt. Het kan me geen ene reet schelen.'

'Je weet dat je dagen in deze vleugel geteld zijn, hè? Je gaat weer terug naar categorie A. Geen privileges, geen behaaglijk dekbed of eigen badkamer. Geen kleffe therapeutische sessies. Geen kans op een lekker dagje buiten de gevangenis. Niet voordat je een oude man bent. Of je moet informatie hebben waarmee je het jezelf mogelijk wat makkelijker kunt maken.'

Collins' mond krulde op tot een spottende glimlach. 'Beter dan informatie. Ik heb kanker, vetzak. Ik zal in ziekenhuisvleugels liggen. Ik zal naar huis gaan om te sterven, net zoals die terrorist van Lockerbie. Niets waarmee je me kunt bedreigen komt ook maar in de buurt van die schijtzooi. Dus je kunt net zo goed weer oprotten.'

Hij had geen ongelijk, dacht Ambrose terwijl hij de stoel naar achteren duwde en vervolgens naar de deur liep. Toen hij opengging om hem uit de verhoorkamer te laten, draaide hij zich om en glimlachte naar Collins. 'Ik hoop dat de kanker je net zo vriendelijk behandelt als Vance zijn slachtoffers heeft behandeld.'

Collins lachte. 'Jullie hebben nog niets gezien, smeris. Volgens Jacko heeft hij plannen waardoor het verleden op een kinderprogramma zal lijken.'

14

Chris Devine voelde donkerrode vlekken van woede in haar hals opkomen. Ze had zichzelf altijd als voldoende gehard beschouwd voor het politiewerk. Emotionele kwetsbaarheid had nog nooit haar gelijkmoedigheid bedreigd. Ze had lange tijd geloofd dat ze niet te choqueren was. Maar toen was Shaz Bowman omgekomen door toedoen van Jacko Vance en was Chris erachter gekomen dat ze net zo van streek kon zijn als iedereen. Maar ze was er niet aan onderdoor gegaan. Dat genoegen gunde ze hem niet. In plaats daarvan had ze die pijn gebruikt als drijfveer om de strijd aan te binden met de moordenaar van Shaz en zich bij het geïmproviseerde team te voegen dat Tony en Carol hadden samengesteld om Vance te grijpen. Niets in haar hele carrière had haar zoveel voldoening gegeven.

In de zes jaar dat ze nu lid was van het Team Zware Misdrijven in Bradfield had Chris bijna elke werkdag wel aan Shaz gedacht. Ze hadden met elkaar gewerkt toen Shaz net bij de opsporingsdienst was begonnen en waren destijds samen een goed team geweest. Op dit niveau zouden ze onstuitbaar zijn geweest. Dit was het soort werk waarvan Shaz had gedroomd en ze zou er goed in zijn geweest.

Bij het verdriet van Chris zat ook een onvermijdelijk element van schuld ingebakken. Ook al was ze destijds niet meer haar baas, ze nam het zichzelf evengoed kwalijk dat ze niet goed genoeg in de gaten had gehouden waarmee Shaz bezig was geweest. Als ze niet zo met haar eigen besognes bezig was geweest, zou ze ondersteuning kunnen hebben geboden en de jonge rechercheur misschien voor gevaar kunnen hebben behoed. Maar dat had ze niet gedaan en dat was een nalatigheid waarmee ze elke dag leefde. Ironisch genoeg was ze er een betere collega door geworden en een sterkere teamspeler.

Zelfs nu was er in haar hart geen greintje vergevingsgezindheid jegens Jacko Vance te vinden. Alleen zijn naam al bezat nog steeds het vermogen een woedeaanval bij haar op te roepen, een woede waarvan ze vermoedde dat hij alleen maar gestild zou kunnen worden door persoonlijk toegebracht lichamelijk geweld. Nu ze Carol Jordan het nieuws hoorde vertellen, kon Chris die bekende woede weer in zich voelen opkomen. Beschuldigingen of verwijten waren zinloos. Waar het om ging was om Vance weer weg te stoppen waar hij thuishoorde en ervoor te zorgen dat hij daar zou blijven. 'Hoe is de klopjacht georganiseerd?' zei ze terwijl ze haar woede krachtig onderdrukte.

'Ik heb geen enkele informatie,' zei Carol. 'Niemand heeft het nodig gevonden me officieel op de hoogte te brengen van wat er gaande is. Ik weet er alleen maar van omdat Binnenlandse Zaken Tony om een risicoanalyse heeft gevraagd. En hij denkt dat ieder van ons die Vance achter de tralies heeft gekregen goed moet oppassen.'

Chris fronste. Ze zag de ernst van Tony's mening wel in, maar ze wist niet of ze het ermee eens was. 'Klinkt logisch. Hij kon er niet tegen om te worden tegengewerkt,' zei ze langzaam. 'Daarom heeft hij Shaz vermoord. Ook al vormde ze geen bedreiging voor hem. Niet echt. Hij had de touwtjes in handen, maar zij had het lef het tegen hem op te nemen en dat kon hij niet verdragen.'

'Precies.'

'Maar toch... ik zie wel in waarom hij denkt dat jij en hij onder vuur liggen, maar de rest van ons ook? Ik geloof niet dat Vance wel echt nota van ons heeft genomen. We waren niet meer dan de gewone mensen, en gasten als Vance hoeven niet op de gewone mensen te letten. Er zit geen spektakel in gewone mensen als wij.'

Carol lachte droogjes. 'Grappig, ik zie je nou nooit als een van de gewone mensen, Chris. Ik begrijp wel wat je wilt zeggen, maar ik wil evengoed het zekere voor het onzekere nemen. Ik wil dat je de andere drie die met ons hebben samengewerkt opspoort om hen te waarschuwen dat Vance vrij rondloopt en een bedreiging voor hun veiligheid zou kunnen zijn.'

Chris keek omhoog naar de hoek van de kamer en groef in haar geheugen. 'Leon Jackson, Simon McNeill en Kay... wat was Kays achternaam ook alweer?'

Sam Evans, die net de kamer wilde verlaten, hoorde deze laatste opmerking van Chris en kon het niet laten. 'Niets voor jou om een van de dames te vergeten, Chris,' plaagde hij.

'Sommige mensen...' Ze haalde haar schouders op. 'Vergeet je gewoon snel, Bill.'

'Ha, ha,' zei hij sarcastisch terwijl hij de deur achter zich dicht liet zwaaien.

'Maar ze was ook iemand die je zo weer vergat,' zei Carol. 'Ik denk dat ze dat met opzet deed. Door op te gaan in de achtergrond vergaten mensen dat ze er was en zeiden ze dingen die ze niet van plan waren los te laten.'

Chris knikte. 'Ze was een goede verhoorder. Anders dan Paula, maar misschien wel net zo goed. Maar wat was haar achternaam?'

'Hallam. Kay Hallam.'

'Dat is het, nu herinner ik het me weer. Gek, hè? Je zou denken dat we na een dergelijke ervaring allemaal contact met elkaar zouden hebben gehouden en elkaars carrière gevolgd zouden hebben. Maar zodra de eerste rechtszaak voorbij was gingen ze allemaal een andere kant op. Het was alsof ze geen enkel contact meer wilden, om het eenvoudiger te maken de hele affaire uit de geheugenbanken te wissen. En toen we elkaar weer zagen bij het hoger beroep en de tweede rechtszaak leken we wel een stel zich ongemakkelijk voelende vreemden van elkaar.'

Carol knikte. 'Zoals wanneer je op een trouwerij of een begrafenis mensen tegen het lijf loopt met wie je ooit heel hecht was, maar je elkaar zo lang niet hebt gezien dat je je niet meer op je gemak voelt met elkaar. Je bent niet meer wie je ooit was en je weet allebei dat het vroeger anders was, waardoor het op de een of andere manier pijnlijk en triest aanvoelt.'

Het was moeilijk te zeggen wier verbazing over Carols opmerkingen groter was. Ze hadden zo lang samengewerkt dat Chris wist hoe zeldzaam het was om Carol Jordan zo rechtstreeks vanuit het hart te horen spreken. Beide vrouwen waakten over hun privacy en intimiteit werd doelbewust vermeden. Dit was dan wel een hecht team, maar ze gingen verder niet met elkaar om. Waar ze hun hart ook openstelden, het was niet op het werk.

Carol schraapte haar keel. 'Kay heeft me nog drie of vier jaar een kerstkaart gestuurd, maar ik denk dat dat eerder te maken had met een wens ervoor te zorgen dat ik haar een goede referentie zou bezorgen dan dat ze contact met me wilde onderhouden. Ik heb geen idee waar ze zich tegenwoordig bevindt en of ze zelfs nog wel bij de politie is.'

Chris tikte de namen in op haar smartphone. 'Ik ga erachteraan. Misschien kan de bond me helpen. Ze zouden me in ieder geval moeten kunnen vertellen of ze nog bij de politie in dienst zijn.'

'Zullen ze dat soort informatie zomaar geven?' vroeg Carol.

Chris haalde haar schouders op. 'Ze zijn tenslotte onze vakbond, dus je zou denken dat ze ons zouden willen beschermen.' Ze grijnsde ondeugend. 'Bovendien heb ik zo mijn manieren. Ze zien er wellicht niet zo mooi uit als die van Paula, maar ze leveren wel iets op.'

Carol wierp haar handen in de lucht ten teken van overgave toen Chris zich omdraaide en op het toetsenbord van haar computer begon te hameren met de kracht van iemand die haar typevaardigheid op een typemachine had opgedaan. 'Ik bemoei me er verder niet mee,' zei ze. 'Laat het Tony en mij weten wanneer je klaar bent. En, Chris...?'

Chris keek op van het scherm. 'Wat is er?'

'Ga hier nu niet zo in op dat je vergeet ook goed op jezelf te passen. Als Vance een lijst heeft, dan sta jij daar ook op.' Carol stond op en liep naar de deur toe.

'Dus, met alle respect, chef, waar gaat u precies helemaal in uw eentje naartoe?' riep Chris haar achterna.

Carol draaide zich half om met een glimlach die de huid rond haar ogen deed rimpelen. 'Ik ga naar het hoofdkwartier van de noordelijke divisie. Ik denk dat ik daar wel veilig ben.'

'Daar zou ik maar niet zo zeker van zijn,' mompelde Chris somber terwijl de deur achter Carol dichtviel.

Het was ongebruikelijk voor Vanessa Hill om rond lunchtijd niets omhanden te hebben. Het feit dat eten een levensbehoefte was betekende nog niet dat je etenstijd niet nuttig zou kunnen besteden. Dus werklunches vormden een terugkerend element in haar agenda. Ze ging met klanten buiten de deur eten of ze at op kantoor met belangrijke personeelsleden om campagnestrategieën voor te bereiden en potentiële markten te beoordelen. Ze had nu al dertig jaar een eigen personeelsadviesbureau en was niet bij toeval een van de toonaangevende headhunters van het land geworden.

Maar vandaag was ze gestrand. De assurantiemakelaar met wie ze zou lunchen had op het laatste moment afgezegd – een of andere smoes over zijn dochter die haar arm had gebroken bij een ongeluk op school – zodat ze tot haar afspraak van twee uur in het centrum van Manchester vastzat zonder iets omhanden te hebben.

Ze had geen zin om alleen in het restaurant te gaan zitten waar ze had gereserveerd, dus stopte ze voor een broodjeszaak waar ze een beker koffie en een belegd broodje kocht. Ze herinnerde zich onderweg naar het restaurant langs een autowasserette te zijn gereden waar ze ook aan interieurreiniging deden. Het werd wel weer eens tijd dat de auto goed onder handen werd genomen. Er was een tijd dat ze dat soort dingen zelf deed omdat niemand anders het zo grondig zou doen, maar tegenwoordig betaalde ze er liever voor. Niet dat het werk daarmee op enige wijze aan kwaliteit inboette, want als ze het niet goed genoeg hadden gedaan, stond ze er eenvoudigweg op dat ze het overdeden.

Vanessa reed naar binnen bij de interieurreiniging, gaf haar instructies door en ging in de wachtruimte zitten, waar een televisie hoog aan de muur de klanten voorzag van de elkaar opvolgende bulletins van een nieuwskanaal. God verhoede dat iemand zichzelf moest vermaken, dacht Vanessa. Ze pakte haar broodje uit en was zich ervan bewust dat de vijftiger in het confectiepak dat deze week nog niet geperst was haar zat op te nemen. Ze had hem met een enkele blik als niet ter zake doende afgedaan toen ze naar binnen liep. Ze was geoefend om mensen sneller in te schatten dan haar klanten vaak voor mogelijk hielden. Het was een gave die ze altijd al had gehad. En zoals met alle natuurlijke gaven had Vanessa geleerd er het maximale uit te halen.

Ze wist dat ze niet echt een mooie vrouw was. Haar neus was te scherp en haar gezicht te hoekig. Maar ze kleedde zich altijd zo en verzorgde haar uiterlijk altijd zo dat ze er op haar voordeligst uitzag en het deed haar genoegen dat mannen haar nog altijd snel even opnamen. Niet dat ze ook maar enige interesse voor een van hen had. Het was jaren geleden dat ze tijd of energie had besteed aan iets wat verder ging dan vleierij of geflirt. Ze had meer dan genoeg aan haar eigen gezelschap.

Terwijl ze zat te eten keek Vanessa met een half oog naar het televisiescherm. De laatste tijd leek het nieuws wel een dagelijks herhaalde bandopname: onrust in het Midden-Oosten en Afrika, gekibbel binnen de regering en de recentste natuurramp. Een van haar medewerksters had gisterochtend iedereen bij de waterkoeler aan het lachen gekregen met haar imitatie van een fanatiek religieuze buurvrouw die haar bij het buiten zetten van het vuilnis op een verhaal over het laatste oordeel en de vier ruiters van de apocalyps had getrakteerd. Maar je begreep wel waar die buurvrouw het vandaan haalde.

Maar nu leek de nieuwslezeres op te veren. 'Dit komt zojuist binnen,' zei ze, waarbij haar wenkbrauwen omhoogsprongen als ophaalbruggen in de hoogste versnelling. 'Veroordeelde moordenaar Jacko Vance is ontsnapt uit de Oakworth-gevangenis in de buurt van Worcester. Vance, die werd veroordeeld voor de moord op een tienermeisje, maar ervan wordt verdacht er nog veel meer te hebben vermoord, heeft zich voorgedaan als een gevangene die een dag werkervaring buiten de gevangenis mocht opdoen.'

Vanessa schraapte haar keel. Wat hadden ze dan verwacht? Als je gevangenen behandelt alsof ze in een pension zitten, zullen ze daar misbruik van maken. 'De gevangenisleiding wil op dit moment nog geen commentaar geven, maar naar verluidt heeft voormalig tv-presentator en Olympisch atleet Vance een taxi gekaapt die was besteld om de andere gevangene naar zijn werkplek te vervoeren. En dan gaan we nu over naar het plaatselijke parlementslid Cathy Cottison.'

Er verscheen een weinig aantrekkelijke vrouw met een niet erg flatterend decolleté in beeld, die op St. Stephen's Green voor het parlementsgebouw stond. 'Er zijn in dezen nog heel wat vragen,' zei ze met een sterk accent uit de Midlands dat Vanessa stoorde. 'Jacko Vance is een voormalig televisiester. Hij heeft maar één arm. Hoe is hij er in hemelsnaam überhaupt in geslaagd het gevangenispersoneel zodanig om de tuin te leiden dat hij naar buiten kon komen? En hoe kan het dat een gevangene zoals Vance ook maar in de buurt kan komen van het soort gevangene dat een dag voorwaardelijk verlof krijgt? En hoe kan het dat een gevangene alleen in een taxi komt te zitten, zonder begeleider? En hoe kan een eenarmige man zonder wapen een taxi kapen? Deze vragen zal ik bij de eerste de beste gelegenheid aan de minister van Binnenlandse Zaken voorleggen.'

Nu schonk Vanessa de televisie wel haar volle aandacht. Naar aanleiding hiervan zouden er koppen gaan rollen. En waar koppen rolden, bleven wervingsmogelijkheden niet lang uit. Tot haar teleurstelling verdween het nieuwsaspect naar de achtergrond en werd een en ander meteen gevolgd door het achtergrondverhaal van Vance de atleet, Vance de tv-persoonlijkheid en Vance de moordenaar. Haar aandacht begon al te verslappen, toen er plotseling een bekend persoon in beeld kwam. 'Psychologisch profielschetser dr. Tony Hill, hier samen met een collega van de politie, speelde een grote rol bij het aan het licht brengen van Vance' misdaden en zijn uiteindelijke veroordeling.'

Natuurlijk. Het was haar volkomen ontschoten dat Tony bij de zaak-Jacko Vance betrokken was geweest. De meeste moeders zouden trots zijn geweest dat hun enige zoon op zo'n positieve manier landelijk in het nieuws kwam. Vanessa Hill was niet zoals de meeste moeders. Haar zoon was zelfs voordat hij werd geboren al een bron van ongemak geweest en ze was erin geslaagd alles wat maar in de buurt van moedergevoel voor hem kwam uit de weg te gaan. Ze was van begin af aan tegen hem gekant geweest en niets van wat hij had gedaan, had haar van die houding kunnen afbrengen. Ze verachtte hem en minachtte de manier waarop hij zijn geld verdiende. Hij was geen domme vent, dat wist ze wel. Hij bezat dezelfde gave als zij: inzicht. Hij had goed gebruik kunnen maken van zijn talenten om een geslaagd man te worden.

In plaats daarvan had hij ervoor gekozen zijn dagen met moordenaars, verkrachters en het schuim der aarde door te brengen. Wat was daar het nut van? Werkelijk! Nu ze zich herinnerde dat hij door haar bastaardzoon werd gestopt neigde ze er bijna toe om Jacko Vance te steunen. Ze keerde haar hoofd in afschuw af en haalde haar telefoon tevoorschijn om haar e-mail te checken. Alles was beter dan naar die rotzooi op televisie kijken.

15

De flat die Nicky Reid met Suze Black had gedeeld, had iets vreselijk treurigs. De versleten meubels waren duidelijk bij elkaar gescharreld in een tweedehandswinkel van het armoedigste soort. De landschapsfoto's aan de muur zagen eruit alsof ze uit tijdschriften waren geknipt en in goedkope IKEA-lijsten waren geschoven. Het tapijt was versleten en de kleur was in de mist der tijd verloren gegaan. Maar het was schoner en netter dan Paula had verwacht. Het leek wel iets op een kamer die was ingericht door kinderen die vadertje en moedertje speelden.

Nicky zag haar kijken en zei: 'We zijn geen tuig, weet je. We proberen een fatsoenlijk leven te leiden. Probeerden.' Hij wees naar een schaal met sinaasappels, appels en bananen op een bijzettafel. 'Fruit en zo. Echt eten. En we betalen de huur.' Hij sloeg een mager, in spijkerstof gehuld been over het andere en vouwde zijn handen samen over zijn knie. De overdreven verwijfdheid van dat gebaar ondermijnde zijn poging tot waardigheid en Paula kreeg nog meer met hem te doen.

'Het spijt me van Suze,' zei ze. 'Wat er met haar is gebeurd is onvergeeflijk.'

'Als jullie hadden geluisterd toen ik haar als vermist kwam opgeven... als jullie me serieus hadden genomen...' De beschuldiging bleef in de lucht hangen.

Paula zuchtte. Haar toon was vriendelijk. 'Ik begrijp waarom je zo boos bent, Nicky. Maar zelfs als we groot alarm hadden geslagen toen je Suze als vermist kwam opgeven, zouden we te laat zijn geweest. Het spijt me, maar de waarheid is dat ze al een tijdje dood was voordat zelfs jij wist dat ze weg was. Ik weet dat je je schuldig voelt, Nicky, maar er is niets wat je anders had kunnen doen dat iets aan de afloop veranderd zou hebben.'

Nicky snoof luid, maar met heldere ogen. Paula was er nog niet uit of het cocaïne of verdriet was, maar afgaande op Kevins lichaamstaal was die al wel tot een conclusie gekomen.

'Ze was geweldig, Suze,' zei Nicky met trillende stem. 'Ik kende haar al jaren. We hebben samen op school gezeten. We spijbelden vaak samen en gingen dan naar de amusementshal om wat rond te hangen en te roken of bingo met de gepensioneerden te spelen.'

'Dus jullie hadden allebei problemen op school?'

Hij liet een spottend lachje horen. 'Op school, thuis, met andere kinderen. Noem maar op; ik en Suze slaagden erin tot aan onze vervloekte nek in de problemen te komen. Ze is de enige van vroeger die nog altijd een plaats in mijn leven heeft. Alle anderen hebben me genaaid en zijn er daarna vandoor gegaan. Maar Suze niet. Wij zorgden voor elkaar.'

Paula dacht dat hij nu wel ontspannen genoeg was om een lastigere vraag aan hem te stellen. 'Jullie tippelden allebei, hè?'

Nicky knikte. 'Te huur.' Hij keek omhoog naar het gebarsten plafond en pinkte tranen weg uit zijn grote blauwe ogen, die het opvallendste kenmerk van zijn smalle, magere gezicht waren, met zijn dunne lippen en afgebroken tanden. 'We konden niets anders doen. Suze heeft geprobeerd in de buurtwinkel te werken, maar dat betaalde klote.' Hij haalde zijn schouders iets op. 'Ik weet niet hoe mensen het daarmee redden.'

'De meeste mensen hebben geen dure drugsverslaving,' zei Kevin niet onvriendelijk.

Nicky pinkte een traan weg met zijn vingertoppen. 'En wat wilde je daaraan doen dan?'

'Suze was toch aan de heroïne?' zei Paula in een poging hem weer op het spoor te krijgen.

Nicky knikte en begon aan de huid rond zijn duimnagel te pulken. 'Ze gebruikte al jaren.' Hij keek Paula even snel aan. 'Ze was niet compleet van de wereld of zo. Gewoon redelijk stabiel. Ze wist zich te redden. Met heroïne wist ze zich te redden. Maar zonder heroïne?' Hij zuchtte. 'Luister, ik weet dat jullie denken dat we niet deugen, maar we brachten het er redelijk van af.' Hij pakte zijn sigaretten en stak er een op. In tweede instantie bood hij Paula er ook een aan, maar het lukte haar om hem af te slaan.

'Dat kan ik wel zien,' zei Paula. 'Ik kan zien hoe hard jullie je best hebben gedaan. Ik ben niet hier om kritiek te leveren op hoe jullie leefden. Ik moet gewoon zeker weten of Suze is gestorven vanwege iets in haar eigen leven of omdat ze op het verkeerde moment op de verkeerde plaats was.'

Nicky ging rechtop zitten, deed zijn benen van elkaar en greep de zitting van de stoel vast. 'Er was niemand in haar leven die Suze kwaad zou willen doen. Ik weet dat jullie denken dat ik haar ophemel omdat ze dood is, maar zo lag het niet. Luister, ze was een hoer en een heroïneverslaafde, maar ze was geen slecht mens. Ze heeft nooit een pooier gehad. Ze had alleen maar een dealer die op haar lette.'

'Wie was haar dealer?'

Hij schudde zijn hoofd. 'Ik ga geen namen noemen. Dat zou dom zijn en ik ben niet dom. Wat jullie ook mogen denken. Luister, ze was een goede klant. En ze bezorgde hem nieuwe klanten, dus hij zorgde er wel voor dat niemand haar het leven zuur maakte. Niemand pikte haar werkplek in. Iedereen wist hoe de zaken lagen. Toen die vervloekte Oost-Europese teven bij de bouwplaats opdoken, dachten ze dat ze bij slecht weer wel klanten in the Flyer konden oppikken.' Nicky grijnsde. 'Maar dat duurde niet lang. Die Russische klootzakken denken dat ze hard zijn, maar ze zijn niet hard op de manier waarop we dat in Bradfield zijn.'

'Hoe lang werkte Suze al in de Flyer?' vroeg Kevin. Hij wist dat Paula er niet van hield als ze in haar ondervraging werd onderbroken, maar hij had er een hekel aan om zich overbodig te voelen.

Nicky krabde op zijn hoofd en sloeg zijn benen weer over elkaar. Paula wilde dat ze Tony Hills talent had om de lichaamstaal van een persoon te lezen. Ze had niet zo lang geleden deelgenomen aan een verhoorcursus waarbij er wat tijd aan het onderwerp was besteed, maar ze had nog steeds het gevoel alsof haar kennis nog maar zeer oppervlakkig was. 'Ik weet het niet meer,' zei hij. 'Het lijkt wel alsof ze er altijd al werkte, weet je?'

'Had ze vaste klanten?' vroeg Paula. 'Of waren het meestal vliegtuigbemanningen op doorreis?'

'Allebei.' Hij inhaleerde diep en liet de rook uit zijn neusgaten stromen. 'Sommige vaste klanten waren bemanningsleden die de hele tijd dezelfde route vliegen. Als het bijvoorbeeld dinsdag was, dan moest het wel de ploeg uit Dubai zijn. Ze had een paar Arabische vaste klanten die heen en weer vlogen naar de Perzische Golf. En ook plaatselijke bewoners die bij de vrachtafhandeling werken.' Hij zuchtte. 'Ik ken geen namen of dat soort dingen. Ik heb er nooit echt veel aandacht aan besteed. Ik was niet zo geïnteresseerd in haar klanten, als jullie het echt willen weten.'

'Had ze een plek waar ze hen mee naartoe nam? Een hotelkamer, een zit-slaapkamer of zoiets dergelijks?' Verdronken in een bad, dacht Paula.

Nicky proestte het uit. 'Maak je een grapje? Ze was een straatprostituee. Ze heeft nooit in een bordeel of een sauna gewerkt. Ze werkte op straat. Ze neukte met hen om de hoek van de Flyer. In hun auto, als ze er een hadden.' Hij lachte nogmaals; hij klonk akelig benauwd. 'Het is niet bepaald *Pretty Woman*, ons leven.'

'En hoe zat het dan met waar die gasten overnachtten? Haar klanten van buiten de stad moeten hotelkamers hebben gehad. Ging ze met hen mee?'

Nicky schudde zijn hoofd. 'Zoals ik als zei: Suze was van de straat. Het zou haar nooit lukken langs een hotelreceptionist te komen, of hij moest dood zijn. Waarom vraag je daarnaar?'

'We denken dat ze niet werd vermoord op de plek waar ze is gevonden,' zei Paula.

'Ze zeiden dat ze was verdronken en dat ze haar in het kanaal hebben gevonden. Waarom zou je dan niet denken dat ze daar ook vermoord werd?'

'Ze hebben het verkeerde soort water in haar longen gevonden,' zei Paula. 'Het was geen kanaalwater. Waar ze ook is verdronken, het was niet in het kanaal.' Ze wachtte terwijl hij die informatie tot zich liet doordringen. 'Enig idee waar dat geweest zou kunnen zijn?'

'Totaal geen idee.'

'Heeft ze het er ooit over gehad dat ze zich bedreigd voelde?'

'De enige keer dat er wat problemen waren, was toen met de Oost-Europeanen. En zoals ik al zei: dat werd opgelost. Als dat tot repercussies had geleid, zouden die langgeleden al hebben plaatsgevonden. Wie haar ook heeft vermoord, ik denk niet dat het persoonlijk was. Iedereen zou haar kunnen hebben opgepikt. Wanneer de Flyer zijn deuren sloot, dan begon ze op straat te werken. Het is niet zo dat er iemand op haar lette. Daarbuiten was ze op zichzelf aangewezen. Het was niet zoals in Temple Fields, waar ik werk. We werken daar in teams. Iemand let erop met wie ik meega en andersom doe ik dat ook.' Hij schudde zijn hoofd. 'Ik heb haar gezegd dat ze iemand moest zoeken om mee samen te werken. Maar ze zei dat er niet genoeg werk voorhanden was. Ik geef haar geen ongelijk, want dat is ook gewoon zo. Vervloekte recessie.'

'Wat? Besparen de mensen op betaalde seks?' zei Kevin met een voor Paula duidelijk hoorbare sarcastische ondertoon.

'Nee, smeris,' zei Nicky boos. 'Er zijn meer mensen op straat die het aanbieden. Dat hebben we wel gemerkt, ik en Suze. Veel nieuwe gezichten.'

Dat was interessant, dacht Paula. Ze wist niet precies waarom, maar bij een moordonderzoek moest je gewoon alles wat afweek van de normale gang van zaken nader bekijken. 'Nog problemen met de nieuwelingen?'

Nicky drukte de sigaret uit in een Afrikaanse keramische asbak, tilde toen de bovenkant op en liet de peuk er netjes onder vallen. Geen boordevolle schoteltjes hier, merkte Paula op. 'Er waren wat schermutselingen bij Temple Fields,' zei hij uiteindelijk. 'Maar niet daar helemaal achteraan bij Brackley Field.' Hij greep zijn pakje sigaretten en tikte ermee tegen de leuning van de stoel. 'Wanneer zullen ze me haar lichaam geven?'

De vraag kwam uit het niets. 'Ben je haar naaste familie?' vroeg Paula om tijd te winnen.

'Ik ben de enige die ze heeft. Haar moeder is overleden. Ze heeft haar vader en haar twee broers sinds haar negende niet meer gezien. Ze zat in kindertehuizen, net zoals ik. We zorgen voor elkaar. Ze moet een behoorlijke begrafenis krijgen en geen enkele andere idioot zal het voor haar doen. Dus wanneer kan ik dat gaan regelen?'

'Je zult met de lijkschouwer moeten praten,' zei Paula, die zich schaamde dat ze een vraag ontweek waarop geen gemakkelijk antwoord bestond. 'Maar ze zullen haar lichaam niet meteen vrijgeven. Omdat ze een moordslachtoffer is, moeten we haar nog een tijdje vasthouden.'

'Waarom? Ik wist dat er een autopsie zou volgen. Ik bedoel, ik kijk ook naar de tv, ja? Dat begrijp ik. Maar nu dat achter de rug is, kan ik haar toch zeker wel weer terugkrijgen?'

'Zo eenvoudig ligt dat niet,' zei Kevin. 'Als we iemand arresteren...'

'Als? Bedoel je niet wannéér?' Nicky sprong overeind en begon heen en weer te lopen door de kamer terwijl hij al lopend een sigaret opstak. 'Of is ze niet belangrijk genoeg om in aanmerking te komen voor wannéér?'

Paula kon Kevin naast zich voelen verstrakken. 'Het werkt zo: wannéér we iemand arresteren heeft hij het recht om een tweede autopsie aan te vragen. Voor het geval dat onze patholoog het bij het verkeerde eind had. En dat is helemaal belangrijk als er enige twijfel bestaat over de doodsoorzaak. Of, zoals in deze zaak, over een forensische kwestie die met het lichaam te maken heeft.'

'Kut,' spuwde Nicky uit. 'Met het tempo waarin jullie werken kunnen we allemaal wel dood zijn voordat jullie iemand arresteren.' Hij stond stil en leunde met zijn hoofd tegen de muur. Zo van opzij gezien leek hij op een kunstenaarsverbeelding van wanhoop. 'En wat gebeurt er als deze klootzak ermee wegkomt? Hoe lang duurt het dan voordat jullie besluiten me haar terug te geven?' Nu begon hij zich kwaad te maken. Aan Nicky zouden ze vandaag verder niets meer hebben, besefte Paula.

'Praat met de lijkschouwer, Nicky,' zei ze op kalme maar niet neerbuigende toon. 'Hij kan je vragen beantwoorden.' Ze stond op, liep door de kamer naar hem toe en legde haar hand op zijn arm. Door zijn shirt met lange mouwen heen kon ze harde botten en trillende spieren voelen. 'Ik vind het heel erg voor je. Ik beloof je, ik vat geen enkele moord licht op.' Ze gaf hem haar kaartje. 'Als je nog iets bedenkt waarmee je ons kunt helpen, bel me dan.' Ze glimlachte dunnetjes naar hem. 'Of als je gewoon over haar wilt praten, bel me dan ook.'

16

Carol keek Penny Burgess, de misdaadverslaggeefster van de *Bradfield Evening Sentinel Times*, woedend aan. Het was waarschijnlijk maar goed voor de verslaggeefster dat Carol de persconferentie op het gesloten videosysteem bekeek en dat ze niet in dezelfde ruimte zat. Vanaf haar allereerste dagen in Bradfield had de journaliste Carol op afstand gehouden, ondanks haar beroep op zusterschap en gerechtigheid. Het maakte Carol razend dat iemand die beweerde de overtuigingen die haarzelf zo nauw aan het hart lagen te steunen, diezelfde overtuigingen in haar doen en laten zo doeltreffend kon verloochenen. Wat haast nog irritanter was, was dat de vrouw niet kapot te krijgen leek. Het maakte niet uit dat haar carrière met enige regelmaat op de klippen liep, want daar was ze gewoon weer: nog steeds met naam en toenaam op de voorpagina en in de perszaal, waar ze net zo duur uitgedost als een Londense modejournaliste acte de présence gaf. Ze had Kevin Matthews' carrière en huwelijk haast om zeep geholpen door hem tot een affaire en het loslaten van een reeks operationele wetenswaardigheden te verleiden, maar toch zat ze daar weer op de eerste rij bij persconferenties van de politie alsof ze van roestvrij staal was gemaakt.

Vandaag was ze net zo vasthoudend als altijd. Als ze zich eenmaal een idee in haar hoofd had gehaald, dan was ze net een seriemoordenaar die een slachtoffer in zijn macht had. Ze zou niet opgeven voordat ze alle mogelijkheden van haar prooi zou hebben uitgeput om die vervolgens af te maken. Het was een bewonderenswaardige eigenschap, veronderstelde Carol, op voorwaarde dat je over het beoordelingsvermogen beschikte om te weten wanneer dat idee ook inderdaad het najagen waard was. Ze was zelf ook door toedoen van Penny bijna in het openbaar in woede uitgebarsten, dus ze wist precies wat Pete Reekie nu doormaakte. En het hielp ook niet dat Penny daadwerkelijk iets op het spoor was wat Reekie liever nog niet prijs wilde geven. Er stond een lichte blos op zijn vooruitstekende jukbeenderen en hij had zijn wenkbrauwen naar beneden getrokken. 'Zoals ik al direct aan het begin van deze persconferentie heb gezegd is het doel van de oefening van vanmorgen het identificeren van een onbekend moordslachtoffer. Ergens daarbuiten is een familie die niet weet wat er met hun dochter, zuster of misschien zelfs wel moeder is gebeurd. Dat is wat voor mij de hoogste prioriteit heeft,' zei hij, waarbij hij zijn woorden afbeet alsof het een stuk bleekselderij was.

Penny Burgess wachtte niet op een uitnodiging die zeker niet zou zijn gekomen. Ze zat erbovenop en kwam weer terug op het punt dat ze even daarvoor had aangekaart. 'De hoogste prioriteit zal toch wel het pakken van een moordenaar zijn? Om te voorkomen dat het aantal doden nog verder oploopt?'

Reekie keek nerveus om zich heen op zoek naar hulp. Maar die was er niet. 'Dat spreekt voor zich,' zei hij. 'Maar onze eerste stap is het identificeren van het slachtoffer. We moeten weten waar ze haar moordenaar heeft ontmoet.'

'Ze heeft hem ontmoet op straat in Bradfield,' onderbrak Penny hem. 'Net zoals zijn eerste twee slachtoffers, Kylie Mitchell en Suzanne Black. Commissaris, heeft u een waarschuwing voor de straatprostituees van Bradfield nu deze seriemoordenaar rondwaart?'

'Mevrouw Burgess, ik heb al gezegd dat er geen reden is om aan te nemen dat deze moorden het werk van één man zijn. De vrouwen werden allen op zeer verschillende manieren en locaties vermoord...'

'Volgens mijn bron is er een verband tussen deze drie misdaden,' onderbrak Penny Burgess hem. 'De moordenaar laat een handtekening achter. Wat is daarop uw commentaar?'

Speel de vraag terug naar haar, spoorde Carol hem in gedachten aan. Ze beschikt over weinig details en dat is de reden waarom ze het verhaal nog niet heeft gepubliceerd.

Diezelfde waarheid begon Reekie nu ook eindelijk te dagen. 'Kunt u daar nog wat meer over vertellen?' snauwde hij haar toe. 'Want ik denk niet dat u enig idee heeft waarover u spreekt. Ik denk dat u alleen maar op zoek bent naar een invalshoek die sensatie wekt. Omdat dat de enige manier is waarop u uw redacteur geïnteresseerd kunt krijgen in de moord op een straatprostituee. Het heeft voor u alleen waarde als u er zo'n draai aan kunt geven dat het als een aflevering van een tv-serie klinkt.'

Er viel een geschokte stilte in de zaal. Vervolgens barstten de stemmen los in een kakofonie van geschreeuwde vragen. Je bent te ver gegaan, dacht Carol. Nu heb je haar echt kwaad gemaakt.

De persvoorlichter van de politie slaagde erin het zestal journalisten in de zaal enigszins rustig te krijgen. Toen klonk de stem van Penny Burgess weer: 'Gaat u het Team Zware Misdrijven van hoofdinspecteur Jordan vragen aan het onderzoek deel te nemen?'

Reekie keek haar dreigend aan. 'Ik ben niet van plan operationele zaken te bespreken tijdens deze openbare bijeenkomst,' zei hij. 'Ik zal dit nog één keer zeggen en dan is deze persconferentie voorbij.' Hij draaide zich half om en maakte een gebaar naar de opgeschoonde afbeelding die Grisja Sjatalov had weten te produceren. De vrouw zag er nog steeds dood uit, maar ze zou de meeste mensen nu in ieder geval geen nachtmerries meer bezorgen. 'We zijn geïnteresseerd in de identiteit van het slachtoffer van een wrede moord die ergens tussen dinsdagavond en woensdagmorgen in Bradfield heeft plaatsgevonden. Iemand moet deze vrouw kennen. We vragen u met klem om u bij ons te melden en in strikte vertrouwelijkheid elk soort informatie over haar identiteit of haar gangen vlak voor haar dood met ons te delen. Bedankt voor uw medewerking.' Reekie draaide zich op zijn hielen om en stapte naar buiten, waarbij hij de vragen die de journalisten hem bleven toeroepen negeerde.

Even later stormde hij zijn kantoor binnen en gooide zijn papieren op een kleine tafel bij de deur. Carol draaide zich om in de draaistoel en zorgde ervoor dat ze een meelevende uitdrukking op haar gezicht had. 'Een beetje een nachtmerrie, die Penny Burgess,' zei ze.

Reekie keek haar woedend aan terwijl hij zich in de comfortabele stoel achter het bureau liet zakken. 'Ik snap nog steeds niet waarom ik haar te woord moest staan. Wat is het nut van net doen alsof er geen seriemoordenaar aan het huishouden is? Waarom kunnen we daar niet gewoon open over zijn en bekendmaken dat jouw team met de zaak bezig is?' Hij pakte een pen op en begon afwisselend met de punt en het uiteinde ervan op het bureaublad te tikken. Ze zag een lichte inkeping in zijn vinger waar een trouwring gezeten zou moeten hebben. 'Dat zou de mensen geruststellen.'

Carol draaide de stoel nog wat verder rond zodat ze hem kon aankijken. Ze moest Reekie kalmeren en een beetje paaien; ook een van de politieke spelletjes die ze haatte, maar wel moest meespelen. 'Maar zoals u daarbinnen al duidelijk hebt gemaakt zou het dan veel meer aandacht in de media krijgen. En dat is om twee redenen een probleem. Ten eerste is het altijd lastiger een onderzoek uit te voeren met de hete adem van de wereldpers in je nek, en tegenwoordig is het geringste vermoeden van een seriemoordenaar voldoende om zo'n lawine van media-aandacht te veroorzaken dat de bij het onderzoek betrokken agenten geen leven meer hebben. Vierentwintig uur per dag de aasgieren van de media op je dak zorgt voor een zo sterke kritische blik dat niemand van ons eronder wil werken. En ten tweede geniet dit soort seriemoordenaar van publiciteit. Hij wil een ster zijn. Hij wil in het middelpunt van de belangstelling staan. Als je hem dat ontzegt, dan zet je hem onder druk. En druk leidt tot fouten. En door fouten krijgen we hem te pakken.'

'Je hebt makkelijk praten. Jij hoefde daar niet te staan liegen.' Hij bleef maar doorgaan met dat vervelende getik met die pen. Carol wilde hem wel uit zijn handen grissen, wilde wel de drilsergeant zijn voor het nukkige kleine jongetje in hem. Ze kon zich met enige moeite inhouden.

'U hoefde niet te liegen. U hoefde alleen maar niet het hele verhaal te vertellen. Het enige aan die vertoning van haar wat wel als een opluchting kwam, was dat haar bron zich niet in het hart van het onderzoek bevindt.'

Reekie knikte. 'Waarschijnlijk niet, nee. Als dat wel het geval was, dan had ze van de tatoeage geweten in plaats van het veel terughoudender "handtekening" te moeten gebruiken.'

'Dus voorlopig zijn we weer even buiten de gevarenzone.' Carol stond op. Reekie maakte geen aanstalten om haar de hand te schudden of om op te staan. Hij voelde zich duidelijk nog gekrenkt door zijn aanvaring met Penny Burgess. 'Laat het me weten als uw mensen in het veld iets over haar identiteit te weten komen.'

'Zodra we ook maar iets horen, laat ik het je weten. Laten we bij deze zaak nauw contact onderhouden, Carol. We willen niet dat de zaak ons uit de handen glipt.'

Carol draaide zich om en liep naar de deur toe. Ze moesten altijd het laatste woord hebben om haar eraan te herinneren wie het hoogst in rang was. Op dit soort momenten wist ze precies waarom ze Tony Hill zo waardeerde.

17

Tony Hill was zich terdege bewust van het feit dat zijn reflexen verschilden van die van andere mensen. Neem nu bijvoorbeeld het geheugen. Ook al dronk hij al jaren koffie met Carol Jordan, langer dan hij wilde weten, hij stond toch met enige regelmaat aan de balie bij espressobars of in zijn keuken door de database in zijn hoofd te bladeren om zich te herinneren of ze espresso of cappuccino dronk. Maar hij was geen verstrooide professor. Hij kon zich het kenmerkende gedrag herinneren van elke seriemisdadiger die hij ooit had ontmoet, zowel als profielschetser als in zijn hoedanigheid van klinisch psycholoog. Alle herinnering was selectief, dat wist hij wel, maar het was nu eenmaal zo dat de principes die zijn geheugen beheersten ongewoon waren.

Dus toen hij ging zitten om een risicoanalyse over Jacko Vance te schrijven, kwam het als een verrassing voor hem dat hij zich niet kon herinneren ooit een formele profielschets van hem te hebben opgesteld. Nadat Carol was weggegaan, had hij zijn ogen gesloten en had hij geprobeerd zich een beeld van zijn verslag voor de geest te roepen. Toen er niets tevoorschijn kwam, waren zijn ogen opengesprongen omdat hij besefte dat zijn jacht op Jacko Vance zo anders dan normaal was gelopen dat hij niets had opgeschreven op het moment dat alles zich voltrok. Natuurlijk, de jacht op Jacko Vance was ongewoon geweest omdat hij niet was voortgekomen uit een politieonderzoek. Hij was het resultaat van een trainingsoefening voor de aspirant-profielschetsers met wie Tony had samengewerkt in een taakgroep van Binnenlandse Zaken. En toen de zaak eenmaal aan het rollen was, was er geen tijd geweest om achterover te leunen om Vance' misdaden in dat soort termen te analyseren.

Om zichzelf wat tijd te geven terwijl hij nadacht over wat hij over Vance wist, zocht Tony een van zijn eerdere profielschetsen op Carols laptop op en kopieerde zijn vaste inleiding.

> Het nu volgende misdadigersprofiel is uitsluitend bedoeld als leidraad en moet niet als compositietekening worden beschouwd. De misdadiger zal waarschijnlijk niet tot in elk detail aan de profielschets beantwoorden, maar ik verwacht wel dat er sprake is van een hoge mate van overeenstemming tussen de hieronder uiteengezette karakteristieken en de werkelijkheid. Alle beweringen in de profielschets hebben betrekking op waarschijnlijkheden en mogelijkheden en niet op harde feiten.
> Een seriemoordenaar laat signalen en aanwijzingen zien bij het begaan van zijn misdaden. Alles wat hij doet is bewust of onbewust bedoeld als onderdeel van een patroon. Door het onderliggende patroon te ontdekken wordt de logica van de moordenaar blootgelegd. Het kan misschien in onze ogen niet logisch lijken, maar voor hem is het van cruciaal belang. Want zijn logica is zo persoonlijk dat hij met de gebruikelijke valstrikken niet te pakken is. Omdat hijzelf uniek is moet de manier waarop we hem pakken, ondervragen en zijn daden reconstrueren dat ook zijn.

Die tekst was niet echt geschikt. Dat kwam omdat Lambert een risicoanalyse wilde en geen profielschets gebaseerd op werkelijke misdaden. Hij kon de tweede alinea er waarschijnlijk wel in houden, maar de eerste zou hij moeten veranderen. Hij opende een nieuw bestand en begon.

> De nu volgende risicoanalyse is gebaseerd op beperkte persoonlijke omgang met Jacko Vance. Ik heb Vance verschillende keren in het openbaar gezien en heb hem twee keer ondervraagd: één keer bij hem thuis toen hij wellicht doorhad dat er een onderzoek naar hem gaande was en een tweede keer nadat hij was gearresteerd op verdenking van moord. Maar ik ken de details van zijn misdaden goed en beschik over voldoende kennis over zijn achtergrond, zodat ik ervan overtuigd ben dat

ik een analyse kan opstellen van hoe hij waarschijnlijk zal reageren op het feit dat hij op de vlucht is, nadat hij met succes het systeem te slim af was en uit de gevangenis wist te ontsnappen.

'Wat gaat er in je hoofd om, Jacko?' zei Tony zacht terwijl hij achteroverleunde in de stoel en zijn vingers achter zijn hoofd in elkaar strengelde. 'Waarom dit? Waarom nu?'

Zijn gesprek met zichzelf werd onderbroken door een krachtige klop op de deur. Paula stak haar hoofd om de hoek met een vastberaden uitdrukking op haar gezicht. 'Heb je even?' Voordat hij antwoord kon geven was ze al binnen en sloot ze de deur achter zich.

'En wat als ik nee zeg?'

Paula glimlachte vermoeid naar hem. 'Dan zou ik zeggen: "Jammer dan."'

'Dat dacht ik al.' Tony zette zijn leesbril af en nam Paula op. Ze hadden een geschiedenis samen, een gekleurd en ingewikkeld web van verbanden dat zich door de jaren heen had uitgebreid tot het een soort vriendschap was geworden. Hij had haar door het doolhof van verdriet geleid na de dood van een collega die ook een vriendin van haar was; zij had hem ertoe bewogen de juiste dingen om de verkeerde redenen te doen; hij had haar gedwongen de regels te overtreden en was vervolgens voor haar in de vuurlinie gaan staan toen Carol haar in het vizier nam. Wederzijds respect was de hoeksteen van hun relatie. Maar goed ook, dacht Tony, want anders zou hij het misschien moeilijk hebben gevonden Paula het geluk te gunnen dat ze met dr. Elinor Blessing had gevonden, een geluk waarvan hij betwijfelde of hij ertoe in staat was. 'Je komt zeker niet gewoon een praatje maken, hè?'

'Mag ik je vragen waar je momenteel mee bezig bent?' Paula was duidelijk niet in de stemming voor geklets. Dan werd Carol waarschijnlijk over niet al te lange tijd terug verwacht.

'Ik maak een risicoanalyse voor Binnenlandse Zaken. Ik weet niet of Carol iets tegen jullie heeft gezegd, maar het zal over niet al te lange tijd toch algemeen bekend worden. Sommige dingen kun je niet stilhouden. Jacko Vance is vanmorgen uit Oakworth ontsnapt. Omdat ik betrokken was bij zijn gevangenneming willen ze dat ik in mijn kristallen bol staar om hun te vertellen waar hij naartoe zal gaan en wat hij zal gaan doen.' Tony's sardonische blik paste bij zijn toon.

'Dus je bent niet met onze zaak bezig?'

'Je weet hoe de zaken ervoor staan, Paula. Blake wil niet voor me betalen en hoofdinspecteur Jordan weigert me te laten werken zonder dat ik ervoor betaald word. Ik dacht dat ik wel via Binnenlandse Zaken om een wederdienst kon vragen, maar ze zullen er niet mee instemmen, niet nu. Ze zullen willen dat ik me volledig op Jacko concentreer. Geen afleiding.'

'Het is gewoon onzinnig om jouw talenten niet ten volle te benutten,' zei Paula. 'Weet je waar we mee bezig zijn?'

'Een reeks moorden die er als een serie uitzien. Veel meer dan dat weet ik niet,' zei hij. 'Ze probeert me bij de verleiding uit de buurt te houden.'

'Nou, dan ben ik wel de verleidster. Tony, dit is precies in jouw straatje. Hij is het soort moordenaar dat jij begrijpt, het soort geest dat jij als niemand anders in kaart kunt brengen. En dit is bovendien de zwanenzang van het Team Zware Misdrijven. We willen op een positieve manier eindigen. Ik wil Blake met een wrange smaak in zijn mond achterlaten wanneer de chef naar West Mercia vertrekt. Ik wil dat hij doorheeft wat voor een geweldige operatie hij door het toilet spoelt. Daarom moeten we met het goede antwoord op de proppen komen, en snel ook.' Haar smekende blik vormde een contrast met de felheid van haar woorden.

Tony wilde zich verzetten tegen de aantrekkingskracht van Paula's woorden. Maar in zijn hart was hij het eens met alles wat ze had gezegd. Er was geen rationele verklaring voor het beleid van Blake, behalve dat het wat geld zou besparen als hij de gespecialiseerde eenheid zou opheffen. Zijn overtuiging dat een bredere spreiding van de talenten van het Team Zware Misdrijven tot betere resultaten zou leiden was naar Tony's mening een krankzinnig idee, dat het tegenovergestelde resultaat zou opleveren. 'Waarom vertel je me dit?' zei hij in een laatste wanhopige poging de in hem oplaaiende interesse de kop in te drukken.

Paula rolde met haar ogen en maakte afkeurende geluidjes. 'Ik dacht dat jij de slimmerik van ons was? Omdat we je hulp nodig hebben, Tony. Je moet voor ons een profielschets van de moordenaar maken, zodat we wat vooruitgang kunnen boeken in plaats van dat we vastlopen in de berg rotzooi die dit soort onderzoeken voortbrengt.'

'Ze zal het niet toelaten. Zoals ik al zei: er is geen budget om me te betalen en ze wil me niet uitbuiten.' Hij vouwde zijn handen open terwijl hij zijn schouders ophaalde en voor een weloverwogen aantrekkelijke glimlach koos. 'Ik heb haar erom gesmeekt, maar ze wil geen misbruik van me maken.'

Paula kreunde. 'Bespaar me je gebrek aan dubbelzinnigheid. Luister, het is eenvoudig. Het maakt niet uit wat ze wil. Omdat ze het niet te weten komt. Omdat het ons geheimpje zal zijn.'

Nu kreunde Tony. 'Waarom krijg ik toch zo'n akelig gevoel? Telkens wanneer jij en ik ons eigen plan trekken, eindigt het in tranen.'

Paula grinnikte, haar ogen sprankelend van ondeugendheid. 'Klopt, maar tegen onze resultaten valt niets in te brengen. Telkens wanneer we achter haar rug om aan de slag gingen, heeft het het onderzoek vooruit geholpen.'

'En heeft ze ons er stevig vanlangs gegeven,' zei Tony vol overtuiging. 'Jij hebt makkelijk praten, jij kunt daarna naar huis en naar Elinor. Maar ik word geacht met haar te gaan wonen daar in Worcester...' De woorden waren eruit voordat hij ze nog kon inhouden.

Paula's gezicht kon geen keus maken tussen verbazing en verrukking. 'Wat? Je bedoelt zoals nu? Dat ze haar eigen appartement heeft, zoals nu in het souterrain?'

Tony sloot zijn ogen en zette zijn vuisten tegen zijn slapen. 'Shit, shit, shit. Ik mocht er niets over zeggen.' Hij liet zijn handen op het bureau vallen en zuchtte. 'Het is niet zoals het klinkt. Het huis delen, dat zou een betere omschrijving zijn. Luister, Paula, we wilden – zij wilde niet dat het team het zou weten. Omdat jullie dan allemaal overhaaste conclusies zouden gaan trekken, gevolgd door zijdelingse blikken en goedkope sentimentele onzin, en ze jullie allemaal zou moeten vermoorden.' Hij haalde een hand door zijn haar, waardoor het in stekels rechtop bleef staan.

Paula glimlachte alleen maar. 'Het is oké. Ik zal niets zeggen. Het gaat niemand iets aan. Eerlijk gezegd kan ik ook niemand anders bedenken die het met een van jullie beiden zou kunnen uithouden. En dan bedoel ik als huisgenoten,' voegde ze er nog haastig aan toe toen hij zijn mond opendeed om haar tegen te spreken.

'Je hebt waarschijnlijk gelijk,' zei hij.

'Dus, ga je ons helpen?' zei Paula, die het onderwerp afsloot en weer terugkwam op wat ze eigenlijk van hem wilde.

'Ze maakt me af,' zei hij.

'Jawel, maar deze zaak niet afronden zal háár kapotmaken,' zei Paula. 'Je weet hoe ze is met onafgedane kwesties. Het recht dat zijn loop niet heeft gekregen...'

Tony leunde achterover in de stoel en staarde naar het plafond. 'Hier ga ik nog spijt van krijgen. Oké, Paula. Laat Stacey me het gebruikelijke pakket opsturen. Ik beloof niets, maar ik zal ernaar kijken nadat ik de risicoanalyse over Jacko Vance heb afgerond.' Hij ging abrupt rechtop zitten. 'En laten we nu eens een keertje proberen het geheim te houden. Alsjeblieft?'

18

Tegen de tijd dat ze weer terug was in de teamkamer was Carol wel aan wat goed nieuws toe. Ze had tijdens de rit terug van het hoofdkwartier van de noordelijke divisie een telefoontje van de hoofdcommissaris moeten doorstaan waarin James Blake had blijk gegeven van aanzienlijk meer bezorgdheid over de toestand van zijn budget dan over de levens van de vrouwen die zich door hun omstandigheden gedwongen zagen de straat op te gaan om het enige artikel van waarde te verkopen dat hun nog restte. Gezien zijn passie voor bezuinigingen vroeg ze zich af hoe lang het zou duren voordat een of ander licht bij de regering hem zou headhunten.

Ze stak haar hoofd om de hoek van haar kantoor, waar Tony naar het scherm van haar computer zat te staren. Aan één kant lag een stapel papieren met een pen erbovenop. Ze kon slordig geschreven aantekeningen zien, compleet met asterisken en onderstrepingen. Tony reageerde nauwelijks op haar binnenkomst en hield het bij een binnensmonds gebrom.

'Nog nieuws over Vance?' zei ze. Het was haar gelukt alle gedachten aan de ontsnapte gevangene van zich af te zetten toen ze het kantoor uit was, maar er viel niet aan te ontkomen nu Tony het recht had haar kantoor te kraken.

Hij schudde zijn hoofd zonder op te kijken. 'Niets. Ik heb daarnet nog met Lambert gebeld. De camera's hebben de taxi opgepikt toen hij in noordelijke richting de M5 opging en ze proberen hem nu vanaf dat moment te volgen. Maar je weet hoe lastig het is dat soort onderzoek in real time uit te voeren. Er is maar één slechte camera voor nodig om je met enorm veel mogelijkheden op te zadelen die je allemaal moet nagaan.'

'Weet je wie die zoektocht coördineert?'

'Ik dacht dat jij wel helemaal op de hoogte zou zijn. Oakworth maakt tenslotte deel uit van het werkterrein van West Mercia.'

'Ik zal eens wat rondbellen,' zei Carol, waarna ze hem weer zijn gang liet gaan en naar haar team terugging om te kijken welke vooruitgang het had geboekt. Paula was telefonisch in gesprek achter het dichtstbijzijnde bureau, dus schoof Carol een stoel bij om te wachten tot ze klaar was.

Paula bedekte de hoorn en zei zacht: 'Ik ben net in gesprek met mijn contactpersoon bij de noordelijke divisie: Franny Riley. Ik zal hem op de luidspreker zetten zodat je kunt meeluisteren.'

Paula drukte op een knop en er steeg een zwaar gebrom met een accent uit Manchester op uit de blikkerig klinkende luidspreker. '... en dat is waarom we zo weinig personeel hebben.'

'Maar ik zal toch meer mankracht dan dat nodig hebben om een gedegen huis-aan-huisonderzoek te doen en ook nog eens de foto's te verspreiden, brigadier.'

'Dat weet ik ook wel, Paula. Vertel mij wat.' Op de achtergrond kon Carol nog een andere stem horen. 'Een moment, laat me je even in de wacht zetten, mijn inspecteur komt net binnenlopen.'

Wat Franny's bedoeling ook was, het uiteindelijke resultaat was dat zijn telefoon nu ook op de luidspreker stond. Carol herkende de andere stem onmiddellijk: inspecteur Spencer, de leidinggevend rechercheur van de noordelijke divisie die ze had vervangen als hoofd van het onderzoek.

'Heb je het druk, Franny?' vroeg Spencer. 'Want ik wil dat je naar de getuigenverklaringen over die inbraak met voorbedachten rade gaat kijken.'

'Ik ben met het Team Zware Misdrijven bezig om het huis-aan-huisonderzoek te regelen,' zei Riley.

'Wel godverdomme,' zei Spencer vol afkeer. 'Het idee was toch dat wij het wat minder druk zouden krijgen door hen erbij te halen? Vanaf het moment dat zij erbij zijn gekomen, is het van: doe dit, zoek dat uit, kijk elders. TZM, waar staat dat ook alweer voor?' Voordat Franny antwoord kon geven, beantwoordde Spencer zijn eigen vraag al. 'Ik zal je vertellen waar het voor staat: Team Zwakke Minderheden,' zei hij, waarna hij bulderde van het lachen om zijn eigen gevatheid. 'Een stel potten, een bosaap, een spleetoog en een rooie, en dat alles geleid door een gleuf.'

Carol deinsde geschokt terug. Het was lang geleden dat ze dat soort beledigingen had gehoord van een collega. Het was de taal van de vooroordelen die in het hedendaagse politiekorps verondersteld werden tot de verleden tijd te behoren. Ze had altijd wel vermoed dat de cultuur van conservatisme en discriminatie nog steeds aanwezig was, maar men was over het algemeen te slim om zijn ware gedaante te tonen in het bijzijn van mensen die het daarmee oneens zouden kunnen zijn. Het was blijkbaar niet alleen maar mediahype dat de oude seksistische en racistische conditionering nog altijd onder de oppervlakte aanwezig was.

Paula stak haar hand uit naar de telefoon om de verbinding te verbreken en haar gezicht verraadde dat Carol niet de enige was die geschokt was. Maar Carol duwde haar hand weg en leunde naar voren. 'Inspecteur Spencer, hoofdinspecteur Jordan hier. Dankzij de wonderen van de moderne technologie waren uw beledigende opvattingen door mijn voltallige team te beluisteren. Mijn kantoor, en wel meteen.'

Er volgde een lange stilte. Daarna weerklonk de hoge pieptoon van een verbroken verbinding. Carol ging achteroverzitten en voelde zich licht misselijk. Ze keek haar teamleden aan, die allen waren gestopt met waar ze mee bezig waren toen Spencers woorden eenmaal tot hen waren doorgedrongen. 'Inspecteur Spencer zal hier zo langskomen om zijn excuses aan te bieden. Als een van jullie enige tegenwerking ervaart van de kant van de noordelijke divisie, dan wil ik dat weten. En er wordt niemand de hand boven het hoofd gehouden. We zullen niet toelaten dat ze ons ons werk niet laten doen. En nu weer hard aan de slag. We hebben drie moorden op te lossen.'

Stacey liet een van haar zeldzame glimlachjes zien. 'En ik heb hier iets wat ons misschien verder kan helpen.'

19

Het afronden van Tony's risicoanalyse was nu een stuk dringender geworden. Alsof het niet genoeg was dat Vance vrij rondliep, moest hij zich nu ook vrijmaken om zijn nieuwe geheime project met een helder hoofd tegemoet te treden. En hij zou een andere werkplek moeten vinden. Het zou moeilijk worden zijn voortgang verborgen te houden voor de persoon wier kantoor hij had overgenomen, helemaal wanneer die persoon zo scherpzinnig was als Carol Jordan.

Ik ben van mening dat Vance aan een narcistische persoonlijkheidsstoornis lijdt. De sleutel naar enig begrip van Vance is zijn behoefte om de situatie meester te zijn. Hij wil een omgeving waarin hij de touwtjes in handen heeft. Het draait altijd allemaal om hem. Hij moet de mensen om hem heen kunnen manipuleren en controle hebben over de manier waarop de zaken lopen. Sommige overheersende persoonlijkheden gebruiken dreigementen en angst om mensen in het gareel te houden, maar Vance maakt gebruik van charisma om hen blind te maken voor hoe hij werkelijk in elkaar zit. Dat is niet alleen omdat dat eenvoudiger vol te houden is, hij doet het ook omdat hij hun aanbidding nodig heeft. Hij wil dat mensen naar hem opkijken. Dat is waar zijn hele leven om draaide voordat hij de gevangenis in ging en ik stel me zo voor dat het ook zijn leven achter de tralies heeft gevormd.

Hij beschikt over enorme zelfdiscipline, iets wat al uit zijn jongensjaren stamt. Hij had grote behoefte een plek voor zichzelf te creëren waar mensen hem zouden respecteren en hem zouden bewonderen. Zijn moeder had nauwelijks aandacht voor hem en zijn vader behandelde hem met minachting. Hij had een hekel aan hoe hij zich door hun toedoen voelde en was vastbesloten ervoor te zorgen dat de wereld belangstelling voor hem zou tonen. Waarschijnlijk was het enige wat hem in zijn tienerjaren van criminele geweldsdaden afhield de ontdekking van zijn atletische talent. Toen dat eenmaal was vastgesteld bood het hem toegang tot het soort bewieroking dat hij wenste te ervaren.

Maar om dat doel te verwezenlijken moest hij zelfdiscipline ontwikkelen. Hij moest trainen en zou een manier moeten vinden om zichzelf zowel geestelijk als lichamelijk op orde te krijgen. Dat hij zo'n fenomenaal succesvolle sportcarrière had getuigt van hoe goed hij daarin is geslaagd. Hij was slechts enkele maanden verwijderd van een bijna zekere Olympische gouden medaille voor speerwerpen toen hij het ongeluk kreeg dat hem het onderste gedeelte van zijn werparm kostte. Ten minste één psycholoog die Vance heeft gesproken, heeft het ongeluk en de nasleep ervan als een keerpunt aangeduid, alsof Vance tot op dat moment een geestelijk gezonde persoon was geweest. Het bewijs dat ter onderbouwing van deze mening wordt aangehaald is het feit dat de verbrijzeling van zijn arm het gevolg van een heldendaad was.

Ik ben van mening dat Vance altijd al geestelijk gestoord is geweest. De amputatie was een crisispunt in zijn leven dat hem het laatste zetje gaf. We beschikken over anekdotisch bewijs van sadistisch seksueel gedrag van voor zijn ongeluk en ook van dierenmishandeling. Het niveau van de door hem op zijn slachtoffers toegepaste sadistische marteling getuigde ook niet van enige leercurve: hij was al mentaal zover dat dit was wat hij wilde.

Vance is altijd erg goed geweest in het achter de uiterlijke schijn van oprechtheid en charme verborgen houden van zijn afwijkende gedrag. Het feit dat hij lichamelijk aantrekkelijk is, heeft altijd een belangrijke rol gespeeld in zijn vermogen anderen ervan te overtuigen dat híj niet het probleem is. In de jaren dat hij een vooraanstaande tv-persoonlijkheid was, werd er vaak gezegd dat vrouwen met hem naar bed wilden en dat mannen hem wilden zijn. Ik kan me niet voorstellen dat hij het vermogen een dergelijke reactie op te roepen heeft verloren. Ik raad aan een overzichtsanalyse te maken van zijn tijd in de gevangenis en ook om alle verdachte incidenten binnen zijn contactenkring opnieuw te bekijken, in het bijzonder gewelddadige en verdachte sterfgevallen.

Ik ken de details van zijn ontsnapping uit Oakworth niet, maar het zou me zeer verbazen als er geen medewerking van binnen en buiten de gevangenis is geweest. Hoewel het meer dan twaalf jaar geleden is dat hij naar de gevangenis werd gestuurd heeft hij nog altijd een schare aanhangers in de buitenwereld. Er is een Facebookgroep genaamd *Jacko Vance is onschuldig*. Tot aan vanmorgen hebben 3754 mensen 'vind ik leuk' aangeklikt. Een van die mensen – en ik gebruik dat getal opzettelijk, omdat Vance geen risico's neemt en er meer dan één persoon bewust bij betrekken vormt een risico – heeft hem geholpen. Ik raad aan de logboekaantekeningen over zijn bezoekers door te kijken. Het zou helpen als we zouden weten met wie hij telefoongesprekken heeft gevoerd, maar hij zal bijna zeker de beschikking over een naar binnen gesmokkelde mobiele telefoon hebben gehad om de echt belangrijke gesprekken mee te voeren.

Laat ook geen leden van het personeel met wie hij in de gevangenis in contact is geweest buiten beschouwing. Denk maar aan Myra Hindley en de gevangenenbewaarder die haar geliefde werd. Ze beraamden een ontsnappingsplan waar verder nooit iets van gekomen is. Vance is zonder twijfel een slimmere gladjanus dan Hindley ooit was. We weten dat hij erin slaagde een gevangenispsychologe ervan te overtuigen dat hij een bij uitstek geschikte persoon was om een plaats te krijgen in een vleugel van een therapeutische gemeenschap. Als de enige manier om Jacko Vance uit zo'n vleugel te houden het platbranden van de gevangenis was, zou ik persoonlijk met een blik benzine klaarstaan.

Tony hield op met schrijven en las de laatste zin nog een keer. Het was hard, daarover was geen twijfel mogelijk. En hij had zijn carrière niet gebouwd op het afkraken van zijn collega's. Aan de andere kant had iemand die verondersteld werd immuun te zijn voor manipulatieve klootzakken als Vance zich ertoe laten verleiden om hem daar te plaatsen waar hij absoluut niet terecht had moeten komen. Psychologen waren opgeleid om psychische schade en hoe deze zich wreekt te begrijpen; iemand was hier vreselijk tekortgeschoten en hij had geen zin om haar de hand boven het hoofd te houden. Niet nu Jacko Vance vrij rondliep en naar alle waarschijnlijkheid op zoek was naar wraak. Zeker nu hijzelf een van de doelwitten van zijn wraakzuchtige woede kon zijn. Daarom liet hij de informele woorden zo staan, al staken ze schril af bij de rest.

> Hij had door een maatschappelijk werkster van de gevangenis naar zijn werkplek begeleid moeten worden. Het is mogelijk dat deze persoon ook bij zijn ontsnapping betrokken is. Als er gegronde reden voor de afwezigheid van de maatschappelijk werkster was, zou dat ook vanuit de gevangenis geregeld kunnen zijn door Vance. Bijvoorbeeld als de familie van de maatschappelijk werkster op de een of andere manier werd bedreigd.
> Niettemin moet gevangenispersoneel niet boven alle verdenking verheven worden, zowel als het gaat om wat er is gebeurd als om wat er mogelijk gaat gebeuren. Vance heeft zeker steun van buiten gehad en het is heel erg waarschijnlijk dat hij op die manier doorgaat.

Hij schoof zijn bril omhoog en wreef over de brug van zijn neus. 'Tot zover het simpele werk,' mompelde hij. Alles wat hij tot dusver had geschreven, zou vanzelfsprekend moeten zijn voor iedereen met ook maar enig verstand. Maar hij had in de loop der jaren geleerd dat je hierbij een beetje een spelletje moest spelen. Je moest het voor de hand liggende er ook in opnemen, zodat degenen die het rapport lazen zichzelf een schouderklopje konden geven omdat ze net zo scherpzinnig waren als de vakman. Dan voelden ze zich niet zo verongelijkt wanneer je ze met iets confronteerde wat ze niet hadden verwacht. Ook al was dat nu juist waarvoor ze je betaalden. Diep vanbinnen dacht iedereen dat wat hij deed op niet veel meer dan toegepast gezond verstand neerkwam.

Op sommige dagen dacht hij dat ze gelijk hadden. Maar vandaag niet.

Tony maakte een rollende beweging met zijn schouders en legde zijn vingers weer op de toetsen. Hij haalde een keer diep adem, zoals een pianist in afwachting van het stokje van de dirigent, en begon toen verwoed te typen.

Vance is een plannensmeder. Hij heeft een schuilplaats die voor hem werd geregeld door degene die buiten de gevangenis voor hem aan het werk is geweest. Hij zal uit de buurt blijven van plaatsen waar hij zich vroeger graag ophield, omdat hij weet dat we daar naar hem zullen zoeken. Hij zal niet in Londen of Northumberland zijn. Waar hij zich besluit te vestigen zal afhangen van wat zijn plannen zijn.
En dat zal dan een tijdelijke uitvalsbasis worden. Hij zal er zolang blijven als het duurt om zijn plannen ten uitvoer te brengen. Hij zal al een andere bestemming hebben geregeld waar hij zich blijvend zal vestigen en een nieuw leven voor zichzelf zal opbouwen. Het zou dom zijn om te proberen dat hier in het Verenigd Koninkrijk te doen; ik vermoed dat hij een bestemming in het buitenland gekozen zal hebben. Hij heeft een aanzienlijke hoeveelheid geld tot zijn beschikking, dus hij heeft heel wat mogelijkheden. Het is verleidelijk om aan te nemen dat hij ergens naartoe zal gaan waar men geen uitleveringsverdrag met het Verenigd Koninkrijk heeft, maar hij is arrogant genoeg om te denken dat hij niet gevonden zal worden. Uit niets in de archieven blijkt dat hij een vreemde taal spreekt. Hij moet tot communiceren in staat zijn om aan het roer te kunnen zitten, dus hij zal ergens naartoe gaan waar Engels de voertaal is. Amerika is moeilijk binnen te komen, maar als je er eenmaal bent is het eenvoudig om uit het zicht te verdwijnen, zeker wanneer je zoals Vance genoeg geld hebt en je niets te maken hoeft te hebben met het socialezekerheidsstelsel. Hij zal ook ergens willen zijn waar hij toegang heeft tot het beste wat de prothetische geneeskunde te bieden heeft, en dat zonder dat er vragen worden gesteld. Ook dat wijst dus naar Amerika. En anders dan in Australië en Nieuw-Zeeland

zenden ze er in de regel ook geen tv-programma's uit het Verenigd Koninkrijk uit en is er dus ook weinig kans dat iemand hem herkent van herhalingen van *Vance's Visits*. Er liggen ook mogelijkheden voor hem in de golfstaten, waar privacy zeer op prijs wordt gesteld en wijd en zijd Engels wordt gesproken. Normaal gesproken zou ik aanraden het geld te volgen, maar gasten als Vance kennen mensen die weten hoe je geld zonder een spoor kunt laten verdwijnen.

Dus de grote vraag is wat hij van plan is voordat hij naar zijn uiteindelijke bestemming vertrekt. Afgaande op hoe hij zich tegen Shaz Bowman heeft gedragen toen hij dacht dat ze hem mogelijk zou kunnen tegenhouden, geloof ik dat Vance van plan is zich te wreken op de mensen die hij voor zijn opsluiting verantwoordelijk houdt.

Zijn belangrijkste doelwit zal de politiemedewerker zijn die verantwoordelijk was voor zijn opsporing en arrestatie: Carol Jordan, momenteel hoofdinspecteur bij de politie van Bradfield. Er waren nog andere agenten betrokken bij het onofficiele onderzoek: Chris Devine, momenteel brigadier bij hetzelfde korps, Leon Jackson, die agent van de hoofdstedelijke politie was, Kay Hallam, destijds agent in Hampshire, en Simon McNeil, die agent in het korps van Strathclyde was. Gezien het feit dat mijn eigen betrokkenheid bij het proces betrekkelijk veel aandacht heeft gekregen, verwacht ik ook op zijn lijst met doelwitten te staan.

Door het zo zwart-op-wit op het scherm te zien staan leek het op de een of andere manier minder werkelijk. Niet meer dan woorden op een bladzijde, niets om wakker van te liggen en je zorgen over te maken of je dingen over af te vragen. Hoe groot was de kans nu echt dat Vance als een wraakengel achter hem aan zou komen? 'Gefluit in het donker,' mompelde hij. 'En nog vals ook.'

Hij typte weer verder.

De andere belangrijke doelwitten zullen zijn ex-vrouw Micky Morgan en haar partner Betsy Thorne zijn. In Vance' optiek hebben zij nagelaten zich aan hun deel van de afspraak te houden. Micky heeft hem verraden door te onthullen dat hun huwelijk een schijnvertoning was. Ze weigerde hem in de rechtbank te steunen en is nooit bij hem op bezoek geweest in de gevangenis. Toen ze het huwelijk nietig liet verklaren omdat het nooit werd voltrokken, maakte ze een bespottelijke en verachtelijke figuur van hem. Ze werd de vijand. Waar ze ook is, Vance zal er spoedig opduiken. Deze potentiële doelwitten in de gaten houden zou wel eens de effectiefste manier kunnen zijn om Vance te pakken te krijgen.

Dat was allemaal wel erg saai en academisch. Het had niets te maken met het geschreeuw in Tony's achterhoofd wanneer het beeld van het afslachten van Shaz Bowman hem ongevraagd voor de geest kwam. Hij wilde niet dat Piers Lambert dacht dat hij hysterisch was, maar hij wilde er wel verdomde zeker van zijn dat hij zijn volle aandacht had.

Jacko Vance is waarschijnlijk de doeltreffendste en meest gefocuste moordenaar die ik ooit ben tegengekomen. Hij is wreed en kent geen berouw of mededogen. Ik vermoed dat hij geen grenzen kent. Hij doodt niet voor zijn plezier. Hij moordt omdat zijn slachtoffers dat volgens zijn zelfingenomen kijk op de wereld verdienen. Hij is op een zeer georganiseerde wijze uit de gevangenis ontsnapt. Ik denk niet dat de timing iets te betekenen heeft. Ik denk dat het hem gewoon zo lang heeft gekost om alles perfect te regelen. En als we niet resoluut in actie komen zal het moorden nu een aanvang nemen.

20

Stacey was niet de enige die wist hoe je informatie uit een computer kon krijgen, hield Kevin zichzelf voor. Hij had een zoon van twaalf die zijn huiscomputer als een verlengstuk van zichzelf gebruikte. Het was een steile leercurve geweest, maar Kevin was vastbesloten zijn zoon bij te houden. Toen hijzelf jong was, had zijn vader hem deelgenoot gemaakt van zijn kennis over wat er zich onder de motorkap van een auto afspeelde en dat was het enige geweest waardoor ze tijdens Kevins jeugd met elkaar bleven praten. Volgens Kevin was het eenentwintigste-eeuwse equivalent van in garageboxen aan motors prutsen het vermogen om online *World of Warcraft* met je kind te spelen. Verder had hij nog geleerd diapresentaties in elkaar te zetten, hoe hij een poster moest opmaken en hoe hij zijn zoekopdrachten op Google kon verfijnen. Maar hij had het er op kantoor niet over. Hij had geen behoefte Stacey op de tenen te trappen of om de beperkingen van zijn vaardigheden op wrede wijze aan het licht gebracht te zien worden.

Tien minuten op Google en een andere metazoekmachine wezen uit dat er heel wat bedrijven waren die een tatoeëerinstrument konden leveren. Zelfs met de huidige obsessie voor bodyart kon Kevin zich nauwelijks voorstellen dat ze allemaal het hoofd boven water konden houden. Hij had zelf geen tatoeages; hij had het idee dat die er op zijn sproeterige huid vreemd zouden uitzien. Zijn vrouw had een scharlakenrode lelie op haar schouder, die hij mooi vond, maar ze had nooit behoefte aan meer gehad en hij was nu ook weer niet zo'n liefhebber ervan dat hij haar daartoe wilde overhalen.

Zijn zoekopdrachten leverden zoveel resultaten op dat het niet zinvol was een poging te ondernemen een recente aankoop in Bradfield en omstreken te achterhalen, zelfs als de aanbieders al zouden willen meewerken. Omdat veel mensen die zich met bodyart bezighielden zichzelf graag als dissidenten en vijanden van het systeem zagen, vermoedde hij dat de meesten van hen liever niet zouden willen meewerken.

Na door een tiental schermen te hebben gebladerd, had Kevin drie leveranciers in de buurt gevonden. Twee daarvan waren tatoeagesalons en de derde was een zaak die alles van kappersspullen tot aan sieraden voor piercings in huis leek te hebben. Hij kopieerde hun gegevens en maakte een actiebestand aan, waarin hij voorstelde dat agenten alle drie de zaken zouden bezoeken om naar recente verkopen te vragen, zowel online als in de winkel. Het was het saaie onderzoek dat de noordelijke divisie zelf mocht afhandelen. En als het iets waardevols opleverde, zou dat positief zijn voor zowel het bureau zelf als voor het onderzoek.

Hij glimlachte terwijl hij 'verzenden' aanklikte. Het beviel hem wel om het eentonige werk te kunnen overdragen. Te vaak was Kevin ervan overtuigd dat hij bij het Team Zware Misdrijven de saaie routineklussen kreeg. Dat was wat hem altijd dwarszat. Misschien zou daar verandering in komen als ze over het hele korps verspreid werden. Hij zou het helemaal niet erg vinden. Het werd tijd dat hij de flair kon laten zien die hem promotie zou kunnen bezorgen.

Het was nooit bij hem opgekomen dat Carol Jordan hem het routineonderzoek liet doen omdat zijn grondigheid voorbeeldig was. In een wereld waarin de meeste agenten zo weinig uitvoerden als waarmee ze konden wegkomen, viel Kevin op door zijn aandacht voor detail en zijn secure volharding om alles nauwkeurig te hebben vastgesteld. Hij besefte het niet, maar hij was de reden dat Carol Jordans bloeddruk zo laag was. En dat wist ze.

Vance trok de kleren aan die Terry netjes opgevouwen op de stortbak van de wc had neergelegd. Nieuw ondergoed, nieuwe sokken, een katoenen broek en een keperoverhemd met lange mouwen en een keurige buttondown boord. Onder op de stapel lag een pruik, een dikke donkerblonde haardos met wat grijs erin. Vance zette hem op. Het haar viel in een natuurlijke scheiding aan de andere kant dan in zijn eigen haar. Hoewel het model overeenkwam met dat van de oude Jacko Vance uit de tijd van zijn televisieroem, zag hij er op de een of andere manier toch heel erg anders uit. Het geheel werd vervolmaakt met een bril met ongeslepen glazen in een modieus zwart, rechthoekig montuur. De man in de spiegel zag er in geen enkel opzicht uit als Jason Collins. En ook niet echt als de oude Jacko Vance, dacht hij met een spoor van spijt. Er waren lijntjes in zijn gezicht die er nooit waren geweest, rond zijn kaak was de huid iets gaan hangen en hij zag een paar gesprongen aders op zijn wangen. Hij was sneller oud geworden door de gevangenis dan hij erbuiten geworden zou zijn. Hij wilde wedden dat zijn ex-vrouw de tand des tijds beter had doorstaan. Maar hij zou nog wel wat lijntjes op haar gezicht aanbrengen voordat hij klaar met haar zou zijn.

Toen hij weer naar buiten kwam, was Vance blij met de uitdrukking van opgetogen verbazing op Terry's gezicht. 'Je ziet er geweldig uit,' zei hij.

'Je hebt goed werk verricht,' zei Vance terwijl hij Terry op de schouder klopte. 'Alles is perfect. En nu heb ik echt honger. Wat heb je voor me?'

Tijdens het eten keek Vance de inhoud van de aktetas na die Terry had meegenomen. Er zaten twee valse paspoorten in met bijbehorende rijbewijzen – een Engelse en een Ierse set – een dikke bundel briefjes van twintig pond, een lijst met bankrekeningen met bijbehorende pincodes op namen die overeenkwamen met die op de paspoorten, een paar creditcards, een stel energierekeningen voor een huis in de buitenwijken van Leeds en vier prepaid mobieltjes. In een opbergvak zaten autosleutels en huissleutels weggestopt. 'Alles wat je verder nog nodig hebt is in het huis,' zei Terry. 'Laptop, vaste telefoonlijn, satelliettelevisie...'

'Fantastisch,' zei Vance, die de laatste hap salade met tonijn en edamamebonen naar binnen werkte. 'Van de helft van dit eten heb ik geen idee wat het is, maar het smaakt verdomde goed.'

'Ik heb gisteren de koelkast in het huis gevuld,' zei Terry enthousiast. 'Ik hoop dat wat ik gehaald heb je bevalt.'

'Het is vast prima in orde.' Vance veegde zijn mond af met een papieren servet en schepte toen de restanten van hun picknick in een afvalbak. 'Het wordt tijd dat we vertrekken,' zei hij. Hij stond op en draaide zich vervolgens om naar het bed waarop Terry had gezeten. Hij trok het dekbed naar beneden en sloeg een deuk in het kussen. 'Nu lijkt het alsof er iemand heeft geslapen. Als het kamermeisje komt, zal ze niets ongewoons aantreffen dat ze zich later zal kunnen herinneren als de politie vragen komt stellen.'

Vance liet Terry voorgaan naar de auto en zei simpelweg 'Rij jij maar' toen ze bij de Mercedes kwamen. Hij twijfelde niet aan zijn rijvaardigheid; Terry had gedaan wat hem was opgedragen en had een automaat met cruise control gekocht. En met zoiets als satellietnavigatie, iets nieuws sinds de laatste keer dat hij had autogereden. Maar toch wilde hij voor de zekerheid zijn eerste poging met deze auto liever uit de buurt van eventuele getuigen ondernemen.

Toen Terry het parkeerterrein af reed, ontspande Vance in zijn stoel en liet hij zijn hoofd tegen de hoofdsteun rusten. Zijn oogleden trilden. De adrenaline was eindelijk uit zijn systeem verdwenen en hij voelde zich nu moe en leeg. Het zou geen kwaad kunnen wat te slapen terwijl Terry hem naar zijn nieuwe huis reed. Want er waren nog altijd zat dingen te doen voordat hij echt zou kunnen rusten.

Vance stuiterde op zijn stoel toen ze met een schok over een verkeersdrempel reden. Hij schrok wakker en was even gedesoriënteerd. 'Wat zullen we nou...? Waar zijn we?' zei hij hijgend terwijl hij wild om zich heen kijkend bij zijn positieven kwam. Ze reden langs een soort poorthuis voor de beveiliging, maar het bleek onbemand. Vlak achter het poorthuis stond een stel stenen pilaren. Hekpalen zonder hekken of muren, dacht Vance niet ter zake doende.

'Welkom in Vinton Woods,' zei Terry trots. 'Precies waarom je hebt gevraagd. Een afgezonderde besloten woonwijk, vrijstaande huizen met een stuk tuin om je af te schermen van de huizen naast je. Het soort plek waar niemand de buren kent en iedereen zich met zijn eigen zaken bemoeit. Je bent hier dertien kilometer van de autosnelweg, bijna tien van het centrum van Leeds en zevenentwintig kilometer van Bradfield.' Hij volgde een bochtige weg met aan weerszijden degelijke huizen met voorgevels van bakstenen en hout. 'Dit is het gedeelte in Queen Anne-stijl,' zei Terry. Op een splitsing sloeg hij links af. 'Als je naar rechts gaat, kom je in het georgiaanse stuk, maar wij zitten in het victoriaanse gedeelte van de wijk.' De huizen hier hadden stenen voorgevels en dubbele namaak-gotische torentjes. Het waren kleinere versies van de herenhuizen die fabriekseigenaren in gezonde buitenwijken bouwden toen de komst van de spoorwegen betekende dat ze niet meer boven op hun fabrieken hoefden te wonen. Vance vond deze moderne replica's lelijk en troosteloos. Maar een van deze namaaksels zou voor nu juist perfect zijn.

Terry verliet de hoofdweg en sloeg een doodlopend weggetje in waarlangs zes degelijke, een eindje naar achteren geplaatste huizen stonden. Hij reed naar een van de twee aan de kop van de straat toe, ging langzamer rijden en zette koers naar de driedubbele garage die aan één kant aan het huis vastzat. Hij pakte een afstandsbediening uit het deurvak en richtte die op de garage. Een van de deuren voor hen ging omhoog en hij reed naar binnen, waarna hij erop lette dat de deur helemaal dicht was voordat hij de motor uitzette en uitstapte.

Vance stapte uit de auto en keek om zich heen. Terry's busje stond op de derde parkeerplek in de garage. Het opschrift maakte reclame voor zijn marktkraam waar hij een onvoorstelbare verscheidenheid aan gereedschap verkocht, zowel nieuw als tweedehands. Hij had er duidelijk uit geput om een persoonlijk geschenk aan Vance te geven.

Langs een van de muren van de garage stond een lange werkbank. Erboven hing gereedschap in glimmende rijen. Aan de uiteinden van de werkbank waren twee stevige bankschroeven bevestigd. Als iemand anders dan Terry daarvoor verantwoordelijk was geweest, zou Vance woedend zijn geworden. Maar hij wist dat er geen dubbele bodem in schuilde. Terry geloofde immers niet in het verhaal van de aanklagers over de vreselijke dingen die Vance jonge meisjes had aangedaan met de vorige bankschroef die hij bezat. Hij deed een stap in de richting van de werkbank en stelde zich het gevoel van stevig vlees in zijn handen voor. 'Ik ben zo vrij geweest je werkplaats voor je in te richten,' zei Terry. 'Ik weet hoe graag je met hout werkt.'

'Dank je,' zei Vance. Later, zei hij tegen zichzelf. Veel later. Hij zette zijn charmantste glimlach op en zei: 'Je hebt aan alles gedacht. Dit is perfect.'

'Je hebt het huis nog niet gezien. Ik denk dat het je zal bevallen.'

Op dit moment wilde Vance alleen maar de keuken zien. Hij volgde Terry door een zijdeur via een bijkeuken met daarin een wasmachine en een centrifuge naar een keuken die een glimmend monument van moderniteit was. Graniet, chroom en tegels waren allemaal tot glanzende spiegelvlakken gepoetst. Het duurde even voordat Vance vond wat hij zocht, maar daar was het, precies wat hij nodig had. Een houten messenblok dat aan de zijkant van het granieten werkblad van het eiland in het midden van de ruimte stond.

Vance bewoog zich naar het kookeiland toe terwijl hij ondertussen uitriep hoe perfect zijn geweldige nieuwe keuken was. 'Is dat zo'n Amerikaanse koelkast die ijs en gekoeld water levert?' vroeg hij, omdat hij wist dat dat Terry zou aanzetten om de mogelijkheden van het ding te laten zien. Zodra Terry hem de rug had toegekeerd, schoof Vance een middelgroot mes uit het blok en liet het handvat onder de manchet van zijn overhemd glijden, waarna hij zijn arm losjes langs zijn zij liet hangen.

Toen Terry zich omdraaide met een tot de rand toe gevuld glas water waarin ijsblokjes tegen de wand tikten, stak Vance zijn kunstarm omhoog en leek hij hem van opgetogen dankbaarheid in de armen te willen sluiten. Toen kwam zijn andere hand omhoog en stootte hij het mes in Terry's borst. Omhoog en eronder, de ribben ontwijkend en op weg naar het hart.

Het glas water viel en doorweekte Vance' overhemd. Hij rilde toen het koude water zijn huid raakte, maar hield niet op met waar hij mee bezig was. Terry maakte een akelig grommend geluid van verwurging en had een geschokte en beschuldigende uitdrukking op zijn gezicht. Vance trok het mes terug en haalde nog een keer uit. Nu zaten ze allebei onder het bloed en het spreidde zich in een veelbetekenende vlek over de voorkant van hun kleding uit. Het stroomde langs Vance' overhemd omlaag en volgde de weg die het water al was gegaan. Langs Terry's sweatshirt liep het trager naar beneden en was het donkerder van kleur.

Vance trok het mes eruit en stapte naar achteren, zodat Terry op de grond viel. Zijn bovenlip krulde op van afschuw toen Terry kreunend krampachtige bewegingen begon te maken, waarbij zijn handen naar zijn borst grepen en zijn ogen naar achteren rolden in hun kassen. Vance beleefde geen genoegen aan het doden op zich, dat had hij nooit gedaan. Het was altijd ondergeschikt geweest aan de genoegens van het toebrengen van pijn en het kwellen door angst. De dood was het ongelukkige bijproduct van de dingen waarvan hij echt genoot. Hij wilde dat Terry zou opschieten en er een einde aan zou breien.

Ineens werd hij als door een daadwerkelijke klap door uitputting geveld. Hij wankelde licht en moest zich aan het granieten werkblad vastgrijpen. Hij werd al urenlang door adrenaline voortgedreven en nu was de brandstof op. Zijn benen voelde trillerig en zwak en zijn mond werd droog en bitter. Maar hij kon nu niet stoppen.

Vance liep naar de gootsteen en deed het kastje eronder open. Zoals hij had verwacht, had Terry een heel arsenaal schoonmaakartikelen voor hem ingeslagen. Helemaal vooraan lagen extra sterke vuilniszakken. Op de plank ernaast lag een zakje met plastic sluitingen. Precies wat hij nodig had. Zodra Terry klaar was met doodgaan kon hij hem in een zak proppen, de vuilniszak dichtbinden en hem achter in zijn eigen busje gooien. Hij zou dan later wel verzinnen wat hij met het busje en zijn eigenaar ging doen. Maar op dit moment was hij te vermoeid om helder te kunnen denken.

Alles wat hij wilde was schoonmaken, om daarna in bed te kruipen en een uur of twaalf te slapen. De feestmaaltijd waarnaar hij zo had uitgekeken kon wel tot morgen wachten, wanneer ook de rest van de pret zou beginnen.

Hij wierp een blik op Terry, wiens ademhaling nu zwak en stokkend was en bij elke uitademing roze schuimbellen voortbracht. Waarom deed hij er zo vervloekte lang over? Sommige mensen hielden ook werkelijk met niets of niemand rekening.

21

Inspecteur Rob Spencer zag er eerder uit als een autoverkoper dan als een rechercheur. Alles aan hem glansde, van zijn tanden tot zijn schoenen. Sam, die zichzelf graag als een behoorlijk snelle jongen mocht zien, moest toegeven dat Spencer hem waarschijnlijk de loef afstak. Maar Sam was niet degene die op het punt stond een geslachtsveranderende operatie te ondergaan die Carol Jordan zonder hulp van narcose zou uitvoeren.

Toen hij aankwam, ging Carol schuil achter de slagorde aan monitoren die Stacey gebruikte om de hinderlijke echte wereld op een afstand te houden. Stacey had de beperkte gegevens die ze over de drie moorden hadden, onderworpen aan de algoritmen van de aan haar eigen specificaties aangepaste geografische profileringssoftware. Ze wees de plekken aan die ze al eerder als van belang hadden aangemerkt. 'Waarschijnlijk woont of werkt hij ergens in de paarse zones,' zei Stacey terwijl ze ze met een fraaie laserpen omcirkelde. 'Skenby, vanzelfsprekend. Daar hadden we geen computerprogramma voor nodig. Maar met meer gegevens zal het gebied kleiner worden.'

Spencer tuurde de kamer rond en leek er wat verloren bij te staan. Paula dacht dat hij probeerde een tegenhanger van zichzelf te vinden, en als die er niet was iemand die er het dichtst bij in de buurt kwam. Hij richtte zijn blik op Sam, maar toen hij hem naderde, pakte Sam zijn telefoon op en draaide hij zich nadrukkelijk van hem weg om een telefoontje te plegen.

'Kan ik u helpen?' zei Paula op een toon die het tegenovergestelde deed verwachten.

'Ik ben op zoek naar het kantoor van hoofdinspecteur Jordan.' Spencer klonk nors, alsof hij zijn recht om hier te zijn probeerde te benadrukken.

Paula gebaarde met haar duim naar de gesloten jaloezieën die Carols territorium afbakenden. 'Dat is haar kantoor, maar daar is ze niet.'

'Dan wacht ik daar wel op haar,' zei Spencer, waarna hij een paar stappen in de richting van de deur deed.

'Ik ben bang dat dat niet zal gaan,' zei Paula.

'Ík zal wel bepalen wat wel of niet kan, agent,' zei Spencer. Paula moest hem nageven dat hij lef had. Zij zou het nooit hebben gewaagd om Carol Jordans territorium binnen te vallen en daarbij ook nog eens te proberen hoog van de toren te blazen.

Dat was het moment waarop Carol besloot achter de wand van schermen tevoorschijn te komen. 'Niet in míjn teamkamer,' zei ze. 'Mijn kantoor is momenteel bezet.' Ze liep naar hem toe en bleef op minder dan een halve meter afstand van hem staan. Hoewel ze meer dan twintig centimeter kleiner was dan hij, was haar verschijning vele malen imposanter. De blik in haar ogen zou nog de glans van een gladdere buitenkant dan de zijne hebben afgerukt. Spencer zag eruit als een man die oog in oog was komen te staan met de gênantste herinnering uit zijn puberteit. 'Normaal gesproken zou ik er niet over prakkiseren om dit gesprek in het bijzijn van lager geplaatste agenten te voeren,' zei ze met een stem zo scherp als een ijspegel. 'Maar normaal gesproken hoef ik dan ook niet te praten met iemand die erin is geslaagd om de betreffende agenten stuk voor stuk te beledigen. In dat geval lijkt het me wel zo eerlijk om hen er deelgenoot van te laten zijn.'

'Het spijt me, mevrouw,' zei Spencer. 'Ik had vanzelfsprekend geen idee dat mijn opmerkingen te horen waren.'

'Volgens mij is dat nog maar het minste waarover je je zorgen zou moeten maken,' zei Carol. 'Ik ben nu al bijna zeven jaar werkzaam bij het politiekorps van Bradfield en daar ben ik het merendeel van die tijd trots op geweest. Maar wat ik vandaag uit jouw mond heb gehoord maakte me voor het eerst blij dat ik hier wegga. Dit zijn waarschijnlijk de beste rechercheurs met wie je ooit zult werken. En alles wat je ze te bieden hebt, zijn onnozele vooroordelen.'

Spencer deinsde achteruit. 'Het was als grap bedoeld.'

Carol rolde met haar ogen, waarbij ergernis en ongeloof om

voorrang streden. 'Zie ik er zo dom uit? Kom ik over als iemand die zal zeggen: "O, maar dan is het goed"? Wat is er zo grappig aan het tentoonspreiden van onnozelheid en onverdraagzaamheid ten overstaan van lager geplaatste agenten? Om het aanvaardbaar te laten lijken dat je collega's kleineert vanwege hun huidskleur of seksuele voorkeur?'

Spencer hield zijn blik op een plek ergens boven haar hoofd gevestigd, alsof dat hem zou helpen aan haar afschuw te ontsnappen. 'Ik zat fout, mevrouw. Het spijt me.'

'Als deze zaak achter de rug is, zul je heel wat tijd hebben om uit te vogelen hoe erg het je precies spijt. Ik ga met personeelszaken praten om ervoor te zorgen dat je naar elke beschikbare cursus op het gebied van gelijkberechtiging en multiculturele educatie wordt gestuurd voor zolang als het duurt om je te laten inzien waarom je gedrag anno 2012 waar dan ook onaanvaardbaar is. En om er vast een begin mee te maken ga je voordat je hier vandaag vertrekt alle aanwezige leden van dit team je persoonlijke excuses aanbieden.'

Spencer was zo geschokt dat hij haar weer aankeek. 'Mevrouw...'

'Het is hoofdinspecteur Jordan voor jou, Spencer. Ik ben verdomme de koningin niet. Goed, je hebt dus wat mijn team betreft nog heel wat aan geloofwaardigheid te herwinnen. Je kunt je excuses aanbieden voordat je weggaat, maar ondertussen hebben we informatie die wat schot in de zaak zou moeten brengen. We hebben het derde slachtoffer geïdentificeerd.' Ze draaide zich plotseling om. 'Stacey?'

Stacey rolde in haar stoel vanachter de monitoren vandaan met een tablet-pc in haar hand. 'Leanne Considine. Ze werd in Cannes gearresteerd voor tippelen.'

'In Cannes? Je bedoelt Cannes in Frankrijk?' Spencer klonk verbijsterd en zo zag hij er ook uit.

'Meer ken ik er niet,' zei Stacey.

'Maar hoe weten jullie dat? Hoe zijn jullie daar dan achter gekomen?'

Stacey keek Carol even vragend aan. 'Ga je gang,' zei Carol.

'Een van de dingen die we bij het TZM hebben gedaan is het opbouwen van informele relaties met onze tegenhangers in het buitenland,' zei Stacey. 'Ik heb contactpersonen in zeventien Europese rechtsgebieden die vingerafdrukken voor me willen nakijken. Omdat het niet officieel is, heeft het geen waarde als bewijsmateriaal, maar het kan ons soms laten zien in welke richting we het moeten zoeken. Haar vingerafdrukken en DNA kwamen niet in onze database voor, dus toen heb ik het bij mijn contactpersonen geprobeerd. Ze dook op in Frankrijk. Maar wel vier jaar geleden, dus de informatie is niet echt actueel.' Stacey hield haar blik op Spencer gericht en grijnsde naar hem. 'Niet slecht voor een spleetoog.'

Spencers lippen versmalden tot een strakke streep en hij begon zwaar door zijn neus te ademen. Carols glimlach was bijna net zo dun. 'En we hebben nog meer,' zei ze.

'Leannes adres in die periode was een studentenhuis hier in Bradfield. Dat leverde me een heleboel mogelijkheden voor heimelijk onderzoek op,' zei Stacey.

'Dat is nog iets wat we hier veel doen,' zei Sam. 'Onderzoek via de achterdeur. We zijn graag iets subtieler bezig in plaats van dat we bij mensen de voordeur intrappen.'

'We hebben het liefst dat ze niet eens merken dat we binnen zijn geweest,' zei Stacey droog. 'Waar het op neerkomt is dat Leanne uit Manchester komt. Ze was bachelor in Frans en Spaans aan de universiteit van Bradfield. Ze was bezig met een masterscriptie getiteld "Zelfverdichting in het werk van Miguel Cervantes". Wat dat ook mag betekenen. En het lijkt erop dat ze haar studie financierde door haar lichaam op straat te koop aan te bieden in Bradfield.'

'Sommige mensen zullen er alles aan doen om geen studielening te hoeven aangaan,' zei Kevin zuur.

'We kunnen niet allemaal succesvolle kapitalisten zijn,' zei Stacey. 'Ik heb een adres van haar ouders in Manchester en een adres van haarzelf hier in Bradfield.'

Paula's mobieltje begon te trillen en ze keek wie het was, terwijl ze maar half luisterde naar wat er om haar heen gebeurde.

'Uitstekend,' zei Carol. 'Sam, Kevin, als inspecteur Spencer klaar is met jullie, ga dan naar haar huis om te kijken of ze huisgenoten heeft. Laten we beginnen met ons een beeld van haar leven te vormen.' Ze draaide zich weer om naar Spencer. 'Ik wil dat je een familierechercheur voor haar ouders regelt en dat je hun persoonlijk het slechte nieuws gaat brengen. Ze verdienen iemand met een hoge rang, ze hebben een dochter verloren. Paula, jij gaat naar de universiteit en spoort haar studiebegeleiders op om met hen te praten. We moeten weten waar ze het pad van haar moordenaar heeft gekruist en dat betekent dat we de leemten moeten invullen. Leanne Considine heeft een man ontmoet die haar heeft ontmenselijkt en vermoord. We moeten hem vinden voordat hij een nieuw slachtoffer vindt. En dan nog iets: tot dusver hebben we weten te voorkomen dat dit een mediacircus wordt. Laten we dit helemaal afronden voordat de Penny Burgessen van deze wereld over ons heen krioelen.'

22

Kevin vond het ironisch dat het studentenhuis waar Leanne Considine had gewoond maar een smerige bende was vergeleken met de woning die Nicky Reid en Suze Black hadden gedeeld. In zijn beleving klopte er iets niet aan een stel hoeren dat ergens woonde waar het schoon en netjes was terwijl vier studenten iets deelden wat alleen maar als een vies zooitje kon worden omschreven. De werkbladen in de keuken waren bezaaid met vuile mokken en glazen, bakjes van afhaalvoedsel en lege wijnflessen. Ergens in de nevelen der geschiedenis had iemand bedacht dat het een goed idee was om tapijttegels op de vloer te leggen. Nu zaten ze vol vlekken en waren ze door het gebruik gaan glimmen. Het idee dat je 's morgens op blote voeten naar beneden zou komen om hier een kop koffie te zetten deed Kevin huiveren.

Alleen Siobhan Carey was thuis geweest toen ze er aanbelden. Kevin had haar het nieuws over Leannes dood voorzichtig verteld en kon hun identificatie bevestigen aan de hand van de foto die ze van Grisja hadden gekregen. Hij had verwacht dat ze zou instorten. In zijn ervaring deden de meeste jonge vrouwen dat. Maar ondanks het feit dat ze duidelijk geschokt en bedroefd was, was Siobhan kalm gebleven. Geen hysterie, geen tranenvloed en geen dingen die tegen de muren werden gegooid. In plaats daarvan sms'te ze haar huisgenoten, die binnen een kwartier naar het studentenhuis waren teruggekeerd. 'We hebben geluk gehad dat we dit huis hebben gekregen,' had Siobhan gezegd terwijl ze mokken omspoelde en thee voor de rechercheurs zette. 'Het is maar tien minuten fietsen van de universiteitsbibliotheek. Daar zitten we allemaal meestal te werken. Dan besparen we op de verwarmingskosten in de winter.'

Het was de perfecte inleiding. Achter haar rug knikte Kevin naar Sam. Dit was er eentje voor hem. Siobhan maakte de indruk een jonge vrouw te zijn die iets te veel haar best deed. Iets in de gekunstelde ordening van haar Primark-laagjesrok en in de zorg die ze aan haar kapsel en haar make-up had besteed vertelde hem dat ze ervan uitging dat ze niet de eerste keus op iemands lijstje zou worden. Haar neus was iets te lang, haar ogen iets te klein en haar lichaam iets te mollig. Ze zou dankbaar zijn voor wat individuele aandacht van een knappe vent als Sam. En Sam wist precies hoe hij op zijn allercharmantst moest zijn. Absoluut tijd voor Kevin om zich op de achtergrond te houden.

'Het lijkt elk jaar wel moeilijker te worden om student te zijn,' zei Sam met een stem als warme chocolademelk op een koude dag. 'Ze verhogen je collegegeld en je huur en ze bestraffen je omdat je rood staat...'

'Vertel mij wat,' zei Siobhan.

'Ik weet niet hoe jullie het allemaal redden, zeker als je met je master bezig bent.' Sam klonk alsof hij medelijden met haar had.

Siobhan draaide zich om om hem te kunnen aankijken en leunde tegen de aanrecht terwijl de ketel opstond. Haar dunne gebreide vestje was van haar ene schouder gegleden, waardoor een niet bijzonder vakkundig gezette tatoeage van een sialia zichtbaar werd. 'Ik werk vier avonden per week als vakkenvuller in de supermarkt,' zei ze. 'Vrijdagmiddag bezorg ik het plaatselijke huis-aan-huisblad. En elke maand weer moet ik mijn vader om vijftig pond extra vragen om de huur te kunnen betalen.'

'Je mag van geluk spreken dat je een vader hebt die vijftig pond extra per maand kan missen. Veel mensen lukt het tegenwoordig niet om zo'n bedrag over te houden,' zei Sam.

'Hij is geweldig, mijn vader. Ik hoop hem op een dag te kunnen terugbetalen.'

Wanneer hij oud en ziek is en iemand nodig heeft om hem te voeren en te verschonen, dacht Kevin, dat is het moment waarop hij naar een wederdienst zal uitzien. Ik wil wedden dat je dan niet meer zo happig bent, Siobhan. Maar hij zei niets en liet het aan Sam over.

'En hoe zat het met Leanne?' zei Sam. 'Wat deed zij om de eindjes aan elkaar te kunnen knopen?'

Siobhan draaide zich abrupt om, gered van de noodzaak tot antwoorden doordat het water kookte. 'Wat hebben jullie in je thee?' zei ze opgewekt.

'We drinken die allebei met melk, maar zonder suiker,' zei Sam, die het van Kevin niet zeker wist, maar dat kon hem niet echt schelen. Wat hij wilde, was het gesprek gaande houden, helemaal nu Siobhan dat duidelijk niet wilde. 'Leanne, dus. Had ze ook een bijbaantje? Of werd ze door haar familie onderhouden?'

Siobhan maakte veel werk van het laten uitlekken van de theezakjes en het inschenken van de melk. Ze zette de mokken met een klein zwierig gebaar voor de rechercheurs op tafel neer. 'Alsjeblieft, mannen. Vers gezette thee uit Yorkshire. Daar kan niets tegenop.' Haar glimlach was behoorlijk wat slapper dan de thee.

'Hoe lang kende je Leanne al?' vroeg Sam, die wat een lastige vraag voor haar was gebleken verder even liet rusten. Hij zou er wel weer op terugkomen, maar voorlopig liet hij haar geloven dat ze had gewonnen.

'Iets meer dan anderhalf jaar. We studeren allebei aan de faculteit der letteren. Zij deed Spaans, ik doe Italiaans. Omdat ze ook haar bachelor hier in Bradfield had gedaan, had ze dit huis al bemachtigd en was ze op zoek naar huisgenoten. Ze wilde andere masterstudenten, geen lagerejaars.' Siobhan nam een slokje uit haar mok en keek over de rand naar Sam. 'Lagerejaars willen alleen maar drinken en feestvieren. Masterstudenten zijn serieuzer. We geven al dat geld uit omdat we onze studie echt serieus nemen. Tijdens mijn eerste jaar aan Exeter heeft een van de rijkeluisjongens in mijn studentenhuis zelfs mijn laptop ondergekotst. En toen ik daar commentaar op had, noemde hij me een stomme arbeidersklassehoer. Echt, je wilt zo ver mogelijk bij dat soort rukkers uit de buurt blijven.'

Nu praatte ze te veel en probeerde ze de stilten op te vullen, zodat Sam niet op de moeilijke vragen kon terugkomen. 'Precies,' zei hij. 'Dus jij en Leanne konden goed met elkaar opschieten?'

Siobhan trok een frons terwijl ze hierover nadacht. 'Ik zou niet willen zeggen dat we vriendinnen waren. We hadden niet echt veel gemeen. Maar we konden wel met elkaar opschieten. Vanzelfsprekend. Ik bedoel, dit was het tweede jaar dat we in hetzelfde huis woonden.'

'En de andere twee? Wonen die hier ook al zo lang als jij?'

'Jamie en Tara? Nou, Tara kwam hier gelijk met mij wonen. En toen vroeg ze ongeveer een halfjaar later of Jamie bij haar mocht komen wonen. Ze zijn nu al drie jaar bij elkaar en hij vond de mensen met wie hij woonde maar niets. Bovendien zul je het met me eens zijn dat de rekeningen door vier delen beter is dan alles met zijn drieën te moeten betalen. Ze moeten natuurlijk wel een slaapkamer delen, maar Jamie komt als eerste in aanmerking voor de huiskamer als hij een werkplek nodig heeft.'

'En hij vindt het niet erg om de enige vent te zijn in een huis vol vrouwen?'

Siobhan proestte het uit. 'Wat is daar erg aan?'

Sam produceerde zijn innemendste glimlach. 'Ik kan me inderdaad voorstellen dat er veel meer voordelen dan nadelen aan kleven.'

Voordat Siobhan zijn geflirt kon beantwoorden sloeg de voordeur met een klap dicht. Er klonk gerammel van fietsen vanuit de gang en vervolgens stormden twee in lycra wielerkleding en regenjacks gehulde mensen naar binnen die nog bezig waren hun helm los te maken. Ze begonnen allebei tegelijk te praten toen ze binnenkwamen, waarbij ze zich compleet op Siobhan richtten en de twee vreemde mannen die aan hun keukentafel zaten nauwelijks een blik waardig keurden. 'Liefje, dit is afschuwelijk,' zei een vrouwenstem. 'Weet je zeker dat het Leanne is?' vroeg een mannenstem. Ze hadden allebei een zuidelijk accent en klonken als presentatoren op radio 4 van de BBC. Ze omhelsden elkaar met zijn allen en mompelden wat, waarna de nieuwkomers zich omdraaiden en Kevin en Sam aankeken.

Zelfs zonder hun helmen leken Jamie en Tara griezelig veel op elkaar. Allebei lang, met brede schouders en smalle heupen, hun blonde haar glimmend en in de war boven lange smalle gezichten die uitliepen in een puntige kin. Op het eerste gezicht zagen ze er eerder uit als broer en zus dan als geliefden. Je moest aandachtiger kijken om de voornaamste verschillen te ontdekken. Tara had bruine ogen en Jamie blauwe. Haar haar was langer en dunner, haar jukbeenderen hoger en breder en haar mond was breder en voller. Siobhan stelde iedereen aan elkaar voor en ze gingen dichtopeengepakt rond de kleine keukentafel zitten. Jamie leek zich meer zorgen te maken om Tara dan dat hij van streek was door het nieuws over Leanne. Van hun drieën leek Tara het meest aangedaan. Haar ogen glinsterden van de tranen en ze bracht steeds haar hand naar haar mond en beet in haar knokkels terwijl Kevin zo min mogelijk informatie gaf over Leannes dood.

Toen iedereen eenmaal rustig zat, nam Kevin de leiding. 'We moeten bij een moordonderzoek vanzelfsprekend eerst de gangen van het slachtoffer nagaan. We geloven dat Leanne eergisternacht is gestorven. Kunnen jullie je dus herinneren wanneer jullie haar op dinsdag voor het laatst hebben gezien?'

Ze keken elkaar aan, op zoek naar inspiratie. Het was moeilijk te zeggen of ze moeite hadden het zich te herinneren of dat ze een stilzwijgende afspraak zaten te maken. Maar wat ze te zeggen hadden leek niet echt op samenzwering te wijzen. Siobhan had Leanne rond lunchtijd gezien; ze hadden een bak gebakken rijst met roerei gedeeld die over de datum was en door Siobhan van haar werk mee naar huis was genomen. Siobhan had de rest van de middag een werkgroep geleid. Daarna was ze tot elf uur 's avonds op haar werk. Jamie was thuis aan het werk geweest en was om halfzes naar de plaatselijke kroeg gelopen, waar hij tot middernacht was blijven werken. Leanne was toen nog thuis geweest. Terwijl ze haar best deed haar tranen in bedwang te houden, legde Tara uit dat ze die middag in het plaatselijke callcenter had gewerkt, waar ze zes diensten per week draaide. Tegen de tijd dat ze om zeven uur thuiskwam, was Leanne er niet meer. Even na achten waren er drie vriendinnen langsgekomen met pizza, waarna ze met zijn vieren hadden gebridged tot Jamie thuiskwam. Perfect gevormde alibi's die allemaal nagetrokken zouden moeten worden, maar waarin niets aanwezig was wat ook maar enigszins verdacht leek. En er was geen sprake van stille oogwenken of foute lichaamstaal en geen aarzeling bij het geven van namen en telefoonnummers.

Dat was dus niet waar Siobhan zich zorgen over maakte.

'Het verbaast me dat jullie nog tijd overhebben om te studeren,' zei Kevin gemoedelijk. 'Ik zie mijn kinderen opgroeien en het beangstigt me als ik bedenk hoe moeilijk het voor hen zal worden om de universiteit af te maken.'

Jamie haalde een schouder op. 'Het is een complete nachtmerrie. Maar wat doe je eraan? Zoals mijn vader zegt: "Het leven is hard." Alleen leert onze generatie die les gewoon iets eerder.'

Kevin leunde naar voren in een poging hen in een samenzweerderige sfeer te betrekken. 'Dus wat deed Leanne om de eindjes aan elkaar te kunnen knopen?'

Sam had niet ongelijk gehad met zijn idee dat Siobhan daar niet over wilde praten. Nu leek het erop dat de andere twee huisgenoten net zo onwillig waren. 'Ik weet het niet precies,' zei Jamie terwijl hij zijn ogen op zijn mok thee gericht hield.

'We hadden het er eigenlijk niet over,' zei Tara met trillende stem en een hoopvolle uitdrukking op haar gezicht. Er was nu duidelijk sprake van iets belangrijkers dan verdriet.

Sam duwde zijn stoel naar achteren en verstoorde zo opzettelijk de kring. 'Dat is de grootste onzin die ik sinds tijden heb gehoord. En geloof me, ik heb in mijn leven naar heel wat verhaaltjes van misdadigers moeten luisteren.' Toen hij de geschokte uitdrukking op hun gezichten zag, drukte hij door. 'Jullie delen anderhalf jaar lang het huis met een vrouw en jullie weten niet wat ze doet om de rekeningen te betalen? Dat is gelul.'

Jamie rechtte zijn schouders. 'Je hebt het recht niet om op zo'n manier tegen ons te praten. We hebben zojuist een heel erg goede vriendin verloren en we zijn in shock. Als mijn vader...'

'Bespaar me dit alsjeblieft,' zei Sam sarcastisch. 'Jullie vriendin is kortgeleden vermoord. Op zeer wrede wijze vermoord. Ik kende haar niet, maar ik heb gezien wat hij met haar heeft gedaan en ik ben verdomde vastbesloten hem op te pakken en op te sluiten. En als dat jullie niet kan schelen, dan zeg je het maar.' Hij vertrok zijn mond tot een 'je-doet-maar-wat-je-niet-laten-kunt-uitdrukking'. 'Bij zaken als deze vinden de media maar wat graag iemand die ze kunnen lastigvallen terwijl ze wachten tot wij iemand hebben gearresteerd.'

'Je zou niet durven,' zei Jamie, die stoer probeerde te klinken maar daarin niet slaagde.

'We proberen alleen maar haar nagedachtenis te beschermen,' flapte Siobhan er uit. De andere twee keken haar kwaad aan. 'Vroeg of laat komt het toch uit, jongens,' zei ze theatraal, en dat was een schot in de roos. 'Het is beter als we het gewoon vertellen, dan is het maar achter de rug.'

'Ze deed striptease,' zei Tara mat.

'En de rest,' voegde Jamie eraan toe. Zijn poging om als een man van de wereld over te komen kwam niet eens uit de startblokken.

'Hoe weet je dat, Jamie?' zei Kevin vriendelijk. 'Was je een klant van haar?'

'Doe niet zo walgelijk,' zei Tara. 'We weten er allemaal van omdat ze het ons heeft verteld. We wisten dat ze in een stripteaseclub ergens vlak bij het vliegveld werkte. Eerst deed ze het voorkomen alsof ze alleen maar achter de bar stond, maar het was duidelijk dat ze veel meer geld had dan je met het tappen van biertjes verdient. Op een avond waren we allemaal een beetje dronken en heb ik haar recht op de man af gevraagd of ze... je weet wel, haar kleren uittrok voor mannen. Ze zei dat ze aan striptease deed en gaf toe dat ze met sommige mannen seks had. Buitenshuis, zei ze. Ze sprak met hen af na het werk en deed het in hun auto's met hen.' Tara's lip krulde onbewust op bij de gedachte.

'Dat moet een schok zijn geweest voor jullie allemaal,' zei Kevin voorzichtig.

Jamie begon zwaar te ademen en tuitte zijn lippen. 'Echt wel! Niemand verwacht dat hij het huis blijkt te delen met een hoer.'

'Sekswerker,' corrigeerde Siobhan hem stijfjes. 'Het was Leannes keus en je kon haar er nooit van beschuldigen dat ze haar werk mee naar huis nam. Als ze ons niet had verteld in wat voor soort bar ze werkte, zouden we het nooit hebben geweten, niet vanwege iets wat ze zei of deed in en rond het huis. Nadat we van de eerste schrik waren bekomen, negeerden we het allemaal min of meer. We hadden het er gewoon niet over. Zoals ik al zei: we konden allemaal goed met elkaar opschieten, maar we waren niet echt dik met elkaar. We hadden ons eigen leven en onze eigen vrienden.'

Sam lette op Jamie om te zien of er enig teken van een andere reactie was. Maar de beide anderen leken zich wel te kunnen vinden in wat Siobhan vertelde. 'Had ze een vriend?'

'Ze heeft eens gezegd dat ze nooit afspraakjes met mannen had,' zei Siobhan. 'Ik weet dat dat raar klinkt, maar ze zei dat de mannen op haar werk losers en idioten waren. We hadden het over hoe moeilijk het is om tijd vrij te maken om met iemand af te spreken, laat staan in een relatie te investeren, en toen zei ze dat ze zich niet kon herinneren wanneer ze voor het laatst een vent was tegengekomen met wie ze iets zou willen gaan drinken.'

Weer iets wat op niets uitliep. 'Hoe heette de club waar ze werkte?' vroeg Kevin.

Ze leken allemaal in verlegenheid gebracht. 'Ik heb er nooit naar gevraagd,' zei Tara. 'We zouden er natuurlijk niet iets gaan drinken.'

'En jij, Jamie? Het is zo'n tent waarvoor een man wellicht meer interesse heeft,' zei Sam.

'We zijn niet allemaal zoals jij,' sneerde Jamie met een vertrokken gezicht.

Sam grinnikte zacht. 'Precies, daarom dacht ik ook dat jij het misschien zou weten. Tara, je zei dat het ergens bij het vliegveld in de buurt was. Kun je je herinneren hoe je dat weet?'

Tara fronste en wreef met haar vinger over de zijkant van haar wang. Na een paar seconden waarin iedereen verwachtingsvol zat te wachten zei ze: 'Ze vroeg me of ik wist of er een fietsenstalling bij het vliegveld was. Ze had een goedkope vlucht naar Madrid geregeld, maar ze moest dan wel heel vroeg inchecken. Ze zei dat ze net zo goed vanuit haar werk door kon gaan, omdat ze er maar een kwartier over zou doen op de fiets.' Toen ze glimlachte kon Sam zien wat Jamie in haar zag. Heel haar gezicht lichtte op en ze wekte voor het eerst de indruk dat je lol met haar zou kunnen beleven. 'Dus ze kan er hoogstens een paar kilometer vandaan zijn geweest.'

'Dank je wel, dat zullen we nagaan. Kun je nog iemand anders bedenken met wie Leanne heel goed kon opschieten? Een van de andere masterstudenten Spaans? Een van de docenten?'

Ze wisselden weer blikken uit. 'Ze was wel op gezelschap gesteld, maar ze had niet veel vrije tijd. Wij geen van allen,' zei Tara treurig. 'Ik kan niemand in het bijzonder bedenken, maar ze zat wel vaak op Facebook. Ze had veel vrienden in Spanje.'

'Ik weet haar wachtwoord,' zei Siobhan. 'Toen ze een keer in Spanje was, kon ze geen verbinding krijgen en sms'te ze me iets wat ik op haar Facebook-pagina moest zetten. Het was "LCQuixote".'

'Kun je dat voor me opschrijven?' Sam schoof zijn notitieboekje over tafel naar haar toe. 'We zouden ook wel wat foto's kunnen gebruiken, als jullie die hebben.'

Jamie stond op. 'Ik heb wel iets op de computer staan. Zal ik er een paar voor jullie printen?' Hij kwam een paar minuten later terug met een handvol afdrukken op A4-papier. Op een ervan stond Leanne in een glinsterend topje met spaghettibandjes terwijl ze lachend en met haar hoofd achterover een glas naar de camera hief. De menigte mensen op de achtergrond deed een feest vermoeden dat in volle gang was. Jamie wees ernaar. 'Ik heb vorig jaar een verjaardagsfeest hier in huis gegeven.' Een paar andere foto's waren duidelijk in de keuken gemaakt: ze droeg een wijd T-shirt en een spijkerbroek en leunde tegen de koelkast. Op een van die foto's stak ze haar tong uit naar de fotograaf. Op de laatste stond ze met haar haren los en een helm in haar hand naast haar fiets te grijnzen. 'Die is een paar weken geleden genomen,' zei hij. 'Ze was net terug uit de bibliotheek. Ik was de camera van mijn nieuwe telefoon aan het uitproberen. Zijn deze goed?'

Kevin knikte. 'Het zou handig zijn als je ze naar ons kunt doormailen.' Hij was ervan overtuigd dat dit alles was wat ze uit de huisgenoten zouden kunnen krijgen, dus hij haalde zijn kaartjes tevoorschijn en deelde ze uit. 'Mijn e-mailadres staat erop. We zullen waarschijnlijk nog een keer met jullie moeten praten,' zei hij. 'Maar als jullie in de tussentijd nog iets te binnen schiet, bel ons dan.' Maar daar rekende hij eigenlijk niet op.

Toen ze weer buiten waren en naar de auto liepen, grinnikte Sam. 'Wat is er zo grappig?' vroeg Kevin.

'Moet je je voorstellen hoe goed dat zooitje rukkers van inspecteur Spencer die ondervraging zou hebben afgehandeld. Er hoeft maar iets afwijkends aan de hand te zijn, zoals een masterstudente die ook hoer is, en ze zouden compleet van hun stuk zijn gebracht.'

Kevin fronste zijn voorhoofd. 'Het is een grote zak.'

Sam haalde zijn schouders op. 'Hij zei alleen maar hardop wat veel mensen denken. In zekere zin heb ik liever met mensen zoals Spencer te maken. Het is beter om te weten waar je aan toe bent dan dat je te maken krijgt met de hypocrieten die net doen alsof het ze allemaal niets uitmaakt, maar die je in hun hart verachten. Je weet toch dat ik graag dans?'

Kevin wist het. Het was een van de verrassende aspecten aan Sam. Het paste niet zo bij zijn meedogenloze ambitie en een loyaliteit die nauwelijks verder reikte dan zijn eigen persoon, maar er was geen twijfel aan. 'Jawel,' zei hij terwijl hij de auto van het slot haalde en achter het stuur ging zitten.

Sam ging op de passagiersstoel zitten, waarbij hij zijn broekspijpen optrok om te voorkomen dat er knieën in zijn broek zouden komen. 'Zo nu en dan wanneer ik een vrouw ten dans vraag, een blanke vrouw, neemt ze me gewoon van top tot teen op en zegt het me vierkant in mijn gezicht: "Ik dans niet met zwarten." Je bent even met stomheid geslagen, omdat de meeste mensen dat soort dingen gewoon niet meer zeggen. Maar het is oké, weet je. Waar ik veel kwader van word, is wanneer je een blanke vrouw ten dans vraagt en ze komt met een of andere smoes: dat ze het te warm heeft of te moe is of dat ze op een drankje zit te wachten. En dan zie ik haar vijf minuten later op de dansvloer met een complete sukkel. Dan wil ik er wel naartoe lopen om haar iets zó sarcastisch te zeggen dat ze de hele terugweg naar huis zal huilen.'

'Dus je zegt dat het je niet uitmaakt wat die eikel van een Spencer heeft gezegd?'

Sam streek over zijn sikje. 'Het raakt me wel, maar ik zal er geen nacht minder om slapen. En dat zou jij ook niet moeten doen. Ik en mijn rooie maatje, we zullen hun eens laten zien hoe je een moordonderzoek afhandelt. En dat is de zoetste wraak, mijn vriend.'

23

'Ik ben een politieagent in functie,' zei Carol kalm. Tony kon de stevig in bedwang gehouden woede onder de oppervlakte horen. 'Ik ga nergens naartoe zonder politiebegeleiding. Mijn team geheten.'

Er volgde een lange stilte waarin haar lippen en schouders verstrakten. 'Nee, natuurlijk gaan ze niet met me mee naar huis. Maar ik neem aan dat u voor rugdekking voor dr. Hill zult zorgen?... Zijn huis is verdeeld in twee appartementen. Hij woont boven en ik woon beneden.' Tony kon zich voorstellen hoeveel moeite het Carol kostte details over haar privéleven aan Piers Lambert te onthullen. 'Datzelfde team zal toch zeker wel in staat zijn om twee deuren in hetzelfde gebouw in de gaten te houden? Ik dacht dat dit een tijd van bezuinigingsmaatregelen was?' Weer stilte. Carol trommelde met haar vingers op het bureau en sloot haar ogen. 'Dank u wel, meneer Lambert.' En toen was het telefoongesprek voorbij. 'Vervloekte bureaucraten,' zei Carol.

'Zeg me dat je bescherming hebt geaccepteerd,' zei Tony.

'Dat zou ik je kunnen vertellen, maar dat zou een leugen zijn. En bovendien wil ik bij mijn archiefkast,' zei Carol. Tony rolde gehoorzaam opzij in zijn stoel, zodat ze bij de la met de geheime voorraad wodka kon. Carol pakte er een miniflesje uit en goot het leeg in de kop koffie waarmee ze was komen binnenlopen. Ze ging op de bezoekersstoel zitten en keek hem boos aan. 'Wat? Je hebt gehoord wat ik heb gezegd. Kijk eens daarbuiten.' Ze gebaarde naar de teamkamer aan de andere kant van de jaloezieën. 'Het stikt hier van de smerissen. Vance zal niet bij me in de buurt kunnen komen als ik op mijn werk ben.'

'Hij is de gevangenis uit gelopen zonder dat iemand hem tegenhield. En nu lijkt hij in rook te zijn opgegaan. Behoorlijk knap voor een man met een herkenbaar gezicht en een kunstarm.'

'In godsnaam, Tony. Vance zal hier niet naar binnen komen lopen om me te vermoorden. En als ik thuis ben, kan het team dat jou in de gaten houdt ook een oogje op mij houden. Kunnen we hier nu gewoon over ophouden?'

Tony haalde zijn schouders op. 'Als dat is wat je wilt.'

'Dat is inderdaad wat ik wil.'

'Oké.' Hij staarde naar de computer en sloot alle vensters die hij al had geminimaliseerd toen Carol binnen was gekomen om Lamberts telefoontje aan te nemen. Het laatste wat hij kon gebruiken was dat ze te zien zou krijgen waar hij mee bezig was. 'Dan ga ik maar naar huis. Piers vertelde me dat mijn beschermengelen beneden bij de receptie op me zitten te wachten. Dus ik hoef hier niet langer meer te blijven hangen.'

'Ik ben ook niet zo lang meer bezig, dus als je nog even wilt blijven, dan kun je met mij mee naar huis rijden.'

Hij schudde zijn hoofd en stond op. 'Mijn auto staat hier. En ik moet nog verder aan de slag met een aantal dingen.' Dingen waar jij verschrikkelijk kwaad om zou worden.

Enigszins van haar stuk gebracht zei Carol: 'O, ik dacht dat we het even over de verhuizing konden hebben. Mijn verhuizing. Ik moet bedenken wat ik met de overtollige meubels aan moet. Omdat jouw huis volledig ingericht is en ik een paar dingen heb die ik graag wil meenemen. Mijn bed, vooral. Want ik ben gek op dat bed.'

Tony glimlachte. 'Neem je bed dan gewoon mee. Het bed dat nu in je kamer staat is sowieso een beetje een afzichtelijk ding. Ik kan het verkopen of weggeven of in de garage zetten, zodat er iets terug te zetten is als je er genoeg van krijgt om bij me te wonen en je weer op jezelf moet zijn.' Hij keek haar aan met een nerveuze en bezorgde blik die om geruststelling vroeg.

Ze haalde een hand door haar haar, waardoor het van woest in rechtopstaand veranderde. 'Ik denk niet dat dat gaat gebeuren.' Haar glimlach was ook onzeker. 'We hebben er jaren over gedaan om met heel kleine stapjes dichter bij elkaar te komen. We doen nooit iets in relatie tot elkaar als we er niet honderd procent zeker van zijn. Ik kan me niet voorstellen dat dit op een totale mislukking uitloopt.'

Hij stond op, liep om het bureau heen en legde een hand op haar schouder. 'Dat zullen we niet laten gebeuren. Ik zal iemand van de antiekwinkel vragen het bed te komen taxeren. En nu ga ik naar huis. Het is tien uur en ik ben bekaf. Ik praat morgen verder met je, oké?'

Ze legde haar hand op de zijne. 'Oké.'

'Ik weet dat je denkt dat ik overdreven reageer,' zei hij terwijl hij zich terugtrok en naar de deur liep. 'Maar ik weet waartoe mannen als Vance in staat zijn. En we hebben er zo lang over gedaan om tot hier te komen dat ik het niet zou kunnen verdragen je nu te verliezen.'

En toen was hij weg.

Vance schrok wakker. Zijn hart ging als een razende tekeer en al zijn zintuigen stonden op scherp. Even had hij geen idee waar hij was en lag hij in het grote bed te woelen, zodat hij verstrikt raakte in het niet vertrouwde dekbed. Toen drong de stilte tot hem door en herinnerde hij het zich weer. Hij was niet waar hij verwachtte te zijn: hij was kilometers verwijderd van zijn krappe cel in de Oakworth-gevangenis. Hij was in Vinton Woods, in een huis dat eigendom was van de Cayman Islands-corporatie, waarvan de enige directeur Patrick Gordon was, de naam op een van de paspoorten in de aktetas die Terry hem had gegeven.

Hij rolde op zijn zij en deed het bedlampje met een klap aan. De witglazen kap wierp een zacht licht op een gedeelte van de kamer. Dat was op zich al ongekend. De lamp in zijn cel in Oakworth verlichtte elke hoek, zodat de grenzen en beperkingen van de ruimte letterlijk aan het licht werden gebracht. Maar deze gloed liet iets aan de verbeelding over. Dat beviel Vance wel.

Maar het beddengoed was om te huilen. Dat zou moeten verdwijnen. Terry was in hart en nieren arbeidersklasse geweest: hij geloofde echt dat zwartsatijnen lakens betekenden dat je het gemaakt had.

Vance keek op zijn horloge en zag tot zijn verbazing dat het amper tien uur was. Hij had ongeveer zes uur geslapen, maar nu verkeerde hij in die vreemde staat waarin je nog steeds moe maar toch alert bent. Hij was ergens wakker van geworden, een of andere bezorgdheid die tot zijn dromen was doorgedrongen, en nu kon hij er niet echt meer op komen. Hij ging uit bed en genoot van het gevoel van zachte dikke vloerbedekking onder zijn voeten. Hij leegde zijn blaas, besefte dat hij trek had en liep op een drafje naar beneden. Nog een vrijheid om van te genieten.

Hij deed de verlichting aan en stelde tevreden vast dat er geen zichtbare aanwijzingen van zijn eerdere geweld waren. Hij was niet zo naïef om te denken dat hij alle forensische sporen van wat er had plaatsgevonden had uitgewist, maar hij verwachtte niet dat forensische wetenschappers het huis zouden onderzoeken. Op het eerste gezicht en gezien door de ogen van de makelaar die het huis binnenkort zou gaan verkopen was er niets mee aan de hand.

Vance deed de koelkast open en lachte hardop. Terry had klaarblijkelijk een commando-expeditie naar Marks & Spencer uitgevoerd: kant-en-klaarmaaltijden, vers vlees en groenten, fruit, melk, champagne en versgeperst sinaasappelsap. Hij trok de bubbels eruit en liet de kurk er met één hand af knallen terwijl hij besloot wat hij zou eten. Hij koos uiteindelijk voor wat Chinese voorgerechtjes, maar hij had moeite de bediening van de oven te doorgronden. Uiteindelijk kwam hij er wel uit, maar zijn goede humeur was er wel iets minder door geworden.

Toen hij zich een tweede glas champagne inschonk, schoot hem weer te binnen wat de achterliggende reden was van de angstaanval waardoor hij wakker was geworden. Hij had de cameraopnamen niet gecontroleerd. Dat kwam vooral omdat hij het huis eigenlijk niet had verkend voordat hij door uitputting werd geveld. Als hij een computer had gezien, zou die hem er wel aan hebben herinnerd.

Hij snuffelde rond door het donkere huis, want hij wilde geen aandacht op zich vestigen door lichten aan en uit te doen. Hij ontdekte een eetkamer, een tv-kamer, een zitkamer en uiteindelijk ergens achter in het huis weggestopt een studeerkamer. Hij had genoeg aan het zachte maanlicht van buiten om zijn weg te vinden. Hij liep naar het bureau toe en deed een lamp aan die een lichtpoel op het donker houten bureau wierp. Terry had duidelijk geen fantasie meer overgehad tegen de tijd dat hij aan de studeerkamer was toegekomen: het enige meubilair bestond uit een groot bureau, een overdreven dik gevulde leren stoel en een laag dressoir. Er stond een laptop op het bureau en een printer op het dressoir. Vance nam aan dat de langwerpige doos die met een rij trillende blauwe lampjes vanaf de vensterbank naar hem stond te knipperen de draadloze router was. Hij had afbeeldingen van routers op internet gezien, maar nu zag hij er voor het eerst eentje in het echt.

Hij klapte de laptop open. Terry had een Apple gewild. Hij zei dat het beter was voor wat Vance ermee wilde doen. Maar hij wist dat hij zijn tanden er hoe dan ook in zou moeten zetten; de computers die hij in Oakworth tot zijn beschikking had gehad, waren oud en langzaam en hun internettoegang werd zwaar beperkt. Hij kon zijn lachen niet inhouden. Wat haalden ze zich in godsnaam in hun hoofd om iemand als hij op een computer zijn gang te laten gaan? Als hij het voor het zeggen had, zou hij nooit toestaan dat gevangenen toegang hadden tot mobiele telefoons of internet. Als je wilde dat gevangenen ophielden met de buitenwereld te communiceren, dan moest je zorgen dat er in de gevangenis geen bereik voor mobiele telefoons was. Jammer dan dat het personeel er ook hinder van ondervond, maar als je je gevangenen echt in toom wilde houden, moest je dat soort dingen wel doen. Hij wilde wedden dat je in een goelag ook geen mobiel bereik had.

Hij kon nauwelijks geloven hoe snel het apparaat opstartte. Het was een juweeltje vergeleken met waar hij aan gewend was geraakt. Hij ging terug naar de keuken om de aktetas op te halen en klapte hem open naast de laptop op het bureau. Vance pakte er een klein adresboekje uit, sloeg het open op de U en voerde het eerste adres van een lijst URL's in de webbrowser in. Er werd een anoniem ogende webpagina geopend waarop om een wachtwoord werd gevraagd. Daarna bladerde hij naar de C en typte de eerste reeks letters en cijfers in. 'De C van camera,' zei hij hardop terwijl hij wachtte tot de pagina verscheen. Enkele seconden later zat hij naar een in vieren gedeeld scherm te kijken. Een van de vier vensters was in complete duisternis gehuld. Op een ander vierkant was een helverlichte keuken te zien; daarachter een eetruimte en achter dat stilleven een zitgedeelte met een enorme open haard met zitplaats. De omvang en de bintbalken in het plafond leken erop te wijzen dat het een verbouwde boerderij was. Op een ander kwart stond dezelfde open ruimte, maar dan van de andere kant gezien. Er lag een man languit op een lange leren bank. Hij had grijzend blond haar boven onopvallende gelaatstrekken en droeg een T-shirt met een logo dat Vance niet herkende en een boxershort. Aan de andere kant zat een vrouw aan een bureau op een laptop te typen. Naast haar stond een glas rode wijn. Op het vierde deelscherm was de bovenkant van een open trap te zien die naar een vide annex slaapkamer leidde. Verdere details waren moeilijk te zien, maar het leek erop dat er een badkamer en een kleedkamer achter de hoofdruimte lagen.

Vance keek gefascineerd en met een zelfgenoegzame glimlach op zijn gezicht toe hoe er nagenoeg niets gebeurde. Zo'n groot aantal privédetectives en zo weinig scrupules. Als je ging rondvragen vond je er altijd wel een die min of meer alles wel wilde doen zolang je maar een manier kon vinden om het zo in te kleden dat het enigszins legitiem klonk. Het was niet goedkoop geweest om de camera's daar te laten installeren, maar het was elke cent waard geweest. Hij wilde zeker weten hoe de situatie er precies uitzag voordat hij deze wraakactie ondernam.

Hij sloot het venster en herhaalde het procedé met een andere toegangscode. Dit keer waren het buitenaanzichten. Er was een groot huis in edwardiaanse stijl te zien met een vrij grote tuin eromheen. De camera's gaven beelden door van de oprijlaan naar de voordeur, een uitzicht op de woonkamer van buitenaf gezien, een breedbeeldopname van de achterkant van het huis en van het tuinpad. In het licht van de straatlantaarns die er vlakbij stonden leek het huis verlaten. De gordijnen waren open, de ramen donker. Vance knikte en glimlachte nog altijd. 'Het zal niet altijd donker blijven,' zei hij, waarna hij met de derde toegangscode aan de slag ging.

Ook hier kreeg hij vier camerahoeken in beeld. Een grindoprit die naar een lange en lage boerderij leidde die met een of andere klimplant was bedekt. Heel Engels. Hij kon in de verte iets zien wat op een door schijnwerpers verlicht stallenblok leek. In het volgende venster: het blok zelf. Hij had landgoederen als dit door het hele land gezien; de bakstenen en houten fronten van paardenstallen met een erf ervoor. Ze werden onderhouden met het geld van rijke mannen en vrouwen en verzorgd door slechtbetaalde arbeiders die meer van de dieren hielden dan de meeste eigenaren ooit zouden doen. Een gedaante stak met schokkerige bewegingen het erf over. Uit zijn ene hand schoot een lichtbundel vandaan. Hij richtte het schijnsel achtereenvolgens met schokkende bewegingen op elke deur, waarna hij uit het zicht verdween. Het derde kwart gaf uitzicht op de achterkant van het huis en het vierde venster toonde een opname van grotere afstand waarop de toegangsweg naar de oprijlaan te zien was. De toegang werd geblokkeerd door een paardentrailer, zodat er onmogelijk een voertuig langs kon komen. Vance' glimlach werd breder. Het vooruitzicht was zo heerlijk.

Gerustgesteld door wat hij had gezien sloot hij de computer af. Er wachtten nog andere cameragroepen om geactiveerd te worden, maar daar was het nu niet de tijd voor. Als zijn camera's na een van zijn eerste moorden werden ontdekt, verwachtte hij dat de politie alle andere mogelijke plekken op verborgen bewakingsapparatuur zou controleren. En als er geen elektronisch signaal was, dan zouden ze haast onmogelijk te vinden zijn. Dat had Terry hem althans verteld. Het zou fijn zijn om al zijn doelwitten de hele tijd in de gaten te kunnen houden, maar hij was bereid tot terughoudendheid om ze een stapje voor te blijven.

Deze keer nam hij voor de zekerheid de aktetas mee naar boven. Nu hij zijn nieuwsgierigheid had bevredigd voelde hij zich weer slaperig. De spionagecamera's waren in elk opzicht even goed als hem beloofd was. Als hij al twijfels had gehad of hij zijn missie zou kunnen volbrengen, dan waren die nu verdreven. Morgen zou de volgende fase beginnen.

Morgen zou er bloed zijn.

De Toyota zag er onder de natriumlampen van de straatverlichting niet rood uit. Dat was maar goed ook, want de nummerborden hoorden eigenlijk bij een geelbruine Nissan. Allemaal erg verwarrend voor een getuige of zelfs voor iemand die probeerde de opnamen van een gesloten videocircuit te analyseren. Niet dat de chauffeur verwachtte dat ze het werkterrein van de prostituees door middel van camerabewaking in de gaten hielden. Met al dat geklaag over bezuinigingen aan de frontlijn en op de budgetten werd het beetje geld dat de politie tot haar beschikking had tegenwoordig besteed aan zaken die zichtbaar waren voor de belastingbetaler. Wijkpatrouilles, huisbezoek na inbraken in plaats van per telefoon een zaaknummer doorgeven, optreden tegen asociaal gedrag; allemaal op bevel van hogerhand om goed voor de dag te komen, zodat de regering bij de kiezer in de gunst zou blijven.

Het was momenteel bingo voor iedereen die niet te veel aandacht in de *Daily Mail* wilde trekken: mensensmokkelaars, witteboordencriminelen en moordenaars van prostituees. De meeste misdadigers waren daar waarschijnlijk wel blij mee. Maar de chauffeur van de Toyota was er pissig om. Hij wilde juist wel aandacht. Als zijn verrichtingen niet overal in de krant stonden of op de tv te zien waren, wat had het dan voor zin? Dan kon hij zich net zo goed de moeite besparen.

Hoe konden de smerissen nu niet in de gaten hebben wat er gaande was? Misschien moest hij maar foto's van zijn slachtoffers gaan maken met zijn handelsmerk vol in beeld. De media zouden er snel genoeg bovenop duiken zodra ze dat soort dingen op hun bureau zouden krijgen. Dan zouden de smerissen wel wakker worden.

Fletcher reed langzaam door Temple Fields, de belangrijkste rosse buurt van Bradfield. De zedenpolitie had het er de afgelopen jaren behoorlijk schoongeveegd; de homogemeenschap had zich hele straten toegeëigend en er was veel minder zichtbare prostitutie dan er vroeger was. De hoeren werkten binnen, in sauna's en massagesalons of in volwaardige bordelen. Of anders waren ze naar andere delen van de stad verkast, zoals naar de vierbaansweg in de buurt van het vliegveld en naar de achterkant van het bouwterrein voor het nieuwe ziekenhuis.

Er was druk verkeer op Campion Way, en dat kwam hem goed uit. Het zat normaal gesproken zo laat op de avond niet zo vast. Maar bij sommige auto's hing er een gele sjaal uit het raam, en Fletcher vermoedde dan ook dat Bradfield Victoria een avondwedstrijd moest hebben gespeeld. Hij herinnerde zich vaag dat ze in de Europa League zaten, wat door de gasten in de kroeg spottend 'donderdagavond, kanaal 5, dus geen echt voetbal' werd genoemd. Hij begreep het commentaar niet, maar hij snapte wel dat het minachtend bedoeld was. Hij begreep wel vaker niet echt waar de mannen in de kroeg of op het werk het over hadden, maar hij wist dat de beste manier om zijn ware zelf verborgen te houden bestond uit het verbergen van zijn verbijstering en het doen alsof hij een van de stillere figuren was die niet veel zeiden maar wel alles in zich opnamen. Dat was hem door de jaren heen goed van pas gekomen. Goed genoeg om Margo zo lang voor de gek te houden dat ze de zijne werd. En toen dat niet langer meer werkte, was het hem gewoon gelukt daarmee af te rekenen zonder dat hij er later last van ondervond of het goed moest praten, omdat niemand dat van hem verwachtte.

Terwijl de auto's over de vierbaansweg voortkropen, bestudeerde Fletcher elke vrouw die hij voorbijreed om te zien of ze mogelijk aan straatprostitutie deed. Zijn zoektocht was geen willekeurige: hij wist precies waarnaar hij op zoek was. In zijn hart verwachtte hij niet geluk te hebben hier in het randgebied van Temple Fields. Hij had gedacht het vanavond nog wat verder weg te moeten zoeken.

Maar net toen het verkeer weer wat sneller begon te rijden zag hij waarnaar hij op zoek was. Het was onmogelijk om te stoppen en daarom nam hij de eerstvolgende afslag links, vond een niet helemaal geoorloofde parkeerplek en keerde terug op zijn schreden. Hij wilde zo graag rennen dat het op de pijn leek die je krijgt wanneer je moet plassen. Maar het laatste wat hij wilde, was de aandacht op zich vestigen. Daarom liep hij kordaat door en hoopte dat ze nog in zicht zou zijn wanneer hij de hoek om zou komen.

En jawel, daar was ze. Onmiskenbaar, ook al naderde hij haar van achteren. Ze was duidelijk aan het tippelen. Dat kon hij zien aan de manier waarop ze liep: het wiegen van haar heupen, de lome halve draai naar het verkeer toe, de belachelijk hoge hakken die haar kuiten tot stijve knobbels samentrokken.

Hij kon het bloed voelen kloppen in zijn hoofd. Zijn gezichtsveld leek aan de randen te vervagen, zodat zij als enige heldere element overbleef. Hij verlangde hevig naar haar. Hij hunkerde ernaar om haar weg te halen uit de smerigheid en de verdorvenheid waarin ze zich wentelde. Wist ze niet hoe gevaarlijk het hier op straat was?

'Van mij,' mompelde hij zacht terwijl hij langzamer ging lopen om zijn snelheid aan de hare aan te passen. 'Van mij.'

24

Alvin Ambrose bladerde het zoveelste rapport door dat de zoektocht naar Jacko Vance niet vooruithielp. Inspecteur Stuart Patterson liet zich in de stoel tegenover hem vallen en zuchtte. Zijn gezichtsuitdrukking deed Ambrose denken aan zijn jongste dochter, Ariel, een kind dat leek toe te werken naar een keus voor 'mokken' als haar specialisatie bij de quiz *Mastermind.* 'Dit schiet toch voor geen meter op,' zei Patterson. 'Waarom kunnen jullie hem niet vinden?'

Júllie, merkte Ambrose op. Niet wíj. Blijkbaar had zelfs Carol Jordans oppervlakkige betrokkenheid bij de zaak het proces van zich losmaken van wat er in zijn team leefde vergroot bij zijn baas. 'Ik heb alleen al in ons werkgebied twintig agenten lopen die meldingen van mensen die hem gezien zouden hebben aan het natrekken zijn. Andere korpsen verspreid over het hele land doen hetzelfde. Dan heb ik nog een team dat opnamen van gesloten videocircuits bekijkt in een poging de taxi waarin hij is ontsnapt te traceren. En daarbovenop nog agenten die met het gevangenispersoneel praten. Binnenlandse Zaken heeft een gespecialiseerd team gestuurd om zijn ex-vrouw te beschermen. We doen wat we kunnen. Als u nog iets kunt bedenken wat we nog zouden kunnen doen, zeg het me dan en ik zal er werk van maken.'

Patterson negeerde zijn verzoek. 'We zullen overkomen als een stel boerenkinkels die niet eens een eenarmige man te pakken kunnen krijgen die voor heel veel mensen in het land net zo herkenbaar is als Simon Cowell. Carol Jordan zal in haar vuistje lachen.'

Ambrose was geschokt. Hij was gewend aan een andere Patterson, aan een man die op subtiele wijze uiting gaf aan zijn christelijkheid, een man die niet bang was om mededogen te tonen. Zijn verbittering over het feit dat hij werd gepasseerd, had hem van al zijn bewonderenswaardige eigenschappen ontdaan. 'Carol Jordan zat de vorige keer toen Vance tekeerging op de eerste rij. Ze zal niet zo gauw in de lach schieten over iets wat met deze zaak te maken heeft,' antwoordde hij nors. Hij zou zijn commentaar niet eens opluisteren met het gebruikelijke 'met alle respect, inspecteur'.

Patterson keek hem dreigend aan. 'Dat weet ik ook wel, brigadier. Des te meer reden om ons op de huid te zitten.'

Het bleef Ambrose bespaard om hierop te moeten antwoorden door de komst van een vermoeid uitziende geüniformeerde agent die met een bundel papieren voor zijn bureau kwam staan. 'Ik heb iets gevonden over de taxi,' zei hij, te vermoeid om nog enthousiast te zijn.

Patterson ging rechtop zitten en gebaarde naar de politieman. 'Laat maar eens zien dan.'

'We hebben hem hier in de stad gevonden,' zei hij. 'Hij dook op in Crowngate, de parkeergarage.'

'Goed werk,' zei Patterson. 'Alvin, stuur er een team van de technische recherche naartoe om er een kijkje te gaan nemen.'

'Dat is al in werking gezet,' zei de agent, die begon te blozen vanwege Pattersons boze blik. 'De commissaris was in de controlekamer toen de melding binnenkwam. Hij heeft er opdracht toe gegeven, inspecteur.'

'Zul je net zien,' mompelde Patterson. 'De ene kans die we krijgen om te laten zien dat we wel degelijk iets doen en dan gaan de hoge pieten ermee aan de haal.'

'Zolang er maar iemand mee aan de slag gaat,' mompelde Ambrose.

'We hebben hem door middel van camerabeelden weten te traceren,' vervolgde de agent onzeker. 'We ontdekten dat hij om 9 uur 43 's avonds de parkeergarage binnenreed. Dus zijn we teruggegaan in de tijd aan de hand van camera's langs de weg en op stoplichten. We denken dat degene die ermee de stad in kwam rijden hem van een parkeerplaats bij het tankstation langs de M43 heeft gestolen. Want, ziet u, we hebben het op hun camerabeelden teruggekeken en hij werd daar halverwege de ochtend geparkeerd. De chauffeur is moeilijk te zien, maar het zou Vance kunnen zijn met een baseballcap op. Je kunt zien dat hij tatoeages op zijn armen heeft...' Tijdens het praten spreidde hij videostills op het bureau uit. 'Vervolgens trekt hij een jack aan en loopt hij weg. Uren later loopt er een totaal andere vent langs de rij auto's. Ziet u? Het is lastig met zekerheid vast te stellen, maar het ziet eruit alsof hij de deuren probeert te openen. En hij heeft een compleet andere lengte en lichaamsbouw dan de vent die hem geparkeerd heeft.'

'Mooi,' zei Ambrose. 'Prima werk. Kunnen we zien waar Vance naartoe ging nadat hij de auto had geparkeerd?'

'Niet erg ver. Hij is naar een andere auto gelopen of hij is het tankstation of het motel binnengegaan. Dat waren zijn enige keuzemogelijkheden. We zijn op het moment nog met al het beeldmateriaal bezig. Iedereen is voor de verandering eens echt behulpzaam.'

'Niemand houdt van een seriemoordenaar,' zei Ambrose. Weer vol nieuwe energie door deze informatie sprong hij overeind. 'Ik ga er nu meteen met een team naartoe. Druk een stapel van die foto's voor me af. En hou me op de hoogte van alles wat jullie verder nog over Vance te weten komen.' Hij keek vragend naar Patterson, die zijn hoofd zat te schudden.

'Stuur gewoon een team, brigadier. Jij moet hier zijn om de zaken te overzien.'

'Maar, inspecteur...'

'Je bent daar alleen maar overbodig. Dat is werk voor voetsoldaten, niet voor iemand die een goede indruk op het nieuwe regime wil maken.'

Ambrose voelde de aandrang om Patterson een stomp op zijn neus te verkopen, om de man tot rede te brengen van wie hij veel had geleerd over wat het betekende om een goede rechercheur te zijn. Als dit was wat gefnuikte ambitie met een man deed, mocht God hem die bewuste aandrift dan maar besparen. Hij ging ontmoedigd weer zitten. 'Goed gedaan,' zei hij tegen de agent. 'Hou me op de hoogte.' Toen pakte hij de telefoon op. 'Dan zal ik maar een team gaan optrommelen.'

'Dat zou ik maar doen,' zei Patterson terwijl hij opstond. 'Je kunt me in de kantine vinden.'

Er waren twee stripteaseclubs op redelijke fietsafstand van het internationale vliegveld van Bradfield. Bij beide tenten wilde men niet toegeven dat ze Leanne Considine ooit in dienst hadden gehad. Allebei de managers ontkenden met een stalen gezicht en waren duidelijk goed geoefend in de kunst van het niets onthullen aan wetsdienaren. Na de tweede teleurstelling zaten Sam en Kevin tegen elkaar te mopperen zonder dat een van hen iets constructievers wist te verzinnen dan in de auto te blijven zitten wachten tot de meiden naar buiten zouden komen. 'Ze zullen niet met ons praten,' zei Sam somber. 'We zullen hier urenlang vastzitten, en dat alles voor niets.'

'Aangenomen dat dit inderdaad de club is waar ze heeft gewerkt. We zouden hier compleet onze tijd kunnen zitten verdoen. Er is een hamburgerkar ongeveer anderhalve kilometer verderop langs de weg. We zouden wat nieuwe brandstof kunnen inslaan om ons door het wachten heen te slepen.'

Sam zuchtte. Het was niet bepaald zijn idee van gezelligheid, maar alles was beter dan hier niets te zitten doen. Kevin startte de motor en ging op weg naar de uitrit. Sam bleef de club in het oog houden en net toen ze op het punt stonden de hoofdweg op te draaien schreeuwde hij: 'Wacht! Achteruit!'

Kevin ging op de rem staan, zodat hun veiligheidsgordels blokkeerden. 'Wat zullen we nou krijgen?'

'Gewoon langzaam achteruitrijden.'

'Wat is er dan?' zei Kevin terwijl hij de auto rustig achteruit naar een lege parkeerplek reed.

'We zijn een stel idioten,' zei Sam terwijl hij door de foto's bladerde die Jamie voor hen had afgedrukt.

'Spreek voor jezelf.'

'Haar fiets,' zei Sam en hij trok de foto van Leanne met haar fiets uit de stapel. 'Ze ging op de fiets naar haar werk. Herinner je je nog wat Tara zei?'

'En dus?'

'Dus de fiets moet nog op de plek staan waar ze hem heeft neergezet. En ik weet zeker dat ik een fiets in het licht van de koplampen zag toen je de auto keerde. Ik ga hem van dichtbij bekijken.'

'Ga je gang,' zei Kevin. 'Geef me maar een gil als je gelijk hebt.'

Sam klom uit de auto en rende naar de achterkant van de club. Het was een U-vormig, gelijkvloers gebouw dat van dezelfde verbeeldingskracht getuigde als een lego-bouwwerk van een vijfjarige. Een houten hek verbond de twee staanders van de U, zodat er een omheinde achterplaats was ontstaan waar industriële containers voor flessen en afval waren neergezet. Het hek stond half open en het was door de kier dat Sam dacht een glimp van een fiets te hebben opgevangen.

Hij glipte naar binnen en zag onmiddellijk dat hij gelijk had gehad. De koplampen van de auto hadden de reflecterende onderdelen op het achterwiel en het spatbord doen oplichten; de fiets zelf was achter een van de containers weggestopt en was met een zware ketting aan het hek vastgemaakt. Sam vergeleek hem met de fiets op de foto. Het was in het beperkte licht moeilijk met zekerheid te bepalen, maar hij dacht dat het om dezelfde fiets ging. Hij wilde net weer naar de auto teruglopen met het nieuws, toen hij ergens vlakbij een deur met een zucht hoorde opengaan om daarna weer dicht te klikken. Hij hoorde de klik en het ontvlammen van een sigarettenaansteker en waagde een steelse blik om de hoek van de container.

In de gloed van de sigaret zag hij het bitse kreng dat hem en Kevin had weggestuurd. Sam wierp een blik achterom naar de auto. Kevin leunde met zijn hoofd tegen de hoofdsteun. Het leek erop dat hij een dutje deed. Sam en de vrouw waren alleen. Hij stond er even over na te denken. Sam werd altijd gedreven door wat het beste resultaat voor Sam zou opleveren. Normaal gesproken behoorde daartoe niet het uitoefenen van zware druk op een getuige, omdat er gewoonlijk andere mensen bij aanwezig waren die van zijn slechte gedragingen zouden kunnen getuigen. Maar hier ergens in het donker achter een linke club zou het zijn woord tegenover het hare zijn. En wie was hier de geloofwaardigste van de twee? Ze had al tegen hem en Kevin gelogen, dus hij vond dat hij er wel gegronde redenen voor had.

Hij bewoog zich lichtvoetig om de containers heen, zodat hij de vrouw van achteren naderde. Hij was dichtbij genoeg om de zware, met sigarettenrook doorsneden muskusgeur van haar parfum te ruiken en ze had hem nog altijd niet in de gaten. Met een snelle en zekere beweging sloeg hij zijn arm om haar keel en trok haar naar achteren. Ze viel tegen hem aan en hij schoof zijn hand over haar mond terwijl hij met zijn andere hand de sigaret tussen haar vingers vandaan trok. Hij had geen zin in nare brandwondjes.

Ze kronkelde en worstelde, dus hij sloeg zijn andere arm om haar heen. 'Zie je hoe eenvoudig het is?' siste hij in haar oor. 'Je gaat even naar buiten voor een sigaret en er staat een kwaadwillende klootzak op je te wachten. Dat is wat er met Leanne is gebeurd. Of iets wat daar heel erg veel op lijkt.' Hij duwde haar van zich af en voerde een pervers soort dansbeweging uit waardoor ze rondzwierde en hem aankeek. Met zijn andere arm drukte hij haar tegen de muur.

'Vervloekte smeris.' Ze spuugde naar hem, maar hij was snel genoeg om de fluim te ontwijken.

'Je heb tegen me gelogen, kreng,' zei hij. 'Ik zou je echt pijn kunnen doen en niemand zou je geloven. Maar dat is niet wat ik wil. Ik wil alleen maar de waarheid. Ik wil niet dat de klootzak die Leanne heeft vermoord hetzelfde met een andere vrouw doet. Ik heb je net laten zien hoe eenvoudig het is. Hoe ongelooflijk, ontzettend kwetsbaar je bent. Dus wat is er afgelopen dinsdagavond gebeurd?'

'Je zou me nog niet met een vinger durven aanraken,' zei ze. 'Want anders doe ik aangifte van aanranding, poging tot verkrachting, de hele meuk.'

Sam lachte. 'Alsof iemand een slet als jij zou geloven.' Hij verplaatste zijn gewicht, strekte zijn vingers en stootte zijn gestrekte hand onder haar ribben. Haar adem stokte van de pijn en de schrik. Sam herinnerde zich de geheime opwinding van het slecht zijn en probeerde zich er niet te veel door te laten meeslepen. 'Ik wil je geen pijn doen, maar ik zal er niet voor terugdeinzen. Vertel me over dinsdagavond.'

'Het was een avond zoals alle andere. Leanne kwam rond negen uur op en deed een paar dansjes. Ze ging rond middernacht weer weg. Dat is alles wat ik weet.'

'Niet goed genoeg.' Sam ramde haar weer onder haar ribben. 'Er is vast meer dan dat. Hoe zit het met het gesloten videocircuit? Jullie hebben camera's op de parkeerplaats gericht staan. De hele club hangt vol met camera's.'

Ze grijnsde triomfantelijk. 'Die zijn gewist. Een van de barmannen kwam vanochtend langs en zei dat de smerissen in de hele stad foto's van Leanne lieten zien en dat ze vermoord was. De eigenaar was er ook, en hij gaf me opdracht alle banden te wissen. Hij wilde niet dat een vermoorde hoer met zijn nette, legale zaak in verband zou worden gebracht.' Het klonk alsof haar minachting voor haar baas even groot was als haar minachting voor de politie.

'Heb je naar de opnamen gekeken voordat je ze hebt gewist?'

Ze wendde haar blik af. Een schuldige blik, dacht Sam.

'Wat jullie barman niet wist, omdat we dat niemand nog hebben verteld, is dat de klootzak die Leanne heeft vermoord geen beginneling was. Hij heeft dit eerder gedaan. Meerdere keren zelfs. En als we hem niet te pakken krijgen, kun je erop rekenen dat hij het weer zal doen. En omdat jullie hem laten zien hoe makkelijk hij hier slachtoffers kan vinden, is de kans groot dat het een van jullie meisjes zal zijn.' Sam glimlachte spottend. 'Of misschien zelfs jij wel.'

De blik die ze hem toewierp droop van haat. 'Ik heb vluchtig naar de opnamen van de parkeerplaats gekeken van rond de tijd dat ze vertrok. Ik was nieuwsgierig. Als een van onze klanten er iets mee te maken had, dan wilde ik weten wie het was. Uit veiligheidsoverwegingen. Wat je ook van me mag denken, ik wil niet dat mijn meisjes iets wordt aangedaan.'

Sam oefende nu iets minder druk op haar uit. 'En wat heb je gezien?'

'Ik zag Leanne de achterdeur uit gaan en naar de uiterste hoek van de parkeerplaats toe lopen. Ze stapte in een auto, die vervolgens wegreed.'

Sam wilde de lucht wel een knal uitdelen. Of anders dit kreng dan maar een klap verkopen vanwege de achteloze manier waarop ze het onderzoek naar de dood van Leanne had verneukt. 'Wat voor soort auto? Welke kleur?'

'Hoe moet ik verdomme weten wat voor soort auto het was? Zie ik er soms uit als die gek van een Jeremy Clarkson? En de videobeelden zijn in zwart-wit. Dus alles wat ik je over de kleur kan vertellen is dat hij niet zwart en niet wit was.'

Nu wilde hij zich echt op haar uitleven. 'Je hebt de chauffeur dan zeker ook niet gezien?'

'Een witte vlek. Dat is alles wat ik gezien heb.'

'Lekker dan.' Sam deed geen moeite zijn afschuw te verbergen.

'En je hebt het kenteken natuurlijk ook niet ergens opgeschreven, hè?' Hij stapte naar achteren. 'Bedankt voor je hulp. Ik zal morgen een agent laten langskomen om je verklaring op te nemen.'

Nu leek ze zich voor het eerst pas echt zorgen te maken. 'Vergeet het maar,' zei ze. 'Luister, ik heb je verteld wat ik weet. Verpest het nou niet voor me bij mijn baas.'

Sam keek haar aandachtig aan. 'Jij bent de vergunninghouder, hè?'

'Klopt. Dus jullie hebben mijn naam en adres. Ik kan er niet opeens vandoor.'

'Kom morgen vrijwillig naar het bureau toe. Het hoofdbureau van de politie van Bradfield, niet naar de noordelijke divisie. Vraag naar het TZM. Heb je dat begrepen?'

Ze knikte. 'TZM.'

'Als je niet komt opdagen, dan kom ik hier morgenavond weer langs, maar dan met versterking. Of je nu hier bent of niet, je baas zal alles te weten komen over hoe goed je de politie hebt geholpen. Is dat duidelijk?'

Ze keek hem woedend aan en de frustratie stond in haar ogen te lezen. 'Ik zal me aan de afspraak houden, dus ik verwacht dat jij dat ook doet.'

Hij hoorde haar tegen hem vloeken toen hij naar de auto terugliep, maar dat kon hem niet schelen. Ze kon dan de opnamen in de club wel hebben gewist, maar haar baas had niets te zeggen over alle camera's langs de weg. Sam was er vrijwel zeker van dat ze de auto eruit zouden kunnen pikken, ongeacht welke kant de moordenaar van Leanne was opgegaan. De dagen van deze moordenaar waren geteld en dat was allemaal te danken aan Sam Evans. Jordan zou dit knappe staaltje werk wel moeten belonen. Zij kon dan wel onderweg naar buiten zijn, maar Sam was onderweg naar boven.

25

Een waterig zonnetje drong Tony's keuken binnen, zodat alles een licht surrealistisch uiterlijk kreeg. Terwijl de koffie doorliep, bladerde hij door het nieuws op internet. De ontsnapping van Vance was overal voorpaginanieuws en vormde een excuus om zijn misdaden en processen weer op te dissen. Tony kwam in de meeste artikelen voor en Carol ook in een aantal. De media hadden geprobeerd Micky Morgan, Vance' ex-vrouw, te pakken te krijgen, maar toen ze bij de stal waren aangekomen waar ze samen met haar partner renpaarden fokte, hadden ze een paardentrailer aangetroffen die dwars over de toegangsweg was neergezet en strenge stalknechten die langs de grenzen van hun terrein patrouilleerden. Niemand had Micky ook maar gezien, laat staan dat het ze was gelukt een citaat van haar los te krijgen. In plaats daarvan hadden ze genoegen genomen met het ondervragen van een verzameling onbelangrijke personen die ooit met Vance hadden samengewerkt. De gevangenisdirectie had ook een veeg uit de pan gekregen, maar dat was zo voorspelbaar als dat de morgen na de nacht komt.

Er werd niet veel aandacht besteed aan de moord op Leanne Considine, vooral omdat ze voor zover de media wisten nog altijd niet was geïdentificeerd. Als ze eenmaal zouden ontdekken wie ze was en dat ze een geheim dubbelleven had geleid, dan zou er honger naar meer ontstaan. Haar huisgenoten zouden worden belegerd tot ze zouden breken en de choquerende details van haar leven zouden onthullen of bij elkaar zouden verzinnen. Als ze slim waren, zouden ze de media genoeg geld aftroggelen om hun collegegeld mee te kunnen betalen.

Maar voorlopig was ze nog gewoon vulling voor onderaan op de pagina's met binnenlands nieuws. Zelfs Penny Burgess moest zich tevredenstellen met acht kleine alinea's. Carol had hem over de persconferentie verteld, maar Penny had toch niet de moed gehad om in te gaan tegen wat Reekie had gezegd. Ze zou woedend zijn wanneer ze achter de waarheid zou komen, dacht hij toen hij zijn espresso oppakte en doorliep naar zijn studeerkamer. Hij wierp een blik uit het raam en was blij dat hij het surveillancebusje nog steeds aan de overkant van de straat geparkeerd zag staan.

Het nadeel van Carols weigering om persoonlijke bescherming te krijgen was dat hij in Bradfield vastzat totdat Vance achter de tralies zat of niet langer als een risico werd gezien. Als hij naar het huis in Worcester zou gaan waarop hij verliefd was geworden, dan zouden zijn bewakers met hem meekomen. Dat zou betekenen dat hij Carol hier 's nachts onbeschermd en kwetsbaar zou achterlaten. En dat was absoluut ondenkbaar.

Het andere grote ondenkbare gegeven was wat er tussen hem en Carol zou gaan gebeuren. Ze hadden jarenlang een vreemd soort quadrille gedanst waarin ze nu eens dichter bij elkaar kwamen en dan weer door de gebeurtenissen en ieders verleden uit elkaar werden gedreven. Ze waren als de staafmagneten die kinderen bij experimenten op school gebruikten: het ene moment was de aantrekkingskracht onweerstaanbaar, maar dan wisselde je van polen en maakte het krachtveld tussen de magneten het onmogelijk voor ze om dichter bij elkaar te komen. In de paar maanden sinds ze zijn aanbod had aangenomen om in het huis te komen wonen dat hij geërfd had, waren ze er op de hun eigen manier in geslaagd om elk echt gesprek over wat dat in de praktijk zou kunnen betekenen uit de weg te gaan. Het enige wat duidelijk was geworden, was dat ze haar eigen woonruimte zou hebben: een slaapkamer, een badkamer en een zitkamer annex werkruimte. Of deze verandering van geografische omstandigheden ook een ander soort verandering zou betekenen was iets wat geen van hen beiden ter sprake leek te kunnen brengen.

Tony was er bijna van overtuigd dat hij klaar was voor een poging om een volgende stap te zetten. Nou ja, de populaire psychologie zou het een volgende stap noemen. Hij was zich er terdege van bewust dat wat voor een volgende stap doorging vaak een manier was om een ander soort verandering in te luiden. Hij wilde de kwaliteit van zijn band met Carol niet aantasten en een deel van hem maakte zich nog altijd zorgen dat samen het bed in duiken dat nu juist wel deed. Hij had nooit veel succes gehad met het seksgebeuren. Meestal was hij impotent geweest. Hij kon wel opgewonden raken, hoewel waarschijnlijk een stuk minder dan de meeste mannen leken te worden. Maar zodra hij naakt met een vrouw was, kapte zijn penis ermee. Hij had viagra geprobeerd en dat had de lichamelijke symptomen wel opgelost, maar hij raakte er in de war van. Alhoewel dat misschien wel meer te maken had gehad met het feit dat de vrouw met wie hij toen was niet Carol was. Tony slaakte een diepe, hartgrondige zucht. Het was allemaal zo gecompliceerd. Misschien moesten ze het gewoon maar zo laten. Oké, dat was niet perfect, maar wat was dat wel?

Ondertussen bestond het beste wat hij voor Carol kon doen uit achter de schermen werken en haar team helpen ervoor te zorgen dat hun laatste trucje een glorieuze afloop zou krijgen. Maar voordat hij daarin verwikkeld raakte, moest hij eerst uitvinden hoe het met de jacht op Vance ging.

Hij wilde Ambrose niet in een lastig parket met zijn baas brengen, dus in plaats van hem te bellen stuurde hij hem een sms. Tony had best wel een trots gevoel over zichzelf toen hij op VERZENDEN drukte. Als het erop aankwam voor menselijk door te gaan wist hij dat hij nog altijd genoeg te leren had. Maar misschien begon hij eindelijk een paar zaken door te krijgen op het gebied van tact en diplomatiek handelen.

Hij had amper een begin gemaakt met het downloaden van de bestanden die Stacey voor hem op internet had gezet, toen Ambrose hem terugbelde. 'Hallo daar, kameraad,' zei Ambrose met zijn lage basstem. Geen namen; hij lette er altijd op dat hij zich niet compromitteerde.

'Bedankt voor het terugbellen.' Dat was er eentje die hij uit zijn hoofd had geleerd; blijkbaar was het behalve als je een tiener was niet normaal dat je alleen maar iets bromde wanneer iemand je terugbelde. 'Nog nieuws over Vance?'

'Hij is nog steeds aan de haal. En we worden belegerd door de wereldmedia,' zei Ambrose. 'We hebben de taxi gevonden die hij heeft gestolen. Hij heeft hem achtergelaten achter het tankstation langs het stuk M42 dat naar het noorden gaat. Maar geen spoor van de man zelf. Er zijn op dit moment agenten bezig met het bekijken van de beelden van gesloten videocircuits, maar daar zou ik niet te veel van verwachten. De scherpste plaatjes komen uit het gebouw bij het tankstation zelf. Als Vance daar niet naar binnen is gegaan, dan kunnen we het waarschijnlijk schudden.'

'Het was ook misschien wel ijdele hoop.'

'Het begint nog maar net tot me door te dringen wat een slimme smeerlap hij is. Ik heb destijds nooit echt veel aandacht aan de zaak besteed, omdat er te veel aan de hand was in mijn eigen achtertuin. Heb je nog tips?'

'Hij is niet meer op jullie werkterrein. Daar wil ik wel geld op zetten. Wat zijn plannen ook zijn, ik ben er redelijk zeker van dat in de buurt van Oakworth blijven rondhangen daar geen deel van uitmaakt. En hij zal zeker plannen hebben,' zei Tony ernstig.

'Vanzelfsprekend. Je doet niet zo'n moeite om te ontsnappen om vervolgens buiten de gevangenis niets geregeld te hebben. Zegt de naam Terry Gates je trouwens iets?'

'O, shit,' kreunde Tony. 'Soms ben ik te stom om te leven.' Zelfs terwijl hij dat zei hoopte hij dat die woorden geen voorspellende kracht zouden blijken te hebben.

Er klonk een humorloze lach aan de andere kant van de lijn. 'Dat zal ik maar als een bevestiging opvatten.'

'Verdomme, Ambrose, het spijt me. Ik zou me Terry Gates herinnerd moeten hebben.' Al pratend zag Tony Gates voor zich: armen met dikke spierbundels onder de huid, grote bruine ogen als van een vriendelijk dier en een open gezicht dat telkens wanneer hij naar Vance keek in een grijns veranderde. Tony herinnerde zich Gates te hebben bestudeerd tijdens zijn werk achter zijn marktkraam. Hij wist wanneer hij op de technische toer moest met de mannen en hoe hij de vrouwen moest overhalen gereedschap te kopen waarvan ze nooit hadden geweten dat ze het nodig hadden. Hij was geslepen met zijn klanten, maar toch was hij waar het Vance betrof compleet blind. 'Waarom vraag je dat?'

'Hij was de enige die regelmatig bij Vance op bezoek kwam. Hij kwam elke maand en sloeg volgens de archieven nooit een bezoek over. We hebben aan de plaatselijke jongens gevraagd eens bij hem aan te kloppen. En raad eens? Hij is niet waar hij zou moeten zijn.

Niemand heeft hem gezien sinds de morgen voordat Vance uitbrak. Dus hoe zit dat met die twee, Tony?'

Tony sloot zijn ogen en liet zijn voorhoofd in zijn handen rusten. 'Terry had een tweelingzuster Phyllis, die terminale kanker kreeg. Destijds ging Vance met regelmaat op bezoek in ziekenhuizen. Het was zogenaamd zijn grote liefdadigheidswerk. Mensen trapten toen in het verhaal dat hij het leed van de zieken kwam verzachten. De echte reden was heel wat huiveringwekkender. Hij hield ervan om naar de stervenden te kijken. Het was alsof hij teerde op het idee dat ze nergens meer enige controle over hadden. Maar net zoals de meeste familieleden van patiënten bij wie Vance aan het bed had gezeten, geloofde Terry nooit dat er iets sinisters gaande was. Hij zag Vance als een engel der barmhartigheid die het heengaan van zijn zuster had vergemakkelijkt.' Hij ging rechtop zitten, gestimuleerd door het vertellen van zijn verhaal.

'Hij zat zo vast in die overtuiging dat het voor hem onmogelijk was te geloven dat Vance schuldig was aan de misdaden waarvan hij werd beschuldigd. Een van de aanklachten voor moord was afhankelijk van een kenmerk van een stuk gereedschap. Vance had een op een werkbank gemonteerde bankschroef in zijn geheime schuilplaats met een zeer specifieke onvolkomenheid op een van de bekken. En de aanklagers beschikten over een bewaard gebleven arm van een moordslachtoffer van veertien jaar daarvoor, bij wie hetzelfde kenmerk in het bot stond gedrukt. Samen met al het andere indirecte bewijs was de voor de hand liggende conclusie dat Vance de moordenaar was. En toen was daar Terry Gates geweest, die in de getuigenbank ging zitten en onder ede verklaarde dat hij de bankschroef minder dan vijf jaar geleden tweedehands aan Vance had verkocht. Dat degene die die bankschroef daarvoor in zijn bezit had gehad de moordenaar was, en niet Vance. Dat ondermijnde de zaak tegen Vance voor wat betreft die oudste moord, waardoor het bijna onmogelijk werd om te bewijzen dat hij een seriemoordenaar was, omdat we zo weinig bewijzen overhielden.'

'Dus Gates heeft daadwerkelijk meineed gepleegd voor Vance?'

'Ik kan er moeilijk iets anders van maken,' zei Tony.

'Hij moet dan wel heel veel van zijn zuster hebben gehouden.'

'Te veel, vermoed ik. En nadat ze was overleden, werd Vance een soort surrogaat voor hem. Als hij Vance niet beschermde, dan liet hij zijn zuster vallen.'

Ambrose maakte een donker grommend geluid. 'Daar kan ik niet bij. Die vent is een seriemoordenaar en je pleegt meineed om hem uit de gevangenis te houden, omdat hij aardig tegen je zuster was? Ik krijg pijn in mijn hoofd van mensen, doc.'

'Ik ook, Alvin.' Hij sloeg zijn espresso in één keer achterover en knipperde huiverend met zijn ogen toen de cafeïne doel trof. 'Dus Gates denkt nog steeds dat hij Vance iets verschuldigd is.'

'Daar ziet het wel naar uit.'

'Je moet een huiszoekingsbevel voor het huis van Gates regelen en alles daar doorzoeken. Als hij Vance' ogen en oren en handen en voeten buiten de gevangenis is geweest, dan moet er een spoor te vinden zijn. Vance is slim, maar Gates niet. Hij zal sporen hebben achtergelaten. Vance zal hem hebben opgedragen alles te vernietigen, maar dat zal hij niet hebben gedaan. Dat is de enige plek waar je een aanwijzing gaat vinden.'

'Klinkt als een goed plan. Bedankt,' zei Ambrose. 'Je denkt niet dat Gates weer zal opduiken?'

Al zijn beroepsmatige voelsprieten vertelden Tony met absolute zekerheid dat Terry Gates nooit meer door zijn voordeur naar buiten zou lopen. 'Gates is dood, Alvin. Of zo goed als. Hij weet te veel.'

'Maar waarom zou Vance hem te grazen nemen als Gates degene is die altijd aan zijn kant heeft gestaan?' De stem van Ambrose klonk verstandig, niet kritisch.

'Gates is erin geslaagd Vance te blijven steunen omdat hij zichzelf er altijd van kon overtuigen dat Vance de vervolgde onschuldige was. Maar wat Vance dan ook voor nu gepland heeft, fraai zal het niet zijn. En Gates zal dan niet onder zijn betrokkenheid kunnen uitkomen. Wanneer hij met onweerlegbaar bewijs wordt geconfronteerd dat zijn held een schurk is, denk ik dat Gates zich tegen hem zal keren. En Vance is slim genoeg om dat te begrijpen.' Tony opende de bovenste bureaula en graaide wat rond in de rommel in de hoop iets te knabbelen te vinden. 'Hij zal hem liever vermoorden dan dat hij dat risico neemt. Ik weet dat het er wellicht anders uitziet, maar hij is niet iemand die risico's neemt. Alles is ingecalculeerd.'

'Houdt een team je in de gaten?'

Tony wierp weer een blik uit het raam. 'Er staat een surveillancebusje voor de deur. Ik ben niet van plan vandaag ergens naartoe te gaan waar het lastig voor ze wordt. Als ik al naar buiten ga, dan zal het naar Bradfield Moor zijn. En dat is een stuk beter beveiligd dan Oakworth blijkbaar is.' Helemaal achterin vond hij een oud pakje Amerikaanse harde snoepjes met kaneelsmaak. Hij was al zeker twee jaar niet meer aan de overkant van de Atlantische Oceaan geweest, maar hij dacht niet dat harde snoepjes konden bederven. Met één hand scheurde hij het pakje open, waarna hij er eentje in zijn mond gooide. De buitenkant was een beetje zacht geworden, maar het binnenste van het snoepje was hard en bood weerstand tegen zijn tanden. Toen Tony erop kauwde en de suiker en de kaneelsmaak zijn mond vulden, voelde hij zich op onverklaarbare wijze kalmer worden.

'Ben je iets aan het eten?' zei Ambrose.

'Hou je me op de hoogte?'

'Ik zal mijn best doen. Pas goed op jezelf.'

De verbinding werd verbroken en Tony staarde zonder er iets van in zich op te nemen naar een bestandenlijst op zijn computerscherm. Hoe kon hij nu geen rekening hebben gehouden met Terry Gates? Deze onoplettendheid bracht zijn vertrouwen in zichzelf aan het wankelen en hij vroeg zich dan ook af wat hij nog meer over het hoofd zou kunnen hebben gezien. Had zijn bezorgdheid om Carol het analytische proces waarvan hij zo afhankelijk was verstoord? Zonder die helderheid kon hij niet van nut zijn bij een onderzoek. Nee, sterker nog: zonder die helderheid vormde hij een blok aan het been.

Tony kneep in de brug van zijn neus en deed zijn ogen stijf dicht. Hij stelde zich een witte kubus voor en plaatste zichzelf in het centrum ervan. Hij haalde diep en regelmatig adem en verdreef al het andere uit het voorste gedeelte van zijn geest. Toen het enige waarvan hij zich bewust was uit witte ruimte bestond, opende hij zijn ogen en legde zijn handen aan weerszijden van het toetsenbord plat op het bureau. 'Je vermoordt vrouwen die seks verkopen,' zei hij tegen de lege kamer. Hij pakte zijn bril op en begon aan het lange proces waarbij hij het doolhof van de beschadigde geest van een moordenaar binnenkroop.

26

Carol was zich door de rapporten van de vorige avond aan het worstelen toen ze Sams verslag van zijn gesprek met Natasha Jones tegenkwam, de manager en vergunninghouder van Dances With Foxes. De informatie was bruikbaar: iemand die wilde getuigen dat Leanne in de auto van iemand anders bij de club wegging, kon een zeer belangrijke bijdrage leveren aan het totaal van bewijzen waarmee ze een moordenaar achter de tralies konden zetten. En de te ondernemen actie die Sam had voorgesteld was ook juist: 'Stel voor de gegevens van verkeerscamera's langs Brackley Road op te vragen, voor beide rijrichtingen vanuit de club. Tijdsbestek: van elf tot een in de nacht van dinsdag op woensdag. Doel: identificatie van auto die Leanne Considine wegvoert van stripteaseclub Dances With Foxes op Brackley Road 673.' Maar iets zat haar niet helemaal lekker aan het verslag van de ondervraging. Om te beginnen was Sam daar samen met Kevin geweest, maar Sams brigadier werd nergens genoemd. Het voelde ontwijkend aan en Carol kende Sam goed genoeg om te beseffen dat er gewoonlijk ook iets te ontwijken viel als hij eromheen draaide.

Ze keek door het raam naar de teamkamer, waar Kevin en Paula telefonisch in gesprek waren. Sam was nergens te bekennen, dus schreef ze maar een krabbel: MIJN KANTOOR ALS JE KLAAR BENT. Ze legde het briefje voor Kevin neer en hij keek haar met een gepijnigde blik vol berusting aan. Hij zat binnen twee minuten op haar bezoekersstoel.

'Goed werk gisteravond,' zei Carol, die achteroverleunde in haar stoel en haar voeten op de openstaande onderste lade liet rusten.

'Bedankt,' zei Kevin voorzichtig.

'Ik heb Sams verslag gezien. Je lijkt vreemd genoeg afwezig.'

Kevin sloeg zijn benen over elkaar door zijn linkerenkel op zijn rechterknie te leggen. Hij trommelde met zijn vingers op zijn linkerknie. Hij was zo ontspannen als een examenkandidaat. 'Het was Sams werk. De manager blufte en wilde ons doen geloven dat Leanne daar nooit gewerkt had. Toen we wegreden zag Sam Leannes fiets staan. Dus is hij teruggegaan om de manager daarmee te confronteren.'

'Waar was jij?' Ze hield het nog luchtig, omdat ze niet zeker wist waarnaar ze op zoek was.

'Ik was in de auto.'

'Wat? Je vond het niet de moeite om het verder uit te zoeken?'

Kevin tuitte zijn lippen. Zijn vingers hielden op met bewegen en hij greep zijn knie vast. 'Dat is niet echt hoe het gegaan is.'

'Hoe is het dan wel gegaan?'

'Maakt het wat uit? Sam heeft gekregen wat we nodig hadden. Ik heb er geen moeite mee dat hij zijn instinct heeft gevolgd en ons een meevaller heeft bezorgd.' Hij ging verzitten in zijn stoel in een poging nonchalant over te komen, maar dat mislukte jammerlijk.

Carol nam hem op. Nu had ze een duidelijker idee van wat er gebeurd was. Sam had Kevin in de steek gelaten en had zijn eigen zuiver gevoelsmatige actie ondernomen. Dat was dom gedrag onder alle omstandigheden, maar helemaal als er een moordenaar rondliep. 'Je weet dat je altijd in tweetallen moet werken wanneer je te maken hebt met mensen die weten wat je kunt bereiken met het schreeuwen van "overtreding", zodra ze daar maar de kans toe krijgen. Sam werd dus niet gedekt en dat zou jij niet moeten hebben laten gebeuren.' Voor Carols doen was dat een berisping van de mildste soort, maar het was genoeg om Kevins melkachtige huid donkerrood te laten kleuren.

'Ik begrijp het,' zei Kevin met een opstandige uitdrukking op zijn gezicht. 'Ik realiseerde me niet dat hij de ondervraging meteen ter plekke zou uitvoeren.'

Carol schudde haar hoofd met een spottende glimlach op haar gezicht. 'En hoe lang werk je nu al met Sam?'

Kevin stond op. 'Ik begrijp wat u bedoelt.'

Carol volgde hem de teamkamer in en keek of ze Paula zag. Maar terwijl ze met Kevin had zitten praten was Paula verdwenen. 'Het lijkt hierbinnen wel de brug van de *Marie Celeste*,' zei ze hardop.

'Ik ben er nog.' Staceys stem klonk op vanachter de monitoren. 'Ik ben beelden van verkeerscamera's aan het bekijken.'

'Kan een of andere verkeersagent dat dan niet doen?'

'Om eerlijk te zijn vertrouw ik er niet op dat ze het grondig genoeg zullen doen. Ze raken te snel verveeld.'

Carol liep terug naar haar kantoor en kon een glimlach niet onderdrukken. Haar dwarse, arrogante specialisten zouden nooit conventionele teamspelers worden. Mocht God de bevelvoerende politiemensen bijstaan die met de leden van haar team opgezadeld zouden worden. Ze zou er bijna voor willen aanblijven, puur voor de lol.

Vance was nog maar een paar uur op vrije voeten, maar dat was lang genoeg geweest voor Maggie O'Toul om haar verdedigingswerken op orde te krijgen. Tot nu toe waren de media er nog niet achter gekomen dat zij verantwoordelijk was voor het voordragen van Vance voor overplaatsing naar de vleugel van de therapeutische gemeenschap, maar ze besefte dat dat natuurlijk wel zou gaan gebeuren. Toen Ambrose zich voor hun afspraak bij het bureau van reclasseringsambtenaren meldde waar ze werkte als ze niet in Oakworth was, deed de receptioniste net alsof ze haar naam nog nooit eerder had gehoord. Hij had haar zijn legitimatiebewijs moeten laten zien voordat ze zelfs maar het bestaan van dr. O'Toul wilde erkennen. Dat had zijn humeur geen goed gedaan.

Het kantoor van Maggie O'Toul was een afgescheiden werkplek op de tweede etage met uitzicht op een handel in vloerbekleding die in een voormalige bioscoop aan de overkant van de straat huisde. Toen Ambrose binnenkwam nadat ze 'kom binnen' had gezegd, stond ze met haar rug naar de deuropening uit het raam te staren alsof er iets opmerkelijks gaande was in de vloerbedekkingswereld. Het kantoor stond vol boeken, dossiermappen en papieren, maar het was allemaal zo georganiseerd dat de algehele indruk er een van netheid was. Het leek geenszins op een ruimte waarin Tony Hill aan het werk was.

'Dr. O'Toul,' zei Ambrose.

Langzaam en ogenschijnlijk met tegenzin draaide ze zich om en keek hem aan. Ze had zo'n zwak, mooi en door bezorgdheid getekend gezichtje dat Ambrose altijd het gevoel gaf dat hij de overhand had. Hij vond haar uiterlijk van het soort dat vroeger toen Audrey Hepburn een ster was 'elfachtig' werd genoemd. Haar gezicht werd omlijst door donker geverfd haar in een jongenskopjesmodel dat benadrukte dat ze de vijftig al gepasseerd was. 'U moet brigadier Ambrose zijn,' zei ze met een vermoeide stem, waarbij haar mondhoeken omlaag krulden. Haar lippenstift leek de verkeerde kleur voor haar huidkleur te hebben. Hij wist niet veel over dat soort zaken, maar hij had altijd al oog gehad voor wat er goed uitzag bij een vrouw. Hij hoefde nooit twee keer na te denken bij het uitkiezen van kleding of sieraden als cadeau voor zijn vrouw en ze leek altijd graag te dragen wat hij voor haar had gekocht. Maggie O'Toul zag er niet uit als een gelukkige vrouw.

Jezus, wie dacht hij wel dat hij was? Tony Hill? 'Ik moet met u spreken...'

'Over Jacko Vance,' onderbrak ze hem om zijn zin af te maken. 'Ga ik de zondebok worden? Het bloedoffer? De persoon die aan de schandpaal van de *Daily Mail* wordt genageld?'

'Bespaar me de aanstellerij,' zei hij lomp. 'Als u uw vak ook maar enigszins verstaat, zou u moeten weten dat Vance een gevaarlijke man is. Het enige waar het mij om gaat is dat we hem weer achter de tralies krijgen voordat hij opnieuw begint te moorden.'

Ze stootte een droog lachje uit en haalde haar vingers door haar haar. Haar nagellak was van dezelfde foute kleur als haar lippenstift en deed haar vingers er op een vreemde manier toegetakeld uitzien. 'Het lijkt me toch dat ik beter in staat ben om een accurate inschatting te maken van waartoe Jacko Vance tegenwoordig in staat is dan u. Ik weet dat het moeilijk te bevatten is voor u, maar zelfs mensen die vreselijke misdaden hebben begaan zoals Jacko zijn in staat een weg naar redding te vinden.'

De bewoordingen deden denken aan een soundbite uit een podiumpresentatie. 'Hij heeft vandaag al één persoon in het ziekenhuis gekregen,' zei Ambrose. 'Ik kom u niet opzoeken om een lezing van u te krijgen over hoe gerehabiliteerd Vance is. Want dat is hij duidelijk niet. En hoe u daarmee binnen uw beroepsgroep in het reine komt is uw zaak, maar ik kan me nu niet bezighouden met openlijke spijtbetuigingen. Wat ik nodig heb is een idee van hoe hij zich zal gedragen, waar hij naartoe zal gaan en wat hij zal gaan doen.'

Ze was slim genoeg om te weten dat ze tegengewerkt werd. 'Ik denk echt dat hij geen bedreiging vormt,' zei ze. 'Net zoals iedereen zal hij uithalen als hij in het nauw gedreven wordt of bang is.'

'De man die hij bewusteloos heeft geslagen was een taxichauffeur,' zei Ambrose kortaf. 'Ik zie niet zo snel in hoe een vierendertigjarige taxichauffeur hem een in het nauw gedreven of angstig gevoel zou hebben gegeven. Hoe vreselijk slecht hij dan ook gereden zou kunnen hebben.'

'U hoeft er geen grapje van te maken,' zei ze stijfjes. 'Luister, laat me uitpraten. Ik ben niet dom, brigadier. Ik doe dit werk al heel lang en ik ben niet iemand die zich snel laat inpalmen. Ik heb Jacko voorgedragen voor de therapeutische vleugel, omdat hij in de sessies die we samen hadden berouwvol was en inzicht toonde in zijn vroegere misdaden. Hij voldeed aan alle criteria voor die gemeenschap, maar hij zou alleen nooit in aanmerking komen voor vrijlating. Maar waarom zou iemand de beste mogelijkheid te herstellen van de ramp die zijn leven is, ontzegd moeten worden vanwege het simpele feit dat hij niet de volle honderd procent voordeel uit die mogelijkheid kan halen?'

Weer zo'n soundbite, dacht Ambrose. Hij vroeg zich af of Maggie O'Toul van plan was geweest om haar reputatie te vergroten door Vance te redden? 'Vertel eens, hoe manifesteerde dat berouw zich?'

'Ik weet niet precies wat u bedoelt. Hij gaf blijk van spijt en hij ontrafelde de keten van omstandigheden die hem ertoe dreven zijn misdaden te begaan.'

'En hoe zat het met boetedoening? Heeft hij het daar überhaupt over gehad? Over de mensen wier levens hij heeft verwoest?'

Ze leek even geïrriteerd, alsof ze iets gemist had. 'Natuurlijk heeft hij het daarover gehad. Hij wilde de familieleden van zijn slachtoffer ontmoeten en persoonlijk zijn excuses aanbieden. Hij wilde het goedmaken met zijn ex-vrouw voor al het verdriet dat hij haar heeft bezorgd.'

'Kunt u zich herinneren welke slachtoffers hij noemde?'

'Natuurlijk. De familie van Donna Doyle, dat waren de mensen met wie hij wilde spreken.'

'Alleen met hen?'

Ze trommelde zachtjes met haar vingers op de armleuning van haar stoel. 'Zij was zijn slachtoffer, brigadier.'

Ambrose glimlachte half. 'De enige moord waarvoor hij berecht en veroordeeld werd. Hoe zat het met de andere meisjes die hij ontvoerde en vermoordde? Heeft hij hun namen überhaupt wel prijsgegeven? Heeft hij enige spijt over hun dood betuigd?'

'Zoals u heel goed weet heeft hij die beschuldigingen altijd ontkend en is hem nooit een van die moorden ten laste gelegd.'

'In feite werd hij nog wel voor een andere moord aangeklaagd, maar hij is daaronderuit gekomen omdat zijn vriendje Terry Gates meineed pleegde. En hij werd schuldig bevonden aan de moord op Shaz Bowman totdat het vonnis in hoger beroep nietig werd verklaard. Noemde Vance die moorden ook wanneer hij over zijn zonden sprak?'

Dr. O'Toul ademde zwaar uit. 'Ik ga geen puntenwedstrijd met u aan, brigadier. Ik weet hoe deskundig ik ben en stel voor dat u zich bij uw eigen deskundigheid houdt. Ik zeg het nogmaals: ik denk dat Jacko geen bedreiging vormt. Ik ben teleurgesteld dat hij op dit ontsnappingsplan heeft zitten broeden, maar ik stel me voor dat hij het gevangenisleven uiteindelijk gewoonweg onverdraaglijk vond. Ik verwacht dat hij het land zal verlaten en ergens naartoe zal gaan waar hij zich veilig voelt.' Ze glimlachte, waarbij haar wangen in een reeks concentrische gebogen lijnen wegzakten. 'En ik geloof echt dat hij een gerehabiliteerd leven zal leiden.'

Ambrose schudde vol ongeloof zijn hoofd. 'U gelooft dat allemaal echt, hè?' Hij stond op. 'Dit is zinloos. Als u geen specifiek idee heeft waar hij zou kunnen zijn, misschien een of andere plek waarover hij het heeft gehad of een persoon waar hij een goede band mee had, dan heeft het geen nut met deze ondervraging verder te gaan.'

'Ik heb geen idee waar hij naartoe zou kunnen gaan. En ook niet wie hij buiten de gevangenis kent. Maar ik ben wel van mening dat dit een enorme verspilling van mankracht is,' voegde ze er nog aan toe. 'Ik zou Jacko niet voor die therapeutische gemeenschap hebben aanbevolen als ik niet had geweten dat hij een ander mens was geworden.'

Ambrose liep naar de deuropening toe en bleef nog even staan voordat hij de gang in zou lopen. 'Ik hoop dat u gelijk heeft. Ik hoop echt dat u gelijk krijgt. Ik zou maar wat graag ongelijk krijgen over hem.' Hij wreef over de achterkant van zijn dikke nek in een poging de strakke spieren daar wat losser te maken. 'En ik denk dat u wat één ding betreft wel gelijk heeft: er zijn daarbuiten mensen met wie Vance nog kwesties af te handelen heeft. Maar ik denk niet dat hij boete wil doen voor wat hij heeft gedaan. Ik denk dat hij van plan is hen te laten bloeden voor wat ze hem hebben aangedaan.' Ambrose wachtte haar antwoord niet af. Hij deed de deur niet eens achter zich dicht. Maggie O'Toul verdiende de voldoening van een dichtgesmeten deur niet.

27

Paula was niet ver weg gegaan. Toen ze Carol Jordan haar kant op had zien komen, was ze bijna in paniek geraakt en had ze zich afgevraagd of haar baas met een soort zesde zintuig had ontdekt dat ze in gesprek met Tony was. Maar haar aandacht was op Kevin gericht geweest en Paula had het gesprek afgerond met de woorden: 'Als je zo dichtbij bent, laten we dan afspreken in de Costa Coffee in Bellwether Street. Over vijf minuten.' En ze was ervandoor gegaan voordat iemand haar kon vragen waar ze naartoe ging.

Nu zat ze met de grootste koffie verkeerd met magere melk uit het assortiment van de espressobar op haar medeplichtige te wachten. Hij liet niet lang op zich wachten en plofte tegenover haar aan tafel neer. 'Neem je geen koffie?' vroeg ze terwijl ze half opstond.

Hij schudde zijn hoofd. 'Op sommige dagen is het gewoon te moeilijk om te kiezen.' Hij fronste. 'Ik denk dat de politici het mis hebben. We hebben niet meer keus nodig, maar minder. Te veel keus levert te veel stress op. Er zijn experimenten geweest, weet je, waaruit blijkt dat ratten langer leven en een gezonder leven hebben als ze onder voor de rest gelijke omstandigheden minder keuzemogelijkheden hebben.'

Soms vroeg Paula zich af hoe Carol Jordan erin slaagde enige vorm van sociale relatie met hem te onderhouden. Zijn vermogen gesprekken te voeren die alle kanten opgingen was amusant, maar het was ook moeilijk te verdragen wanneer je meteen ter zake wilde komen. 'Heb je alle bestanden gekregen?' zei ze.

Hij glimlachte een beetje grimmig. 'Ik neem aan van wel. Maar het is een van die niet te beantwoorden vragen, hè? Omdat ik geen weet zal hebben van de bestanden die ik niet heb gekregen. Het is net zoals wanneer je een lezing houdt en vraagt of iedereen je kan horen. Want als ze je niet kunnen horen, kunnen ze natuurlijk ook de vraag niet beantwoorden en weet je dus nog niets.'

'Tony!'

'Het spijt me. Ik ben momenteel in een rare bui.'

Paula keek hem nors aan. 'We weten allemaal dat jij en de baas op jullie hoede zijn voor het geval Jacko Vance jullie te grazen wil nemen. Ach, dat weet nu ook iedereen die kan lezen. Dus ik zal wat coulanter dan gebruikelijk tegen je zijn.'

Tony haalde een hand door zijn haar. 'Ik ben er niet aan gewend dat mensen dingen over me weten,' zei hij. 'Ik kreeg allemaal telefoontjes van journalisten die willen dat ik profielschetsen van Vance voor hen schrijf. Ik geloof niet dat ze enig idee hebben hoe saai een profielschets is. En zelfs als ik voldoende geïnteresseerd zou zijn om hen terug te bellen zou ik wat ik doe niet in voer voor de sensatiekranten kunnen veranderen. Of zelfs maar in voer voor *The Guardian*. Ik ben het huis alleen maar uit gegaan omdat ik gek werd van de telefoon. En toen stond die vervloekte Penny Burgess bij me op de stoep.' Hij huiverde. 'Je moet wel een soort masochist zijn om een beroemdheid te willen zijn.'

'Houdt iemand een oogje op je?' vroeg Paula ineens bezorgd. Tony mocht dan wel een behoorlijk vreemde vogel zijn, maar hij was haar in de loop der jaren dierbaar geworden. Ze had al eens een vriendin verloren in haar werk en ze had voldoende kennisgemaakt met dat soort verdriet. Tony had destijds een hand naar haar uitgestoken die haar in haar val had gestopt en ze had nog altijd het gevoel dat ze hem iets verschuldigd was. Er waren schulden die nooit konden worden vereffend.

Tony knikte. 'Als het goed is wel. Er staat sinds ik gisteren thuiskwam een patrouillebusje voor het huis en een zeer beleefde jongeman houdt me in de gaten als ik te voet ga.' Hij trok een gezicht. 'Het is wel geruststellend, hoor, maar ik denk niet dat Vance me te grazen komt nemen. Simpele wraak is niet zijn stijl. Daar is hij veel te verknipt voor. Maar hoe hij er precies een draai aan gaat geven weet ik niet. Daarom is het best goed voor me dat ik jullie zaak heb om over na te denken. Dan kan ik ook niet gaan zitten piekeren.' Hij staarde haar aan terwijl hij als een uil in het licht met zijn ogen knipperde. 'Vertel eens, wat denk je van Carol? Hoe gaat zij ermee om?'

'Je kunt niet aan haar merken dat ze iets anders aan haar hoofd heeft dan deze moorden. Ze heeft haar gewone werkgezicht en dat is dan dat.' Ze glimlachte een beetje triest. 'Het zou haar kapotmaken haar kwetsbaarheid aan ons te laten zien. Ze heeft het nodig dat wij in haar geloven, zodat ze zichzelf kan overtuigen dat ze niet klein te krijgen is.'

Tony's wenkbrauwen schoten omhoog en zakten toen weer. 'Heb je ooit een carrière in de psychologie overwogen?'

'Wat? En eindigen zoals jij?' Paula lachte hardop.

'Ze zijn niet allemaal zoals ik.' Hij trok een gezicht naar haar. 'Alleen de goede. Je zou dat kunnen, weet je. Je weet zelf niet hoe goed je erin bent.'

'Zo is het wel weer genoeg. Wat maak jij ervan? Is het dezelfde moordenaar volgens jou?'

'Ik denk niet dat er veel ruimte voor twijfel is. Het is dezelfde persoon, Paula. De tatoeage is na het intreden van de dood aangebracht. Het is signatuurgedrag. Maar dat is wel ongeveer alles wat met de typologie overeenkomt.' Hij haalde een notitieblok met spiraalband uit zijn gehavende leren aktetas tevoorschijn. 'Er is geen eenduidig bewijs dat hij seks met zijn slachtoffers heeft gehad. Kylie had onbeschermde seks gehad met vier mannen, van Suze weten we het niet vanwege haar onderdompeling in het kanaal en op het lichaam van Leanne werden geen spermasporen aangetroffen, net zo min als op de plaats delict.

Dan zijn er nog de slachtoffers zelf. Er zijn vanzelfsprekend overeenkomsten: ze verkochten allemaal hun lichaam en waren in feite allemaal straathoeren. Ik weet wel dat Leanne in de stripteaseclub werkte, maar haar werk als prostituee werd niet door een pooier of een bordeel geregeld. Dus in dat opzicht zat ze in dezelfde categorie als de andere twee. Maar er is wel iets opmerkelijks aan zijn slachtoffers: het lijkt alsof hij langs de sociale ladder van prostituees omhoogklimt. Kylie stond helemaal onder aan de ladder. Suze had zichzelf van de onderkant weten op te werken en Leanne, tja, Leanne kwam zo dicht in de buurt van een respectabele vrouw als je kunt komen. Nu weet ik wel dat er bij dit soort misdaad een vuistregel is die zegt dat een misdadiger begint met het kwetsbaarste soort slachtoffers en met elke moord meer zelfvertrouwen krijgt, maar in mijn ervaring neemt dat zelfvertrouwen over het algemeen niet zo veel of zo snel toe. Leanne is een grote sprong voorwaarts ten opzichte van Kylie. En dat is vreemd.'

'Misschien is hij gewoon emotioneel volwassener dan andere moordenaars met wie je te maken hebt gehad.'

Tony haalde zijn schouders op. 'Dat is zeker mogelijk. Maar mijn diepste gevoel zegt dat hij dit soort daden niet nodig zou hebben als hij emotioneel zo volwassen was.' Hij spreidde zijn handen. 'Maar wat weet ik ervan? Ik heb daarnet een belangrijk gegeven over het hoofd gezien bij het maken van een risicoanalyse over Vance, dus ik voel me vandaag nu niet bepaald onfeilbaar.'

'En is er nog iets wat je me kunt vertellen om ons op het spoor van de moordenaar te zetten?'

Tony leek somber. 'Het enige...' Hij aarzelde en keek fronsend naar de tafel.

'Het enige...?'

Hij tuitte zijn lippen. 'Ik zou dit niet moeten zeggen, omdat het op niet meer dan een gevoel is gebaseerd.'

'In mijn herinnering heeft jouw "gevoel" ons meer dan eens goede diensten bewezen. Kom op, Tony. Hou nu niets achter voor me.'

'Het lijkt alsof hij een handschoen toewerpt. Zo van: "Niemand van jullie is veilig. Het gaat niet alleen om degenen onderaan op de ladder, het gaat om jullie allemaal." Alsof niemand op straat veilig is zolang hij er is. Peter Sutcliffe, de Yorkshire Ripper, had het over het zuiveren van de straten. Het is alsof deze hier eenzelfde ambitie heeft. Hij wil hen van de straat jagen.' Hij nam afwezig een slok van Paula's koffie. 'Ik weet het niet. En er zit me nog iets anders dwars, maar ik weet niet wat het is. Er is iets met de plaatsen delict, met de moorden zelf. Het zit me dwars en ik begrijp niet waarom.'

'Hij doet telkens weer iets anders. Dat is toch ongebruikelijk?' Paula pakte haar koffie weer terug.

'Ja, in de mate waarin hij dat doet. Maar dat is niet wat me dwarszit. Ik ben me bewust van de mate van verschil, maar dat valt allemaal nog onder "ongebruikelijk, maar verklaarbaar". Er is iets anders aan de hand wat ik niet kan plaatsen, en dat is verdomde vervelend.'

'Laat het rusten. Het zal je wel te binnen schieten wanneer je druk met iets anders bezig bent.'

Tony gromde niet-overtuigd. 'Het is vreemd. Ik heb er haast een déjà vu gevoel bij. Alsof ik het allemaal eerder heb gezien. Maar ik weet dat het niet zo is. Ik kan niet eens een zaak in de vakliteratuur bedenken waarbij de moordenaar zijn slachtoffers na hun dood tatoeëert. Ik zou willen dat ik het gevoel van me af kon schudden, maar het zit me gewoon vreselijk dwars. Hebben jullie al enige voortgang geboekt met het onderzoek?'

Paula vertelde hem over Sams ontdekking van de avond ervoor. 'Stacey is ermee bezig. Als er iets te vinden is, dan zal ze het ontdekken.'

'Je zou haar nog kunnen vragen of ze kan kijken of ze rond een binnenplaats gesitueerde motels tussen de Flyer en Dances With Foxes kan vinden. Dat is duidelijk bekend terrein voor hem. En ze houden het graag bij plekken waar ze de weg kennen. Suzanne Black werd ergens verdronken waar hij niet met haar langs een receptionist hoefde. En ik denk niet dat hij haar mee naar huis heeft genomen. Dat soort risico's neemt hij niet. Maar zo'n motel waar je incheckt bij een kantoortje en waar de kamers op appartementen lijken die rond een parkeerplaats liggen, dat zou geschikt zijn.'

'Goed idee. Bedankt.' Ze dronk haar koffie op en duwde haar stoel naar achteren. 'Ik zal ze allemaal gaan missen. We zullen door Blake allemaal een andere kant op worden gestuurd. Ik zal nooit meer een baantje als dit krijgen. Het is als het einde van een tijdperk.'

'Blake is een idioot,' zei Tony. Op dat moment piepte zijn telefoon. Hij klopte op zijn zakken tot hij hem vond. 'Een berichtje van Carol,' zei hij. 'Ze wil dat ik naar het bureau kom, zodat Chris ons kan bijpraten.'

'Waar is zij dan mee bezig geweest? Ik heb haar niet meer gezien sinds gisteren rond lunchtijd.'

'Ze heeft de andere drie agenten die met mij en Carol hebben samengewerkt om Vance achter de tralies te krijgen geprobeerd op te sporen. Ze moeten persoonlijk worden gewaarschuwd en het niet allemaal op het journaal horen.' Hij stond op. 'Ik kan er maar beter naartoe gaan.'

'Ik zal je een voorsprong van tien minuten geven,' zei Paula. 'De laatste keer dat we achter haar rug aan de slag gingen, gaf ze me het gevoel dat ik een ondeugende peuter was. En dat was geen fijn gevoel. Laten we haar dus maar geen reden geven om op ons te gaan letten.'

Zodra hij binnenkwam besefte Tony dat hij degene was die in de espressobar had moeten achterblijven. Carol zat naast het bureau van Chris en keek op toen hij binnen kwam lopen. 'Dat is snel,' zei ze. 'Ik dacht dat je van plan was de hele dag thuis te blijven?'

'Dat was ik ook,' zei hij. 'Maar Penny Burgess kwam bij me aankloppen, dus ik dacht dat ik me beter hier kon gaan verstoppen.' Hij wilde er bijna nog verder over uitweiden, maar kon zich nog net inhouden. De beste leugens blijven het dichtst bij de waarheid, bracht hij zichzelf in herinnering.

Chris had donkere plekken onder haar ogen en haar haar zag eruit alsof ze erop geslapen had. In tegenstelling tot haar doorgaans montere manier van doen was ze nu in een matte stemming, als een hond die tot uitputtens toe is uitgelaten. Ze dekte een geeuw af met haar hand en trok nog net een wenkbrauw op ter begroeting. 'Hoe gaat het ermee, doc?' kon ze nog als een schim van haar normale zelf uitbrengen.

'We dansen allemaal de Jacko Vance-tango,' zei hij meesmuilend terwijl hij een stoel bijschoof om bij de vrouwen te gaan zitten. 'Hij zal zich wel in de handen wrijven bij de gedachte dat we allemaal als kippen zonder kop in het rond rennen en ons afvragen waar hij is en waar hij mee bezig is.'

'Ik heb zojuist met West Mercia gesproken,' zei Carol. 'Zij coördineren de zoektocht. Ze krijgen zelfs meer dan de gebruikelijke stroom aan meldingen van mensen die hem zogenaamd gezien hebben, van overal tussen Aberdeen en Plymouth. Maar geen enkele bevestigde melding.'

'Een van de problemen is dat we geen idee hebben hoe hij eruitziet,' zei Tony. 'We kunnen er zeker van zijn dat hij er niet meer als een karikatuur van een supporter van het Engelse voetbalelftal uitziet. Hij zal een pruik dragen, zijn gezichtshaar zal anders zijn en hij zal een ander montuur bril dragen.'

'Hij is nog altijd de eenarmige man,' zei Chris. 'Dat kan hij niet verbergen.'

'De prothese die hij heeft, valt niet onmiddellijk op. Nadat ik met mijn contactpersoon bij Binnenlandse Zaken had gesproken heb ik er op internet naar gezocht. De cosmetische deklagen van tegenwoordig zijn verbijsterend echt. Je zou heel goed moeten kijken om te beseffen dat het geen echte huid is en de meesten van ons kijken bijna nergens zo aandachtig naar. En wat Vance heeft, is het beste wat er te koop is.'

'Met dank aan het Europese Hof voor de Rechten van de Mens,' mompelde Carol. 'Dus wat we weten is dat we niet veel weten. Vance zou zich feitelijk overal tussen Aberdeen en Plymouth kunnen ophouden. En hoe is het jou vergaan, Chris?'

Chris ging rechtop in haar stoel zitten en wierp een blik in haar notitieboekje. 'Oké. Leon zit nog altijd bij de hoofdstedelijke politie. Het is hem voor de wind gegaan. Hij is precies wat de hoge pieten willen: afgestudeerd, zwart, slim en fatsoenlijk. En aantoonbaar niet corrupt.' Ze grijnsde naar Carol. 'Hij is tegenwoordig hoofdinspecteur bij de recherche, bij het onderdeel SO19.'

Tony barstte in lachen uit. 'Zit Leon bij Diplomatieke Bescherming? Leon die ongeveer net zo diplomatiek was als ik?'

'Volgens mijn oude makkers bij de hoofdstedelijke politie heeft hij geleerd zijn mond te houden en het spel mee te spelen. Maar hij geniet respect, zowel van meerderen als van de lagere rangen. Ik heb hem telefonisch te pakken gekregen en heb hem gewaarschuwd.'

'Wat zei hij?' vroeg Tony terwijl hij zich Leon met zijn snelle pakken en zijn stoere loopje voor de geest haalde. Hij was zo slim dat hij zich luiheid kon permitteren en had het meer op basis van zijn intelligentie gered dan door hard werken. Om zo hoog te kunnen klimmen moest hij hebben geleerd om ook serieus aan te pakken. Dat zou hij graag hebben aanschouwd: een door hard werken en verantwoordelijkheid verbeterde Leon.

'Hij lachte het weg. Maar dat viel natuurlijk te verwachten.'

'Hoe ziet zijn thuissituatie eruit?' vroeg Carol.

'Hij heeft een ex-vrouw met twee kinderen in Hornsey en woont met zijn huidige partner in de Docklands. Ik heb geprobeerd hem over te halen hen voorlopig ergens anders onder te brengen, maar daar wilde hij niets van weten.' Chris trok een gezicht. 'Hij zei: "Als ik een overlijdensadvertentie voor Carol Jordan en Tony Hill lees, zal ik de bergen in trekken. Maar voor nu maak ik me nog niet al te veel zorgen." Ik kon hem niet op andere gedachten brengen.'

'Hij heeft wel een punt,' zei Tony. 'Leon staat niet echt bovenaan wat betreft rang of alfabetische en geografische volgorde. En gezien het feit dat niemand van ons ook maar enig idee heeft hoe lang dit gaat duren heeft hij waarschijnlijk gelijk dat hij zijn leven nu nog niet meteen helemaal overhoop wil gooien.'

'Behalve natuurlijk als de rest van ons ervoor zorgt dat we zo moeilijk te pakken zijn te krijgen dat Vance uiteindelijk bij gebrek aan beter Leon te grazen neemt,' zei Carol op bijtende toon. 'Dat zou ik hem nog maar even duidelijk maken, Chris.'

Chris leek zich daar nu niet bepaald op te verheugen. 'Simon McNeil zit niet meer bij de politie. Hij is nog een aantal jaren na de moord op Shaz Bowman bij het korps van Strathclyde gebleven en heeft toen ontslag genomen om criminologie te gaan doceren aan de universiteit van Strathclyde.'

Tony herinnerde zich Simons weerspannige zwarte haar, zijn felle karakter en zijn verliefdheid op Shaz Bowman. Tony had via de geruchtenstroom gehoord dat hij was ingestort en dat er een posttraumatisch stresssyndroom bij hem was geconstateerd, waarna hij er met zachte hand uit was gewerkt. 'Arme kerel,' zei hij afwezig. Hij realiseerde zich dat de vrouwen hem allebei vreemd aankeken. 'Ik bedoel, omdat hij zo verliefd op Shaz was, natuurlijk niet omdat hij uiteindelijk docent aan Strathclyde is geworden.'

Chris leek geamuseerd toen ze vervolgde: 'Hij heeft al sinds lange tijd een partner en vier kinderen. Ze wonen op het platteland op ongeveer een uur rijden van Glasgow. Hij leek behoorlijk van streek door het nieuws. Hij gaat de plaatselijke politie vragen om frequentere patrouilles. Maar hij vertelde dat ze aan het einde van een landweg wonen die de enige toegang en vluchtweg vormt. En ze hebben jachtgeweren. Hij vat het serieus op, maar het klinkt alsof hij al op een belegering was voorbereid. Hij vertelde me dat het westerse kapitalisme zijn ondergang tegemoet ging en dat de misdaad de pan uit zou rijzen. Iedereen voor zich, maar hij had voorzorgsmaatregelen genomen.'

Het klonk alsof zijn posttraumatisch stresssyndroom nog niet helemaal tot het verleden behoorde. 'Jezus, ik hoop dat Vance daar niet zijn opwachting zal gaan maken,' zei Tony. 'Dat zou een bloedbad worden en de kans is groot dat Vance dan de enige is die er levend vandaan zou komen.'

'Dus dat zijn twee gevallen waar we weinig aan kunnen veranderen,' zei Carol. 'Zeg me dat Kay Hallam geen stoere taal uitslaat of aan het hoofd van haar eigen Zuidoost-Engelse burgerleger staat.'

'Kay Hallam is de reden dat ik eruitzie als een vrouw die in haar auto heeft geslapen. Want dat ben ik ook. Ik heb er een hele kluif aan gehad om haar op te sporen. Het kostte moeite haar spoor op te pakken, omdat ze het land heeft verlaten om te gaan trouwen. De ware bleek een accountant te zijn die kantoor houdt op de Caymaneilanden. Het soort klootzak dat al die steenrijke oude lullen helpt te voorkomen dat ze net zoals de rest van ons belasting betalen.'

Carol floot. 'Stille, kleine Kay. Wie had dat nu gedacht?'

'Het verbaast me niets,' zei Tony. 'Ze had altijd al dat talent om toe te kijken en af te wachten tot ze wist hoe de zaken ervoor stonden om vervolgens je standpunten en meningen te spiegelen. Iedereen had altijd het idee dat Kay aan zijn of haar kant stond en ze liep altijd tegen problemen aan in gevallen waarbij je je mening niet onder stoelen of banken kon steken en je je standpunten moest verdedigen. Toen de ware haar interessesfeer binnen kwam drijven zal ze hem bestudeerd hebben en hebben afgewacht om uiteindelijk naast hem te gaan zwemmen en hem het gevoel te geven dat hij eindelijk de persoon had ontmoet die hem werkelijk begreep.' Hij zag hoe de vrouwen zijn woorden overdachten en vervolgens instemmend knikten. 'Dat maakte haar ook zo'n goede ondervrager. Paula heeft datzelfde kameleontische vermogen, maar Paula heeft ook een eigen persoonlijkheid waar ze onmiddellijk weer op terugvalt. Ik heb nooit enig idee gehad wie Kay Hallam echt was.'

'Ze is een taaie onder die timide buitenkant,' zei Chris. 'Ze is momenteel in Engeland. Ze hebben een huis in de omgeving van Winchester. Haar jongens zitten daar op kostschool en ze is over voor een ouderbezoek. De boodschap kwam meteen aan toen ik haar vertelde wat er aan de hand was. En ze zette me gewoon stevig onder druk. Ze wilde van geen weigering horen en dreigde me met van alles, van de *Daily Mail* tot de klachtencommissie van de politie. Uiteindelijk moest ik naar haar toe rijden om het plaatselijke politiebureau en de twee veiligheidsagenten die ze van god mag weten welke instantie heeft ingehuurd te informeren. Ik weet niet hoe het met Vance zit, maar die gasten jaagden me de stuipen op het lijf.' Chris schudde vol ongeloof haar hoofd. 'Kun je je voorstellen dat ik dat heb gedaan?'

'Ik kan het me niet alleen voorstellen, maar als ik over haar middelen beschikte zou ik waarschijnlijk hetzelfde doen als ik in haar schoenen zou staan,' zei Tony. 'Vance is echt heel erg eng.' Hij fronste. 'Chris, was er niet een of andere broodschrijver die na de eerste rechtszaak een boek over Vance heeft geschreven?'

'Daar herinner ik me vaag wel iets over. Moesten ze het niet uit de handel halen nadat hij in hoger beroep had gewonnen?'

'Dat klopt,' zei Carol. 'Ze zeiden dat het lasterlijk was omdat Vance werd vrijgesproken. Het zou de moeite waard kunnen zijn om de schrijver ervan op te sporen om te kijken of hij iets te vertellen heeft. Misschien beschikt hij over informatie die wij niet hebben over compagnons en ander onroerend goed dat eigendom van Vance was.'

'Ik ga erachteraan,' zei Chris.

Voordat Carol kon reageren, kwam Paula de teamkamer binnenlopen met de avondkrant. 'Ons geheim ligt op straat,' zei ze terwijl ze met de voorpagina zwaaide waarop een krantenkop over de hele breedte van de pagina schreeuwde: SERIEMOORDENAAR RICHT ZICH OP BRADFIELD.

28

Het was een prachtige dag, vond Vance. Het maakte niet uit dat de lucht grijs was en dat het dreigde te gaan regenen. Hij was uit de gevangenis en reed als meester over zijn eigen lot door de Yorkshire Dales. Dat maakte het per definitie al tot een prachtige dag. De auto reed gemakkelijk, er zat een digitale radio in waarmee je verbazend eenvoudig van zender kon wisselen en door de gps-navigatie kon hij niet verdwalen tussen de stapelmuurtjes en de schaapskooien. Hij had goed geslapen en goed ontbeten terwijl hij voor de laptop zat te genieten van de berichtgeving op internet over zijn ontsnapping. Hij had haast medelijden met de ongelukkige directeur die door de media als een mot aan een speld werd vastgeprikt. De broodschrijvers zetten hem neer als een incompetente dwaas die in Vance' leugens over reclassering was getrapt. In werkelijkheid lagen de zaken zoals gewoonlijk iets ingewikkelder. De directeur was in wezen een beste kerel die zich aan het laatste restje idealisme vastklampte. Hij wilde ontzettend graag geloven dat het voor een man als Vance mogelijk was met zichzelf in het reine te komen. Dat maakte hem een makkelijk slachtoffer voor een zo gewiekste manipulator als Vance.

De directeur was geen mislukkeling. Hij had gewoon rechtstreeks te maken gekregen met een veel superieurder wezen.

Na het ontbijt had hij zijn camera's gecontroleerd. Vanochtend had hij, of eigenlijk Terry, een e-mail van de privédetective ontvangen waarin stond dat hij er eindelijk in was geslaagd om de laatste paar camera's te installeren. Nadat Vance de code had ingevoerd lukte het hem ze te activeren en een andere plek te bespioneren. Het was een late toevoeging aan zijn lijst, die het resultaat was van het meest recente onderzoek dat Terry voor hem had gedaan. Het was het perfecte extraatje om fase één van zijn plan af te sluiten.

Maar dat lag in de toekomst. Nu moest hij zich concentreren op lopende zaken. Vandaag was hij Patrick Gordon, compleet met een dikke bos kastanjekleurig haar en een paar kundig aangebrachte sproeten op zijn wangen. De snor en de bril met hoornen montuur maakten het af. Hij was gekleed als een chique plattelandsbewoner: bruine gaatjesschoenen, corduroy broek, geruit Tattersall-overhemd en een mosterdkleurige sweater met v-hals. De effectenmakelaar die een gentleman uit Yorkshire was geworden. Er was alleen nog een labrador nodig om het plaatje helemaal compleet te maken.

Even na twaalven reed hij het terrein van een chic landelijk café op dat eten en traditionele biersoorten aanprees. De altijd grondige Terry had gezellige plekken om te eten en te drinken uitgezocht in de buurt van alle slachtoffers van Vance. Het was alsof hij zich voorstelde dat Vance op een soort *grand tour* zou gaan waarbij hij met oude bekenden zou gaan lunchen en thee zou gaan drinken. Aanvankelijk had Vance het een krankzinnig idee gevonden, maar hoe meer hij erover nadacht, hoe aantrekkelijker het hem leek om onder de neus van de buren met zichzelf te pronken.

Er waren maar twee tafels bezet: aan de ene zat een stel van middelbare leeftijd dat op een wandeling door de valleien was gekleed en aan de andere zaten twee mannen in pak. Vance bestudeerde het aanbod aan traditionele bieren, waarvan de namen allemaal gebaseerd waren op slechte woordgrappen of nepdialect, en koos uiteindelijk voor een bier dat Bar T'at heette. De barman schonk geen bijzondere aandacht aan hem toen hij zijn bier bestelde. Hij bestelde ook nog een pastei met in bier gestoofd rundvlees en ging in een stille hoek zitten waar hij zonder pottenkijkers naar het scherm van zijn tablet-pc kon kijken. Dat ding was verbazingwekkend. Hij had hem vanochtend in de la van het bureau gevonden en was overweldigd geweest door alles waartoe het ding in staat leek. Hij had eigenlijk onpraktische afmetingen, omdat hij niet in je zak paste, maar hij was veel beter hanteerbaar dan een laptop. Terwijl hij op zijn eten zat te wachten zocht hij verbinding met de camera's die op de boerderij gericht waren.

Bij daglicht kon Vance alles veel duidelijker zien. Het gedeelte dat afgelopen nacht verduisterd was, bleek nu een aparte wooneenheid binnen de boerderij te zijn: een soort opzichzelfstaand gastenverblijf met een heel klein eigen keukentje en een badkamer. Er leidde een deur naar buiten en in de muur ertegenover leidde een andere deur waarschijnlijk naar de grotere woonruimte van de boerderij. Hoe dan ook, er was daar een deur op een overeenkomstige plek.

Maar dat was niet het interessantste element in het kwadrant. Zo dicht bij de camera dat het alleen mogelijk was de bovenkant van zijn in de war zittende grijsblonde haar en een schouder te zien, zat er een man aan een lang bureau. De camerahoek was niet erg bruikbaar, maar Vance kon nog net de hoek van een toetsenbord en de bovenrand van een computermonitor zien. Een eindje verder op het bureau stond nog een toetsenbord voor een stel grote monitoren. Het was onmogelijk om enig detail te onderscheiden op de beeldschermen, maar Vance dacht dat het waarschijnlijk computerprogrammacode was. De man bewoog weinig: naar alle waarschijnlijkheid zat hij iets op de computer te doen.

Er was geen teken van leven elders in de boerderij. Het dekbed was slordig over het bed gegooid en de wasmand, waaruit een T-shirt over de rand hing, puilde uit. Dus de vrouw was er niet. Dat geeft niet, dacht Vance. Hij had genoeg tijd. Hij sloot het venster toen zijn eten werd gebracht, legde de tablet-pc opzij en viel erop aan. Na jaren van gevangenisvoedsel zou elke maaltijd een traktatie hebben geleken, maar dit was echt verrukkelijk. Hij nam er de tijd voor en trakteerde zichzelf op een kom dikke appelkruimelcustard.

Tegen de tijd dat hij wegging was het café voor de helft gevuld met klanten. Niemand lette op hem toen hij zich een weg door de menigte aan de bar baande en weer naar de parkeerplaats terugliep. Ongeveer de helft van de mannen zag eruit alsof ze tot dezelfde kleermakersclub als hij behoorden. Hij ontspande weer iets toen hij in de auto zat en moest toegeven dat hij ietwat gespannen was geweest tijdens zijn eerste openbare uitje. Maar het was allemaal perfect gegaan.

Twintig minuten later reed hij langs de boerderij waarop zijn interesse gericht was. Ongeveer een kleine kilometer verderop parkeerde hij op een met bandensporen doorploegde grasberm. Hij haalde de tablet-pc tevoorschijn en wachtte tot de pagina geladen en ververst was. In de korte tijd sinds hij het café had verlaten was alles veranderd. De man stond bij het keukenfornuis met ritmische bewegingen als op muziek in een pan te roeren. Vance zou willen dat hij ook geluid bij de beelden had. Tegen de tijd dat hij eraan gedacht had was het te laat geweest om daar nog voor te zorgen.

Toen ging de badkamerdeur open en kwam de vrouw tevoorschijn. Ze was gekleed in het zwart en wit van een advocaat die zojuist de ochtend in de rechtbank heeft doorgebracht. Ze haalde een hand over haar hoofd en trok een soort haarklem los, zodat haar haren op haar schouders vielen. Ze schudde haar jasje af en gooide het over de trapleuning. Ze schopte haar schoenen met lage hakken uit en liep nonchalant naar de man toe, waarbij haar bewegingen dezelfde maat aanhielden. Ze ging achter hem staan, sloeg haar armen om zijn middel en trok zich dicht tegen zijn rug aan. Hij stak zijn vrije hand boven zijn schouders uit en maakte haar haar door de war.

De vrouw liep bij hem vandaan en pakte een brood uit de broodtrommel. Ze pakte een mes uit het messenblok, een houten plank uit een nis en een mand uit een diepe la. Een paar halen met het mes en ze zette een broodmand op tafel terwijl de man kommen uit een kast pakte waarin hij een gevulde soep schepte. Ze gingen zitten en begonnen aan hun lunch.

Vance zette de autostoel iets achterover. Hij moest het juiste moment afwachten en dat kon wel even duren. Maar dat was geen probleem. Hij had hier jaren op gewacht. Hij was goed in wachten.

Carol nam de tijd voor het lezen van het voorpaginanieuws van de *Bradfield Evening Sentinel Times*. Als een verhaal naar buiten kwam sloop het soms de krant binnen met behulp van de wankele ondersteuning van geruchten en insinuaties. Maar dit verhaal was de voorpagina met volle kracht op komen stormen. Penny Burgess beschikte over de belangrijkste ingrediënten voor een sterk artikel en ze had geen enkele misstap begaan. Tenminste, als je het gebruikmaken van de dood van drie vrouwen om kranten te verkopen niet meerekende. Maar waarom zou het iets uitmaken, deze laatste uitbuiting van vrouwen wier levens elk op hun eigen manier typische voorbeelden waren van de wijze waarop levens zo goedkoop en gemakkelijk konden worden gebruikt? Carol probeerde niet toe te geven aan een vertrouwde walging, maar slaagde daar niet in.

'Iemand heeft gelekt,' zei Carol. 'En stevig ook.'

'Ja, en we weten allemaal wie,' zei Paula bits. 'Eerst kleineren ze ons en wanneer je ze er dan op aanspreekt, besluit een of andere rancuneuze kleine etterbak te proberen ons op deze manier te naaien.' Ze wees naar de krant. 'Het maakt niet uit dat we het stil wilden houden om gegronde operationele redenen. Het Team Zwakke Minderheden een knauw geven is blijkbaar belangrijker dan het oppakken van een seriemoordenaar.'

Tony nam de krant van haar over en las het artikel zorgvuldig door. 'Ze oppert niet eens dat dit seksmoorden zijn,' zei hij. 'Dat is interessant. Het lijkt erop dat ze tevreden was met wat ze van haar bron had gekregen zonder te suggereren dat er meer aan de hand is.'

'Ik zou die Penny Burgess er wel van langs willen geven,' zei Chris.

'Is dat niet wat Kevin vroeger deed?' vroeg Sam aan niemand in het bijzonder.

'Hou je kop,' snauwde Paula.

'Ja, Sam. Als je niets nuttigs te melden hebt, hou je mond dan maar,' zei Carol. 'Dit betekent dat we de noordelijke divisie niet kunnen vertrouwen als het gaat om aanknopingspunten die we ontdekken. We kunnen hun geüniformeerde agenten nog wel gewoon het sleurwerk laten doen: huis-aan-huisonderzoeken, foto's aan mensen laten zien, dat soort zaken. Maar over al het overige zullen we zeer terughoudend zijn.'

Stacey kwam achter haar beeldschermen vandaan met een glimmende afdruk in haar handen. 'Betekent dat dan dat we bepaalde dingen niet meer op de whiteboards zetten?' zei ze.

'Over wat voor zaken hebben we het dan?' Carol kon het doffe gebons van een beginnende hoofdpijn achter haar ogen voelen. Te veel beslissingen, te veel druk en te veel ballen in de lucht te houden; het vooruitzicht van West Mercia begon met de dag aan glans te winnen. Ze verwachtte niet dat ze in haar kantoor in Worcester voor het middaguur naar een borrel zou snakken. Dat was voor haar niet de onbelangrijkste reden om te gaan verkassen.

Stacey draaide de afdruk om zodat ze hem allemaal konden zien. 'Een camera op verkeerslichten tweehonderd meter verwijderd van Dances With Foxes,' zei ze. 'In de rijrichting van de stad vandaan.' Op de kleurenafdruk was een Toyota te zien die rood of kastanjebruin kon zijn geweest en de nummerplaat stond er duidelijk leesbaar op. De passagier zag eruit als een vrouw, haar lange haar was duidelijk zichtbaar. Het gezicht van de chauffeur werd half verborgen door een baseballcap en wat je ervan kon zien, was niet duidelijk genoeg om hem te kunnen identificeren.

'Is dit onze man?'

'De tijd klopt wel. Deze specifieke auto komt niet voor op beelden van de verkeerscamera die nog voor Dances With Foxes langs de weg staat. Dus hij is van de club vertrokken of van de grote tapijtwinkel ernaast of van de zonnebankstudio en nagelsalon daar weer naast. Ik denk niet dat een van die twee zaken 's avonds rond die tijd nog open is. Dus het is haast wel zeker dat deze auto bij Dances With Foxes vandaan kwam. Er zijn nog twee andere auto's die rond diezelfde tijd hetzelfde bewegingspatroon laten zien, maar in geen van die auto's zat een passagier. Ik zou zeggen dat de grote waarschijnlijkheidsfactor erop lijkt te wijzen dat dit de auto is van de man met wie Leanne Considine bij de stripteaseclub is weggereden.'

Stacey bracht haar verslagen altijd alsof ze in de getuigenbank zat. Carol hield van de helderheid, hoewel ze soms wel wat meer keiharde zekerheid zou hebben gewild. 'Geweldig gedaan, Stacey,' zei ze. 'Hebben de nummerborden nog iets opgeleverd?'

'Dat zijn niet de echte,' zei Stacey kort. 'Ze horen bij een Nissan die een halfjaar geleden tot schroot werd verwerkt.'

'En kunnen we het gezicht van de chauffeur er nog beter op krijgen?'

'Ik denk niet dat er genoeg van te zien is om het de moeite waard te maken. Zeker niet voor iets wat we naar buiten zouden kunnen brengen in de hoop dat het resultaat oplevert.'

Sam sloeg met zijn vlakke hand op zijn bureau. 'Dus we schieten er niets mee op.'

'Het vertelt ons dat de man in de auto bijna zeker de moordenaar is,' zei Tony. 'Als hij gewoon een klant was, zou hij niet al die moeite hebben gedaan om andere nummerborden op zijn auto te zetten. Dat wijst op vooruitplannen.'

Stacey wendde zich tot Sam en wierp hem een van haar zeldzame glimlachjes toe. 'Ik denk eigenlijk niet dat dit een doodlopend spoor is, Sam. We moeten het probleem alleen lateraal benaderen. Zoals overal elders in het Verenigd Koninkrijk beschikt ook Bradfield over een uitgebreid gesloten videocircuit met automatische nummerbordherkenning. Tegenwoordig volgen verkeersagenten en veiligheidsdiensten de bewegingen van auto's op hoofdwegen door het hele land. Op rijkswegen kunnen ze elke auto eruit pikken om hem in real time te volgen. Of het scheelt in ieder geval verdomde weinig. En hier komt de klapper: al die gedetailleerde voertuigbewegingen worden vijf jaar lang opgeslagen in het nationale datacentrum voor automatische nummerbordherkenning, zodat ze kunnen worden geanalyseerd of als bewijs kunnen worden gebruikt. We hoeven alleen maar te vragen naar alle gegevens over dat nummerbord vanaf de datum dat die Nissan tot schroot werd verwerkt. Dat zou ons praktisch naar zijn voordeur kunnen leiden. Of het zou ons in ieder geval een goed genoeg gelijkende afbeelding kunnen opleveren waarop hij door iemand die hem kent wordt herkend, zodat die zich bij de politie kan melden.' Haar glimlach werd breder. 'Is dat niet mooi?'

'Mooi? Het is beter dan mooi,' zei Carol. 'Kun je contact met hen opnemen, Stacey? Overtuig ze van de urgentie. Levens die op het spel staan, je kent het wel. We hebben dit gisteren nodig.' De hoofdpijn was op de terugtocht. Zoals altijd bij dit werk maakte een klein beetje goed nieuws heel veel uit. 'We zijn iets op het spoor, mensen. En dit keer blijft het binnen deze vier muren.'

29

De soep werd gevolgd door kaas met crackers en fruit. Tijdverspilling, al dat gezonde eten, dacht Vance. Ze zouden binnenkort toch dood zijn, ongeacht de kwaliteit van hun voeding. Hij ging verzitten en probeerde een comfortabeler houding aan te nemen. Als ze allebei weer aan het werk gingen, dan zou het nog wel even duren voordat hij de kans kreeg hen te overrompelen. Het kon wel uren duren. Maar dat was oké. Hij behoorde tot de laatste generatie die in uitgesteld genot geloofde. Alle goeds komt hun die wachten toe, wist hij. Het klonk als zo'n ezelsbruggetje dat schoolkinderen leerden: 'Een Goede Band Drinkt Fris' voor de notenbalk of 'ROGGeBrood Is Vies' voor de kleuren van de regenboog. Voor hem was het een mantra geworden.

Maar dit keer zat hij ernaast. Toen ze klaar waren met eten zetten ze hun borden in de vaatwasser. Daarna draaide de vrouw zich om naar de man en wreef ze met haar hand over de voorkant van zijn cargobroek terwijl ze tegen hem aan ging staan. Hij wierp zijn hoofd naar achteren en zijn handen vonden haar borsten, waarna hij zijn handpalmen zachtjes heen en weer bewoog als een mimespeler die doet alsof hij op een raam stuit. Ze kuste zijn hals en hij trok haar tegen zich aan in een stevige omhelzing, trok haar bloes uit haar rok en liet zijn ene hand over haar huid glijden terwijl hij met zijn andere hand haar achterwerk streelde. Ze deed een paar stappen naar voren, zodat hij achteruit naar de trap begon te lopen.

Ze lieten elkaar los. Ze trok zijn T-shirt over zijn hoofd en liet het op de vloer vallen. Hij maakte op zijn beurt de rits van haar rok los, waarna ze eruit stapte. 'O ja,' zei Vance zacht toen hij haar kousen en jarretels zag. Seks was wel het laatste waaraan hij had gedacht, maar hij begon al een stijve te krijgen door de show die het stel onbewust voor hem opvoerde.

Hij kwam met moeite overeind in zijn stoel en besefte dat dit zijn beste mogelijkheid zou kunnen zijn. Als ze een stevig potje lagen te neuken, zouden ze op niet veel anders letten. Hij greep een kleine reistas uit de beenruimte voor de passagier en stapte toen uit de auto, met de tablet-pc nog altijd in zijn andere hand, en liep naar de boerderij toe. Er liep een pad van de weg naar de grootste deur. Dat had hij op Google Earth gezien. Hij verdeelde zijn aandacht tussen het beeldscherm en het terrein.

Tegen de tijd dat hij het pad had gevonden, had Vance van venster moeten wisselen, omdat ze de vide hadden bereikt na een spoor van kleding te hebben achtergelaten. Ze had nog steeds haar kousen en jarretelgordel aan en hij droeg alleen nog maar een sok. Vance strompelde voort en kon zijn ogen niet van het scherm afhouden, terwijl ze geknield op het bed ging zitten en zijn stijve lul in haar mond nam. Zijn handen kroelden door haar haar en vervolgens duwde hij haar teder weg, rolde haar op haar buik en drong achterlangs bij haar binnen, waarbij zijn handen haar borsten omsloten en zijn mond in haar schouder beet.

Vance begon onbeholpen te rennen. Dit was een te goede mogelijkheid om voorbij te laten gaan. De deur was vanzelfsprekend niet op slot; dit was het platteland en het was midden op de dag. Niemand deed de deuren op slot. Hij deed hem zonder geluid te maken open en schopte toen zijn schoenen uit. Hij stapte naar binnen en opeens werden de beelden op het scherm begeleid door gekreun en gegrom en half ingeslikte woorden. Vance legde de tablet-pc neer, haalde vervolgens een paar latex handschoenen uit de reistas en trok ze aan. Daarna haalde hij hetzelfde mes tevoorschijn dat zo goed dienst had gedaan bij Terry. Hij liep geluidloos de trap op.

Toen zijn hoofd boven de trap uitkwam, kon hij zien dat hij niet stil hoefde te zijn. Ze waren aan het neuken alsof hun leven ervan afhing en Vance voelde zijn harde lul tegen zijn kleren drukken. Jezus, het was zo lang geleden dat hij een vrouw had geneukt. In een gekke opwelling overwoog hij de man te vermoorden en zijn plaats in te nemen. Dat zou de neukpartij van zijn leven zijn. Maar toen kwam zijn voorzichtigheid weer terug. Te veel risico's, te veel kansen dat het vreselijk verkeerd zou aflopen. Het was al moeilijk genoeg om een doodsbange vrouw met twee sterke armen in bedwang te houden, laat staan met één arm.

Hij klom de resterende treden met ontspannen bewegingen en vol zelfvertrouwen op. Hij was altijd op zijn best in situaties die hij van tevoren had gepland. Maar dit liep zelfs beter dan hij had verwacht. Hij naderde het stel van achteren op het moment dat de man met pompende billen en stokkende adem bijna begon klaar te komen. Zij schreeuwde het ook uit terwijl ze zich tegen hem aan drukte en haar hand tussen haar benen heen en weer bewoog om hun orgasmen te laten samenvallen.

Vance veroorloofde zich boven op hen neer te vallen en slingerde zijn goede arm om de hals van de vrouw heen. Hij trok het mes van de ene naar de andere kant voordat zijn beide slachtoffers ook maar beseften wat er gebeurde. Er begon bloed uit haar keel te stromen terwijl Vance het haar van de man met zijn kunsthand vastgreep en zijn hoofd naar achteren trok. De man begon nu in paniek te raken en probeerde Vance van zich af te werpen. Maar het verrassingselement en het feit dat hij hem in bedwang hield werkten tegen hem. Vance haalde het mes over zijn keel en het bloed was meteen overal. Hij deed een stap naar achteren en draaide de man op zijn rug. Het bloed schuimde en spoot als een fontein uit de grote slagaders en werd hoger en sneller weggespoten door de toegenomen bloeddruk als gevolg van de heftige seks. Zijn ogen rolden in paniek in hun kassen en werden na slechts enkele seconden dof.

Vance rolde de vrouw om. Ze was al niet meer te helpen, maar er stroomde nog steeds bloed uit haar hals en hij kon haar huid met de seconde bleker zien worden. Hij trok snel zijn met bloed doorweekte kleren uit en ging over haar heen staan, hard en gereed. Hij wist dat ze aan het sterven of dood was, maar het leven was nog zo dichtbij dat dit niet een vreemde perversiteit zou zijn. Want hij was geen viezerik. Daar was hij heel erg duidelijk over. Hij genoot niet van het moorden en hij was zeker niet geïnteresseerd in necrofilie.

Maar toch. Het bloed was verbazingwekkend. En het was tenslotte niet het moorden dat hem had opgewonden. Daar was zij voor verantwoordelijk geweest toen ze nog in leven was. Maar hij wilde evengoed niet naar die wond en het bijna afgehakte hoofd kijken. Haar vriendje had het goed gezien. Vance draaide haar weer terug op haar buik en liet zich vervolgens, glibberig van het bloed van zijn beide slachtoffers, boven op haar zakken.

30

Tony volgde Carol naar haar kantoor en bleef aarzelend in de deuropening staan. 'Ik ga maar weer eens naar huis,' zei hij. 'Nu Penny Burgess haar artikel heeft, denk ik niet dat ze mij nog lastig zal komen vallen.'

Carol ging zitten en keek hem doortastend aan. 'Je leek niet verrast door wat er in Penny's artikel stond,' zei ze. 'Of door waar Stacey mee bezig was.'

Tony's glimlach verraadde zijn nervositeit. Hij wist dat hij zijn mond had moeten houden. 'Misschien word ik wel beter in het verbergen van mijn reacties.'

'Of je wist alles eigenlijk al.'

Hij haalde zijn schouders op en probeerde nonchalant over te komen. 'De meeste onderzoeken als dit volgen dezelfde basispatronen. Dat weet jij beter dan ik.'

'Misschien wel,' zei ze zonder overtuiging. Haar aandacht werd getrokken door een beweging in de teamkamer en ze zei: 'O, shit. Daar is Blake. En je hoort hier niet te zijn.'

'Ik ben hier om over Vance te praten,' zei Tony verontwaardigd. 'Dat is een zaak van Binnenlandse Zaken. Het heeft niets met hem te maken.' Maar hij wist dat het niets zou uitmaken als Carols baas was langsgekomen om ruzie te maken.

Blake kwam rechtstreeks op hen af met een ernstige uitdrukking op zijn gezicht en rode vlekken in de roze en witte huid rond zijn ogen. Carol stond op toen hij de drempel had bereikt. De hoofdcommissaris knikte naar Tony. 'Dr. Hill. Ik had niet verwacht u hier te zien.' Er was sprake van een verrassend gebrek aan vijandigheid in zijn houding.

'Ik werk samen met Binnenlandse Zaken aan de ontsnapping van Jacko Vance. Ik moest met hoofdinspecteur Jordan spreken. Maar ik zal nu vertrekken,' zei Tony, die zich behoedzaam langs Blake bewoog in de hoop weg te komen voordat er problemen van zouden komen.

Blake kneep zijn ogen tot spleetjes en had een gepijnigde uitdrukking op zijn gezicht. 'Eigenlijk heb ik liever dat je blijft, dr. Hill.'

Tony en Carol wisselden een snelle, verbijsterde blik. Hij kon zich niet herinneren dat Blake zijn aanwezigheid ooit op prijs had gesteld, zelfs niet toen hij onmiskenbaar aan de goede kant had gestaan. Tony schoof langzaam de kamer weer binnen.

'Zou je alsjeblieft de deur willen sluiten?'

Nu begon Tony zich echt zorgen te maken. Blake gedroeg zich als een man op een sombere missie. Als die missie met zowel Tony als Carol te maken had, dan was er een enorm grote kans dat er iemand was overleden. Hij sloot de deur en liep om hem heen om met zijn armen over elkaar tegen de dossierkast te leunen.

Blake streek met een nerveus gebaar zijn onberispelijk gekapte haar glad. 'Ik ben bang dat ik nogal slecht nieuws heb,' zei hij, zijn brouwende accent uit het zuidwesten van Engeland duidelijker hoorbaar dan gewoonlijk.

Carols ogen schoten naar de teamkamer. Tony kon haar zien controleren of iedereen er was. Op Kevin na waren allen aanwezig en in orde. 'Is er iets gebeurd met brigadier Matthews?' zei ze, haar angst gemaskeerd door formaliteit.

Blake leek even op het verkeerde been gezet. 'Brigadier Matthews?' Hij had duidelijk geen idee over wie ze het had. 'Nee, het heeft niets met een van je mensen te maken. Carol, ik ben bang dat er een... incident heeft plaatsgevonden.'

'Wat bedoelt u met een incident? Waar? Wat is er gebeurd?' Nu glipte Carols onrust onder haar beroepsmatige masker vandaan. Tony ging rechtop staan. Hij kon een onheilspellende glans van zweet zien op de bovenlip van Blake.

'Je broer en zijn partner... er is iemand hun huis binnengedrongen. Gewelddadige huisvredebreuk.'

Tony voelde de schok in zijn borst en wist dat het bij Carol nog harder moest aankomen. Ze was opgestaan en stond nu met opengesperde ogen mondbewegingen te maken zonder dat ze enig geluid voortbracht.

'Hebben ze het overleefd?' zei Tony, die de kamer door was gelopen en zijn arm om Carols schouders had gelegd. Dat was geen natuurlijke reactie voor hem, maar hij wist hoe mensen verondersteld werden zich in een crisis te gedragen. Hij voelde meer voor Carol dan voor welk ander mens dan ook, dus het minste wat hij kon doen was wat er werd verwacht van iemand die om de ander gaf.

Blake zag er neerslachtig uit. Hij schudde zijn hoofd. 'Het spijt me zeer, Carol, maar ze zijn allebei dood.'

Carol zakte in elkaar tegen Tony en huiverde als een natte hond. 'Nee,' zei ze. 'Nee, nee, nee.' De toonhoogte en het volume daalden na elke herhaling van dat woord en haar laatste 'nee' was niet veel meer dan gegrom. Hij kon de vreselijke spanning door haar lichaam voelen trillen terwijl hij haar tegen zich aan drukte. Haar adem stokte en ze stond op het randje van een snik, maar wist zich op de een of andere manier aan die rand op te trekken.

'Wat is er gebeurd?' vroeg Tony, zoals altijd op het verhaal gericht.

Blake gaf met een oogbeweging aan dat hij daarop geen antwoord wilde geven.

'Vertel me wat er is gebeurd,' schreeuwde Carol, waarna ze zich omdraaide, zodat ze de hoofdcommissaris aankeek. 'U heeft niet het recht dit voor me verborgen te houden.'

Blake stond te handenwringen. Tony kende die uitdrukking wel, maar hij had er nog nooit zo'n levensechte uitbeelding van gezien. 'De feiten waarover ik beschik zijn erg onvolledig. Je broer en zijn partner...'

'Michael en Lucy,' zei Carol. 'Ze hebben namen. Michael en Lucy.'

Blake kreeg nu een opgejaagde blik in zijn ogen. 'Mijn excuses. Michael en Lucy werden verrast door een indringer, die hen beiden met een mes heeft aangevallen. Het lijkt allemaal zeer plotseling gebeurd te zijn.'

'Is dat in de boerderij gebeurd? In de nacht?' zei Tony. Hij had er drie of vier keer samen met Carol gegeten. Hij kon het zich niet als plaats delict voorstellen. Hij kon zich zeker niet voorstellen dat iemand er zonder gezien te worden op klaarlichte dag naartoe zou kunnen lopen.

'Zoals ik al zei, de details zijn nog erg vaag. Maar de agenten op de plaats delict denken dat de misdaad ergens in de afgelopen paar uur heeft plaatsgevonden.'

'Wie heeft hen gevonden?' zei Carol in een poging zich vast te klampen aan haar evenwichtigheid. Ze was nu bezig met haar verdedigingswerken en bouwde aan een muur van ijs tussen zichzelf en de rest van de wereld. Tony had haar eerder zich een weg door een extreme persoonlijke crisis zien walsen. Hij had ook de nasleep aanschouwd, toen de wielen er echt helemaal af liepen.

'Ik weet het niet, Carol. Het spijt me. Ik vond het beter de beperkte informatie die ik had zo snel mogelijk met je te delen dan dat ik op verdere details zou wachten.' Blake keek Tony vragend om hulp aan, maar Tony wist zich net zo min raad als hij. Hij kon niet bevatten wat hij hoorde. Hij voelde zich verdoofd, maar hij wist dat de klap hem weldra zou raken. Twee mensen die hij had gekend waren dood. Vermoord. En het was moeilijk om weerstand te bieden aan zijn overtuiging dat hij wist wie de boosdoener was.

Carol maakte zich los van Tony en pakte haar jas van het haakje. 'Ik moet ernaartoe.'

'Dat lijkt me geen goed idee,' zei Blake, die probeerde autoriteit uit te stralen.

'Het kan me niet schelen wat u denkt,' zei ze. 'Míjn broer, míjn beslissing.' Haar stem brak bij die woorden. Ze liep terug naar haar dossierkast en pakte twee miniflesjes wodka uit de la. Ze dronk ze zonder onderbreking achter elkaar leeg. Toen de alcohol doel trof, klemde ze haar kaken op elkaar en knipperde krachtig met haar ogen. Daarna vermande ze zich zichtbaar en zei: 'Tony, je moet me ernaartoe rijden.'

'Als je vastbesloten bent te gaan, dan kan ik regelen dat een agent je ernaartoe rijdt,' zei Blake.

'Ik wil iemand bij me hebben die ik ken,' zei Carol. 'Tony, wil jij me ernaartoe brengen? Of moet ik het Paula laten doen?'

Het was wel het laatste waar hij zin in had. Maar hij had geen andere keus. 'Ik zal je brengen,' zei hij.

'Je moet vanzelfsprekend alle tijd voor jezelf nemen die je nodig hebt,' zei Blake toen Carol haar jas aantrok en hem voorbij wilde lopen. Ze bewoog zich behoedzaam, alsof ze overeind kwam na een zware tackle op het sportveld. Tony stond aarzelend achter haar en wist niet of hij een arm om haar heen moest slaan of haar met rust moest laten. Paula, Chris en Sam staarden haar openlijk aan en vroegen zich verbijsterd af wat voor nieuws hun baas zo zou kunnen hebben geraakt.

'Vertel het hun,' zei Tony over zijn schouder tegen Blake toen ze bij de deur aankwamen. 'Ze moeten het weten.' Hij knikte naar Chris. Als hij gelijk had over wat er met Michael en Lucy was gebeurd, dan moest zij ervan op de hoogte zijn. 'Vooral Chris.' Hij zag de schok op haar gezicht, maar hij had geen tijd om er verder iets aan te doen. Carol was de persoon om wie het nu draaide.

31

Elk normaal stel kent zijn eigen aan regels gebonden autogedrag. De een rijdt altijd en de ander is steevast de passagier, of het rijden wordt verdeeld langs vooraf overeengekomen scheidslijnen, of de een rijdt behalve wanneer ze gedronken hebben. De passagier doet de navigatie of houdt zich erbuiten, de passagier levert directe kritiek op het rijden van de ander of doet dat indirect door scherp in te ademen telkens wanneer er ook maar de kleinste kans op onheil is, of de passagier valt in slaap. Maar wat het patroon ook is, er is een diepe crisis voor nodig om het te veranderen.

Het feit dat Carol haar autosleutels gelaten aan Tony overhandigde en hem liet rijden gaf aan hoezeer ze van slag was. Terwijl zij een zelfverzekerde, zelfbewuste en snelle chauffeur was, was hij zenuwachtig, onzeker en inconsistent. Het was nooit een tweede natuur voor hem geworden. Hij moest nog altijd nadenken over zijn manoeuvres en omdat hij zo snel werd afgeleid door gedachten aan zijn patiënten en aan moordenaars, klaagde Carol altijd dat ze het gevoel had dat ze haar leven op het spel zette als ze zijn passagier moest zijn. Vandaag was haar leven haar minste zorg.

Hij stelde de satellietnavigatie in en voegde zich in het verkeer van de late middag. Hoewel de recessie een aantal van de opstoppingen tijdens de spits op de slagaders van de stad had opgelost, kwamen ze maar langzaam vooruit. Normaal gesproken zou Carol op het verkeer hebben gescholden en een of andere route via teruglopende bochten hebben gevonden die niet sneller zou zijn, maar wel het voordeel van beweging zou bieden. Vanmiddag keek ze alleen maar met een wezenloze blik uit het raam. Ze had zichzelf uitgeschakeld zoals een dier dat tijdens de hevigste kou een winterslaap houdt om krachten op te doen voor wanneer het die echt nodig had.

Hij had haar één keer eerder in zo'n staat gezien; ze was toen verkracht en ontmenselijkt, toegetakeld en gekneusd, er was haar een klap toegebracht, maar ze was nog niet helemaal verslagen. Ze had zichzelf beschermd door middel van een soortgelijk innerlijk terugtrekken. Ze had zich maandenlang opgesloten en had zichzelf elke vorm van troost ontzegd die niet uit een fles kwam en had vrienden en familie achter de gordijngevel gehouden. Zelfs Tony was er met alle vaardigheden die hij tot zijn beschikking had amper in geslaagd om contact te onderhouden. Net toen hij vreesde dat ze er helemaal aan onderdoor zou gaan, had haar baan bij de politie haar gered. Het had haar iets gegeven om voor te leven, iets waarvan hij haar niet had kunnen voorzien. Het was weer eens een voorbeeld van zijn vele tekortkomingen, dacht hij, zonder er ooit bij stil te staan haar te vragen of zij dat ook vond.

Ze waren nauwelijks Bradfield uit, toen haar telefoon overging. Ze drukte de oproep weg zonder ook maar op het scherm te kijken. 'Ik kan met niemand praten,' zei ze.

'Zelfs niet met mij?' Hij wierp een blik opzij om de uitdrukking op haar gezicht te kunnen zien.

De blik waarmee ze hem aankeek kon hij niet doorgronden. Er viel geen enkele vorm van genegenheid in te bespeuren, maar wel meer dan genoeg ijs. Ze zei niets en krulde zich alleen maar dieper op in zichzelf. Tony concentreerde zich op het rijden, terwijl hij zich zonder succes in haar situatie probeerde te verplaatsen. Hij had geen broers of zusters. Hij kon alleen maar gissen hoe het moest zijn om over zo'n reservoir van gedeelde herinneringen in het hart van je jeugd te beschikken. Zoiets kon je sterken tegen de buitenwereld. Het kon ook de eerste stap zijn van een levenslange reis van verstoorde relaties en gestoorde persoonlijkheden. Maar alles wat Carol over haar broer had verteld, plaatste hen in het eerste kamp.

Toen hij voor het eerst met Carol werkte, jaren geleden toen profilering nog in de kinderschoenen stond en zij een van zijn eerste voorstanders was, hadden zij en Michael een zolderappartement in een verbouwd pakhuis in het hart van de stad gedeeld. Heel erg jaren negentig. Tony herinnerde zich hoe Michael hen had geholpen door zijn deskundigheid in het ontwikkelen van software aan te bieden. Hij kon zich ook nog de verwarrende periode herinneren waarin hij zich afvroeg of Michael zelf misschien de moordenaar was. Gelukkig had hij er wat dat betreft helemaal naast gezeten. En toen hij Michael daarna beter leerde kennen, had hij zich beschaamd gevoeld dat hij zoiets absurds van hem had kunnen denken. Maar toen herinnerde hij zich hoeveel moordenaars hun liefsten en naasten versteld hadden doen staan en had hij minder spijt over zijn verdenkingen gehad.

Hij kon zich de eerste keer dat hij Lucy had ontmoet nog herinneren. Hij was na een kort en niet echt geslaagd uitstapje naar het academische leven weer naar Bradfield teruggekeerd en Carol was weer terug na het trauma dat haar bijna te gronde had gericht. Ze had weer haar intrek genomen in het zolderappartement dat Michael met Lucy deelde. Na vijf minuten in hun gezelschap kon Tony begrijpen waarom Carol dat altijd slechts als een tijdelijke oplossing had gezien. Sommige stellen pasten zo goed bij elkaar dat je je onmogelijk iets kon voorstellen wat hen uiteen zou kunnen drijven. Na een avond met Michael en Lucy kon hij zich makkelijk voorstellen dat ze over veertig jaar nog altijd bij elkaar zouden zijn, nog steeds van elkaars gezelschap zouden genieten en nog altijd met elkaar zouden flirten.

En daarom was Carol verhuisd naar het opzichzelfstaande appartement in het souterrain van Tony's huis. Michael en Lucy hadden uiteindelijk grof geld verdiend aan de explosieve stijging van de huizenprijzen in het begin van de eenentwintigste eeuw en verruilden het zolderappartement voor hun adembenemend mooie boerderij aan de rand van de Yorkshire Dales. Een van de redenen voor de verhuizing was hun wens geweest om ver van de drukte van het stadsleven een gezin te stichten. Tony had nog veel meer spanningen en drukte vermoed bij het grootbrengen van kinderen ergens in een uithoek waar elke activiteit, van school tot spel of sport, een autorit zou inhouden. Maar niemand had hem iets gevraagd. En nu waren ze dood. Hun kinderwens was met hen gestorven.

De zelfvoldane stem van de satellietnavigatie zei hem de volgende afslag naar rechts te nemen. Tot zijn verbazing waren ze er al bijna. Hij kon zich de rit grotendeels niet echt herinneren en vroeg zich af of dat betekende dat zijn rijvaardigheid er beter op was geworden.

Ze kwamen de volgende bocht om en de wereld veranderde. In plaats van een landelijk landschap waarin een tiental kleuren groen overgingen in het grijs van stapelmuurtjes, waren ze nu aangekomen bij een bestemming die maar al te stads leek. Een verzameling gewone politievoertuigen, het busje van het mortuarium en een aantal auto's van de recherche stonden langs de weg. Tegen de achterkant van het huis stond een witte tent opgesteld, op de plek waar Tony zich de grootste deur herinnerde. Tegenstrijdig genoeg zag de tent er grauwer uit dan het omringende landschap. Hij moest hard op de rem staan om te voorkomen dat hij de dichtstbijzijnde auto zou raken en kwam er met een schok achter tot stilstand.

Ze hadden er minder dan een uur over gedaan om van het hoofdbureau van politie in Bradfield naar de boerderij te komen, maar Carol zag er jaren ouder uit. Haar huid had zijn glans verloren, de beginnende lijnen in haar gezicht waren dieper en vaster geworden. Er ontsnapte een zacht gekreun aan haar lippen. 'Ik wilde zo graag geloven dat Blake het mis had,' zei ze.

'Wil je dat ik op zoek ga naar degene die de leiding over het onderzoek heeft?' zei Tony, die dolgraag wilde helpen maar niet wist hoe. Hij kende haar al jaren en nu ze hem het hardst nodig had, was hij uit het lood geslagen.

Carol haalde diep adem en blies langzaam weer uit. 'Ik moet dit met eigen ogen zien,' zei ze, waarna ze de deur opende en een koude windvlaag binnenliet.

Ze waren amper uit de auto, toen er een geüniformeerde agent met een klembord naar hen toe kwam lopen. 'Dit is verboden terrein,' zei hij. 'U kunt hier niet parkeren.'

Tony deed een stap naar voren. 'Dit is hoofdinspecteur Jordan en ik ben dr. Tony Hill van Binnenlandse Zaken. Waar kunnen we de leider van het onderzoeksteam vinden?'

De jonge agent leek van zijn stuk gebracht. Vervolgens klaarde zijn gezicht op, omdat hij een oplossing voor zijn dilemma had bedacht. 'Legitimatie?' zei hij hoopvol.

Carol leunde tegen de auto aan en sloot haar ogen. Tony pakte de agent bij zijn elleboog en voerde hem met zich mee. 'Dat is haar broer daarbinnen. Ze is hoofdinspecteur bij de politie van Bradfield. Ze heeft nu onmiddellijk recht op elke kleine gunst die je haar kunt verlenen. Je zult niet in de problemen komen als je ons naar de onderzoeksleider brengt, maar ik zal er persoonlijk mijn uiterste best voor doen om je leven tot één grote vervloekte ellende te maken als je het niet doet.' Zijn glimlach herbergde geen greintje verzoeningsgezindheid.

Voordat de situatie zich tot een conflict kon ontwikkelen kwam er een lange, lijkbleke man met vooruitstekende wenkbrauwen en een snavelachtige neus uit de tent tevoorschijn, die hen meteen opmerkte. Hij zwaaide en riep: 'Agent Grimshaw? Breng hoofdinspecteur Jordan hiernaartoe.'

Nu het gewicht van de wereld van zijn schouders was getild, leidde de agent hen langs de auto's verder Michael en Lucy's oprit op. De lange man kwam naar hen toe lopen. 'Ken je hem?' vroeg Tony.

'Hoofdinspecteur John Franklin,' zei Carol. 'We hebben min of meer samengewerkt aan de RigMarole-moorden. Een van de lichamen werd op zijn werkterrein gevonden. Hij mocht me niet. Niemand van West Yorkshire mag me. En jou trouwens ook niet. Sinds we hen te kakken hebben gezet vanwege Shaz Bowman.'

Franklin had hen bereikt, met wapperende jaspanden door de snelheid van zijn nadering. 'Hoofdinspecteur Jordan,' zei hij onbeholpen. Hij had zo'n accent uit Yorkshire waardoor elk woord aanvoelde alsof je een klap met een knuppel tegen je hoofd kreeg. Hoezeer hij ook zijn best deed, mededogen overbrengen zou hem nooit gaan lukken. 'Het spijt me zeer.' Hij nam Tony van top tot teen op. 'Wij kennen elkaar niet,' zei hij.

'Ik ben dr. Tony Hill. Van Binnenlandse Zaken.'

Franklins borstelige wenkbrauwen gingen omhoog. 'De profielschetser. Wiens idee was het u erbij te betrekken?'

'Ik ben hier niet in functie,' zei Tony. 'Ik ben hier als persoonlijke vriend van hoofdinspecteur Jordan. Ik heb de slachtoffers ook gekend. Dus als er iets is waarmee ik kan helpen...'

Franklins gezichtsuitdrukking was sceptisch. Er blies wat regen over het kale gras rond de boerderij en Carol huiverde. 'Er is een Meldkamer op Locatie onderweg, maar voorlopig... We kunnen in mijn auto praten.'

'Ik wil ze zien,' zei Carol.

Franklin keek bezorgd. 'Dat lijkt me nu niet zo'n geweldig idee. Het is niet de manier waarop je je iemand wilt herinneren om wie je gaf.'

Ze leek zich lichamelijk te vermannen. 'Ik ben geen kind, meneer Franklin. Ik heb plaatsen delict gezien die de meeste politiemensen dagenlang de eetlust zouden doen vergaan. Ik ben deskundig op dit gebied en ik ken het terrein. Ik heb meer kans om iets op te merken wat niet klopt dan een van uw agenten.' Ze wees naar Tony door met haar hoofd te knikken. 'En hij leest een plaats delict zoals u een krant leest.'

Franklin wreef over zijn kaak. 'Maar u bent een belanghebbende partij. De verdediging zou daar ten volle van profiteren.'

'Hebben jullie enig idee wat hier gebeurd is?' zei Tony abrupt.

Franklin reageerde gepikeerd. 'Er stond plotseling een indringer voor hun neus. Ze lagen op bed en hadden blijkbaar seks...'

'Bedreven de liefde,' onderbrak Carol hem. 'Tussen die twee was het de liefde bedrijven. U heeft geen idee hoeveel ze om elkaar gaven.' Ze had een woeste uitdrukking op haar gezicht.

Franklin nam even de tijd om zichzelf in bedwang te houden. 'Zoals u zegt. Hij viel hen van achteren aan en heeft bij beiden de keel doorgesneden.' Zijn ogen schoten omhoog naar de heuvels. Tony vermoedde dat hij overal naar wilde kijken behalve naar Carol. 'Er is sprake van een enorme hoeveelheid bloed. Ze zijn in feite doodgebloed.'

Carol draaide zich om naar Tony en greep zijn arm vast. 'Híj heeft het gedaan, hè?'

'Ik denk van wel,' zei hij. 'Dat dacht ik al vanaf het moment dat Blake het nieuws kwam vertellen. Ik hoopte dat ik het mis had.'

'Maar je had het niet mis. Je komt er verdomme te laat mee, maar je had het niet mis.'

Franklin slaakte een geïrriteerde zucht. 'Zouden jullie me alsjeblieft willen vertellen waar jullie tweeën het over hebben?'

'Jacko Vance,' zei Carol. 'Dat is degene die je zoekt.'

Franklin probeerde zijn ongeloof onder controle te houden. 'Jacko Vance? Hij is pas gisteren ergens in de Midlands uit de gevangenis ontsnapt. Hoe zou hij hier moeten zijn gekomen? En waarom zou Jacko Vance uw broer en zijn vriendin vermoorden?'

'Omdat hij denkt dat wij de reden zijn dat hij twaalf jaar in de gevangenis heeft gezeten,' zei Tony. 'Hij is niet echt goed in de verantwoordelijk voor zijn misdaden op zich nemen. Ik dacht dat hij wraak zou nemen op het team dat hem achter de tralies heeft gekregen en op zijn ex-vrouw.' Hij keek Carol smekend aan. 'Ik had niet gedacht dat hij op zo'n manier wraak zou nemen.'

Franklin haalde een pakje sigaretten tevoorschijn en rekte tijd door er een op te steken. 'Dus jullie hebben er geen daadwerkelijk bewijs voor?'

'De technische recherche zal waarschijnlijk wel iets vinden,' zei Carol. 'En, gaat u me de plaats delict nog laten zien?'

Franklin haalde zijn schouders op. 'Ik denk dat jullie het bij het verkeerde eind hebben. Naar alle waarschijnlijkheid is dit gewoon een afschuwelijk toeval.' Hij zette zijn kraag op tegen een heviger regenvlaag. 'Kom maar in de tent, dan zullen we jullie een pak geven.' Hij dreef hen voor zich uit de tent in en riep langs hen heen: 'Laat iemand een pak zoeken voor de hoofdinspecteur en de profielschetser.'

Terwijl ze onhandig stonden te worstelen om in de witte papieren pakken te komen, probeerde Tony op Carol in te praten. 'Weet je zeker dat je het aankunt?' zei hij.

'Ik wil het er niet over hebben.' Ze draaide hem de rug toe en trok een paar korte laarzen aan.

'Ik denk echt dat het geen goed idee is. Je zou de familie van een slachtoffer ook niet het lichaam van iemand van wie ze hielden laten zien zoals het er op de eigenlijke plaats delict bij ligt.'

'Ik ben politiefunctionaris. Ik ben eraan gewend.' Ze rukte het elastiek over haar voet en stond op, waarna ze haar armen behoedzaam in de mouwen liet glijden.

'Je bent er niet aan gewend om iemand van wie je houdt op zo'n manier te zien. Laat mij dan tenminste als eerste gaan.'

'Wat... bedoel je dat jij er zo weinig om geeft dat het jou niet kan deren?'

'Nee, natuurlijk is dat niet wat ik bedoel. Dit gaat je nachtmerries bezorgen, Carol.'

Ze aarzelde en staarde hem doordringend aan. 'En wat voor soort nachtmerries denk je dat ik ervan zal krijgen als ik het niet met eigen ogen zal zien? Het is juist omdat ik weet hoe dit soort plaatsen delict eruitzien dat ik het zelf moet zien. Anders zal mijn fantasie de lege plekken invullen. En hoeveel slaap denk je dat ik dan zal krijgen?'

Daar had hij geen antwoord op. Ze was eerder klaar dan hij en wachtte niet op hem, maar liep meteen de verhoging van metalen platen op die de route naar de plaats delict markeerde. Tony haastte zich om haar in te halen, maar hij slaagde er alleen maar in om te vallen terwijl hij nog met het pak worstelde. Tegen de tijd dat hij door de voordeur naar binnen liep, was ze al uit het zicht verdwenen.

Het centrale gedeelte van de boerderij zag er griezelig normaal uit. Lucy's jasje hing over de reling en haar schoenen waren even verderop uitgeschopt. Er lag een T-shirt op een verkreukeld hoopje vlak bij de tafel en aan de voet van de trap lag een rok. Afgezien van de metalige en vlezige stank van bloed was er hierbeneden geen spoor van geweld.

Tony keek langs de trap omhoog en zijn adem stokte van wat hij daar zag. Het plafond boven de vide zat onder de lichtscharlaken spetters, strepen en vlekken. Het leek alsof iemand een emmer rode verf tegen het dak had gegooid. 'Je hebt de slagaders doorgesneden,' zei hij zacht. Hij klom de trap op, waarbij hij erop lette dat hij alleen op de beschermende platen stond.

Het tafereel dat hij boven aan de trap aantrof, was grotesk. Michael lag op zijn rug op een karmozijn doorweekt bed. Lucy lag met haar gezicht naar beneden naast hem, haar haren een web van gestold donkerrood. Er lag een witte streep opgedroogd sperma op haar onderrug. Er zaten bloedvlekken op de muren, de vloer en het plafond. Carol stond aan het voeteneinde en haar gezicht werd vanuit haar hals steeds roder. Hij wilde huilen, niet om Michael en Lucy, maar om Carol.

'Er is een foto weg,' zei ze kortaf tegen de medewerker van de technische recherche die de ene kant van de kamer afwerkte. 'Daar aan de wand. Je kunt de omtrek zien in het bloed. Het was een familiefoto. Michael, Lucy en ik. En mijn moeder en vader. Hij werd twee jaar geleden genomen op de bruiloft van mijn nicht. Michael zei dat het de beste foto van ons allemaal was die hij ooit had gezien. Hij liet er afdrukken van maken voor mij en onze ouders en hij hing zijn exemplaar hier op, waar het ochtendlicht erop viel.'

Ze draaide zich om en keek Tony recht in zijn gezicht aan. Vanwege het masker dat ze droeg kon hij alleen maar haar ogen zien, waarvan het grijsblauw glinsterde van de ingehouden tranen. 'Nu heeft die klootzak van een Vance mijn familiefoto. Hij heeft me mijn broer afgenomen en hij heeft de foto meegenomen om zich te verkneukelen of anders om het makkelijker te maken om mijn ouders op de korrel te nemen.' Ze verhief haar stem en woede nam het over van de schok die haar overeind had gehouden sinds Blake het slechte nieuws had verteld.

'Dit is jouw fout,' ging ze tegen hem tekeer. 'Jij hebt me hier om te beginnen in betrokken. Het was jouw gevecht, van jou en die beginnende profielschetsers van je. Maar jij hebt me er tegen mijn zin in betrokken en hebt me in de frontlijn opgesteld toen het erop aankwam om Jacko Vance op te pakken.'

Haar uitval was schokkend. In al de jaren dat ze elkaar kenden, had Carol hem nog nooit op zo'n manier aangevallen. Ze hadden zo nu en dan wel ruzie, maar het was nooit zo explosief als nu. Ze hadden zich altijd net op tijd ingehouden. Tony had altijd geloofd dat dat kwam omdat ze allebei wel inzagen hoe groot hun vermogen was om elkaar pijn te doen. Maar al die barrières waren nu verdwenen, omvergeworpen in de nasleep van wat Vance hier had gedaan. 'Je wilde erin betrokken worden,' zei hij zwakjes, en terwijl hij het zei, wist hij dat de waarheid hier geen bescherming bood.

'En je hebt nooit geprobeerd me tegen te houden, of wel soms? Je hebt er nooit aan gedacht dat het gevolgen voor mij zou kunnen hebben. Dat heb je nooit gedaan. Al die keren dat ik uiteindelijk alles voor je op het spel heb gezet. Omdat je me nodig had.' Nu had de woede iets spottends gekregen. 'En nu dit. Je zat daar gisteren je vervloekte risicoanalyse te maken en je hebt geen enkele keer geopperd dat Vance het gemunt zou kunnen hebben op de mensen van wie ik hou. Waarom, Tony? Dacht je niet dat ik zoiets zou willen weten? Of is het gewoon niet bij je opgekomen?'

Hij had lichamelijke pijn ervaren. Hij was gekneveld en naakt voor dood achtergelaten op een betonnen vloer. Hij had tegenover een moordenaar met een pistool gestaan. Maar niets van dat alles deed zo'n pijn als Carols beschuldigingen. 'Het is niet...'

'Moet je jezelf nu eens zien. Eindelijk zie je er ontdaan uit. Is dat wat je nu dwarszit?' Ze kwam dicht bij hem staan en duwde hem hard tegen zijn borst, zodat hij naar achteren struikelde. 'Het feit dat je dit niet hebt voorspeld? Dat je het niet hebt uitgedokterd? Dat je niet zo slim bent als je dacht? De grote Tony Hill heeft een blunder gemaakt en nu is mijn broer dood?' Ze duwde hem weer weg en hij moest wegdraaien om niet van de trap te vallen. 'Want dat is wat er is gebeurd. Jij hoort degene te zijn die uit kan vogelen wat de volgende stap van klootzakken als Vance zal zijn. Maar je hebt gefaald.' Ze wees naar het tafereel op het bed. 'Kijk ernaar, Tony. Kijk ernaar totdat je je verdomde ogen niet kunt sluiten zonder het te zien. Dat heb jij gedaan, Tony. Net zo goed als Jacko Vance.' Haar handen balden zich tot vuisten en hij deinsde achteruit.

'Waardeloos,' snauwde ze hem toe, waarna ze zich abrupt omdraaide en de trap afvloog. Tony keek naar beneden en zag Franklin zijn hoofd naar hem schudden. Hij realiseerde zich dat iedereen in de boerderij gestopt was met waar hij of zij mee bezig was geweest en naar hem en Carol staarde.

'Mag ik vragen waar u naartoe gaat?' zei Franklin, die een hand uitstak om Carol af te remmen toen ze op gelijke hoogte met hem was gekomen.

'Iemand moet het mijn ouders vertellen,' zei ze. 'En iemand moet bij hen blijven om ervoor te zorgen dat Vance niet ook hen te grazen neemt.'

'Kunt u het adres aan brigadier Moran daar geven?' Hij wees naar een tafel die in een hoek van de tent stond opgesteld, waar een vrouw met een dik donzen jack aan en een baseballcap op achter een laptop zat. 'We zullen de agenten ter plaatse vragen buiten de wacht te houden totdat u er bent.'

'Bedankt,' zei ze. 'U zult ook contact met West Mercia moeten opnemen over de jacht op Vance. Ik zal de gegevens van degenen die het onderzoek leiden aan brigadier Moran doorgeven.'

Tony dwong zichzelf ertoe uit de verlammende shocktoestand te ontwaken en riep haar na: 'Carol... wacht op mij.'

'Jij gaat niet met me mee,' zei ze. Haar stem was als het dichtslaan van een deur. En hij stond aan de verkeerde kant.

32

Het kantoor was een goede plek om niet te zijn. De schaduw van wat er met Carol was gebeurd hing als een sluier over hen allen heen, dacht Chris toen ze over de ruggengraat van het Penninisch Gebergte naar Derbyshire reed. Ze nam kleine slokjes koffie tijdens het rijden. Hij was zo afgekoeld dat iemand die hem zou proeven het moeilijk zou krijgen om uit te maken of het opgewarmde ijskoffie of een restje oorspronkelijk hete koffie was. Het maakte haar niet uit. Alles wat ze ervan verlangde, was het vermogen haar wakker te houden. Ze begon zich in de auto vastgeroest te voelen na haar excursie van gisteren naar Kay Hallams herenhuis.

In een ideale wereld zou ze een exemplaar van Geoff Whittles verboden boek over de politiemoordenaar Vance te pakken hebben gekregen en in een hoek van het kantoor zijn blijven zitten om het te lezen, voordat ze een rechtstreekse confrontatie met de schrijver ervan zou aangaan. Maar dit leek een van die zeldzame gevallen te zijn waar 'verboden en tot pulp vermalen' ook echt de lading dekte. Er was geen exemplaar van *Sporting Kill* voorhanden en zelfs als dat wel het geval was geweest, zou ze nog geen tijd voor dat soort huiswerk hebben. Niet nu het moorden was begonnen. Niemand gaf Vance nog publiekelijk de schuld van de dubbele moord op Michael Jordan en zijn vriendin, maar iedereen van het Team Zware Misdrijven in de teamkamer wist precies wie ze er verantwoordelijk voor moesten houden.

Stacey had er ongeveer zes minuten voor nodig gehad om met een actueel adres en telefoonnummer van Geoff White op de proppen te komen en met de informatie dat hij zijn plattelandshuisje in Derbyshire tegenwoordig nauwelijks uit kwam omdat hij op de wachtlijst voor een kunstheup stond. Chris vermoedde dat Stacey ook ergens online een versie van de tekst zou hebben kunnen vinden als ze maar genoeg tijd zou hebben gehad. Maar genoeg tijd was iets wat ze niet had.

Zelfs na al die jaren voelde het nog steeds als iets persoonlijks, deze jacht op Vance. De dood van Shaz Bowman had veel veranderd aan de manier waarop Chris zichzelf zag. Het had haar beroofd van haar luchtigheid en haar in een ernstiger en bedachtzamer persoon veranderd. Ze was opgehouden met de liefde op verkeerde plekken te zoeken en maakte bewuste beslissingen over hoe ze wilde leven in plaats van de volgende, vagelijk interessant lijkende stap te zetten. Werken met het TZM in Bradfield had haar de kans geboden het soort smeris te zijn dat ze zich altijd had voorgesteld te kunnen worden. Ze had geen idee hoe ze dat nu zou gaan waarmaken.

Het matte bruin en groen van de Dark Peak maakte plaats voor het gebroken lichtgrijs en zilver van de White Peak. Laat geboren lammeren liepen onvast rond en kwamen tot vlak bij de rand van de weg die door de Winnats-pas naar beneden kronkelde, voordat ze bij het naderen van de auto weer wegschoten. Wanneer de zon hier scheen, voelde dat als een daad van God.

Castletown was een dorp voor toeristen en wandelaars. Chris en haar partner gingen hier in de winter af en toe met de honden naartoe om van het landschap te genieten wanneer het er rustiger was. Hoewel het al laat in de herfst was, waren de straten vol slenterende bezoekers die van de smalle stoepen de weg op liepen. Chris sloeg rechts af in het dorpscentrum en reed langs de helling het dorp weer uit tot ze bij een groepje van vier tegen de helling gelegen cottages kwam. Volgens Stacey woonde Whittle in het laatste huisje.

Chris parkeerde de auto in een berm waarvan het gras al door banden was omgeploegd en liep vandaar terug naar het huis. Het was een uit het plaatselijke kalksteen opgetrokken, gelijkvloerse cottage. Ze schatte een kamer of drie, een keuken en een badkamer, allemaal zonder veel licht. Je kon hier een klein fortuin verdienen met het als vakantiehuisje verhuren van een woning als deze. Maar Chris vermoedde dat het als plek om permanent te wonen grote nadelen had, zeker als je je niet makkelijk kon verplaatsen. Geoff Whittles uitstapje naar de ware misdaad had blijkbaar niet zoveel opgeleverd als hij had gehoopt.

Bij nadere inspectie bleek het huisje minder lieflijk. De verf op de raamkozijnen bladderde af, er schoot onkruid tussen de tuintegels van het pad omhoog en de vitrage voor het raam hing gevaarlijk door. Chris tilde een zware, zwartijzeren deurklopper op en liet hem met een knal weer terugvallen.

'Ik kom eraan,' riep een stem vanuit het huisje. Er klonk lange tijd geschuifel en gebons, maar uiteindelijk ging de deur op een kier open, de opening beperkt door een zware ketting. Er verscheen in de spleet een hoofd met springerig wit haar en ogen die door een vettige bril omhoogtuurden. 'Wie bent u?' vroeg de man met een verrassend krachtige stem.

Chris klapte haar legitimatiebewijs open. 'Rechercheur Devine. En u bent meneer Whittle?'

'Bent u mijn politiebescherming?' Hij leek gepikeerd. 'Waar bleven jullie al die tijd? Hij loopt al vanaf gisteren vrij rond en ik heb geen moment rust gehad sinds ik het in het nieuws zag. En hoe komt het dat ik het op het nieuws moest horen in plaats van dat een van jullie me op de hoogte heeft gesteld?'

'Denkt u dat Vance het op u gemunt heeft?' Chris probeerde haar verbijstering te verbergen.

'Ja, natuurlijk heeft hij dat. Mijn boek vertelde voor het eerst de waarheid over hem. Hij slaagde er na de publicatie ervan in zich in te houden, maar hij heeft destijds gezworen dat hij wraak op me zou komen nemen.' Hij deed de deur bijna dicht om de ketting te kunnen losmaken. 'Komt u maar naar binnen.'

'Ik ben hier niet gekomen om u te beschermen,' zei Chris terwijl ze hem een schemerige en rommelige keuken in volgde die ook als kantoor dienst leek te doen.

Hij staakte zijn manke, in slow motion uitgevoerde, geschuifel, draaide zich om en keek haar aan. 'Hoe bedoelt u? Als u niet hier bent om me te beschermen, waar bent u dan in godsnaam wel voor gekomen?'

'Informatie,' zei Chris. 'Zoals u al zei: u heeft de waarheid over hem verteld. Ik ben hier omdat ik van uw kennis gebruik wil maken.'

Hij keek haar sluw aan. 'Normaal gesproken zou u dat geld gaan kosten. Maar ik kan dit verhaal overal in de stad verkopen en er op die manier meer geld aan verdienen. "Politie zoekt hulp van schrijver om ontsnapte Jacko op te sporen." Dat zal het prima doen. Als ik dat vervolgens met een invalshoek over de bezuinigingen bij de politie verbind, lukt het me misschien zelfs het aan de *Guardian* te slijten. Ga zitten,' zei hij, waarbij hij een vaag wuivend gebaar naar een paar onder een grenen tafel geschoven stoelen maakte. Hij ging aan het andere uiteinde van de tafel op een hoge houten eetkamerstoel met leuningen zitten. 'Wat wilde u weten?'

'Alles wat ons kan helpen om Vance te vinden,' zei Chris, die een stapel kranten op de vloer legde zodat ze ergens kon zitten. 'Bij wie hij om hulp zou kunnen aankloppen. Waar hij naartoe zou kunnen gaan om zich schuil te houden. Dat soort zaken.'

Whittle wreef over zijn kin. Chris kon het raspgeluid van de stoppelharen tegen zijn vingers horen. 'Hij was een eenling, Vance. Niet iemand die vrienden had. Hij steunde erg op zijn producer, maar die heeft een paar jaar geleden het loodje gelegd. De enige andere persoon tot wie hij zich zou kunnen wenden is een vent die Terry Gates heet. Hij is marktkoopman...'

'We weten van Terry Gates,' zei Chris.

Whittle trok een gezicht. Chris kon korsten opgedroogd speeksel zien in zijn naar beneden hangende mondhoeken. 'Dan zou ik het verder niet weten,' zei hij. 'Behalve misschien...' Hij keek Chris sluw aan. 'Hebben jullie aan zijn ex-vrouw gedacht?'

'Ik dacht dat ze elkaar niet konden luchten of zien,' zei Chris, wier interesse ineens weer werd gewekt.

Whittle bracht een hees en vochtig lachje voort en knipoogde. 'Dat is wat ze graag doet geloven.'

Er was nog steeds niets op de radio over zijn eerdere daden, en dat verbaasde Vance. Hij had gedacht dat iemand in deze wereld van vierentwintig uur per dag ververst nieuws wel informatie over de dubbele moord naar een contactpersoon bij de media gelekt zou hebben. Hij hoopte dat ze hem serieus hadden genomen toen hij het had gemeld via een openbare telefoon voor het café waar hij had geluncht. Het zou toch ironisch zijn als men het als een neptelefoontje had afgedaan.

Hij was natuurlijk niet in de buurt gebleven om het met eigen ogen te kunnen controleren. Hij had werk te doen en ook al was hij overtuigd van de effectiviteit van zijn vermomming, hij was niet van plan om domme risico's te gaan nemen.

Toen hij klaar was met de lieftallige Lucy, had Vance zijn bebloede kleren in een plastic zak gegooid. Hij had een lange, hete douche genomen waarbij hij alle sporen van zijn slachtoffers van zich afwaste. Hij had de familiefoto van de muur genomen als een laatste daad om Carol Jordan door het lint te jagen en trok vervolgens beneden de kleren aan die hij had meegebracht: de broek van een krijtstreeppak en een net overhemd. Hij verruilde de pruik die hij droeg voor een die korter en anders geknipt was: meer in overeenstemming met Patrick Gordons identiteitsbewijs. Hij liep over het pad terug naar zijn auto en lette erop dat hij geen gehaaste indruk maakte of tekenen vertoonde van de verrukking die door zijn lichaam raasde. Leef daar maar eens mee, Carol Jordan, voor de rest van je armzalige leven. Zoals hij elke dag had moeten leven met wat zij hem had aangedaan, opgesloten in een gevangenis waar hij niet thuishoorde, omgeven door lelijkheid en domheid. Ze moest maar eens ontdekken hoe het was om te lijden. Alleen zou zij niet in staat zijn om uit de gevangenis te ontsnappen die hij voor haar had gebouwd.

Hij had de bebloede kleren in een bedrijfscontainer achter een hotel in de buurt van het vliegveld Leeds-Bradford gegooid, voordat hij de Mercedes op het parkeerterrein voor langparkeerders neerzette. Zoals met zoveel dingen was ook hier het systeem veranderd sinds hij in de gevangenis was beland. Tegenwoordig moest je een kaartje uitnemen dat je moest bewaren, waarna je later op een andere plek bij een andere machine moest betalen. Hij vroeg zich af hoeveel onbenullige parkeerwachters hierdoor overbodig waren geworden en in welke mate het had bijgedragen aan het totale geluksgevoel van de mensen, omdat men niet meer met die norse klootzakken te maken had.

Vance deed het jasje van het pak aan en pakte een aktetas. Vervolgens nam hij een bus naar de vertrekhal, maar in plaats van naar de incheckbalie te gaan liep hij naar de autoverhuurbalie toe. Iemand zou de Mercedes gezien kunnen hebben, of hij werd door verkeerscamera's vastgelegd, en hij wilde geen enkel risico nemen. Hij huurde een onopvallende Ford sedan met gps op naam van

Patrick Gordon en liet de betaling via een rekening lopen die uiteindelijk zijn weg terug naar Grand Cayman zou vinden. Het gemak van de transactie was ook iets wat verbeterd was ten opzichte van vroeger. Hij flirtte een beetje met de vrouw achter de balie, maar niet zodanig dat ze zich hem later zou herinneren.

Binnen twintig minuten was hij weer onderweg, nadat hij de benodigdheden voor wraak van het ene voertuig naar het andere had overgeheveld. Als alles volgens plan verliep, zou hij zijn tweede wraakactie binnen enkele uren voltooid hebben. Misschien zelfs zijn derde ook wel, als hij de wind een beetje mee had. Het enige wat hij zich nog afvroeg, was of hij daarna een kamer in een motel zou boeken of dat hij helemaal naar Vinton Woods zou terugrijden. Wat een luxe om zulke keuzemogelijkheden te hebben, dacht hij. Hij had te lang opgesloten gezeten zonder iets anders dan de meest elementaire keuzemogelijkheden en had gevangengezeten in andermans regels. Hij had zoveel verloren tijd in te halen dankzij Carol Jordan en Tony Hill en zijn ex-vrouw, dat kreng. Maar goed, ze zouden allemaal tot levenslang lijden worden veroordeeld. Een lijden waaruit geen ontsnappen mogelijk zou zijn.

Vance glimlachte bij deze gedachte terwijl hij een benzinestation binnenreed. Er school echte bevrediging in wat hij deed. Wanneer hij veilig en wel zijn intrek in zijn Caribische villa of zijn Arabische landgoed zou hebben genomen, zou hij voor de rest van zijn leven hierop kunnen terugkijken en op het pure genot ervan kunnen teren. De wetenschap dat zijn slachtoffers nog altijd de pijn ervan voelden, zou dan alleen nog maar het kersje op de taart zijn.

33

Van Carol volgen kon geen sprake zijn. Tony stond hulpeloos boven aan de trap en voelde zich gevild en uitgehold door haar woestheid. Het voelde alsof de band tussen hen op wrede wijze was verbroken. Hij was de woestijn in gestuurd, vooral omdat juist Carol precies wist hoe ze hem maximale schade kon toebrengen. En ze had nog gelijk ook. Ze had hem haar volle vertrouwen gegeven, had gedurfde risico's voor hem genomen en had haar leven voor hem op het spel gezet. En hij had gefaald.

Hij had het grote geheel moeten zien. Maar hij was er zo zeker van geweest dat hij zich alles wat over Vance van belang was nog herinnerde. Hij had niet met de gevangenispsychologe gesproken, omdat hij haar beroepsmatige waarde had weggewuifd op grond van het feit dat ze zich door zijn charme had laten verleiden. Maar dat betekende nog niet dat ze niet iets steekhoudends te vertellen had. Hij had niet gesproken met de gevangene wiens plaats Vance had ingenomen tijdens de voorwaardelijke verlofdag. Hij was te zeker van zijn zaak geweest om te denken dat de man die door Vance werd gebruikt waardevolle inzichten zou kunnen hebben. Hij had Ambrose de ondervragingen laten afhandelen waarbij hij op zijn minst aanwezig had moeten zijn. Het was niet arrogant om te geloven dat hij meer uit die mensen had kunnen halen, maar gewoon de nuchtere, harde realiteit. En hij had zich laten afleiden door Paula's wens om Carol met een schitterende gloriedaad te laten afsluiten. Het was een wens die hij had gedeeld. Hij wilde altijd alleen maar het beste voor Carol. Hij vermoedde dat hij daarbij vaker had gefaald dan dat hij daarin geslaagd was.

Hij stond bij de trap naar het macabere schouwspel te staren en probeerde te begrijpen waar hij naar keek. Het moest Vance wel zijn. Tony had nooit problemen gehad met het idee van toeval, maar soms vertelde je brein je precies hoe iets in elkaar zat. Het viel buiten alle grenzen van de geloofwaardigheid dat dit op toeval zou berusten.

Er was natuurlijk nog een andere mogelijkheid. Die was er meestal.

'Dr. Hill?' Franklin riep zijn naam, waarmee hij hem naar het hier en nu terugriep.

Hij wendde zich van het tafereel af en ging naar beneden. 'Dit ging niet om seks,' zei hij tegen Franklin, die hem vol ongeloof aankeek.

'Hoe bedoelt u, dat het niet om seks ging? Volgens de eerste berichten heeft hij hen vermoord terwijl ze seks hadden en na haar keel te hebben doorgesneden heeft hij vervolgens een dode vrouw geneukt.' Franklin klonk als een man die niet kon kiezen tussen woede of sarcasme. 'Kunt u me vertellen in welk opzicht dat niet met seks te maken heeft?'

Tony wreef over de brug van zijn neus. 'Laat ik het zo zeggen: Michael en Lucy waren al zo'n jaar of tien bij elkaar. Als je wilde proberen hen te grazen te nemen terwijl ze seks hadden zodat je seksueel opgewonden kon raken door ze te vermoorden terwijl ze bezig waren, zou je dan voor een vrijdag vlak na lunchtijd kiezen?' Nu was het Tony's beurt om sarcastisch te doen. 'Zou u denken dat dat het beste tijdstip was om hen te verrassen terwijl ze een stevig potje lagen te neuken, hoofdinspecteur? Werkt dat zo in deze contreien?'

Franklin fronste zijn voorhoofd. 'Als u het zo stelt...'

Tony haalde zijn schouders op. 'Ik denk dat hij gewoon geluk had. Hij kwam hier om hen te vermoorden en het bleek veel eenvoudiger dan hij had verwacht. En wat de seks betreft... hij heeft meer dan tien jaar opgesloten gezeten. Lucy was een aantrekkelijke vrouw. Zelfs toen ze dood was. En hij heeft haar omgedraaid, zodat hij niet naar haar gezicht hoefde te kijken.' Hij keek naar de grond. 'Naar wat hij haar had aangedaan.'

'Hoe weet u dat hij haar heeft omgedraaid? Ze kan wel de hele tijd op haar buik hebben gelegen.'

'Het bloed. Als ze op haar buik had gelegen, had het bloed niet zo ver opzij en omhoog kunnen spuiten als het geval was.'

'Opeens bent u naast zielenknijper ook nog een bloedspattenspecialist geworden.' Franklin schudde zijn hoofd.

'Nee. Maar ik heb in de loop der tijd heel wat plaatsen delict gezien.' Tony draaide zich om. 'Doe ermee wat u wilt, maar het gaat niet om seks.'

'En waarom gaat het dan wel?'

Tony knipperde hevig met zijn ogen en werd verrast door de aandrang tot huilen. 'Het gaat om vergelding. Welkom in de wondere wereld van Jacko Vance, hoofdinspecteur.'

Franklin leek niet overtuigd. 'U bent wel heel erg zeker van uw zaak, doc.'

'Wie heeft hen gevonden?'

'We kregen een anoniem telefoontje vanuit een telefooncel in een dorp ongeveer een kwartier rijden hiervandaan. De beller was een man en uit zijn accent viel niets bijzonders op te maken. Er werd een plaatselijke surveillancewagen naartoe gestuurd. De deur stond open en onze jongens gingen naar binnen.' Zijn mondhoeken zakten meelevend naar beneden. 'De eerste keer voor hen beiden. Ik betwijfel of ze vannacht zullen slapen. Kunt u daar iets uit opmaken?'

'Het is Vance. De enige moord die hij los van zijn seriemoorden beging, had ook zoiets spectaculairs. Wat hij toen heeft gedaan, doet hij nu weer. Hij verstuurt een boodschap die aan een specifieke groep mensen is gericht, net zoals vorige keer. En hij wil er zeker van zijn dat de boodschap luid en duidelijk overkomt. Hij heeft jullie meteen getipt toen hij eenmaal ver genoeg van de plaats delict verwijderd was, omdat hij wilde dat die nog vers was wanneer jullie er zouden aankomen. Hij wilde dat Carol Jordan de verschrikking van wat hij de mensen van wie ze hield had aangedaan ten volle zou aanschouwen.' Hij voelde bitterheid als een smaak op zijn tong. Hij was zo traag van begrip geweest, zo dom.

Franklin leek niet overtuigd. 'U denkt niet dat u dit misschien groter maakt dan het is, dat u zichzelf een beetje te belangrijk maakt? Misschien draait het niet allemaal om u en hoofdinspecteur Jordan. Misschien is het gewoon een willekeurige psychopaat. Of misschien heeft het iets te maken met Lucy Bannerman. Ze was een strafrechtadvocaat, doc. Dat is een baan waarbij je met regelmaat mensen tegen je in het harnas jaagt.' Zijn accent werd zwaarder, waardoor zijn woorden nog meer gewicht kregen.

'Zo erg dat dat daarboven een redelijke reactie lijkt?' Tony maakte een duimbeweging naar boven.

'U bent de psycholoog. Mensen komen niet altijd met een... hoe noemen jullie dat ook alweer... "proportionele reactie"? Iemand die ze vrij had moeten krijgen gaat juist de gevangenis in...' Hij spreidde zijn handen. 'Ze geven er opdracht toe vanuit de gevangenis. Of een of andere schooier buiten de gevangenis besluit dat het omleggen van de raadsvrouw een manier is om een wit voetje te halen.' Hij liep naar de tentingang toe en greep naar een nieuwe sigaret. Tony volgde hem naar buiten, waar een lichte regen de nabijgelegen heuvels aan het zicht onttrok. 'Of anders heeft ze een of andere klootzak vrij gekregen, een pedofiel of een verkrachter of iemand anders om wie de gemoederen hoog oplopen, en is een of andere Charles Bronson-achtige wreker zich ermee gaan bemoeien om het systeem een lesje te leren.' Franklin hield zijn handen in een kommetje om zijn sigaret en stak hem aan, waarna hij zijn longen volzoog door diep te inhaleren en met een dramatische zucht weer uitblies.

'In al de jaren dat ik dit werk doe, ben ik nog nooit een moord op een advocaat tegengekomen vanwege het feit dat iemand de uitkomst van een zaak niet beviel. Behalve dan in tv-series,' zei Tony. 'Dat is behoorlijk ongeloofwaardig als alternatief scenario. En dat is de toevallige psychopaat ook, want dat zijn meestal seksmoordenaars. En ik heb u zojuist uitgelegd waarom dit niet om seks ging. Beweren dat het met Lucy's baan te maken heeft, is net zo zinnig als beweren dat het werd uitgelokt door het geweld in de computergames die Michael programmeerde.'

Franklin deed zijn mond open om iets te zeggen, maar hij werd onderbroken door een van de technisch rechercheurs die hem vanuit de boerderij riep. 'Hoofdinspecteur? Dit moet u zien.'

'Wat is er?' Franklin gooide zijn sigaret geïrriteerd weg en stampte terug naar binnen. Tony liep achter hem aan met het idee dat hij elke mogelijkheid om meer informatie over de zaak te krijgen moest aangrijpen.

De technisch rechercheur wees naar de plek waar de bintbalken van het dak de muur raakten. Er stond een trapladder onder. 'Het is bijna niet te zien. Ik zag een minuscule lichtflits toen ik de trap afkwam. Je zou het in gewoon licht niet zien en ik merkte het alleen maar op omdat we de speciale lampen voor een plaats delict hadden opgesteld.'

'Ik zie nog steeds niet waar je het over hebt,' zei Franklin, die zijn ogen tot spleetjes kneep en naar het dak tuurde.

'Ik ben de ladder op gegaan om het te onderzoeken. Het is een minuscule tv-camera. We moeten het huis nog volledig elektronisch doorlichten, maar het ziet ernaar uit dat iemand hen bespioneerde.'

Franklin keek spottend over zijn schouder naar Tony. 'Daar gaat uw theorie. Vance zat tot gisterochtend nog achter de tralies. Dus hij kan hier nooit achter hebben gezeten.'

'Denkt u van niet? Praat dan maar eens met brigadier Ambrose van West Mercia over Vance' contactpersonen in de buitenwereld.'

'Als ik u daarmee gelukkig maak, doc, zal ik dit alles in gedachten houden,' zei Franklin neerbuigend. 'Maar ik zal mijn salaris van volgende maand niet op Jacko Vance zetten.'

'We zullen zien wiens DNA in het sperma op Lucy's onderrug wordt gevonden.' Tony draaide zich gefrustreerd en balend om en begon uit zijn papieren pak te klauteren. Hij had hier niets meer te zoeken. Franklin mocht dan wel doen alsof hij ruimdenkend was, maar dat was schijn. Hij was ervan overtuigd dat het antwoord op deze misdaad in Lucy Bannermans beroepsmatige leven lag en dat zou ook de insteek van zijn onderzoek worden, totdat de onweerlegbare forensische feiten iets meer dan Tony's alleen maar op ervaring en instinct gebaseerde overtuiging aan het licht brachten.

Hij was al halverwege het pad terug naar de weg toen hij zich realiseerde dat Carol hem zonder vervoer had laten zitten.

34

Binnen iets meer dan vierentwintig uur werd Micky Morgans leven op de kop gezet. Het nieuws over de ontsnapping van haar ex-man had de deur van haar boerderij bereikt in de vorm van een zestal agenten die eruitzagen alsof ze uit een misdaadserie op tv waren weggelopen. Zwarte tenues, soldatenmutsen, steekvesten en gezichten als granieten platen. Micky was eraan gewend te worden bewonderd en het was verontrustend om te merken dat deze mannenogen van haar afgleden en ogenschijnlijk meer interesse toonden voor de indeling van haar keuken en achtertuin. Degene die de leiding had, stelde zich voor als Calman. Ze nam aan dat het zijn achternaam was, maar ze was te zeer van haar stuk gebracht om het te vragen.

Ondanks het feit dat haar keuken groot genoeg was om aan een stuk of tien rond de tafel ontbijtende stalknechten plaats te bieden, leken de mannen in het zwart de beschikbare ruimte helemaal te vullen. 'Ik begrijp het niet,' zei Micky. 'Hoe is hij ontsnapt?'

'Ik heb geen gedetailleerde informatie,' zei Calman. 'Ik weet alleen dat hij zich als een andere gevangene heeft voorgedaan, die in aanmerking kwam voor een verlofdag.'

'En hij zat in Oakworth? Jezus, dat is niet zo ver hiervandaan.'

'Het is iets meer dan zeventig kilometer. En dat is een van de redenen waarom we zo bezorgd zijn om uw veiligheid.'

Betsy kwam net op tijd van buiten de keuken in lopen om Calmans antwoord te horen. Ze trok haar cap af en schudde haar hoofd om haar haar los te maken. Ze had een blos op haar gezicht van het paardrijden in de buitenlucht en ze zag er belachelijk fris uit in vergelijking met de stormtroepen die in hun keuken rondhingen. 'Wat is iets meer dan zeventig kilometer?' zei ze terwijl ze automatisch naar Micky toe liep en een hand op de arm van haar partner legde.

'De Oakworth-gevangenis waaruit Jacko blijkbaar ontsnapt is.' Micky wierp Betsy een snelle blik toe die haar tot voorzichtigheid maande. 'Deze agenten zijn hier om ons te beschermen.'

'Hebben we dan bescherming nodig?' zei Betsy. 'Waarom zou Jacko ons iets willen aandoen?'

'Opdracht van hogerhand, mevrouw Thorne,' zei Calman.

Hij weet precies hoe de situatie er hier voor staat, dacht Micky. Men heeft hem erover ingelicht. Iemand heeft hem verteld over het schijnhuwelijk tussen Jacko en mij dat we op touw hadden gezet om mijn tv-carrière veilig te stellen tegen de uitbarstingen van homohaat in de roddelbladen. Is hij hier om ons te beschermen of om ons in de gaten te houden? 'Ik ben het met Betsy eens,' zei Micky.

Maar dat was voordat Calman het nieuws had verteld over een dubbele moord in Yorkshire waarvan zijn meerderen geloofden dat het het werk van Vance geweest zou kunnen zijn. Dit keer had de agent die naast hem in de keuken stond een pistool in zijn hand, een groot zwart geval dat ze wel eens op een televisiescherm had gezien, maar nog nooit in het echt. Het ding was als een vlag op een modderschuit: H&K stond gewoon niet goed bij een Aga-fornuis. 'Ik geloof niet dat Jacko zoiets zou doen,' zei Micky. 'Er zullen toch nog wel andere mogelijkheden zijn?'

'Mogelijkheden?' zei Calman, die klonk alsof hij dat woord nog nooit uit iemands mond had gehoord. 'Wij concentreren ons liever op de waarschijnlijke antwoorden. De ervaring leert dat je de waarheid daar meestal moet zoeken. We zullen u volledige bescherming geven. Beide oprijlanen zullen door agenten worden bewaakt en andere gewapende agenten zullen patrouilleren. Ik weet dat uw stalknechten zich buiten op het veld bevinden. Ik zal met hen gaan praten om zeker te stellen dat ze weten binnen welke grenzen ze kunnen opereren. Ik wil niet dat u zich zorgen maakt, dames. Ik wil gewoon dat u voorzichtig doet.'

Ze waren het erf op gestampt en hadden Micky en Betsy elkaar over de tafel aanstarend achtergelaten. Betsy had als eerste iets gezegd. 'Heeft hij je gebeld?' vroeg ze.

'Doe niet zo mal,' zei Micky. 'Zo gek zou hij niet zijn. En als het wel zo was, denk je dan dat ik het je niet zou vertellen?'

Betsy's glimlach was geforceerd. 'Het is een raar iets, loyaliteit.'

Micky schoot van haar stoel en liep om de tafel heen. Ze drukte Betsy dicht tegen zich aan en zei: 'Jij bent de enige loyaliteit die ik heb. Ik ben alleen maar met hem getrouwd omdat ik met jou wilde zijn.'

Betsy strekte haar arm omhoog en streek met haar vingers door Micky's haar. 'Dat weet ik wel, maar we wisten allebei dat er iets niet helemaal in de haak was met Jacko en we hebben ervoor gekozen om de andere kant op te kijken. Ik was bang dat hij dat opnieuw van ons zou verwachten.'

'Je hebt Calman gehoord. Ze denken dat hij ons te grazen komt nemen in plaats van dat hij op de thee komt.' Ze kuste Betsy op haar voorhoofd. 'Ze zullen ons beschermen.'

Ze kon de uitdrukking op Betsy's gezicht niet zien en dat was waarschijnlijk maar goed ook. 'Agent Calman en zijn trawanten? Als jij het zegt, liefste. Als jij het zegt.'

Het was rustig op straat in de buitenwijk op dit moment van de dag en er waren genoeg vrije parkeerplekken, omdat veel mensen naar hun werk waren. Vance zette zijn auto een aantal huizen voorbij zijn doel neer en deed de motor uit. Hij had geen camerabeelden vanuit dit huis. Hij had besloten dat het te riskant was. Carol Jordan was een waardige tegenstander; hij zou geen enkel risico met haar nemen. Maar de privédetective had informatie van onschatbare waarde boven water gekregen, die de volgende daad van Vance een stuk eenvoudiger maakte.

Hij haalde de tablet-pc tevoorschijn en controleerde de camerabeelden vanuit de boerderij. Zoals hij had verwacht waren Jordan en Hill er. Ze daalde de trap vanaf de slaapvide af en liet hem achter. Het was verleidelijk om te blijven kijken, maar hij hoefde alleen maar te weten dat ze ver genoeg van hem verwijderd waren om hem tijd te geven zijn karwei af te maken. Hij trok een paar strakke nitril rubberen handschoenen over zijn handen en glimlachte.

Alles wat hij nodig had zat in een van de andere lichtgewicht reistassen die Terry voor hem had aangeschaft. Vance wierp nog een laatste blik om zich heen om te zien of de kust veilig was, tilde toen de tas rustig op en liep het pad naar Tony Hills huis op. Hij ging de hoek om naar de zijkant van het huis en liep langs de zijportiek, waaronder een trap omlaag naar Carol Jordans appartement in het souterrain leidde.

Achter het huis gekomen zette hij de tas voorzichtig neer en liep vervolgens naar een kleine rotspartij in de hoek. Een van de stenen was nep en in de holle binnenkant zat een sleutel van de achterdeur. In de aantekeningen van de privédetective stond: 'Hill is het prototype van een verstrooide professor. Hij was twee van de vijf dagen dat ik hem heb geobserveerd zijn huissleutel vergeten.' Zorgeloze dagen, dacht Vance terwijl hij zichzelf binnenliet.

Hij snuffelde wat rond op de begane grond en gaf zichzelf een paar minuten de tijd om een indruk van Tony Hill te krijgen, die vreemde kleine klootzak die had gedacht dat hij Vance een loer kon draaien. Een man zonder vrienden, volgens de privédetective. Carol Jordan leek zijn enige echte vriend te zijn. Dus hoe meer pijn hij Carol Jordan zou bezorgen, hoe meer pijn hij hun allebei zou aandoen.

Onder de trap was de deur die naar de kelder moest leiden. Er zaten grendels op de deur, maar die waren niet dichtgeschoven. En het ingelaten deurslot was ook open. Je kon de deur zo openduwen. Dat maakte meteen een einde aan het fabeltje dat hun relatie een puur zakelijke van huisbaas en huurder was. Deze twee konden elkaars leefruimte in en uit lopen en hadden net zo min een eigen territorium als een vlucht mussen.

Het omgekeerde kwam niet bij hem op: dat hier twee mensen woonden die elkaars privacy zodanig respecteerden dat ze geen sloten nodig hadden om die af te dwingen.

Vance rende lichtvoetig de trap af naar Carols domein en struikelde bijna over een bejaarde zwarte kat, die nog altijd overeind kwam om nieuwkomers in zijn wereld te begroeten. 'Kut,' gilde Vance, die wankelde en wanhopig probeerde zijn last niet te laten vallen. Hij slaagde erin zijn evenwicht weer te vinden en maakte een rollende beweging met zijn schouders.

Hij zette zijn reistas op de vloer en begon aan een rondje door de woonruimte. Hij vond wat hij zocht in een piepkleine bijkeuken die aan de hal grensde. Op de grond stond een bakje met droogvoer en een kom water voor de kat. Daarnaast stond een plastic trommel die voor de helft was gevuld met droogvoer voor katten. Vance giechelde zachtjes van genot. Wat was het toch mooi als de dingen volgens plan verliepen.

Hij haalde de reistas, deed de rits open en sloot de deur achter zich om de kat uit de buurt te houden. Hij hevelde het kattenvoer eerst over naar een draagtasje. Daarna pakte hij een krachtige metalen spiraalveer die door een plastic klem samengedrukt werd. Hij legde hem op de bodem van de trommel, waarna hij de klem aan een gevoelig mechanisme bevestigde dat hij met de rand van de trommel verbond. Hij haalde een paar zuurbestendige werkhandschoenen tevoorschijn en trok ze over zijn andere handschoenen aan. Vervolgens maakte hij met buitengemeen grote fijngevoeligheid de bus van polystyreen in de reistas open en tilde er een glazen behuizing uit. Een doorzichtige, olieachtige vloeistof klotste zachtjes tegen de zijkanten aan toen hij hem op de veer liet zakken. Hij haalde de deksel eraf en stelde het zwavelzuur bloot aan de lucht. Als laatste bevestigde hij een foto-elektronische cel aan het mechanisme binnen in de trommel en deed de deksel er weer op.

De volgende keer dat Carol Jordan de trommel met kattenvoer opendeed, zou de glazen behuizing door de veerwerking omhoogschieten en in haar gezicht terechtkomen. Ze zou er waarschijnlijk niet aan doodgaan. Maar het zuur zou zich een weg door haar huid branden en haar gezicht aantasten, zodat ze misvormd en vol littekens zou blijven. Ze zou bijna zeker blind worden en vreselijke pijn lijden. Vance werd alleen bij de gedachte al opgewonden. Ze zou lijden. God, wat zou ze lijden.

Maar Tony Hill zou nog meer lijden, omdat hij wist dat hij er dit keer niet in was geslaagd om Vance een halt toe te roepen. Eigenlijk een perfect voorbeeld van twee vliegen in één klap.

Kevin was het zat. Er waren wat hem betreft veel te veel motels in de buurt van het vliegveld. En Stacey had er blijkbaar stuk voor stuk een adres bij weten te vinden. Er was een breed aanbod, zowel in prijs als in voorzieningen. En dan was hij natuurlijk ook nog afhankelijk van de bereidheid om een opdringerige smeris op een druk moment van de dag medewerking te verlenen. Het was een kloteklus en hij was pissig vanwege het feit dat hij voor de zoveelste keer zo'n beginnerskarweitje moest opknappen. Hij had één beroepsmatige fout begaan die hem de rang van inspecteur had gekost, maar dat was al weer jaren geleden. Het leek erop dat het hem nooit zou worden vergeven. Misschien zou hij door het TZM achter zich te laten eindelijk de weg terug naar promotie vinden.

Hij had de accommodaties in grofweg drie groepen ingedeeld. Bovenaan stonden de voordelige ketenmotels, maar paradoxaal genoeg liet de betrouwbaarheid van hun recepties vaak te wensen over. Ze waren zo gewend om een oogje toe te knijpen wanneer een groep studenten of American-footballfans geld probeerde te besparen door acht mensen in één kamer te proppen dat niemand er aandacht aan zou besteden wanneer een groep stripteasedanseressen van de ingang naar de liften zou lopen terwijl ze hun benen de hele tijd in de lucht gooiden. De moordenaar zou het relatief eenvoudig hebben gevonden om met Suze Black in te checken zonder de aandacht op zich te vestigen, maar haar naar buiten brengen zou een groter probleem kunnen hebben opgeleverd.

Er was één mogelijkheid: een motel waar een van de liften rechtstreeks naar een parkeerkelder leidde. Het leek Kevin niet erg waarschijnlijk, want de veelheid aan risicofactoren viel niet te rijmen met een moordenaar die zo'n voorzichtigheid aan de dag legde bij elk ander aspect van zijn handelen. Maar hij maakte er wel een aantekening van als een plek om naar terug te keren als hij elders geen vooruitgang zou boeken.

Aan de andere kant van het spectrum waren de accommodaties die niet veel meer dan veredelde gastenkamers waren. Daar zou Kevin niet eens gaan aanbellen. Suze Black zou in levenden lijve al niet de drempel over zijn gekomen, laat staan in dode toestand.

En dus bleef er een middenmoot over: accommodaties die eigendom waren van mensen die meestal moeite hadden om het hoofd boven water te houden in een recessie en vaak bereid waren een oogje toe te knijpen voor wat er in hun kamers allemaal gebeurde. Maar toch dacht Kevin dat ze over het algemeen ook wel de grens zouden trekken bij een man die een druipend lijk door de hal naar het parkeerterrein sleepte.

Hij stond op het punt om op te geven, toen hij eindelijk beethad. De Sunset Strip was zo laag gezakt dat je je moeilijk kon voorstellen dat het motel ooit een hoopvolle twinkeling in iemands ogen teweeggebracht had. Het was een met omkrullend terracottakleurig stucwerk bedekt gebouw van twee verdiepingen, een onregelmatig vierkant dat om met afbladderend witsel aangegeven parkeerplekken was neergezet. De wooneenheden leken op individuele appartementen. Op de begane grond kon je je auto praktisch tegen je eigen deur aan zetten. Perfect om een dode prostituee in je achterbak te proppen zonder dat iemand zicht kreeg op wat je in je schild voerde.

Kevin parkeerde bij het kantoor, dat in de eerste eenheid van links op de begane grond zat. De dikke jongeman achter de balie leek amper oud genoeg om zich te moeten scheren, laat staan om alcohol te drinken. Hij had een ziekelijk bleke huid met bulten van onderhuidse puistjes en wenkbrauwen die naar vijf verschillende richtingen tegelijk overeind stonden. Het onbestemde bruine haar dat met gel boven op zijn hoofd zat geplakt deed hem eruitzien alsof hij zo uit een comedyserie was weggelopen. Hij keek amper op van het stripboek dat hij zat te lezen. 'Ja?' gromde hij.

Kevin klapte zijn legitimatiebewijs open. Het duurde een halve minuut voordat de jongen besefte dat hij ergens naar moest kijken. Hij verplaatste een bonk kauwgom van de ene wang naar de andere en mat zich een uitdrukking van vermoeide verveling aan. 'Ja?' zei hij weer.

Dit was duidelijk niet het moment voor een praatje. 'Heb je hier op de derde van de maand gewerkt?'

De kauwgom verhuisde weer en er werd een beetje op gekauwd. Een hand die eruitzag als een opgeblazen latex handschoen rukte een la open en pakte er een vel papier uit waarop een schema stond. Hij wees met een vinger naar het derde vak op de bovenste regel. KH, BD, RT. 'Dat ben ik. RT. Robbie Trehearne.'

'Herinner je je iets ongewoons over die avond?'

Trehearne schudde zijn hoofd. 'Nee.'

'Mag ik het gastenboek inzien?'

'Hoe zit het met een bevel? Moet je daar geen huiszoekingsbevel voor hebben?'

Kevin gokte erop dat Robbie Trehearne net zo dom was als hij eruitzag. 'Niet als je me het gewoon laat zien.'

'O, oké dan.' Hij legde het stripboek neer en draaide de computermonitor op het bureau om, zodat Kevin het ook kon zien. Zijn vingers vlogen met verrassende snelheid over de toetsen en toverden een pagina op het scherm waarop bovenaan een datum stond. Alleen de kamers die bezet waren werden vermeld. Er stonden zes kamers op die dag met daarachter namen, adressen, kentekennummers en de betaalwijze. Drie van de zes gasten hadden contant betaald.

'Controleer je de gegevens die mensen opgeven wanneer ze hier inchecken?'

'Hoe dan?'

'Moeten ze bijvoorbeeld een identiteitsbewijs laten zien? Controleer je of het kenteken overeenkomt met dat op de auto?'

Trehearne keek hem aan alsof hij een buitenaards wezen was. 'Het enige waar ik me druk om hoef te maken is of de creditcard het wel doet. Wie kan het iets schelen als ze over hun naam en adres willen liegen?'

'Ach ja, waarom zou je ook een kloppende administratie willen bijhouden?' Kevins sarcasme ontging de jongen.

'Precies. Meer moeite dan het waard is.'

'Kun je toch een afdruk voor me maken?' zei Kevin. 'Vullen ze registratiekaarten in?'

'Jawel, maar die gooien we gewoon weg zodra we de gegevens op de computer hebben ingevoerd.' Er verscheen een zelfgenoegzame glimlach op zijn gezicht. 'Geen DNA voor je vanavond, meneer de smeris.'

Wat Kevin betreft begon het er steeds meer op te lijken dat dit het juiste motel was. Iedereen die hier een keer eerder was geweest zou precies weten hoe perfect de omstandigheden waren en hoe laks hun werkwijze hier was. 'Ik begrijp dat het moeilijk voor je zal zijn om in gedachten terug te gaan in de tijd, Robbie, maar herinner je je dat iemand van het personeel of een van de gasten heeft geklaagd over een kamer waar het nat op de grond was? Of een heel erg natte badkamer? Veel natter dan normaal?'

'Dat is een vet vreemde vraag,' klaagde Robbie. 'Ik bedoel: het is een en al water in badkamers. Baden en douches en toiletten en wasbakken. Ze horen nat te zijn, weet je?'

Kevin had zelf kinderen. Hij wist dat je onvoorwaardelijk van hen hield, wat ze ook deden of zeiden of later werden. Maar het kostte hem moeite te geloven dat iemand van Robbie Trehearne kon houden. 'Ik zei: "veel natter dan normaal",' zei hij terwijl hij zijn best deed zijn geduld te bewaren.

Robbie groef zijn oor uit met zijn wijsvinger en inspecteerde die vervolgens. 'Ik weet niet meer welke avond het was, oké? Maar toen ik op een keer rond het avondeten aan mijn dienst begon, vroeg Karl of ik wist of er in nummer vijf iets vreemds was gebeurd. Omdat het kamermeisje zei dat alle handdoeken drijfnat waren. Maar dan ook echt drijfnat. En het tapijt in de kamer was ook doorweekt, daar bij de badkamer in de buurt. Is dat wat je bedoelt?'

'Ja,' zei Kevin, die nogmaals naar het scherm keek. Kamer vijf was tegen contante betaling verhuurd aan iemand die Larry Geitling heette. De naam zei hem niets. Maar het was in ieder geval een begin. 'Ik moet dat kamermeisje spreken.'

'Ze begint morgenochtend om zes uur weer.'

'En vanavond?'

Trehearne giechelde, een zacht, verontrustend geluid. 'Ik weet niet waar ze woont. Ik weet niet eens wat haar achternaam is. Buket, zo noemen we haar.'

Kevin begreep het verkeerd en fronste vol afkeer zijn voorhoofd. 'Jullie noemen haar "boeket"? Waarom? Omdat ze met schoonmaakmiddelen werkt? Je neemt niet eens de moeite om haar bij haar naam te noemen?'

'Buket met een u, niet boeket. Dat is haar naam. Ze is Turks.' Trehearne leek in zijn nopjes dat hij Kevin voor de gek had kunnen houden. 'Ik heb haar mobiele nummer niet. De enige manier om haar te kunnen speken is door langs te komen wanneer ze hier aan het werk is. Van zes tot twaalf, dat zijn haar uren. Of misschien kun je haar vinden in de tapijtwinkel verderop in de straat. Daar maakt ze op sommige avonden schoon van acht tot tien.'

Het was niet bevredigend, maar daar kon Kevin verder niets aan doen. 'Mooi,' zei hij. 'Ik kom weer terug. En dan kan ze maar beter hier zijn, Robbie. Of anders zal het jou en je baas allerlei problemen gaan opleveren.'

35

Vance had zes tussenstops bij benzinestations gemaakt tussen Leeds en Worchester. Hij had er telkens een jerrycan van vijf liter gekocht die hij vervolgens met benzine vulde. Bij het laatste benzinestation was hij het centrale hoofdgebouw binnengegaan om een pakje sigaretten en een aansteker te kopen. Aan de rand van Worcester liet hij de avondspits achter zich en nam een kamer in een anoniem motel. Het was een lange dag geweest en hij was moe. Vermoeide mensen maakten fouten en dat was iets wat Vance zich niet kon veroorloven.

De receptioniste keek hem amper aan, zo druk was ze met een collega in gesprek. 'Ontbijt is van halfzeven tot tien,' dreunde ze op de automatische piloot op terwijl ze hem een plastic rechthoek overhandigde. 'Met de sleutel gaat ook de verlichting aan, u steekt hem in de gleuf naast de deur.' Weer iets nieuws, dacht Vance.

Eenmaal in de kamer trok hij de gordijnen dicht, schopte zijn schoenen uit en kleedde zich uit tot op zijn Calvin Klein-onderbroek. Hij kroop onder de lakens en zette de televisie op een nieuwskanaal. De dubbele moord was het tweede onderwerp van het journaal, na de recentste opstand in de Arabische wereld. Nog geen identiteit natuurlijk. Een smeris uit Yorkshire met een zwaar accent had het over een tragedie en over mogelijke richtingen voor het onderzoek. Met andere woorden, dacht Vance, ze hadden totaal geen belastend materiaal tegen hem. Er zou natuurlijk nog forensisch onderzoek komen. Hij had geen moeite gedaan zijn sporen uit te wissen. Het kon hem niet schelen dat ze wisten dat hij er verantwoordelijk voor was. Wat wel belangrijk was, was dat hij hun een stap voorbleef, zodat hij zijn plannen kon afronden voordat hij het land zou verlaten.

Nieuws over hemzelf kwam pas aan het einde van de nieuwsuitzending. Hij was blijkbaar nog steeds op vrije voeten na zijn gedurfde ontsnapping uit de gevangenis. De politieman die ze voor de camera hadden gesleept leek woedend dat hij daar stond. Hij was een grote vent met een geschoren hoofd, een huid met de kleur van sterke thee en strakgespannen schouders onder zijn jasje. Hij leek iemand die beter op zijn plaats was bij het sussen van een kroeggevecht rond sluitingstijd dan dat hij iets kon oplossen waarvoor onderscheidingsvermogen en intelligentie nodig waren. Als dat alles was waarmee hij te kampen kreeg, dan maakte Vance zich er niet zo'n zorgen over dat men hem weer zou kunnen oppakken.

Hij stelde de wekker op zijn telefoon in en sloot vervolgens zijn ogen voor het dutje dat hem weer zou oppeppen voor zijn volgende wraakactie. Toen hij wakker werd was het donker buiten. Het was een grijze nacht met lage bewolking die de lucht aan het zicht onttrok en er viel vettige regen tegen het raam. Vance haalde de laptop tevoorschijn en riep een reeks camerabeelden op. Er was nog altijd geen teken van leven in de ruime, chique, edwardiaanse villa. Dat had hij ook niet verwacht. De klootzak die er woonde had momenteel meer dan genoeg aan zijn hoofd om het druk mee te hebben. Maar het was altijd beter om voorzichtig te zijn.

Hij vroeg zich af wat er nu in de boerderij gaande was. Het politieonderzoek zou nu al in een gevorderd stadium moeten zijn. Maar dat zou hij voor later bewaren. Hij wilde nu snel door met zijn enige overgebleven taak voor vandaag. Vance trok een spijkerbroek en een sweatshirt met capuchon aan en liep naar de auto toe.

Het adres zat al in het geheugen van de satellietnavigatie: een rustige straat na een afslag van de A38, die uitzicht bood op de donkere leegte van Gheluvelt Park. Hij reed zo het grindpad op van het huis waarin hij geïnteresseerd was en vermaakte zich met het idee dat hij momenteel op zijn eigen camerabeelden te zien was. Het was een rood bakstenen huis met diepe erkers aan weerszijden van de indrukwekkende deur in een licht roomkleurige omlijsting. Hij kon zware gordijnen zien die met embrasses langs de zijkanten van de ramen samengebonden waren en de tuin zag er goed onderhouden uit. Dit was een huis waarop menigeen jaloers zou zijn, dacht Vance. Maar niet voor lang meer.

Hij keerde, zodat de auto met de motorkap naar de straat wees.

Daarna liep hij drie keer heen en weer naar de achterkant van het huis, waarbij hij telkens twee jerrycans benzine meenam. Als laatste haalde hij een stapel gratis kranten op die hij bij een van de benzinestations had meegenomen. De achtermuur was voorzien van een netwerk van houten latten waarlangs clematisranken naar de bovenverdieping klommen. Dat zou een van de aansteekpunten worden.

De gewetenloze privédetective die Terry voor Vance had ingehuurd, had hem van details over de alarminstallatie voorzien. Jammer genoeg was hij er niet in geslaagd de code te achterhalen waarmee je hem kon uitschakelen. Dat was nog niet het einde van de wereld. Het zou het leven gewoon een stukje ingewikkelder maken. Vance ging weer naar de auto en kwam terug met een rugzak. Hij gluurde door de ramen om er zeker van te zijn dat hij de juiste kamers had. Zijn eerste keus was de woonkamer, waar een overvloed aan brandbare luxeartikelen en houten planken vol met vinyl en cd's meer dan genoeg brandstof voor het vuur zouden leveren wanneer het er eenmaal vat op kreeg. De andere ruimte was een studeerkamer, waar boekenkasten vol gebonden boeken en paperbacks tegen de wanden stonden. Wederom een perfecte brandstofbron voor de vuurzee.

Vance haalde een ontstopper met een zuignap aan het uiteinde uit de rugzak en bevestigde hem stevig aan een van de kleine ruiten van het studeerkamerraam. Vervolgens pakte hij een glassnijder, waarmee hij het glas voorzichtig uit de sponningen sneed terwijl hij de ontstopper stevig vasthield met zijn prothese. Hij wrikte het los en goot toen twee jerrycans benzine leeg door de opening. Hij herhaalde deze oefening met het raam van de woonkamer en gooide vervolgens de overgebleven benzine over het latwerk en de dikke stammen van de clematis. Hij maakte een paar proppen van krantenpapier en duwde ze bijna helemaal door het raam voordat hij ze met zijn aansteker in brand stak. De benzinedamp bij het raam vloog in brand en de vlammen verspreidden zich bijna onmiddellijk over het tapijt.

Vance grijnsde verrukt. Hij duwde ook proppen tussen het latwerk en de stammen van de plant en stak die vervolgens in brand, waarna hij lang genoeg bleef kijken om zich ervan te verzekeren dat alles goed vlam zou vatten. Als laatste stak hij de studeerkamer in brand en hij genoot ervan hoe de vlammen via de benzinespatten over de vloer snelden.

Hij had wel langer willen blijven, maar dat was te gevaarlijk. Hij zou naar het motel teruggaan en daar op de camerabeelden bekijken hoe het vuur verder om zich heen greep. Hiervan ging hij geen telefonische aangifte doen. Hij wilde niet dat de brandweer al te snel ter plekke zou zijn en iemand zou het uiteindelijk zeker zien. Het zou even duren, want niemand keek uit op de achterkant van het huis, maar dat kwam Vance wel goed uit. Hij nam met niets minder dan compleet afbranden genoegen.

Hij liep met ferme pas terug naar de auto en reed kalm Tony Hills oprijlaan af.

Na haar tweede bijna-botsing binnen een halfuur gaf Carol uiteindelijk aan zichzelf toe dat ze waarschijnlijk beter niet kon rijden. Maar ze had geen andere keus gehad. Dit was nieuws dat van haar moest komen. Ze kon haar ouders niet door een vreemde op de hoogte laten brengen. Dit was in elk opzicht haar verantwoordelijkheid en zij moest het op zich nemen. Ze verliet de autosnelweg bij het eerstvolgende benzinestation en bestelde een warme chocolademelk en een muffin met bosbessen om haar bloedsuikerspiegel op te krikken en de shocktoestand die haar nog altijd in zijn greep had te bestrijden.

Ze roerde dwangmatig in haar beker en kon zich niet herinneren zich ooit zo akelig te hebben gevoeld. Na de verkrachting, toen ze ervan overtuigd was geweest dat ze geen politiefunctionaris meer kon zijn, dacht ze dat ze niet dieper zou kunnen wegzinken. Maar dit was veel erger. De vorige keer was ze vastbesloten geweest de haar toegebrachte schade te herstellen. Dit keer kon ze zo vastbesloten zijn als ze wilde, maar daarmee zou ze haar broer of haar vriendin niet weer tot leven kunnen wekken.

Carol had nooit behoefte gehad aan een brede vriendenkring. Ze was altijd tevreden geweest met een kleine groep intimi, een handvol mensen aan wie ze alles wat ertoe deed kon toevertrouwen. Michael was altijd een van hen geweest. Er zat maar een paar jaar tussen hen en ze hadden zo'n hechte band als maar weinig broers en zussen hadden. Toen Lucy in zijn leven kwam, was Carol bang geweest dat ze de open saamhorigheid die ze altijd gekend hadden zou verliezen. Ze was bang geweest dat zij en Lucy om zijn aandacht zouden gaan strijden. Aanvankelijk was het wat ongemakkelijk geweest en er zouden altijd scherpe randjes blijven bestaan tussen een smeris met een hoge rang en een strafpleiter. Maar hoe meer ze van elkaar te weten kwamen, hoe duidelijker het werd dat ze verwante zielen waren. Hun beroepsmatige leven was bij beiden geschraagd op een verlangen naar gerechtigheid, en wat hen verdeelde werd in de loop van de tijd steeds minder belangrijk. En dus was Lucy uiteindelijk ook tot die kleine kring gaan behoren. En nu had ze op één dag twee van de mensen van wie ze het meest hield verloren en had ze een derde verbannen.

Ze plukte aan haar muffin en trok hem met snel bewegende vingers uit elkaar. Ze was nog nooit zo kwaad op Tony geweest. Hij had moeten inzien dat Vance' wraak net zo'n perverse vorm zou aannemen als zijn vorige misdaden. Er was nooit iets rechtlijnigs geweest aan de manier waarop zijn geest uitdrukking aan zichzelf had gegeven. Er was geen reden om aan te nemen dat de gevangenis daarin verandering zou hebben gebracht. Het was haar nu pas duidelijk geworden, maar zij was dan ook niet de psycholoog van hen tweeën. Tony had het van het begin af aan moeten inzien.

Carol dronk haar beker leeg en ging weer de weg op. Het verkeer was verschrikkelijk traag. Niemand zou ervoor kiezen op een vrijdagavond over de M1 te rijden als het niet noodzakelijk was. Het verkeer liep vast in onvoorspelbare klonters en vervolgens loste de verstopping ineens op en gaf iedereen plankgas totdat ze in de volgende opstopping terechtkwamen. De door passerende koplampen verlichte gezichten stonden vermoeid, woedend of verveeld. Niemand leek opgewekt of blij daar te zijn.

Ze was net de afslag naar Nottingham voorbijgereden toen ze zich haar arme oude kat Nelson herinnerde. Ze zou vanavond zeker niet thuis kunnen komen en met zijn zeventien jaar was Nelson te oud om een nacht zonder vers eten en water alleen te worden gelaten. Normaal gesproken kon ze Tony hebben gevraagd om voor hem te zorgen. Maar op dit moment wilde ze nooit meer met Tony praten. Er lag een reservesleutel in haar bureaula, bedacht ze. Ze kon erop vertrouwen dat Paula niet zou gaan rondneuzen als ze toegang tot Carols appartement zou krijgen. Ooit zou ze dat waarschijnlijk wel hebben gedaan. Carol was er redelijk zeker van dat Paula lange tijd een beetje verliefd op haar was geweest. Maar die gevoelens waren bekoeld sinds ze met Elinor was. Nu kon ze ervan op aan dat ze alleen maar de kat te eten zou geven.

Ze scrolde vermoeid naar beneden op het scherm van de boordcomputer en tikte op de muisknop toen ze Paula's nummer zag. Paula nam op toen hij voor de tweede keer overging. 'Chef,' zei ze. 'Het spijt ons allemaal zo vreselijk.' Het was ongetwijfeld oprecht gemeend.

'Ik weet het,' zei Carol. 'Je moet iets voor me doen.'

'U zegt het maar. En dat geldt voor ons allemaal. Alles wat we kunnen doen om te helpen.'

'Het gaat me niet lukken om vanavond thuis te komen. Er ligt een sleutel van mijn appartement in mijn bureaula. Je moet Nelson voor me te eten geven.'

Het bleef even stil. 'Alleen maar te eten geven?'

'Eten en water. Er staat wat gekookte kip en rijst in een plastic bakje in de koelkast. En er zit droogvoer in een plastic trommel op de grond.'

'Carol...' zei Paula zachtjes. Carol was verrast: ze kon zich niet herinneren dat Paula haar ooit bij haar voornaam had aangesproken.

'Wat is er?' Ze klonk norser dan haar bedoeling was. Maar ze dacht niet dat ze momenteel tot vriendelijkheid in staat was.

'Het verhaal gaat dat Vance Michael en Lucy vermoord zou kunnen hebben.'

'Dat klopt.'

'Ik wil niet paranoïde lijken, maar... nou ja, ik zou Nelson bij ons in huis kunnen nemen. Dan zou u zich om hem geen zorgen hoeven te maken.'

Carol kon even geen woord uitbrengen. Haar keel leek zich als een soort voorbode van tranen samen te knijpen. 'Dank je,' zei ze en ze klonk helemaal niet als zichzelf.

'Geen probleem. Heeft u een kattenmand?'

'In de kast onder de trap. Vind je het niet vervelend?'

'Ik ben blij dat ik u ergens mee kan helpen. Als u nog iets anders nodig heeft, laat het dan gewoon weten. Dat geldt voor ons allemaal,' zei Paula. 'Zelfs voor Sam.'

Carol glimlachte bijna. 'Ik ben onderweg naar mijn ouders om het hun te vertellen. Ik heb geen idee wanneer ik weer terug zal zijn. Ik spreek je gauw, Paula. En bedankt nog.'

Er viel verder niets meer te zeggen en Paula was slim genoeg om dat te begrijpen. Carol reed verder en dacht na over wat ze over Vance en zijn geschiedenis wist. Maar er kwam niets bruikbaars bovendrijven. De laatste keer dat ze zich zo machteloos had gevoeld, had ze maandenlang geprobeerd troost te vinden op de bodem van een fles. Het enige wat ze op dit moment zeker wist, was dat ze dat niet nog een keer ging doen.

Tegen de tijd dat ze de autosnelweg verliet, was het minder druk geworden op de weg. Haar ouders hadden zich een paar jaar geleden teruggetrokken in een dorp in Oxfordshire in de hoop naar hartenlust te kunnen genieten van hun twee passies: tuinieren en bridgen. Haar vader ging graag naar het plaatselijke cricketteam kijken en haar moeder was met verbijsterend enthousiasme warmgelopen voor de vereniging van plattelandsvrouwen. Ze waren plotseling karikaturen van mensen uit de Midden-Engelse middenklasse geworden. Carol en Michael waren geen volwassenen geworden die ook maar iets met hun ouders gemeen hadden en de laatste keer dat ze bij hen had gelogeerd, had ze al in een deprimerend vroeg stadium van haar bezoek geen gespreksstof meer gehad.

Op een vrijdagavond was verlichting het enige teken van leven in het dorp. De kroeg met strodak stond in de schijnwerpers en in de meeste huizen rond het dorpsplein was de bescheiden gloed van lampen achter gordijnen en jaloezieën te zien. Er waren maar weinig straatlantaarns en er hingen geen groepjes jongeren onder. Het asociaalste gedrag dat men hier tentoonspreidde was te veel lawaai maken bij het buitenzetten van de lege flessen voor de recyclingwagen.

Carol reed de smalle laan in die naar het huis van haar ouders leidde. Het was het laatste huis van een groepje van drie en toen ze er stopte, viel het licht van haar koplampen op de reflecterende stroken van een politieauto die een eindje verderop in de laan op een uitrit verscholen stond. Carol zette de motor uit en stapte uit, waarna ze wachtte tot de familierechercheur uit de politiewagen naar haar toe zou komen.

De familierechercheur leek ongeveer even oud als Carol, maar daar hield elke overeenkomst dan ook op. Ze was een korte, dikke vrouw met donker haar vol springerige grijze lokken dat in een onflatteus knotje onder haar uniformhoedje zat. Op haar huid waren de restanten van hevige acne te zien en haar ogen stonden dicht opeen aan weerszijden van een scherpe neus. Maar toen ze glimlachte werd haar gezicht zachter en vriendelijker en begreep Carol waarom ze in een functie terecht was gekomen waar weinig agenten zin in hadden. 'Hoofdinspecteur Jordan, neem ik aan?' zei ze. 'Ik ben agent Alice Flowers. Ik ben al sinds halfvijf ter plekke en er is niemand in de buurt van het huis geweest. Ik kon de bewoners zien rondlopen, dus u hoeft zich geen zorgen te maken dat er iets is gebeurd voordat u aankwam.' Er was een lichte brouw-r uit Oxfordshire hoorbaar in haar stem, die net zo geruststellend was als haar glimlach. 'Ik wil alleen maar zeggen hoezeer het me spijt van uw broer.'

Carol beantwoordde haar woorden met een hoofdbeweging. 'Ik ben nooit erg goed geweest in het brengen van overlijdensberichten,' zei ze.

'Daar hoeft u zich niet voor te schamen,' zei Alice. 'Zullen we dan maar door de zure appel heen bijten, hoofdinspecteur?'

Carol pakte haar jas uit de auto, schoot hem aan en zette de kraag op. Ze zuchtte scherp. 'Laten we het maar doen,' zei ze en ze rechtte haar schouders. Ze hoopte dat ze niet zou instorten.

Ze liepen over de flagstones van het pad tussen de buxusheggen door die door haar vader precies op kniehoogte werden gehouden. Er was een houten pergola boven het pad en Carol ging voorop lopen. Alice bleef een paar discrete stappen achter haar toen ze de deurbel indrukte. Eerst stilte, toen het geschuifel van voeten en vervolgens klikte er boven hun hoofd een lamp aan.

De deur ging open en Carols moeder verscheen in de deuropening. Ze zag eruit als een oudere en minder stijlvolle versie van haar dochter. De uitdrukking van lichte nieuwsgierigheid op haar gezicht maakte plaats voor verbazing. 'Carol! Wat een verrassing. Je had even moeten bellen.' Ze begon te glimlachen, maar toen de uitdrukking op Carols gezicht tot haar doordrong en ze de agent in uniform achter haar dochter zag, verstijfde haar gezicht. Haar hand schoot naar haar mond. 'Carol?' zei ze met onvaste stem. 'Carol, wat is er gebeurd?'

36

Kevin plofte neer op een hoek van Paula's bureau. Ze keek niet eens op van het verslag dat ze vluchtig aan het doornemen was. 'Wat is er?' zei ze.

'De schoonmaakster van het motel, degene die het natte tapijt heeft gemeld? Ze maakt 's avonds schoon in de tapijthandel. Het leek me een goed idee om ernaartoe te rijden en te kijken wat ze te vertellen heeft. Heb je zin om met me mee te gaan?'

'Nee,' zei ze. 'Ik ben bijna klaar met het doornemen van deze verslagen van de huis-aan-huisonderzoeken en dan ga ik naar het appartement van de chef om haar kat op te halen. Hij zal sterven van de honger als ik hem nog veel langer laat wachten.'

'Ach, kom op, Paula,' zei Kevin op vleiende toon, 'je weet dat je beter met vrouwen bent dan ik.'

'In elk denkbaar opzicht,' riep Chris van achter haar bureau.

Kevin deed alsof hij beledigd was. 'Ik geef het tenminste toe. Ze is Turks, Paula. Ze werkt waarschijnlijk zwart. Ik zal haar bang maken en jij zult haar aan het praten krijgen.'

Paula kreunde. 'Ik heb beloofd Nelson op te halen.'

'Is Elinor thuis?' vroeg Chris.

'Als het goed is wel.'

'Dan doe ik het wel,' zei Chris. 'Ik moet er toch uit om met de straatprostituees te praten en te kijken of een van hen een vreemde figuur met een van de vermoorde vrouwen heeft gezien. Ik zal de kat oppikken en hem bij Elinor afleveren. Ik zou hem anders wel zelf mee naar huis hebben genomen, maar ik denk niet dat de honden daar erg blij mee zouden zijn.'

'Dan is dat probleem opgelost,' zei Kevin opgelucht.

'Er ligt een sleutel van het appartement in haar bureaula,' zei Paula, die zich bij haar lot had neergelegd. Ze pakte haar jasje en ging met Kevin mee.

De tapijtgroothandel was net zo troosteloos als Kerstmis in je eentje. De luiken waren omlaag getrokken voor de grote etalageramen aan de voorkant, maar uiteindelijk vonden ze een kleine deur die om de hoek van het gebouw verborgen zat. De lamp die hem had moeten verlichten was doorgebrand, wat waarschijnlijk een geluk bij een ongeluk was. Kevin beukte op de gesloten deur en uiteindelijk werd hij opengedaan door een magere vrouw met een blauwzwarte equatoriaal-Afrikaanse huid. 'Wat is er?' vroeg ze.

'We willen met Buket praten,' zei Paula.

'Niet hier,' zei de zwarte vrouw terwijl ze haar hoofd schudde om dat te benadrukken.

'Buket werkt hier. Ze zit niet in de problemen. We moeten gewoon met haar praten.'

De vrouw draaide haar hoofd iets om. 'Niet hier.'

'We zijn van de politie,' zei Paula. 'We zullen geen problemen maken, dat beloof ik. Maar ik moet met haar praten. U moet ons naar binnen laten.' Kleine leugentjes om bestwil van het soort dat als vanzelf van je tong rolde wanneer je maar lang genoeg bij de politie werkte.

De vrouw deed opeens een stap naar achteren en liet de deur openzwaaien. 'Geen problemen,' zei ze, waarna ze achter een reeks tapijten op een reusachtig draagstel verdween. In de verte konden ze de motor van een stofzuiger horen. Het gegalm in het uitgestrekte metalen prefab pakhuis wedijverde met het geluid absorberende effect van de grote hoeveelheid tapijt, zodat het lastig te bepalen was waar het lawaai vandaan kwam. Ze deden hun best om het geluid te volgen en kwamen uiteindelijk in een open ruimte terecht waar op planken bevestigde tapijtstalen in houten houders stonden. Een kleine mollige vrouw met een hidjab was met verrassende energie met een industriële stofzuiger in de weer.

Paula liep om haar heen tot ze in haar gezichtsveld stond en zwaaide naar haar. De vrouw maakte letterlijk een sprongetje van schrik en morrelde vervolgens aan de stroomschakelaar. Het motorgeluid stierf weg en weergalmde nog even licht. 'Bent u Buket?' vroeg Paula.

De donkere ogen van de vrouw verwijdden zich en schoten naar beide kanten alsof ze naar een vluchtweg op zoek waren. Kevin liet zich nu ook zien en glimlachte, naar hij hoopte geruststellend, naar haar. 'We zijn niet van de immigratiedienst,' zei hij.

'Het kan ons niet schelen of u hier legaal werkt of dat u contant betaald wordt,' zei Paula. 'We zijn politieagenten, maar er is geen enkele reden om bang voor ons te zijn. Kom, laten we even gaan zitten.' Ze wees naar een bureau met een paar stoelen voor klanten ervoor. Bukets schouders zakten omlaag en ze liet zich naar een stoel leiden. Kevin had geen idee hoe Paula het deed, maar hij was er elke keer weer van onder de indruk wanneer ze een onwillige getuige aan het praten kreeg.

'Bent u Buket?' vroeg Paula vriendelijk.

'Dat is mijn naam,' zei de vrouw.

'En u werkt ook in het Sunset Strip-motel?'

Haar ogen schoten weer heen en weer. Haar olijfkleurige huid leek bleker geworden en ze beet op haar onderlip. 'Ik wil niet problemen.'

'We zullen u geen problemen bezorgen. We willen u iets vragen over iets wat een tijdje geleden in het motel is gebeurd. Oké?'

'Ik weet niets,' zei Buket meteen.

Paula drong desondanks aan. 'Een van de kamers die u schoonmaakt was heel erg nat.'

Bukets gezicht klaarde op alsof haar na een akelige medische handeling werd verteld dat alles helemaal in orde met haar was. 'De kamer was nat, ja. Is dat wat u wilt weten?'

'Inderdaad. Kunt u me erover vertellen?'

'Zoveel water. Handdoeken zijn zwaar en druipen overal. Badkamervloer is nat, grote plassen. Tapijt vlak bij badkamer is zo nat dat het...' – ze maakte een vochtig, zuigend geluid – '... onder voeten doet. Ik vertel tegen manager, ik wil geen problemen.'

'Zag het eruit alsof het bad overgelopen was?'

Buket fronste haar voorhoofd. 'Over...?'

'Te veel water uit het bad?'

Ze knikte krachtig. 'Uit het bad, ja. Water is schoon, niet vies. Niet uit toilet. Ruikt lekker.'

'Weet u nog welke kamer het was?'

'Vijf. Dat weet ik zeker.'

'En heeft u de mensen in kamer vijf ooit gezien? Heeft u ze misschien 's morgens zien weggaan?'

Buket schudde haar hoofd. 'Ik heb niemand uit vijf gezien. Ik zie andere mensen, maar niet uit vijf. Ik wacht en doe kamer als laatste omdat misschien uitslapen, maar ik ga binnen en is niemand.'

Paula keek Kevin aan. 'Kun je nog iets anders bedenken wat je aan Buket wil vragen?'

'Alleen haar achternaam en adres,' zei hij terwijl hij naar Buket glimlachte, maar hij sprak zacht en snel. 'We zullen vingerafdrukken en DNA nodig hebben om haar uit te sluiten wanneer het forensisch team in kamer vijf aan de slag gaat. Dus daar wens ik je veel succes mee.'

Er was iets met overwerken op vrijdagavond waar brigadier Alvin Ambrose meer dan wie ook pissig van werd. Het was het einde van de schoolweek, de avond dat zijn kinderen iets langer konden opblijven. Hij mocht graag met hen gaan zwemmen op de vrijdagavond. Het gaf hem het gevoel dat hij een gewone vader was, zo'n man die dingen met zijn kinderen deed zonder dat hij werd weggeroepen vanwege de stomkoppen, de verslaafden en de dronkenlappen.

Hij was nog pissiger dan gewoonlijk, omdat hij in zijn eentje in de kamer van de opsporingsdienst vastzat. Waar Patterson zich momenteel ook mee bezig mocht houden, verantwoordelijkheid nemen voor het opsporingsteam waaraan hij leiding behoorde te geven hoorde daar blijkbaar nog altijd niet bij. Hij was halverwege de dag weggegaan en had Ambrose verteld voort te maken. Omdat er zo weinig nieuwe ontwikkelingen waren, had Ambrose de meeste teamleden naar huis gestuurd, maar ze moesten wel stand-by blijven. Niemand wist waar of wanneer Vance de volgende keer zou opduiken. Ze moesten klaar zijn om snel uit de startblokken te komen als ze iets hadden waarmee ze ook echt iets konden. Een paar van zijn agenten waren met gevangenispersoneel aan het praten dat vrij was ten tijde van de ontsnapping, maar verder kon hij niet echt iets zinvols verzinnen om zich mee bezig te houden.

De grootste ironie van alles was dat er in zijn ervaring op een vrijdag nooit iets was gebeurd wat het overwerken waard was. Ambrose had door de jaren heen geweldige resultaten geboekt en spectaculaire arrestaties verricht die door echte bekentenissen werden ondersteund, maar om de een of andere reden nooit op een vrijdag. Daarom was er voor Ambrose dus reden tot dubbele wrevel. En dat was zelfs nog voordat hij daar de verbittering bij optelde vanwege het feit dat hij naar het pijpen van een stel vervloekte Noord-Engelse dwazen moest dansen die niet eens normaal Engels konden spreken.

De reden dat hij zijn bureau niet kon verlaten was het binnendruppelen van de resultaten van de door de politie van Northumbria geleide doorzoeking van het huis van Terry Gates en van de garagebox waarin hij de spullen voor zijn marktstal had opgeslagen. Ambrose had er zelf naartoe gewild om het onderzoek te leiden, maar zijn baas had gezegd dat het niet nodig was, omdat de agenten in Newcastle ook wel wisten hoe ze een huiszoeking moesten uitvoeren. Wat zoveel betekende als: 'Ik heb geen budget om je aan de boemel te laten gaan.'

Dus daar zat hij dan te wachten op de volgende stapel waardeloze informatie uit het noordoosten. Want tot nu toe had Terry Gates Tony's beloften van achteloosheid niet ingelost. Alles wat de politie van Northumbria aan administratie had doorgenomen en naar Ambrose had gemaild, hield verband met Gates' persoonlijke of zakelijke financiën. Maar er waren wel twee computers gevonden. Een in de opslag, die uitsluitend voor zakelijk gebruik leek te dienen, en een ander, moderner apparaat bij hem thuis, waarop sporen waren aangetroffen van pogingen de harde schijf te wissen. Ze waren allebei onderweg via een betrouwbare koerier en zouden de volgende ochtend bij Ambrose afgeleverd worden. Hij had geprobeerd Gary Harcup, hun plaatselijke forensisch computerexpert, te pakken te krijgen om hem paraat te hebben wanneer de computers arriveerden, maar tot nu toe had Gary nog niet gereageerd. Die dikke klootzak was waarschijnlijk te druk bezig met het spelen van een of andere onlinegame om de moeite te nemen zijn berichten te controleren. Het was tenslotte ook voor computerfreaks vrijdagavond.

Ambrose vroeg zich af of hij het vanavond redelijkerwijs voor gezien kon houden, toen de telefoon overging. 'Brigadier Ambrose,' zei hij zuchtend.

'Met Robinson Davy uit Newcastle,' klonk een stem die zo diep en vol als die van Ambrose zelf was.

'Hallo, Robinson.' Wat was dat eigenlijk voor een voornaam: Robinson? Ambrose dacht dat alleen Amerikanen zich te buiten gingen aan de vreemde gewoonte om mensen achternamen als voornaam te geven, maar het leek ook karakteristiek voor het noordoosten te zijn. Vandaag had hij al met een Matthewson, een Grey en nu dus met een Robinson gesproken. Waanzin. 'Heb je iets voor me?'

'Dat zou best wel eens kunnen, Alvin. Een van mijn mannen heeft een simkaart gevonden die met tape onder een bureaula in de opslag was vastgeplakt. We hebben hem opgestart om de belgegevens te bekijken. Het vreemde was dat er geen belgegevens waren. Het lijkt erop dat hij nooit is gebruikt om mee te bellen. Maar een van mijn meiden heeft verstand van dat soort zaken en zij heeft ontdekt dat hij wel de agenda heeft gebruikt. Die staat vol afspraken met de tijd, de datum en de plaats, de meeste ervan in Londen. Er staan ook telefoonnummers en e-mailadressen op.'

Dit was het eerste bewijsstuk dat iets van een doorbraak weg had en Ambrose voelde zijn interesse weer opleven, zoals meestal gebeurde voor een doorbraak. 'Kunnen jullie die informatie naar me toe sturen? Door het te printen, of zoiets?'

'Die meid zegt dat ze het naar de *cloud* kan uploaden en dat jij het vandaar weer kunt downloaden,' zei Davy weifelend. 'Ik heb geen idee wat ze bedoelt, maar ze zegt dat het een fluitje van een cent is.'

'Dat is geweldig. Vraag haar maar of ze me de instructies wil mailen als het klaar is. Bedankt, Robinson, dat is fantastisch werk.'

Ambrose legde de telefoon weer neer en grijnsde als een idioot. Het leek erop dat de wet van de vrijdag eindelijk was gebroken. Hij vond dat dat wel gevierd mocht worden. Misschien had hij tijd om even naar de kroeg te gaan voor een snel biertje voordat de informatie vanuit Newcastle binnenkwam. Hij zou er vanavond toch niet veel meer mee kunnen doen.

Toen hij opstond, stormde een agent in uniform de kamer binnen. Hij had een rood aangelopen gezicht en stond te popelen om iets te vertellen. Even vroeg Ambrose zich af of een of andere toevallige ontmoeting tot Vance' arrestatie had geleid. Seriemoordenaars werden maar al te vaak bij toeval ontmaskerd: de Yorkshire Ripper omdat hij valse kentekenplaten op zijn auto had, Dennis Nilsen omdat het mensenvlees dat hij door de wc spoelde de afvoer had verstopt en Fred West omdat een van zijn kinderen een grapje had gemaakt over het feit dat hun zuster Heather 'onder het terras' lag.

'U bent toch bevriend met die profielschetser? Degene die in dat grote huis aan Gheluvelt Park is komen wonen?' Hij klonk opgewonden.

Wat had Tony nu weer uitgespookt, vroeg Alvin zich af. Hij had zijn vriend al een keer eerder uit een gênante situatie moeten redden in het huis. Het klonk alsof er weer eentje in de maak was. 'Tony Hill? Ja, die ken ik wel. Wat is er gebeurd?'

'Het gaat om zijn huis. Het staat in brand. Volgens de jongens in de politiewagens is het een complete vuurzee.' De jonge agent begon ineens door te krijgen dat zijn opgewektheid misschien niet helemaal gepast was. 'Ik dacht dat u het wel wilde weten, meneer,' besloot hij.

Ambrose kende Tony Hill nog niet zo lang. Hij kon niet beweren dat hij de man goed kende. Maar één ding dat hij wel begreep was dat het huis aan Gheluvelt Park op de een of andere manier veel meer voor de vreemde kleine psycholoog betekende dan alleen het gebouw zelf. Omdat hij Tony Hill als een vriend beschouwde, betekende het dat Ambrose het nieuws dat hij zojuist had vernomen niet kon negeren. 'Vervloekte vrijdagavonden,' mopperde hij boos. Hij pakte zijn jas en verstijfde toen er een verschrikkelijke gedachte bij hem opkwam.

Hij draaide zich om en keek de jonge agent woedend aan. 'Was het huis leeg?'

Zijn verbijstering was zichtbaar. 'Ik... ik weet het niet. Dat zeiden ze niet.'

Ambrose trok een lelijk gezicht. Net wanneer je dacht dat het niet erger kon worden, werd het dat wel.

37

Hoewel ze wist dat Carol in een souterrain onder Tony's huis woonde, had Chris zich er op de een of andere manier meer van voorgesteld. Ze was eraan gewend dat hogere politieambtenaren voor de hoogst haalbare hypotheek gingen om het chicste huis te kopen dat ze zich konden veroorloven. Het maakte een merkwaardig tijdelijke indruk zoals Carol Jordan hier in drie kamers met een piepkleine keuken en een doucheruimte woonde, alsof ze er nog niet helemaal uit was of Bradfield haar genoeg beviel om er te blijven wonen. Ooit waren ze zonder het te weten buren geweest in het Barbican-complex in Londen. Die ruime, elegante en aantrekkelijke appartementen vormden het soort achtergrond waartegen je een vrouw als Carol Jordan moest zien. Niet deze ondergrondse schuilplaats, hoe leuk het er ook was ingericht.

Na zichzelf op de vingers te hebben getikt voor het feit dat ze zich gedroeg als de presentatrice van een reality-tv-programma over het opknappen van woningen, vond Chris de kattenmand onder de trap en pakte ze Nelson op. Toen ze hem er eenmaal in had weten te krijgen nam ze hem mee naar boven en zette hem achter in haar stationcar. Nog een keer naar beneden om zijn voer op te halen en dan waren ze klaar.

Ze vond de kip met rijst waarover Paula haar had verteld en daarna ging ze door naar de bijkeuken om het droogvoer te pakken. 'Ik kan beter even kijken of er nog genoeg in zit,' zei ze fluisterend, waarna ze haar hand uitstak om de deksel van de trommel te trekken.

Er klonk een metalen klik en vervolgens werd ze vol in haar gezicht getroffen door een stroom lucht en vloeistof. Even wist Chris alleen maar dat haar gezicht nat was. Ze had lang genoeg de tijd om zich af te vragen waarom er water in de trommel met kattenvoer zat voordat ze de brandende, ondraaglijke pijn voelde. Haar hele gezicht voelde alsof het in brand stond. Haar ogen waren razende klompjes pijn binnen een grotere kwelling. Ze probeerde te schreeuwen, maar haar lippen en mond brandden met dezelfde bijtende pijnscheuten en brachten geen geluid voort. Maar zelfs terwijl ze in de greep was van de gekmakende pijn, zei iets haar niet met haar handen over haar gezicht te wrijven.

Chris viel op haar knieën en moest vechten om de verschrikkelijke pijn niet elk deel van haar wezen te laten overnemen. Ze kroop naar achteren en wist op goed geluk door de deuropening te komen, bij de groter wordende plas zuur vandaan. Nu begonnen haar knieën en schenen pijn te doen door de brandplekken van de bijtende vloeistof.

Het lukte haar kreunend haar telefoon te pakken. Goddank was het een BlackBerry met toetsen die je kon voelen. Naar haar gevoel drukte ze de drie negens van het alarmnummer in, waarna ze ondanks de vreselijke waanzin van pijn het adres tegen de telefoniste wist te grommen.

Tot meer was ze niet in staat. Bewusteloosheid overviel haar als een zegen en ze klapte zijdelings tegen de grond.

Tegen de tijd dat hij zijn auto had opgehaald voelde Tony zich alsof hij in een remake van *Planes, Trains and Automobiles* was beland. Franklin had geweigerd hem in een politieauto een lift naar het dichtstbijzijnde treinstation te bezorgen. 'Mijn agenten zijn bezig met het onderzoeken van een dubbele moord en niet met het runnen van een taxibedrijf,' had hij gebromd, waarna hij zich abrupt had omgedraaid en was weggelopen.

Tony wist niet wat het adres van de boerderij was, laat staan dat hij iemand de weg ernaartoe goed zou kunnen uitleggen, dus zelfs als hij een telefoonnummer had gehad zou hij geen taxi gebeld kunnen hebben. Hij kon niets anders doen dan te voet vertrekken. Het viel hem tegenwoordig zwaar om lange afstanden te lopen. Enige tijd terug was er een patiënt in Bradfield Moor die met zijn medicatie was gestopt en als een bezetene met een brandbijl tekeerging. Tony was tussenbeide gekomen om ander personeel te beschermen en had in ruil voor geredde levens een verbrijzelde knie opgelopen. Zijn chirurg had haar best gedaan, maar het had hem uiteindelijk een mank been opgeleverd en hij weigerde nog verder onder het mes te gaan zolang hij het zonder operatie redde. Nu was zijn knie elke ochtend stijf en deed hij pijn als het regende. Niet dat Carol daar vandaag aan gedacht zou hebben.

Na ongeveer anderhalve kilometer strompelen in de regen bereikte hij een iets minder smalle weg waar hij links afsloeg, omdat hij vermoedde dat Leeds in die richting lag en uiteindelijk dus ook Bradfield. Hij stak zijn duim omhoog en bleef doorlopen. Tien minuten later stopte er een Land Rover naast hem. Tony klom erin, en hij moest een onwillige bordercollie opzijschuiven om te kunnen gaan zitten. De man achter het stuur had een platte pet op en droeg een bruine overall; een klassieke schapenboer uit de Dales. Hij wierp een korte blik op Tony voordat ze wegreden en zei: 'Ik kan u naar het volgende dorp brengen. Vandaar kunt u een bus nemen.'

'Bedankt,' zei Tony. 'Beroerd weer, hè?'

'Alleen als je erdoor moet.'

En dat was meteen het einde van het gesprek. Hij zette Tony af bij een stenen bushokje waar de dienstregeling hem vertelde dat er over twintig minuten een bus naar Leeds zou komen. Van Leeds was het een treinrit van veertig minuten naar Bradfield en van het station was het tien minuten met een taxi naar zijn auto.

Na al die tijd niets anders gehad te hebben om over na te denken dan de gebeurtenissen van de dag, was Tony geneigd om naar bed te gaan, het dekbed over zich heen te trekken en daar te blijven. Maar dat was geen juiste reactie op wat hem mankeerde. Hij moest om twee redenen naar Worcester toe. Worcester was het hart van de zoektocht naar Vance. Hij kon samenwerken met Ambrose, alle informatie die tijdens de klopjacht binnenkwam analyseren en doen wat hij kon om te helpen Vance achter slot en grendel te krijgen. En dit keer voorgoed.

Maar Worcester was ook de plaats waar hij rust had gevonden. Hij kon het niet uitleggen, maar het huis dat Edmund Arthur Blythe hem had nagelaten, had de constante rusteloosheid die altijd aan hem had geknaagd tot bedaren gebracht. Nooit eerder had hij iets zozeer als een thuis beleefd. En het sloeg nergens op. Oké, Blythe was zijn biologische vader. Maar ze hadden elkaar nooit ontmoet. Nooit gesproken. Nooit rechtstreeks gecommuniceerd, totdat Blythe was overleden en Tony een brief en een erfenis had nagelaten.

Eerst wilde Tony alles negeren wat te maken had met de man die hem en zijn moeder in de steek had gelaten voordat hij werd geboren. Ook al was hij objectief genoeg om in te zien dat Vanessa in de steek laten altijd een strategie zou zijn die een enorme aantrekkingskracht zou hebben. Dat dacht hij al lang voordat hij wist welke omstandigheden Blythe ertoe deden besluiten om ervandoor te gaan.

En toen was hij het huis met eigen ogen gaan bekijken. Zo op het eerste gezicht was het geen huis dat hij zou hebben uitgekozen. Het was niet van een bouwstijl die hem bijzonder aansprak. De meubilering was comfortabel en paste goed bij het huis, wat betekende dat ze in zijn ogen ouderwets aandeed. De tuin was zeer nauwgezet ontworpen en prachtig uitgevoerd en ging het vermogen van een man die een hoveniersbedrijf inhuurde om zijn eigen stukje grasveld eens in de veertien dagen te maaien dus compleet te boven.

Maar toch had hij het gevoel gehad dat dit huis hem als een knuffeldeken omsloot. Op een of ander dieper niveau begreep hij het wel. Het sloeg nergens op, maar het was tegelijkertijd juist heel logisch. Dus toen vannacht de relatie in het hart van zijn bestaan werd verbroken, wilde hij daar zijn waar hij zich het compleetst voelde.

Daarom kroop hij achter het stuur en begon te rijden. Er was geen ontsnappen aan de gedachten die in zijn hoofd rondtolden. Carol had gelijk. Hij was degene die werd verondersteld dit soort zaken door te hebben. Het lag in ieder geval niet aan een gebrek aan gegevens. Hij had zich kunnen baseren op de beruchte voorbeelden uit Vance' verleden. Zijn seriemoorden vonden hun oorsprong niet in lust, maar in wraak voor het verlies van controle over iemand anders en voor de toekomst die hem was ontnomen. En die wraak was indirect geweest, net zoals deze nu. Toen hij eindelijk werd opgepakt en de aard van zijn misdaden duidelijk was geworden, had iemand anders uiteindelijk het gewicht van zijn schuld op zich genomen, omdat ze ervan overtuigd was dat hij nooit aan het moorden zou zijn geslagen als zij hem niet had tegengewerkt. Ze had het natuurlijk mis. Vance was een psychopaat; op een bepaald moment zou de wereld zich niet aan zijn wil hebben onderworpen en zou hij dat met extreem geweld hebben opgelost.

Gezien dat alles had hij moeten inzien op welke manier Vance zijn wraak vorm zou gaan geven. In zijn ogen hadden Tony, een handvol politieagenten en zijn ex-vrouw zijn leven verwoest. Daar had hij mee moeten leven. In de gevangenis werd hij elke dag geconfronteerd met het leven dat hij was kwijtgeraakt. Dus om van een toepasselijke wraak sprake te laten zijn zouden zijn vijanden ook met verlies moeten leven. Oog om oog en tand om tand. Er zou nu geen dag meer voorbijgaan zonder dat Carol het vreselijke schuldgevoel over de dood van haar broer moest dragen. Vance' redenering was duidelijk: Michael en Lucy waren gestorven vanwege hetgeen Carol hem had aangedaan. Zijn arrestatie door haar was de eerste stap geweest van zijn vertrek uit het leven waar hij van hield. Nu was het vertrekpunt van zijn wraak de vernietiging van de mensen van wie Carol hield.

Hoe lang was Vance al met de voorbereidingen hiervan bezig? Het leek er in alles op dat hij er maanden, zo niet jaren mee bezig was geweest. Om te beginnen had hij zijn staat van voorbeeldig gedrag in de gevangenis moeten opbouwen. Dat moest niet eenvoudig zijn geweest voor zo'n opvallende gevangene. Gedetineerden verkregen status door beroemde gevangenen lastig te vallen. En dan was er nog de aard van zijn misdaden: het ontvoeren, verkrachten en vermoorden van tienermeisjes grensde aan pedofiel gedrag. Om deze obstakels te overwinnen had Vance al zijn charmes moeten inzetten en omvangrijke investeringen binnen en buiten de gevangenis moeten doen.

Geld was natuurlijk nooit een probleem geweest. Vance had zijn rijkdom op legale wijze vergaard, dus de autoriteiten waren niet bij machte om zijn team van financiële wonderkinderen van een stoelendans met zijn vermogen te weerhouden. Tegen de tijd dat de civiele procedures tegen Vance hun weg door de rechtbanken hadden afgelegd was het grootste gedeelte van zijn vermogen al veilig ondergebracht in een of ander buitenlands toevluchtsoord. Zijn enig overgebleven bezit in het Verenigd Koninkrijk was het verbouwde kerkje in Northumberland waar hij zijn slachtoffers gegijzeld hield voordat hij ze achterliet om te sterven. Uiteindelijk werd het verkocht aan een Canadees met een voorkeur voor het demonische die zich niet stoorde aan de macabere historie van de plek. De opbrengst was naar de familie van de overledenen gegaan, maar het was een kleinigheid vergeleken met het fortuin dat Vance vergaard had.

Dus wanneer hij geld voor steekpenningen of zoethoudertjes nodig had, dan zouden er kanalen zijn geweest waarlangs het op de plek terechtkwam waar het moest zijn. Dat was de voor de hand liggende oplossing voor de vraag hoe Vance zich in de gevangenis had beschermd en hoe hij zich tijd en ruimte had verschaft om de rol van de perfecte gevangene te spelen. Dat had hem op zijn beurt in een positie gebracht waarin hij een psychologe ertoe kon manipuleren om hem in een vleugel van de therapeutische gemeenschap te plaatsen.

Tony zou willen dat iemand de tijd had genomen om hem op de hoogte te houden van Vance' avonturen in de gevangenis. Hij zou hemel en aarde hebben bewogen om hem weer tussen de algemene gevangenispopulatie terug te laten plaatsen. Het was een geloofsartikel van Tony dat iedereen een kans op verlossing verdiende. Maar de voorwaarden van die tweede kans waren niet constant. Ze waren gebaseerd op de aard van het individu: mannen zoals Vance waren eenvoudigweg te gevaarlijk om ze hun kans om op vrije voeten te komen te laten vormgeven.

En terwijl hij het in de gevangenis druk had gehad met al die voorbereidingen, was Vance ook bezig geweest om zijn zaakjes buiten de gevangenis te regelen. Misschien bestond de manier om uit te vinden hoe ze hem konden tegenhouden er wel uit om uit te zoeken wat hij allemaal geregeld moest hebben voordat hij zou ontsnappen. Zoals Tony al met Ambrose had besproken, was het voor de hand liggende kanaal voor die voorbereidingen Terry Gates.

Om te beginnen zou Vance een verblijfplaats nodig hebben. Terry kon hem niet in huis nemen of hem een schuilplaats bieden op een plek die met zijn werk verband hield, want dat zou veel te doorzichtig zijn. Dus er moest een andere plek zijn. Een huis, geen appartement, want Vance moest kunnen komen en gaan met zo min mogelijk kans om gezien te worden. Niet in een straat in een stad, omdat er in steden nog steeds te veel mensen rondliepen die nieuwsgierig om zich heen keken, mensen die bij de tijd waren en hem zouden kunnen herkennen uit de dagen van zijn tv-programma's. Maar ook niet in een dorp, waar zijn handel en wandel voor iedereen zichtbaar zou zijn. Een woonwijk in een of andere voorstad misschien. Een slaapstad waar niemand zijn buren kende en het niemand iets kon schelen wat er zich achter gesloten deuren afspeelde. Terry zou de stroman zijn geweest die de bezichtiging en de koop afhandelde, de dekmantel voor Vance' geld. Dus ze moesten in Terry's activiteiten op dat vlak gaan graven.

De volgende vraag was voor welk deel van het land Vance zou kiezen. Zijn belangrijkste doelwitten waren Tony, Carol en Micky, zijn ex-vrouw. Bradfield of Herefordshire. De andere agenten zouden tweederangsdoelwitten zijn: weer Bradfield, Londen, Glasgow en Winchester. Tony dacht dat Vance Londen zou mijden, juist omdat de politie zou kunnen aannemen dat hij ergens naartoe zou gaan waar hij de omgeving kende. Over het geheel genomen dacht hij dat Vance zich ergens in het noorden zou schuilhouden. Ergens in de buurt van Bradfield, maar niet in de stad zelf. Ergens vlak bij een vliegveld, zodat hij het land eenvoudig zou kunnen verlaten wanneer de tijd rijp was.

Tony twijfelde er niet aan dat Vance van plan was het land te verlaten. Hij zou niet proberen een nieuw leven op te bouwen op dit kleine, dichtbevolkte eiland waar het grootste gedeelte van de bevolking zich heel goed herinnerde hoe hij eruitzag. Daarom zou hij ook ten minste één nieuwe identiteit klaar hebben liggen. Hij nam zich voor om Ambrose alle vliegvelden te laten opdragen extra te letten op mensen met een kunstarm. Met al die elektronica in zijn ultramoderne prothese zou hij de metaaldetector activeren. Vance was voor de aanslagen van 11 september de gevangenis in gegaan en had dus geen ervaring met de huidige vliegveldbeveiliging. Dat zou wel eens zijn achilleshiel kunnen zijn.

Maar als hij daar wel rekening mee had gehouden, dan zou hij het land per veerboot verlaten. En het noorden was een minder voor de hand liggende veerbootroute uit het Verenigd Koninkrijk. Hij kon vanuit Hull naar Nederland of België, en hij kon vanuit

Holyhead of Fishguard naar Ierland komen en van daaruit naar Frankrijk of Spanje. Als hij eenmaal het Europese continent had bereikt, dan was hij verdwenen.

Of misschien had hij wel een aparte kunstarm zonder metalen onderdelen. Iets wat er goed genoeg uitzag om een vluchtige inspectie te kunnen doorstaan, zelfs al functioneerde hij niet echt. Tony kreunde. Er waren zo veel mogelijkheden wanneer je met een slimme tegenstander te maken had.

Misschien moest hij de praktische aspecten maar aan Ambrose en zijn collega's overlaten en zich concentreren op wat hij geacht werd het best te kunnen. Een weg vinden door het doolhof van een gestoorde geest, dat was zijn specialiteit. Ook al had hij het gevoel dat hij die gave niet langer bezat, hij moest het toch proberen. 'Wie is je volgende doelwit, Jacko?' vroeg hij hardop terwijl hij vanuit de rits vrachtwagens waar hij de laatste dertig kilometer afwezig tussen was blijven hangen naar de middelste rijstrook van de autosnelweg verhuisde.

'Je hebt de zaken goed onderzocht. Je hebt iemand een lijst met namen gegeven. Je hebt hen erop uitgestuurd om in onze levens rond te neuzen, om uit te vinden van wie we houden, zodat je te weten zou komen wie je moest vernietigen om de grootste klap uit te delen. Je hebt hen camera's laten installeren zodat je je doelwitten in de gaten kon houden en het juiste moment zou kunnen uitkiezen. Dat is de manier waarop je Michael en Lucy hebt vermoord. Je kwam niet toevallig binnenvallen toen ze net seks met elkaar hadden. Je hebt zitten kijken om een geschikt moment af te wachten. En dat was een perfect moment. Je kon zonder dat ze het in de gaten zouden krijgen naar binnen komen, je kon hen besluipen en hun keel doorsnijden voordat ze doorhadden wat er gebeurde. Die seks met Lucy terwijl ze lag te sterven was alleen maar het kersje op de taart. Het maakte geen deel uit van het plan. Maar je kon het gewoon niet laten, hè, Jacko?'

De auto achter hem knipperde met zijn koplampen en hij realiseerde zich dat zijn snelheid naar tachtig kilometer was gezakt. Tony maakte afkeurende geluiden en drukte het gaspedaal in totdat hij weer honderdtwintig reed. 'Dus je spion heeft je verteld dat Carol van Michael en Lucy hield. Dat ze in haar vrije tijd af en toe met hen in de Dales ging wandelen. Dat dat de beste manier was om Carol te laten lijden. Dus iemand heeft in het leven van Michael en Lucy zitten rondneuzen en er is ook iemand in die boerderij geweest om camera's te installeren.' Nog iets waar Ambrose naar moest kijken. Misschien zou hij meer geluk hebben om Franklin ervan te overtuigen dat hij bij zijn onderzoek ook rekening moest houden met Vance. 'Smeerlap,' mompelde Tony.

'Dus dan ben ik aan de beurt,' zei hij. 'Van wie hou ik? Van wie heb ik ooit gehouden?' Zijn gezicht vertrok in een gepijnigde grimas. 'Alleen van jou, hè, Carol?' Hij zuchtte. 'Ik ben niet echt goed in gewone menselijke interactie. Ik hou van je en ik bak er helemaal niets van om daar verder iets mee te doen. Maar hij gaat je niet vermoorden. Jouw taak bestaat uit lijden. En misschien heeft hij Michael en Lucy wel als twee vliegen in één klap bedoeld: jij zult elke dag lijden en ik zal lijden omdat jij er zo onder lijdt. En als Vance echt geluk heeft, zal het te veel voor ons blijken te zijn en zul je me verstoten. Daar zou ik aan onderdoor gaan. Dat zou mijn leven tot een lege huls maken.' Er welden onverwachte tranen op in zijn ogen en hij moest met de rug van zijn hand over zijn gezicht vegen. 'Als je mannetje zijn huiswerk heeft gedaan, Jacko, dan zul je weten hoe je me pijn kunt doen. Via Carol, dat is hoe je te werk moet gaan.'

Dan had je Micky nog, die diep in Herefordshire een rustig bestaan leidde en samen met haar trouwe Betsy renpaarden fokte. Dat moest het werk van Betsy geweest zijn, daar durfde hij om te wedden. Betsy was zelf een raspaard en kwam uit die welopgevoede Engelse kringen waarin de vrouwen nog altijd tweed en kasjmier droegen en de hele tijd labradors achter zich aan hadden. Vrouwen die zich afvroegen, en zich echt verbijsterd afvroegen, waar het met de wereld heen moest. Tony glimlachte toen hij zich Betsy voor de geest haalde: bruin haar met zilveren lokken dat onder een haarband naar achteren zat, wangen als cox appels. Ze runde een tv-programma op precies dezelfde manier als haar moeder waarschijnlijk aan het plaatselijke dorp leiding gaf. Hij vermoedde dat ze Micky Morgan ook runde. Dat het Betsy was geweest die de puinhopen had genegeerd en hen naar het volgende succesverhaal had geleid toen Micky's wereld was ingestort, toen de tv niets meer wilde weten van een presentatrice van een informatief tv-programma wier echtgenoot terechtstond voor het vermoorden van tienermeisjes en toen haar miljoenen fans zich geschokt van haar hadden afgekeerd.

Het volgende succesverhaal was de renstal geweest. Tony had er niets van geweten, tot hij vanochtend de verhalen in de media had gelezen. Maar het klopte perfect. Renpaardenkringen kenden zo hun eigen wetten en waren nog altijd een toevluchtsoord voor chique meisjes zoals Betsy. Micky zou er zo in gepast hebben: aantrekkelijk genoeg om het decor te verrijken, maar geen bedreiging voor de echtgenotes. Ze had goede manieren, was voorkomend en vormde goed gezelschap. En laten we eerlijk zijn, dacht Tony Hill, in het renpaardenwereldje liepen zat mensen met een veelbewogen verleden rond die er onopgemerkt in leken op te gaan. Betsy had het weer goed geregeld.

Dat alles maakte Betsy tot het voor de hand liggende doelwit voor Vance' wraak. Het maakte niet uit dat zij degene was wier slimme plannetje zijn sadistische moordcampagne van al die jaren geleden had vergemakkelijkt. Het was vanzelfsprekend niet haar bedoeling geweest, maar het schijnhuwelijk dat ze tussen haar eigen geliefde en een man die een dekmantel wilde had gesmeed was het perfecte masker voor Vance geweest. Terwijl Micky en Betsy vrolijk hadden geloofd dat de leugen ten voordele van hen was bedoeld, hadden ze in plaats daarvan een seriemoordenaar van een hels alibi voorzien. Maar Vance was in de gevangenis beland en zij waren nog altijd bij elkaar. Tony kon zich niet voorstellen dat dat een stand van zaken was waarmee Vance gelukkig zou zijn.

Tot zijn verbazing was hij al bijna bij de afslag naar Worcester. Hij verliet de autosnelweg en nam zich voor om Ambrose op het hart te drukken dat het belangrijk was om Betsy bescherming te bieden. Haar dood zou op zich al bevredigend zijn, maar het zou Micky ook te gronde richten. Weer twee vliegen in één klap, net zoals de vorige keer.

Tony geeuwde. Het was een lange dag vol stress geweest. Hij wilde zich alleen nog maar op bed laten vallen, maar hij wist dat hij eerst Ambrose moest spreken. Nou ja, hij kon het telefoontje in elk geval vanuit een comfortabele leunstoel plegen met een glas van

Arthur Blythe's voortreffelijke armagnac in zijn hand. Hij sloeg zijn straat in en schrok zich rot toen hij een drietal brandweerwagens zag die verderop de weg blokkeerden. Rond de brandweerwagens stond het vol met politieauto's, waardoor het onmogelijk was om verder te rijden. De trottoirs stonden vol met omstanders die reikhalzend probeerden om beter zicht te krijgen op andermans rampspoed.

Met een akelig voorgevoel stapte Tony uit de auto. Hij werd belaagd door de geur en de smaak van rook, die bijtend en dik was. Hij liep naar het midden van de weg en begon te rennen toen hij de hoek omkwam, waar hij vlammen de lucht in zag schieten met waterstromen die ertegenin klommen. De rook deed zijn ogen tranen, maar hij kon nog steeds zien waar de brand was. Hij begon harder te rennen terwijl de tranen over zijn wangen liepen en hij woordloos schreeuwde.

Iemand met een omvangrijk lichaam versperde hem de weg, greep hem stevig vast en drukte hem dicht tegen zich aan. 'Tony,' zei Ambrose. 'Het spijt me.'

Tony ontblootte zijn tanden in een primitieve grauw. 'Verdomme nooit aan gedacht,' perste hij er tussen zijn gesnik door uit. 'Godverdomme nooit aan gedacht.' Hij beukte met zijn hoofd tegen de schouder van Ambrose. 'Waardeloze klootzak,' schreeuwde hij. 'Carol heeft niets aan me, ik heb niets aan mezelf, ik ben verdomme helemaal niemand tot nut.'

38

Paula zat ineengedoken boven een kop ziekenhuiskoffie te rillen van de schrik. Kevin zat op de vloer in de hoek van de familiewachtruimte met zijn armen om zijn knieën ingespannen naar de ruwe vezels van de tapijttegels te staren. 'Ik denk de hele tijd alleen maar dat het míj had moeten overkomen,' zei Paula klappertandend.

'Nee, het had Carol moeten overkomen,' zei Kevin zacht met een schorre stem. 'Zij is degene voor wie het bedoeld was. Haar kat, haar appartement. Jacko Vance slaat wederom toe. Jezus christus.'

'Ik weet wel dat het voor Carol bedoeld was. Maar ík zou de kogel voor haar hebben moeten opvangen, niet Chris.'

'Denk je dat ze daar vrolijker van geworden zou zijn?' zei Kevin. 'Ze geeft om jullie allebei. Ze geeft om ons allemaal. Net zoals wij om haar geven. De enige persoon die hier schuld aan heeft, is Vance.'

'We zeggen het niet tegen Carol, oké?'

'We kunnen zoiets als dit niet voor haar geheimhouden. Ze zal er zeker achter komen. Het zal overal in de media te zien zijn.'

'Blake zei dat ze het vooralsnog als een ongeluk naar buiten brengen. Geen woord over Vance. Carol heeft al genoeg aan haar hoofd nu ze moet verwerken wat er met Michael en Lucy is gebeurd. Ze kan dit wel iets later te weten komen.'

Kevin leek te aarzelen. 'Ik weet het niet...'

'Luister, we zullen het aan Tony vertellen. Kijken wat hij zegt. Hij kent haar beter dan wie dan ook. Hij zal wel weten of we het haar moeten vertellen of niet. Oké?'

'Oké,' gaf Kevin zich gewonnen.

Ze zwegen weer, ieder in hun eigen pijnlijke gedachten verzonken. Na enige tijd zei Kevin: 'Waar zei je dat Sinead was?'

'Brussel. Ze komt met de eerste vlucht die ze kan krijgen. Maar dat zou wel eens niet eerder dan morgenochtend kunnen worden. Ga toch naar huis, Kevin. Een van ons moet toch wat slapen.'

Voordat hij iets kon zeggen ging de deur open en kwam er een lange man in een operatieschort de wachtruimte binnen. Zijn huid had de kleur van een manilla envelop en zijn ogen zagen eruit alsof ze zelfs nog meer hadden gezien dan de twee agenten. 'U bent de familie van Christine Devine?' Hij klonk wantrouwig.

'Min of meer,' zei Kevin terwijl hij overeind krabbelde om op gelijkte hoogte met de dokter te komen. 'We zijn agenten. We werken bij dezelfde elite-eenheid. We zijn een soort familie.'

'Ik zou eigenlijk met niemand anders moeten praten dan met de directe familie of haar nabestaanden.'

'Haar partner zit op een vlucht uit Brussel. Wij zijn hier in haar plaats,' zei Paula somber. 'Alstublieft, vertel ons hoe het met Chris gaat.'

'Haar toestand is zeer ernstig,' zei de dokter. 'Ze heeft zwavelzuur in haar gezicht gekregen. Het is een bijtend middel, dus haar huid is op grote schaal verbrand. En wat wonden door bijtende zuren erger maakt dan brandwonden is de mate van dehydratie die het zuur veroorzaakt. Het gezicht van uw vriendin is zeer ernstig verbrand. Ze zal er voor altijd grote littekens aan overhouden. Ze is het zicht in beide ogen verloren.'

Paula schreeuwde het uit en bedekte haar mond met haar hand. Kevin strekte zijn arm uit en greep haar schouder stevig vast.

'Dat is op zich allemaal niet levensbedreigend,' ging de arts verder, 'maar ze heeft ook druppeltjes zuur ingeslikt en geïnhaleerd en dat is een veel grotere reden tot zorg. Er bestaat een risico dat er zich vloeistof in de longen ophoopt. We zullen het de komende uren en dagen zeer nauwlettend in de gaten houden. We hebben haar voorlopig in een kunstmatig coma gebracht. Dat geeft haar lichaam een kans om met het genezingsproces te beginnen. En het voorkomt dat ze de pijn moet ondergaan.'

'Hoe lang zal ze in die toestand blijven?' vroeg Paula.

'Dat is moeilijk te zeggen. In ieder geval een paar dagen. Misschien wel langer.' Hij zuchtte. 'Meer kan ik u niet vertellen. U kunt beter naar huis gaan en wat uitrusten. Het is niet waarschijnlijk dat er op korte termijn iets aan haar toestand verandert.'

Hij draaide zich om en wilde weggaan, maar keek toen achterom naar hen. 'Uw vriendin staat voor een lange en moeilijke weg terug naar iets wat in de buurt van een normaal leven komt. Ze zal u dan veel harder nodig hebben dan nu.' De deur zwaaide achter hem dicht.

'Kut,' zei Kevin. 'Heb je ooit die documentaire gezien over Katie Piper, dat model dat bijtend zuur in haar gezicht gegooid kreeg?'

'Nee.'

'Ik raad je niet aan daar binnenkort naar te kijken.' Zijn stem brak en plotseling vulde de wachtruimte zich met het geluid van zijn gesnik. Paula nam hem in zijn armen en samen stonden ze in de akelige kleine ruimte en huilden om alles wat verloren was gegaan.

Het was niet de eerste keer dat Carol voorzichtig het nieuws over de dood van een kind had gebracht. Maar het was zonder meer de ergste keer. Het klopte van geen kant om degene te zijn die met zulk catastrofaal verdriet bij zijn eigen ouders op de stoep stond. Maar het was nog altijd beter dan dat een vreemde die rol vervulde, ook al wist ze dat haar moeder nooit meer de deur voor haar zou kunnen opendoen zonder weer aan dat vreselijke moment te denken.

Na de woorden 'Michael is dood' was haar moeder haar in de armen gevallen. Jane Jordans lichaam verslapte; ze had al haar kracht in het verschrikkelijke loeiende geluid gestoken dat uit haar mond kwam. Carols vader was erdoor uit de keuken komen aanrennen en stond er hulpeloos bij zonder te weten wat er aan de hand was.

'Michael is dood,' zei Carol nogmaals. Ze vroeg zich af of ze ooit in staat zou zijn het te zeggen zonder een fysieke pijn in haar borst te voelen. David Jordan wankelde en greep een fragiel tafeltje in de hal vast dat onder zijn hand begon te wiebelen. Haar moeder maakte nog altijd dat helse geluid.

Carol probeerde uit de deuropening te komen, maar manoeuvreren was lastig. Tot haar verbazing bewoog Alice Flowers zich ondanks haar omvang behoedzaam langs hen naar binnen, waarbij ze Jane van achteren ondersteunde en het voor Carol mogelijk maakte binnen te komen en de deur te sluiten. Samen sleepten ze Jane zo'n beetje naar de woonkamer, waar ze haar op de bank legden.

David volgde hen verdwaasd en van zijn stuk gebracht. 'Ik begrijp het niet,' zei hij. 'Hoe kan Michael nu dood zijn? Ik kreeg vanmorgen nog een e-mailtje van hem. Het moet een vergissing zijn, Carol.'

'Het is geen vergissing, pa.' Ze liet Alice haar moeder vasthouden op de bank en ging naar haar vader toe. Ze sloeg haar armen om hem heen, maar hij was zo stijf als hij altijd was bij elke uiting van emotie door de vrouwelijke leden van zijn gezin. David was een geweldige vader geweest als het aankwam op lol maken of als je vastzat met je wiskundehuiswerk, maar hij was nooit degene naar wie je toe ging wanneer je met gevoelszaken zat. Maar ze klampte zich evengoed aan hem vast en was zich er vaag van bewust dat hij mager was geworden, nog maar een schim van zijn vitalere zelf. Hoe was dat gebeurd zonder dat ik het in de gaten had, dacht ze. Er leek een eeuwigheid te verstrijken. Uiteindelijk liet Carol haar vader los. 'Ik heb een borrel nodig,' zei ze. 'Die kunnen we allemaal wel gebruiken.'

Ze liep naar de keuken en kwam terug met een fles whisky en drie tuimelglazen. Ze schonk een stevige hoeveelheid in elk glas en dronk er toen eentje in één teug leeg. Ze schonk het weer vol en gaf vervolgens een glas aan haar vader, die ernaar stond te kijken alsof hij nog nooit eerder een borrel had gezien.

Jane was uitgeput geraakt en leunde met een meelijwekkende uitdrukking van lijden op haar gezicht tegen Alice aan. Ze strekte een hand uit naar de whisky en sloeg die achterover, net zoals Carol had gedaan. 'Wat is er gebeurd? Was het een auto-ongeluk?' zei ze met een schorre en gebroken stem. 'Die stomme sportauto van Lucy. Ik wist dat hij gevaarlijk was.'

Carol ging naast de whisky zitten. 'Het was geen auto-ongeluk, ma. Michael werd vermoord. En Lucy ook.' Haar stem ging omhoog aan het einde van de zin en ze kon tranen achter in haar keel voelen. Ze had zich de hele dag goed gehouden en nu begon ze in te storten. Ze nam aan dat het iets te maken had met het feit dat ze bij haar ouders was. Ook al was zij degene die de rol van volwassene op zich nam, ze viel als vanzelf terug in haar natuurlijke positie in de emotionele hiërarchie.

Jane schudde haar hoofd. 'Dat kan niet kloppen, liefje. Michael had totaal geen vijanden. Je moet in de war zijn.'

'Ik weet dat het moeilijk te bevatten is, maar Carol heeft gelijk.' Alice Flowers liet met de kalme stelligheid van haar toon zien waarom ze familierechercheur was.

'Wat is er gebeurd?' vroeg David plompverloren, waarna hij in de dichtstbijzijnde stoel neerzonk. Hij probeerde van zijn whisky te drinken, maar het glas klapperde tegen zijn tanden en hij liet het weer zakken. 'Was het een inbreker? Iemand die probeerde naar binnen te komen?'

Alice Flowers nam het weer over. 'We denken inderdaad dat er iemand heeft ingebroken. Het zou een ontsnapte gevangene geweest kunnen zijn.'

Jane kwam met moeite overeind en fronste haar voorhoofd. 'Die van de televisie? Die vreselijke man, Vance? Hij?'

'Het is mogelijk,' zei Alice. 'Agenten zijn nog bezig met onderzoek op de plaats delict. Het is nog vroeg dag. We zullen u natuurlijk op de hoogte houden.'

'Vance?' Jane keek Carol beschuldigend en boos aan. 'Jij hebt die man gearresteerd. Jij hebt hem naar de gevangenis gestuurd. Dit is niet zomaar een overval, hè? Dit is vanwege jou en je werk.'

Nu komt het, dacht Carol. Ze bracht haar hand naar haar gezicht en haar vingers klauwden hard in haar wang. 'Dat zou kunnen,' kreunde ze. 'Hij kan naar mij op zoek zijn geweest.' Of hij wilde mijn hart er gewoon uit rukken om het boven het vuur te roosteren. Jane keek haar vol haat aan en Carol begreep waarom. Ze had hetzelfde gedaan als het mogelijk was geweest.

'Dit is niet Carols schuld, mevrouw Jordan,' zei Alice. 'Dit is de schuld van de man die uw zoon en zijn partner heeft aangevallen.'

'Ze heeft gelijk, Jane,' zei David met een matte en toonloze stem.

'Geloof me, mam, ik zou alles hebben gedaan om dit te voorkomen. Ik zou een kogel voor Michael opgevangen hebben. Dat weet je.' Carol kon de tranen nu niet meer tegenhouden. Ze stroomden uit haar ogen, liepen langs haar gezicht omlaag en dropen van haar kin.

'Maar hij is degene die dood is.' Jane deed haar armen over elkaar voor haar borst en begon heen en weer te wiegen. 'Mijn mooie jongen. Mijn Michael. Mijn mooie, mooie jongen.'

En zo was het doorgegaan. Verdriet, beschuldigingen, tranen en whisky hadden elkaar de hele avond afgewisseld. Carol was uiteindelijk net na drieën in bed gekropen, zo moe dat ze zich amper nog kon uitkleden. Alice Flowers had beloofd tot de volgende morgen te blijven, waarna ze door een collega zou worden afgelost. Ze begreep Carols angst dat Vance het misschien niet bij haar broer zou laten.

Carol lag verstijfd onder het dekbed van een bed waarin ze maar een keer of zes eerder had geslapen. Ze was bang om haar ogen te sluiten, bang voor de beelden die haar geest zou oproepen wanneer ze niet langer op haar hoede was. Op het laatst won de uitputting het en viel ze binnen enkele seconden in een diepe slaap.

Ze werd even na achten wakker met een doffe hoofdpijn en een paniekerige angst voor de stilte in het huis. Ze bleef een paar minuten liggen en probeerde zich zodanig te vermannen dat ze de dag zou aankunnen. Vervolgens kwam ze met moeite overeind. Ze ging met haar hoofd in haar handen op de rand van het bed zitten en vroeg zich af hoe ze in godsnaam verder zou kunnen gaan met haar werk, haar leven en met haar ouders. Alice Flowers had het mis: Michaels dood was haar schuld. De verantwoordelijkheid lag duidelijk bij haar. Ze had hem niet beschermd. Zo simpel was het.

Daarom dacht ze ook niet dat ze nog langer onder het dak van haar ouderlijk huis zou kunnen blijven. Ze trok de kleren aan die ze gisteren aanhad en ging naar beneden. Haar ouders waren in de woonkamer met Alice. Ze leken niet van hun plaats te zijn geweest. 'Ik moet gaan,' zei ze.

Jane hief haar hoofd amper op. Ze zei mat: 'Je zult het wel het beste weten. Dat doe je altijd.'

'Kun je niet blijven?' zei David. 'Je zou hier bij ons moeten zijn. Je zou niet onder vreemden moeten zijn, niet wanneer je verdriet hebt. We hebben je hier nodig, je moeder en ik.'

'Ik kom weer terug,' zei Carol. 'Maar ik kan geen rust vinden zolang de man die Michael heeft vermoord vrij rondloopt. Moordenaars opsporen is waar ik het beste in ben. Ik kan hier niet gewoon zitten en niets doen. Dan word ik gek.' Ze liep naar haar moeder toe en omhelsde haar onhandig. Ze rook naar whisky en zuur zweet, als een vreemde. 'Ik hou van je, ma.'

Jane zuchtte. 'Ik hou ook van jou, Carol.' De woorden leken van haar lippen te kruipen.

Carol liet haar los en ging op haar hurken naast de stoel van haar vader zitten. 'Zorg goed voor mama,' zei ze. Hij klopte haar op haar schouder en knikte. 'Ik hou van je, pap.' Daarna stond ze op en maakte een hoofdbeweging naar Alice.

Op de drempel rechtte ze haar rug en ze zocht naar de vertrouwde façade van hoofdinspecteur Carol Jordan. Ze had het gevoel dat die ergens op een heel hoge plank lag. 'Ik wil niet dat ze alleen blijven,' zei Carol. 'Vance loopt vrij rond en neemt wraak op het team dat hem achter de tralies heeft gezet. Ik ben er niet van overtuigd dat hij nu klaar met me is. Dus ze moeten zowel bewaakt als gesteund worden. Is dat duidelijk?'

Alice keek haar ernstig aan. 'We zullen goed voor hen zorgen namens u. Mag ik vragen waar u zult zijn?'

'Ik ga naar Worcester. Daar wordt de zoektocht naar Vance gecoördineerd. Daar moet ik zijn.' En de hemel sta Tony Hill bij als hij mijn pad kruist.

39

De jachthaven was in ochtendnevel gehuld en de in fleurige kleuren geschilderde huisjes verrezen als boten in een droom op zilverkleurig water. De daken van de huisjes lagen zij aan zij zover het oog reikte, als een hoekig doorploegd veld van zwarte aarde. Boven de strook nevel doemde het rode metselwerk van oude porseleinpakhuizen op, fris gereinigd en vers gevoegd als onderdeel van het renovatieproces. Na hun redding van het verval waren ze het nieuwe Jeruzalem van de middenklasse geworden: zolderappartementen met uitzicht op het water. Ooit was dit het Diglis-kanaalbekken geweest, een gonzend centrum van industrie en een van de knooppunten voor het transport van goederen en grondstoffen door de Midlands. Nu was het de Diglis-jachthaven, een centrum van vrijetijdsbesteding en vermaak. Het was aantrekkelijker, daarover bestond geen twijfel. En er was nog altijd een traditionele kroeg met een kegelbaan waar mensen hun kwaliteitsbier konden drinken en net konden doen alsof ze een dag hard werken achter de rug hadden.

Tony zat op het dak van zijn aak met een beker thee in zijn handen. Hij had zich nog nooit zo akelig gevoeld. Er waren twee mensen omgekomen en een ander was verminkt, omdat hij had gefaald in het enige waarin hij geacht werd goed te zijn. En hij had de enige plek verloren waar hij zich ooit thuis had gevoeld. Al zijn hele leven lang wilde hij een plek vinden waar hij thuishoorde. Carol Jordan was de helft van dat antwoord geweest en het huis was verbazingwekkend genoeg de andere helft geweest. En nu waren ze er allebei niet meer. Carol had zich vol gerechtvaardigde minachting van hem afgekeerd en het huis was met de grond gelijkgemaakt en was een lege huls geworden. Het had vol gestaan met zaken die het vuur hadden gevoed: boeken, hout, schilderijen en mooie tapijten, en nu waren ze tot smeulende as teruggebracht.

Hij was nooit tot zelfmedelijden geneigd geweest, en dat was maar goed ook gezien alles wat er beklagenswaardig was aan zijn leven. Zelfs nu had hij geen medelijden met zichzelf. Zijn gevoelens bestonden voornamelijk uit woede, met afschuw op een goede tweede plaats. De uiteindelijke schuld lag natuurlijk bij Vance. Hij was de moordenaar, de brandstichter en de vernietiger van levens. Maar Tony had het moeten zien aankomen. Hij was er niet één, maar twee keer niet in geslaagd om uit te vinden wat de volgende stap van Vance zou zijn. Het was geen excuus om te wijzen op de gruwelijkheid van wat Vance had gedaan, om zich te verschuilen achter het feit dat zijn acties zo ongekend extreem waren. Tony werd ervoor betaald om mannen als Vance te doorgronden, om uit te vinden wat hen dreef en hen te laten ophouden met datgene te doen waarvoor ze leefden. Dat was zijn vak.

Voor de meeste mensen was het niet zo heel erg als ze op hun werk een fout begingen. Maar als hij in zijn werk blunderde, dan kostte het mensenlevens. Hij voelde zich lichamelijk ziek bij de gedachte dat Vance daarbuiten ergens rondliep en de volgende nauwkeurig geplande stap in zijn sadistische campagne aan het zetten was. Hoe langer dit duurde, hoe duidelijker het Tony werd dat hij het over ten minste één ding bij het rechte eind had gehad: Vance werkte een vast schema af dat lang voordat hij uit de gevangenis ontsnapte al was vastgelegd.

Nadat Ambrose hem gisteravond van de brand had weggesleept, had hij Tony achter in een ambulance neergezet en hem zoete thee laten drinken. Hij was bij hem gebleven terwijl de brandweerlieden de vuurzee bedwongen. Hij had een arm om Tony's schouders geslagen toen de dakbalken met veel geraas instortten. Hij had geen enkele verbazing getoond toen Tony de misdaad op het conto van Vance schreef. En hij had aantekeningen gemaakt toen Tony zich uiteindelijk voldoende had weten te vermannen om de gedachten op een rijtje te zetten die hem tijdens de rit naar Worcester te binnen waren geschoten.

Toen ze na middernacht afscheid hadden genomen, was Ambrose naar het politiebureau gegaan om zijn team te informeren en om het onderzoek in gang te zetten. Maar Tony kon nu niets meer doen. Hij had in ieder geval *Steeler* nog, de perfect onderhouden aak van Arthur Blythe. Hij ervaarde daar niet dezelfde rust als in het huis, maar het was beter dan niets. En hij had een paar foto's uit het huis naar Bradfield meegenomen, zodat hij dus nog een paar tastbare beelden had van de man wiens genen hij had meegekregen. Tony probeerde hier wat troost uit te putten, maar dat lukte hem niet. Hij voelde zich nog steeds uitgehold door al het tegen hem gerichte geweld.

Daarna had hij Paula's bericht ontvangen en was zijn onvermogen om zijn werk goed te doen in zijn volle omvang tot hem doorgedrongen. Vance leek erop gebrand hun alles te ontnemen waarom ze gaven. Er waren twee manieren waarop hij nu kon reageren. Hij kon toegeven aan de pijn en het verlies, ervan weglopen en de rest van zijn leven gefrustreerd en vol spijt doorbrengen. Of hij kon 'loop naar de hel!' naar de hemel schreeuwen en zich weer bezig gaan houden met het stoppen van mannen zoals Vance. Tony herinnerde zichzelf eraan dat er jaren waren geweest voordat Carol in zijn leven kwam en zelfs nog meer jaren voordat het huis een deel van hem was geworden. In die woestenij had hij ook weten te overleven. Dus dat zou hij wederom kunnen.

Tony dronk zijn beker leeg en kwam overeind. Zoals het oude gezegde luidt: als je niets hebt, heb je ook niets te verliezen.

40

Paula leunde dodelijk vermoeid en door verdriet gepijnigd tegen de motorkap van de auto en stak een sigaret op. 'Mag ik er ook eentje?' vroeg Kevin. Hij was bleker dan gewoonlijk en de huid rond zijn ogen had een bijna groenachtige tint. Hij zag eruit alsof hij net zo weinig had geslapen als zij. Sinead was even na middernacht aangekomen en ze waren nog een paar uur bij haar gebleven en hadden geprobeerd haar te troosten, hoewel er geen troost mogelijk was. Daarna was Paula naar huis gegaan, waar ze op bed naar het plafond had liggen staren, één hand tussen beide handen van Elinor gestoken.

'Ik dacht dat je gestopt was,' zei ze terwijl ze het pakje aan hem gaf.

'Ben ik ook. Maar er zijn van die dagen...' Kevin huiverde. Paula wist precies wat hij bedoelde. Er waren van die dagen dat zelfs de fanatiekste niet-rokers naar het effect van nicotine verlangden. Hij stak hem aan met de geoefende bewegingen van een man die de geneugten van het roken geenszins was vergeten. Hij inhaleerde gretig. Zijn schouders zakten centimeters omlaag toen hij uitblies. 'Na gisteren... je denkt dat je alles wel hebt gezien. En dan zie je dat.'

'Dat' was de inhoud van een kartonnen doos die aan de achterzijde van een winkel met diepvriesproducten vlak bij de torenflats in Skenby was achtergelaten. Hij was vlak voor zonsopkomst ontdekt door het personeelslid wiens taak het was de opslagruimte te openen voor een vroege levering. De doos was ongeveer een meter lang, een halve meter diep en ook zo'n vijftig centimeter breed. Hij stond in het midden van het laadplatform en er hadden ooit zakken ovenfriet in gezeten. Dat er nu iets heel anders in zat, was duidelijk vanwege de donkere vlekken op het karton en de eruit gelekte plasjes van een roodbruine vloeistof. Het personeelslid, dat niet genoeg betaald kreeg om na te denken, maakte hem open en viel onmiddellijk flauw, waarbij hij met zijn hoofd op het beton klapte en bewusteloos raakte. De bestuurder van de bestelwagen had hem, nog steeds bewusteloos, aangetroffen naast een doos met daarin een in stukken gesneden lichaam. Hij had overgegeven en legde aldus de laatste hand aan de vervuiling van de plaats delict.

De eerste agenten die ter plaatse waren belden onmiddellijk het TZM, vooral omdat het bovenste lichaamsdeel een arm was met de getatoeëerde woorden VAN MIJ net boven de pols. Paula en Kevin waren aangekomen op het moment dat de dokter de stukken in de doos officieel dood verklaarde. 'Wat kunt u erover zeggen?' vroeg Kevin.

'Jullie zullen moeten wachten tot de patholoog jullie een definitief antwoord kan geven,' zei de dokter plichtsgetrouw. Zelfs hij zag er een beetje bleek en aangedaan uit in het grauwe ochtendlicht. 'Maar bij afwezigheid van enige andere aanwijzing zou ik zeggen dat het om één lichaam gaat dat in stukken is gehakt. Er zijn een romp, een hoofd, twee armen, twee dijen en twee onderbenen.'

'Jezus,' zei Kevin terwijl hij zijn blik afwendde.

'Zijn de ledematen er netjes af gesneden of is het lichaam gewoon in stukken gehakt?' Paula leek haar ogen niet van het gruwelijke tafereel te kunnen afhouden.

'Al hebben we daar tegenwoordig niet zo heel veel meer aan,' zei Kevin verbitterd. 'Je hoeft tenslotte alleen maar naar de kookprogramma's van Hugh Fearnley-Wittingstall te kijken om een amateurslachter te worden.'

De dokter schudde zijn hoofd. 'Dit is zelfs niet eens zo goed gedaan. Ik zou zeggen – en let wel: dit is dus maar een gok en niet iets wat jullie aan Grisja Sjatalov kunnen doorvertellen – dat hij zoiets als een cirkelzaag heeft gebruikt. Als je kijkt naar de manier waarop het door het bot is gegaan, kun je de zaagsporen zien.' Hij wees met zijn pen naar de bovenkant van een dijbeen. 'Dat is mechanisch.'

'Jezus,' zei Kevin weer. 'Enig idee hoe lang ze al dood is?'

De dokter haalde zijn schouders op. 'Niet lang. Het bloed druipt er niet uit en de vorming van lijkvlekken is nog maar net begonnen. En afgaande op de temperatuur... schat ik niet veel langer dan een paar uur. Maar pin me er niet op vast, want het is niet mijn werk.'

'Heeft u ideeën over de doodsoorzaak?' De dokter liep al weg en Paula ging achter hem aan.

'Daarvoor zullen jullie toch echt op Grisja moeten wachten,' zei hij, waarna hij naar zijn auto toe liep.

En zo stond ze dus uiteindelijk met Kevin te roken terwijl de leden van de technische recherche op de plaats delict aan het werk waren met hun camera's, hun tape en hun chemicaliën, en de plaatselijke agenten huis-aan-huisonderzoek deden in een poging een getuige te vinden. Het was niet waarschijnlijk in deze buurt. De gelijkvloerse winkelgalerij stond los van de omgeving, een eiland in een zee van goedkope woningen en mensen die moeite hadden het hoofd boven water te houden. Niemand zou iets gezien hebben. Zelfs niet degenen die iets hadden gezien.

'Hij houdt wel van afwisseling, deze vent,' zei Kevin.

'Ik had gehoopt dat Tony wel met iets bruikbaars op de proppen zou komen. Maar hij heeft natuurlijk wel belangrijker zaken aan zijn hoofd.'

'Heb je nog met de hoofdinspecteur gesproken?' vroeg Kevin.

'Nee, en ik hoop dat ik dat ook niet hoef te doen. Het is altijd lastig om dingen voor haar achter te houden. Ik zal maar gewoon moeten vertellen over hoe de kat veilig en wel bij ons thuis opgekruld onder een radiator ligt.'

'Is dat waar?'

'Ja. Iemand van het team op de plaats delict vond hem in zijn mand achter in de auto van Chris. Elinor heeft hem daar opgehaald.'

'Ik weet wél dat ik niet graag in Vance' schoenen zou staan als ze hem te pakken krijgt voordat de rest hem vindt.'

'Ze zal niets ondernemen waardoor ze de rechtsgang in gevaar brengt,' zei Paula, die ervan overtuigd was dat zij Carol veel beter begreep dan Kevin. 'Het draait bij haar allemaal om gerechtigheid. Dat weet je toch?'

'Jawel, maar dit is haar broer,' wierp Kevin tegen. 'Het zou niet menselijk zijn als je hem niet zou willen laten lijden.'

'Denk er maar eens goed over na, Kevin. Vance heeft dit gedaan omdat zij degene is die hem achter de tralies heeft gekregen. Hij vond het zo vreselijk in de gevangenis dat hij twee mensen heeft vermoord om zich te wreken op de persoon die hij daarvoor verantwoordelijk acht. En hij heeft die afgrijselijke boobytrap geplaatst die voor haar bedoeld was. De verschrikkelijke ironie is dat Chris erdoor werd getroffen, een van de mensen die hebben meegewerkt aan zijn eerdere opsluiting. Denk je dus niet dat hem weer naar de gevangenis sturen de beste lijdensweg is die ze hem zou kunnen bezorgen? En denk je niet dat de chef slim genoeg is om dat zelf al te hebben bedacht?'

Hij nam een laatste trekje van zijn sigaret en drukte hem uit met zijn hak. Vervolgens deed hij de kraag van zijn jas omhoog. 'Je zult wel gelijk hebben,' zei hij. 'En heb je nog een slim idee over hoe we dit lijk gaan identificeren als haar vingerafdrukken niet in onze database voorkomen? Ik denk niet dat we een van onze agenten in uniform kunnen vragen om met het hoofd rond te gaan...' Hij knipoogde naar Paula. Galgenhumor zorgde ervoor dat ze niet gek werden van hun werk. Je kon het buitenstaanders nooit uitleggen.

'Als ik dacht dat het de zaken zou versnellen, dan zou ik het zelf doen.' Paula gooide haar peuk in de goot en haalde haar telefoon tevoorschijn. 'En wat wil je als ontbijt? Ik ga Sam vragen om onderweg wat belegde broodjes te halen. Bacon? Worst? Ei?'

Kevin grijnsde. 'Bacon voor mij. En lekker veel tomatensaus. Ik vind het heerlijk wanneer het er aan de zijkanten uit loopt...'

'Ziek figuur,' zei Paula terwijl ze zich net op tijd omdraaide om Penny Burgess op hen af te zien komen. 'En daar komt er nog eentje aan.'

Ze keken elkaar aan en stormden weg naar de rand van de plaats delict, waar de agenten in uniform de grenzen afdoende zouden beschermen. Ze haalden het maar net en lieten Penny achter, die nu verongelijkt hun naam riep. Paula keek achterom naar de woedende journaliste en gaf Kevin een por in zijn ribben. 'Geen enkele ochtend is een complete mislukking als je de pers pissig hebt kunnen maken, toch?'

Haar commentaar doorbrak op de een af andere manier de opgehoopte pijn waarin ze sinds de afgelopen nacht hadden vastgezeten. Ze giechelden als kinderen en gingen daar zo in op dat ze Penny's geschreeuwde vraag over het tot de grond toe afbranden van Tony Hills huis helemaal niet hoorden.

Ambrose was zijn baas aan het bijpraten, toen Carol Jordan met een stalen gezicht en een wezenloze blik in haar ogen zijn teamkamer kwam binnenlopen. Inspecteur Patterson bewoog zijn hoofd amper ter begroeting. Carol zag eruit alsof het haar geen fluit kon schelen. Ze negeerde de overige agenten, die allemaal met hun bezigheden stopten om naar de nieuwkomer te kijken. 'Alvin,' zei ze terwijl ze een stoel van zijn bureau wegtrok. 'Vance: hoe staat het ermee?'

Ambrose schrok en keek Patterson vragend aan. De inspecteur vermeed de blik van zijn brigadier angstvallig, haalde een pakje kauwgom tevoorschijn en verwijderde de wikkel van een plakje. 'Dit is mijn operatie, hoofdinspecteur Jordan.'

'Werkelijk?' Carols stem zweefde tussen beleefdheid en belediging. 'En, inspecteur Patterson, hoe staat het ervoor?'

'Brigadier? Misschien kun je hoofdinspecteur Jordan op de hoogte brengen, als een gunst aan een lid van een ander korps?'

Ambrose keek hem aan met een blik die hij normaal gesproken voor stoute kinderen reserveerde. 'We zijn allemaal geschokt door wat er met uw broer en zijn vriendin is gebeurd,' zei Ambrose. 'Het spijt me echt verschrikkelijk.'

'Dat geldt ook voor mij,' zei Patterson, die zich even schaamde voor zijn norsheid nu hij aan Carols verlies werd herinnerd. 'Ik dacht dat u met buitengewoon verlof zou zijn om uw ouders te steunen.'

'De beste manier om mijn familie te steunen is door aan de zaak te werken. Ik weet dat hoofdinspecteur Franklin alle opties wil openhouden, maar ik ben ervan overtuigd dat Vance hierachter zit. En dat is de reden dat ik hier ben.'

Ambrose kon zich amper een voorstelling maken van de moeite die het Carol moest kosten om niet in te storten. Sommige mensen zouden het haar mogelijk aanrekenen dat ze niet bij haar familie was op een moment als dit, maar hij begreep de onweerstaanbare drang om iets te willen doen. Hij besefte ook dat het zijn tol zou eisen. 'We hebben nog steeds geen duidelijke aanknopingspunten over waar hij zou kunnen zijn,' zei Ambrose.

Patterson snoof minachtend. 'We weten maar al te goed waar hij gisteravond was,' zei hij.

Carols ogen begonnen te glanzen. 'Is dat zo? Waar was hij dan?'

'Pal in het centrum van Worcester. Vlak onder onze neus.' Patterson leek het weerzinwekkend te vinden en trok een gezicht alsof er letterlijk een vieze geur onder zijn neus hing.

Carol leunde naar voren. 'Hoe weten jullie dat?'

'We weten het niet zeker,' zei Ambrose met een waarschuwende klank in zijn donkere basstem.

Patterson rolde met zijn ogen. 'Hoeveel andere mensen koesteren een zo grote wrok tegen Tony Hill?'

Haar ogen werden groot van schrik. 'Tony? Is er iets met Tony gebeurd?'

'Hij is in orde,' zei Ambrose, die zou willen dat zijn baas Carol met iets van de gevoeligheid tegemoet zou treden waarop hij zich zo beroemde. 'Nou ja, lichamelijk is hij in orde, maar hij is behoorlijk overstuur. Iemand heeft gisteravond zijn huis tot de grond toe laten afbranden.'

Carol staarde voor zich uit alsof ze een klap in haar gezicht had gekregen. 'Zijn huis? Zijn prachtige huis? Afgebrand?'

Patterson knikte. 'Brandstichting. Geen twijfel mogelijk. Benzine als aanjager. De brand is aan de achterkant van het huis begonnen, waar niemand er zicht op heeft. Tegen de tijd dat men het opmerkte, had het vuur al stevig om zich heen gegrepen. De brandweer had geen enkele kans om het huis nog te redden.'

'Dat huis stond vol mooie dingen die als een Romeinse kaars zouden ontvlammen,' zei Carol. Ze haalde haar handen door haar haar. 'Werd het huis niet door iemand van jullie in de gaten gehouden? Jezus, dit moet Vance wel zijn geweest.'

'Dat is wat wij ook dachten,' zei Ambrose. 'Er is momenteel een team bezig met het bekijken van de beelden van verkeerscamera's om te zien of we kunnen uitvinden in wat voor auto hij rijdt. Maar als hij verstandig is zal hij die auto inmiddels al ergens hebben achtergelaten en verruild voor een andere.'

'En hij zal zijn uiterlijk hebben veranderd,' zei Carol. 'We hebben geen idee hoe hij eruitziet.'

Op dat moment duwde een agent in uniform met een computertoren in zijn armen de deur met zijn schouders open. Een andere agent kwam achter hem aan met eenzelfde last. 'Waar wilt u deze hebben, baas?' riep hij naar Patterson.

Patterson leek verbijsterd. 'Wat zijn dat?'

De man in uniform wist zijn ongeduld niet goed te verbergen. 'Computers. Torens voor desktopapparaten, compleet met harde schijven.'

Patterson was niet in de stemming om brutaal gedrag van een mindere te accepteren. 'Dat zie ik ook wel. Maar wat doen ze hier?'

'Ze komen uit Northumbria. Een gisteren verstuurde spoedlevering. Dus waar wilt u ze hebben?'

'Dat zijn de computers van Terry Gates,' zei Ambrose. 'Daar heb ík om gevraagd. Tony denkt dat Gates niet slim genoeg was om ze echt goed te hebben opgeschoond.' Hij wees naar een tafel tegen de muur. 'Zouden jullie ze daar willen neerzetten?'

Pattersons ongenoegen werd zichtbaar groter. 'Daar heeft niemand me over verteld. En nu wil je zeker een fortuin uitgeven voor het inhuren van Gary Harcup?'

Ambrose zag er opstandig uit. 'Dat zal ik zeker doen als ik hem te pakken kan krijgen. Hij is de expert. En we hebben hier een expert voor nodig.'

'De commissaris zal uit zijn vel springen als je het budget aan dikke Gary opmaakt,' zei Patterson. 'En het is nu ook weer niet zo dat hij zo snel is. Vance zal al aan de andere kant van de wereld zijn voordat Gary ook maar iets van die harde schijven heeft weten te krijgen.'

Carol schraapte haar keel. 'Wie is Gary Harcup?'

'Hij is onze forensisch computerspecialist. Hij kost verdomme een vermogen, ziet eruit als een beer en is ongeveer net zo makkelijk in de omgang als een beer,' zei Patterson.

'Dat kan ik beter,' zei Carol.

'U bent een computerexpert? U moet het mij maar vergeven, hoofdinspecteur Jordan, maar u lijkt me nu niet echt een nerd.' Patterson kon zo vervloekte vervelend zijn, dacht Ambrose vermoeid.

Carol negeerde hem. 'Mijn computerspecialist, Stacey Chen, is een genie. Ze is in staat tot dingen die andere nerds aan het huilen brengen.'

'Dat is allemaal mooi en aardig, maar ze is agent bij het stadskorps van Bradfield en niet bij West Mercia.'

'Ze is een agent en een getuige-deskundige. Dat is het enige wat telt,' zei Carol terwijl ze haar telefoon tevoorschijn haalde. 'Ik kan haar aan jullie detacheren.' Haar vragende blik was op Ambrose gericht. 'Ze is de beste.'

'Daar zeg ik geen nee tegen,' zei Ambrose. Patterson draaide zich zichtbaar geërgerd om.

Carol zocht het mobiele nummer van Stacey op. 'Ik zal haar meteen deze kant op laten komen.'

'Heeft ze dan niets anders te doen? Ik dacht dat jullie daar met een seriemoordenaar bezig waren?' vroeg Ambrose.

'Het is een kwestie van prioriteiten,' zei Carol. 'En op dit moment weten mijn teamleden precies waar hun prioriteiten liggen.'

41

Om Humpty Dumpty weer in elkaar te zetten moest je ergens beginnen. Daarom deed Tony zijn computer aan en zette hij nog een bak thee terwijl hij wachtte tot de nieuwste bestanden van Bradfield gedownload waren. Hij ging zitten en opende het laatste e-mailbericht van Paula, dat ze minder dan een uur geleden via haar mobiele telefoon had verstuurd. Het nieuws van een vierde slachtoffer maakte hem triest en versterkte zijn gevoel van onvermogen, maar er was in zijn werk geen ruimte voor persoonlijke gevoelens. Wel voor empathie, maar niet voor zijn eigen emoties.

De manier waarop het lichaam erbij lag, klonk nog bizarder dan de vorige keer. Het aan stukken snijden van een lichaam kwam minder vaak voor dan mensen dachten. Professionele moordenaars deden het om identificatie te bemoeilijken. Maar volgens Paula waren alle delen aanwezig en intact, dus dat was niet wat er hier aan de hand was. Als Tony dit als een geïsoleerde zaak onder ogen had gekregen, zou hij zinvolle speculaties gedaan kunnen hebben over de betekenis van het aan stukken snijden. Het zou te maken kunnen hebben met het uitoefenen van de ultieme en letterlijke macht over een slachtoffer. 'Ze kan niet weglopen als ze geen benen heeft,' zei hij. Of het kon met bestraffing te maken hebben. 'Ze is zo slecht dat ze uit elkaar moet worden gehaald en weer helemaal opnieuw in elkaar moet worden gezet.'

Hij wreef met zijn vingertoppen over zijn schedel. 'Maar dat is hier niet aan de hand,' zei hij. 'Wat hij ons eerder heeft laten zien is compleet anders. Natuurlijk gaat het om macht. Seriemoorden gaan altijd om macht. Maar dat is niet het punt dat hij wil maken.' Hij gooide zijn handen in de lucht. Hij had de neiging om te gaan ijsberen, maar daarvoor was de boot te klein. 'Laten we wel wezen, Tony, het aan stukken snijden kan ook compleet betekenisloos zijn. Toevallig. Het eerste wat in zijn hoofd opkwam.'

Behalve dat het zo belachelijk was dat het niet kon kloppen. Je maakte geen nauwgezette plannen om aan het moorden te slaan, plannen waar valse nummerborden en baseballcaps om de camera's te misleiden deel van uitmaakten, om vervolgens een compleet willekeurige moordmethode voor die avond uit te kiezen. Er lag iets structureels aan ten grondslag, ook al kon hij niet bedenken wat dat was. En hoe harder hij zijn best deed om het te benoemen hoe verder het buiten zijn bereik leek.

Tony dronk zijn thee op terwijl hij door de patrijspoort over het glasachtige water naar buiten staarde en zijn gedachten de vrije loop liet. Wat er sinds de vorige moord in zijn achterhoofd aan hem zat te knagen kronkelde nu heviger, maar hij kon het nog steeds niet benoemen. Misschien zouden de foto's van de plaatsen delict helpen.

Hij ging terug naar de computer en opende het betreffende bestand, waarna hij eraan werd herinnerd dat de wereld soms zo in elkaar stak als je graag wilde. Toen Tony de foto's in de juiste volgorde bekeek, van de eerste moord tot de laatste, vielen de beelden als bij een puzzel op hun plaats. Ineens begreep hij waar hij naar zat te kijken. Het was logisch en sloeg tegelijkertijd helemaal nergens op.

'*Maze Man*,' zei hij zacht. Het programma was in de jaren negentig uit Amerika komen overwaaien. Het werd laat op de avond op Channel 5 uitgezonden en werd door Tony Hill en nog drie andere mensen bekeken, als je de kijkcijfers mocht geloven. Het was een lowbudgetserie over een psycholoog en profielschetser die het constant over 'het doolhof van de geest' had en maar zat te wauwelen over misdadigers die in het doolhof verdwaald waren, de verkeerde afslagen namen en voor de ziel van de Minotaurus zwichtten. Tony had er alleen maar naar gekeken omdat hij slapeloosheid als een van zijn hobby's zou hebben vermeld als hij een Facebookpagina zou hebben gehad. En bovendien herinnerde de stijging van zijn bloeddruk als gevolg van het kijken naar iemand die zo lachwekkend was hem eraan dat hij leefde.

De niet-aflatende stompzinnigheid van de verwikkelingen en het gebrek aan logica van de conclusies waren waarschijnlijk de redenen dat de levensduur tot één enkele serie beperkt bleef. De kans was groot dat de serie ergens midden in de nacht op een of andere satellietzender nieuw leven werd ingeblazen, maar dat was aan Tony voorbijgegaan. Maar als hij het bij het rechte eind had, was het niet voorbijgegaan aan de man die in Bradfield prostituees vermoordde.

Opgewonden googelde Tony *Maze Man* en klikte vervolgens de vermelding op de IMDB-site aan. In 1996 werden vierentwintig afleveringen gemaakt, met in de hoofdrollen Larry Geitling en Joanna Duvell. Tony kon zich haar nauwelijks herinneren, een doorsnee Californische blondine, maar Geitlings gezicht stond hem nog altijd duidelijk voor de geest: een en al kin en jukbeenderen en rimpels om de hemelsblauwe ogen wanneer hij diepzinnig deed. Iets wat in Tony's herinnering meestal net voor de onderbrekingen voor de reclame gebeurde. Geitlings naam zei hem vaag iets, maar hij kon er niet opkomen wat precies en Google bracht ook geen uitkomst.

Maar hij wist dat de naam niet zonder reden in zijn hoofd zat. Ervan uitgaande dat alles het proberen waard was riep hij Staceys gepatenteerde zaakindexeringssysteem op. Dat doorzocht zorgvuldig elk document dat werd doorgenomen of bij een zaak werd ingebracht en bracht het onder in een overkoepelend systeem. Hij tikte 'Larry Geitling' in en viel bijna met stoel en al achterover toen het meteen een treffer opleverde. Larry Geitling was de naam die werd gebruikt door de man die in kamer vijf van het Sunset Stripmotel had ingecheckt, de kamer waarvan het tapijt en de handdoeken doorweekt waren op de avond dat Suze Black als vermist werd opgegeven. Dit was een echt verband en niet slechts een vaag gevoel van de dwaze profielschetser.

Hij ging weer terug naar Google en vond een chronologisch overzicht van de afleveringen binnen de serie, compleet met schermafbeeldingen in een armzalig lage resolutie. Het geheel was samengesteld door een of andere trieste sukkel in Oklahoma City die ervan overtuigd was dat *Maze Man* het meest onderschatte tv-programma was dat ooit door de Amerikaanse televisie was geproduceerd. Desalniettemin was Tony hem vandaag dankbaar, omdat deze eigenaardige kleine website bevestigde wat de afgelopen dagen in zijn achterhoofd aan hem had zitten knagen. Hoe ondenkbaar het ook leek, de vier moorden in Bradfield kwamen precies overeen met de misdaden uit de eerste vier afleveringen van *Maze Man*.

Hij had het helemaal bij het rechte eind gehad toen hij zei dat deze moorden niet met lust of seks te maken hadden. Hij dacht niet eens dat ze met macht te maken hadden. Er was hier iets totaal anders aan de hand. Er zat een man achter deze moorden die moest doden, maar niet vanwege een van de gebruikelijke redenen. Hij moordde niet omdat hij vrouwen wilde zien sterven of omdat hij hen haatte. De parafernalia van de moorden waren niet belangrijk voor hem; hij was niet in staat geweest met een coherente moordmethode op de proppen te komen. Het was alsof hij verschillende methoden uitprobeerde om te kijken of hij er eentje kon vinden die bij hem paste. Hij gebruikte de tv-serie als een bron van sjablonen voor seriemoord. Tony was zoiets als dit nog nooit tegengekomen, maar het had toch ook een soort verknipte logica.

Als het dus niet om het doden zelf ging, wat was dan het motief voor deze moorden? Het antwoord moest op de een of andere manier wel bij de slachtoffers liggen. Maar wat zou dat kunnen zijn?

Ondertussen had hij wel het een en ander om aan de anderen te vertellen. Hij pakte zijn telefoon en belde naar Paula. Meteen toen ze opnam, zei hij: 'Dit gaat heel vreemd klinken.'

'Ik wilde je net bellen,' zei Paula.

'Is er een doorbraak in de zaak?'

'Nee, Tony. Ik wilde je bellen, omdat ik zojuist heb gehoord wat er met je huis is gebeurd en omdat ik mijn medeleven wilde betuigen,' zei ze geduldig.

Soms wist Tony niet meer wat hij moest doen wanneer hij zich menselijk voordeed. Hij wist niet wat hij moest zeggen en zei dus maar niets.

'Zo doen vrienden dat,' zei Paula. 'Het spijt me heel erg van je huis.'

'Mij ook,' zei hij. 'En van Carols broer en zijn partner. En van Chris. Hoe is het trouwens met haar? Nog nieuws?'

'Geen verandering. En ze zeggen dat dat juist goed is.'

'Ik zou willen dat ik een constructievere bijdrage kon leveren om hem weer achter de tralies te krijgen. Maar ik lijk niet echt verder te komen met Vance, dus ik heb de spullen die Stacey me vanochtend heeft gestuurd maar eens bekeken.'

'Eigenlijk heb ik je die opgestuurd. Stacey is onderweg naar Worcester. Als je het handig aanpakt, trakteert ze je misschien wel op een kop koffie.'

Tony was verbijsterd. Hoe kwam het dat hij zo slecht op de hoogte werd gehouden van de laatste ontwikkelingen? 'Komt Stacey hiernaartoe? Waarom? Wat is er gebeurd?'

'De hoofdinspecteur heeft haar opgedragen naar Worcester te komen om de harde schijven uit te lezen van een paar waardeloze oude computers van een of andere kerel die Terry Gates heet. Blijkbaar heeft hij...'

'Ik weet wie Terry Gates is en wat we allemaal op die computers hopen te vinden. Ik wist alleen niet dat Stacey erbij betrokken was. Ik dacht dat ze bij West Mercia hun eigen specialist hadden.'

'Ambrose kreeg hem maar niet te pakken. Maar goed, de chef heeft besloten...'

'Dat heb je al gezegd. Hoezo is Carol hierbij betrokken? Ik dacht dat ze thuis bij haar ouders was?'

'Volgens Stacey is ze op het hoofdbureau van West Mercia en bepaalt zij wat er gebeurt. Je zou kunnen zeggen dat ze de touwtjes alvast min of meer in handen heeft genomen.'

Hij nam hier met een bedrukt gemoed kennis van. Hij wist dat Carol zou geloven dat ze in staat was om een onderzoek te leiden, maar hij was van mening dat ze dat niet was. Ze had tijd en ruimte nodig om te verwerken wat er was gebeurd en om na te denken over de implicaties ervan. Als ze dat niet deed, dan zou ze hard en diep vallen wanneer de onvermijdelijke instorting kwam. Dat had hij eerder bij haar zien gebeuren en hij wist niet of hij dat een tweede keer zou kunnen verdragen, zeker niet nu hij een groot deel van de verantwoordelijkheid ervoor droeg. 'Geweldig,' zei hij moeizaam. 'Ik neem aan dat niemand het lef heeft gehad om haar te vertellen dat ze het rustig aan moet doen?'

Paula snoof. 'Alsof dat gaat gebeuren.'

'Ze zou dit niet moeten doen.'

Er volgde een lange stilte, waarna Paula zei: 'Maar goed, belde je me met een bepaalde reden?'

'Ben je oud genoeg om je een tv-serie genaamd *Maze Man* te herinneren?'

'Ik weet het niet. Ben ik dat? Want ik kan het me niet herinneren.'

'Het was op Channel 5.'

'Ik denk niet dat ik ooit bewust naar Channel 5 heb gekeken.'

Tony grinnikte. 'Je bent ook zo'n snob. Maar luister, er is maar één serie van gemaakt. Het ging over een profielschetser en een agent...'

'Klinkt bekend. Was ze blond?'

'Dat is niet grappig, Paula. Hoe dan ook, het was een behoorlijk waardeloze serie. Maar ik heb het merendeel ervan wel gezien, omdat het zo slecht was dat ik me er een geniale profielschetser door ging voelen. Maar nu komt het: die vier moorden van jou zijn identiek aan de moordmethoden in de eerste vier afleveringen van *Maze Man.*'

'Weet je dat zeker?'

'Zeker. Verwurging. Verdrinking in een bad en het lichaam in een kanaal gooien. Omgekeerde kruisiging en het doorsnijden van de keel. En het aan stukken snijden van het lichaam om het in een kartonnen doos af te leveren. En wat helemaal de doorslag geeft: hij gebruikt de naam van de acteur die de held speelt, de psycholoog. Larry Geitling. Onder die naam heeft hij toch een kamer in het motel gehuurd?'

'Jezus. Dat is ziek.'

'Ik zal je een link naar een website sturen. Een of andere vent in een gat ergens in Amerika is een fan van *Maze Man* en heeft een beschrijving van alle afleveringen gemaakt. Nu ik er eigenlijk zo over nadenk... misschien moet je zorgen dat je hem te spreken krijgt om te kijken of hij contact onderhoudt met andere *Maze Man*-freaks. Want onze moordenaar moet ook een *Maze Man*-fanaat zijn. De serie is voor zover ik heb kunnen nagaan nooit op dvd of video uitgebracht. Onze man moet het in 1997 hebben opgenomen. Hij moet de serie nog steeds hebben.'

'Of misschien heeft zijn videorecorder de videobanden wel opgevreten en heeft dat hem ertoe doen besluiten om het dan zelf maar na te spelen.'

'Heb ik je wel eens verteld hoezeer ik politiehumor haat?' zei Tony. 'Luister, Paula, dit is echt interessant. Seriemoordenaars doen wat ze doen omdat iets in wat ze tijdens het hele proces doen of in hoe ze het geheel vormgeven of in de daad zelf een pijnlijke emotionele behoefte bevredigt. Ze verminken borsten omdat ze problemen met vrouwelijkheid hebben. Ze verkrachten met messen omdat ze erectieproblemen hebben. Ze steken ogen uit omdat ze te kampen hebben met het gevoel dat ze bespioneerd worden. Wat dan ook. Maar bij deze vent is er geen sprake van een emotionele behoefte. Of hij heeft die in ieder geval nog niet gevonden. Het is alsof hij een lijst van moordmethoden afwerkt om ze allemaal uit te proberen. Past deze bij mij? Krijg ik hier een kick van?'

'Wat? Je bedoelt dat hij een seriemoordenaar wil zijn, maar dat hij niet weet wat hij moet doen om ervan te genieten?'

'Zoiets, ja. Dát of hij walgde er telkens zo erg van dat hij voor de volgende keer een andere methode moest vinden.' Nu was hij toch aan het ijsberen. Drie stappen de ene kant op, draaien, drie stappen de andere kant op. 'Er is een reden waarom hij moordt. Maar het is niet het moorden zelf. Hij wil een boodschap overbrengen met de tatoeage, alsof hij wil zeggen: "Moet je mij eens zien, dit zijn míjn wapenfeiten." Paula, als hij een andere manier kon vinden om zijn doel te bereiken, een manier zonder moorden, dan zou hij dat doen.'

'Dat is wel een heel erg vreemd profiel, Tony.'

'Ik weet het. En wat nog erger is: ik zie niet in hoe het je ook maar enigszins kan helpen die vent te pakken te krijgen.'

'Vroeger zou je daar inderdaad gelijk in hebben gehad,' zei Paula. 'Maar je suggestie dat hij contact zou kunnen onderhouden met de *Maze Man*-fanaat is een uitstekend idee. De kans is groot dat ze een forum of een weblijst of dat soort flauwekul hebben. Of misschien hangt er zelfs wel een stukje software aan waarmee alle bezoekers van de site geregistreerd worden. Stacey zal het geweldig vinden: eindelijk iets om haar tanden in te zetten in plaats van alleen maar als distributiecentrum voor de gegevens van de noordelijke divisie te dienen. Zodra we haar weer terug hebben, kan ze zich daarin vastbijten. Tony, ik wist wel dat ik er goed aan deed om je hierbij te betrekken.'

'Zoals ik me vanmorgen voel, ben ik degene die jou dankbaar zou moeten zijn. Het is goed om wat afleiding te hebben om me ervan te weerhouden in het kanaal te springen.'

'Dat meen je niet,' zei ze, opgelaten omdat ze zich niet helemaal op haar gemak voelde om zo'n persoonlijk terrein met Tony te betreden. Het was niet het soort gebied waar hun vriendschap hen normaal gesproken naartoe leidde.

'Natuurlijk niet,' loog hij.

'Dus als je gelijk hebt over *Maze Man*, wat is dan de volgende moord in de serie?'

Tony schraapte zijn keel. 'Ze zal gevild zijn. Haar gezicht zal ongeschonden zijn, maar haar lichaam zal gevild zijn.'

Paula voelde zich een beetje misselijk worden. 'Wat ik zo heerlijk vind van deze baan,' zei ze, 'is dat je altijd iets hebt om naar uit te kijken.'

42

Carol wist dat ze onuitstaanbaar was tegen Ambrose en Patterson, maar dat kon haar niet schelen. Hun mening over haar deed er weinig toe in vergelijking met het opsporen van Vance. Ambrose had de lijst van afspraken uit Terry's agenda voor haar afgedrukt en aan haar gegeven. 'Ik heb hier een van mijn beste mannen op gezet, maar we schieten niet erg op omdat het zaterdag is en er niemand op kantoor is om de telefoon op te nemen,' zei hij. 'Ik dacht dat u er misschien naar zou willen kijken om te zien of het u op ideeën brengt.'

Ze dacht dat hij er gewoon voor wilde zorgen dat ze hem niet voor de voeten zou lopen, maar dat maakte haar niet uit. Ze was dankbaar dat ze iets kon doen. Carol kon niet tegen nietsdoen. Het was die eigenschap van haar, meer nog dan haar onvermogen om met het verdriet en de schuldvraag van haar ouders om te gaan, die haar in de eerste plaats naar Worcester had gevoerd. En nu ze dus tijd zat had, zou ze niet in staat zijn te voorkomen dat ze aan Michael zou gaan denken. En dat zou rechtstreeks naar de fles leiden. Dit keer wilde ze die weg echt niet bewandelen. Ze wilde niet de ramp in haar eigen leven worden. Ze wist niet of ze in staat zou zijn een tweede keer haar weg terug te vinden.

Daarom begon ze maar met de lijst. Ze besefte al snel dat de gegevens konden worden onderverdeeld in drie aparte bezoekjes aan Londen en nog een aan Manchester. Het eerste bezoek aan Londen bestond uit drie afspraken. Er waren telefoonnummers, adressen en initialen voor alle drie. Patterson had haar met tegenzin een telefoon en een computer toegewezen en ze begon met een bezoek aan Google, dat haar naar een bedrijf leidde dat voorzag in een overzicht van kantooreigenaren door heel Londen. Twee van de adressen stonden op de site, met een volledige lijst van de huurders in het gebouw, maar de derde was niet te vinden.

De twee bedrijven die ze meteen had gevonden, hadden ook weer een website. Ze waren gespecialiseerd in het leveren van kant-en-klare bedrijven in landen waar de financiële controlesystemen minder dan transparant waren. Carol printte de schaarse informatie over de twee bedrijven uit en legde die voorlopig terzijde.

Ze belde het nummer dat bij de derde afspraak van de dag stond en kreeg een opgenomen boodschap van het Register van het district Westminster te horen. Nieuwsgierig geworden bezocht ze hun website. Halverwege de inhoudsopgave van de site zag ze wat volgens haar een waarschijnlijk doel voor Gates geweest kon zijn: de Dienst Persoons- en Geo-informatie. Als Vance nieuwe identiteiten aan het opbouwen was, zou hij een identiteitsbewijs nodig hebben. In de slechte oude tijd hoefde een crimineel die een nieuwe identiteit wilde aannemen alleen maar een bezoekje te brengen aan St. Catherine's House of later aan het Family History Centre in Islington, waar de documenten met betrekking tot geboorten, huwelijken en sterfgevallen werden bewaard. Daar konden ze de overlijdensakte vinden van iemand die ongeveer even oud was, bij voorkeur van iemand die als baby of als jong kind was gestorven. Daarmee konden ze de geboorteakte achterhalen en er vervolgens een kopie van opvragen.

Gewapend met een geboorteakte konden andere lagen van echte identiteitsbewijzen worden opgebouwd: rijbewijs, paspoort, energierekeningen, bankrekeningen en creditcards. En dan had je een compleet nieuwe identiteit die de proef zou doorstaan op een vliegveld of bij een veerbootterminal.

Maar het terrorisme had veel van die deuren gesloten, waardoor het allemaal een stuk moeilijker was geworden. De akten waren niet meer toegankelijk voor het publiek. Alles wat er beschikbaar was, waren basisdetails die bij een indexnummer hoorden dat je moest hebben voordat je de akte zelf kon opvragen. Het kostte veel meer tijd en geduld om de zwendel te kunnen beginnen en het liet een papieren spoor na. Carol typte snel een voorstel voor te ondernemen actie voor maandagochtend uit en stuurde het door naar Ambrose. Een of andere geluksvogel zou contact met de Dienst Persoons- en Geo-informatie moeten opnemen om uit te vinden of Terry Gates akten van geboorte, huwelijk of overlijden had opgevraagd. Dat zou in ieder geval een startpunt zijn voor mogelijke schuilnamen voor Vance.

Natuurlijk nam niemand tegenwoordig nog de moeite het tijdrovende proces van een uit verschillende lagen opgebouwd echt identiteitsbewijs te doorlopen. Vervalsingen waren zo verfijnd geworden dat je een vervalser maar van een naam, een geboortedatum en een foto hoefde te voorzien om hem in staat te stellen een hele reeks documenten te produceren die er volkomen authentiek uitzagen. Maar je moest nog altijd een echt startpunt hebben voor het geval iemand het zou nakijken. Carol zou er een maandsalaris om willen verwedden dat Terry Gates naar het Register van Westminster was gegaan om een plausibele identiteit voor Jacko Vance te vinden. Misschien wel meer dan een.

Het natrekken van gegevens zoals die op de simkaart van Terry Gates was oneindig veel sneller en makkelijker geworden dankzij hulpmiddelen als internet en de databases waartoe de politie toegang had. Een paar jaar geleden zou wat Carol binnen een paar uur had bereikt meerdere rechercheurs een paar dagen rondsjouwen hebben gekost en bovendien hadden ze er een aantal mensen die zich op de randen van de wet bewogen voor moeten ondervragen. Hoewel de enige mens met wie het haar was gelukt contact te krijgen een oude vriend bij het fraudeteam was, had ze een behoorlijk duidelijk idee gekregen van waar Terry Gates zich mee bezig had gehouden. Met het opzetten van bedrijven, met identiteitsbewijzen en privébanken en met een overduidelijk onbetrouwbaar privédetectivebureau en een voormalige notaris die was gespecialiseerd in het doorspitten van het kadaster om informatie over onroerend goed aan verachtelijke broodschrijvers van de roddelbladen te verkopen. Dat alles wees op twee afzonderlijke operaties. De eerste bestond uit het creëren van nieuwe identiteiten en het opzetten van kanalen waarlangs Vance weer bij zijn geld kon komen. Het tweede doel was duidelijk gericht op het opsporen en volgen van andere personen. Waarschijnlijk de doelwitten van Vance' wraakactie. Behoorlijk wat rechercheurs zouden het aankomende maandagochtend heel druk krijgen, als ze Vance dan nog niet hadden gevonden. Ze zouden tegen die tijd in ieder geval een duidelijker idee hebben over de omvang van de vergelding die Vance in zijn hoofd had.

Ze was bijna klaar met een gedetailleerd verslag voor Patterson, toen Stacey Chen binnen kwam lopen. Ze zag eruit alsof ze van de pagina's van een weekendbijlage was gestapt met haar perfect bij elkaar passende designervrijetijdskleding en haar Henk-koffer. Omdat ze het ooit had gegoogeld, wist Carol dat die mooi gestroomlijnde, zwarte, van koolstofvezel vervaardigde vliegtuigkoffer meer dan vijftienduizend euro kostte. Er was een tijd geweest dat ze zich had afgevraagd of Stacey steekpenningen aannam. Maar toen ze wat nader onderzoek had gedaan, was ze erachter gekomen dat een van de softwareapplicaties die Stacey in haar vrije tijd had ontwikkeld haar de afgelopen vijf jaar alleen al meer dan een miljoen per jaar had opgebracht.

Carol had Stacey op een keer gevraagd waarom ze eigenlijk nog een vaste baan had. 'Als ik wat ik hier op het werk doe als privépersoon zou doen, dan zou ik gearresteerd worden. Ik vind het fijn dat ik de volmacht heb om in andermans gegevens rond te neuzen,' had ze geantwoord. Ze had ook een snelle, uitdrukkingsloze blik op Sam Evans geworpen, en dat was eveneens een antwoord geweest.

Stacey zag haar zitten en kwam naar haar toe. 'Bedankt dat je bent gekomen,' zei Carol.

'Het klinkt heel wat interessanter dan de zaken in Bradfield,' zei Stacey. 'Tot nu toe was dat alleen maar routinematige gegevensverwerking. Hoewel Paula iets heeft ontdekt wat zonder meer perspectief op datamining biedt.'

'Echt waar?' Bradfield was de afgelopen vierentwintig uur helemaal uit beeld verdwenen bij Carol. Staceys opmerking herinnerde haar eraan dat ze elders verantwoordelijkheden had. 'Ze heeft niets tegen mij gezegd.'

Staceys gezicht verraadde niets. 'We dachten allemaal dat u wel genoeg aan uw hoofd had. En het is zo'n vreemd idee dat Paula het eerst nog eens goed wilde bekijken voordat ze het aan de grote klok zou hangen.'

'Maar wat is het dan?' Elke afleiding was welkom, ook al was het een zaak die een miljoen kilometer van haar verwijderd leek.

'Er is weer een lichaam gevonden, wist u daarvan?'

Carol schudde haar hoofd. 'Dat had iemand me toch op zijn minst moeten vertellen.'

Stacey vatte de zaak even snel samen voor Carol. 'Omdat dit zo apart was, zo bizar, was het verband onmiskenbaar,' besloot ze. 'Er was in de late jaren negentig een obscure Amerikaanse tv-serie die *Maze Man* heette en deze moorden zijn een kopie van de moorden in de eerste vier afleveringen. Bovendien is er een fansite die door een vent in Oklahoma wordt onderhouden. Paula wilde hem opbellen om te kijken of hij contact onderhield met andere fans, in het Verenigd Koninkrijk, maar ik heb haar gezegd dat hij daardoor zou kunnen dichtklappen. Deze freaks nemen elkaar vaak heel erg in bescherming en zien zichzelf als eenzame helden die tegen de stroom op zwemmen.' Ze trok haar wenkbrauwen op. 'Waarbij wij dan in dit geval de stroom zijn. Vreemde vogels. Hoe dan ook, ik heb voorgesteld dat ik eerst eens naar die site ga kijken. Ze hebben misschien wel een forum of een gastenboek of een Twitter-account die ik kan plunderen. Ik zal er eens rondsnuffelen en kijken wat ik kan vinden.' Ze glimlachte, waardoor haar strengheid verdween. 'Er is altijd een achterdeur.'

'Zeer interessant. En dat heeft Paula helemaal in haar eentje bedacht?'

Stacey pakte de Henk, tilde hem op een bureau en maakte hem open. 'Blijkbaar.'

Bij iemand anders zou Carol dit als een ontwijkend antwoord kunnen hebben bestempeld, maar in het geval van Stacey was het lastiger om daar zeker van te zijn. Maar toch zei haar intuïtie haar dat er iets niet helemaal klopte aan het verhaal van Stacey. 'Zou je het gek vinden als ik zeg dat het heel erg lijkt op de manier waarop Tony's geest werkt?'

Stacey keek haar aan. 'Paula is een grote fan van hem, dat weet u. Misschien heeft ze iets van zijn werkwijze overgenomen.'

Carol wist wanneer ze tegen de stenen muur van de loyaliteit aanliep. 'De computers van Terry Gates staan daar.' Ze wees naar de tafel. 'Kijk maar eens wat je ermee kunt doen. Maar vergeet de moordzaken in Bradfield niet. Zijn cyclus is duidelijk aan het versnellen.'

Stacey haalde haar schouders op. 'Ik kan programma's op de hardware van Gates aan het werk zetten en aan dat gedoe in Oklahoma werken terwijl ik op de resultaten zit te wachten. Met enig geluk zal ik later op de dag al iets voor u hebben. Of anders morgen wel.'

De geruststellende vakbekwaamheid van Stacey was precies wat Carol op dit moment nodig had. Het was goed om te weten dat er iemand was die de zaken onder controle had. Maar als Tony Hill zich met de moordzaken in Bradfield aan het bemoeien was, dan wilde ze dat weten. De moord op haar broer had aangetoond dat Tony niet meer zo doortastend was als vroeger. Zoals ze er nu over dacht had ze niet het gevoel dat ze ooit nog met hem zou kunnen werken. En het laatste wat ze wilde, was door hem onaangenaam verrast worden. 'Bedankt, Stacey,' zei ze afwezig terwijl ze al op zoek was naar Ambrose en het antwoord op haar volgende vraag: waar was Tony precies?

43

Als Vance nog ondersteuning nodig had voor zijn overtuiging dat zijn programma van vergelding juist was, dan zou hij hebben gewezen op zijn diepe en droomloze slaap. Hij had geen last van nachtmerries, lag niet te woelen en te draaien en lag niet smekend om bewusteloosheid naar het plafond te staren. Toen zijn werk bij het huis van Tony gedaan was, nam hij een Chinese afhaalmaaltijd mee naar zijn hotelkamer en zapte langs de nieuwskanalen tot hij slaperig werd. Het was niet alleen dat hij geïnteresseerd was in de manier waarop er van zijn eigen verrichtingen verslag werd gedaan; hij was lange tijd verstoken geweest van elke toegang tot de media en vond het interessant om te zien hoe die zich tijdens zijn afwezigheid hadden ontwikkeld.

Hij kon niet anders dan een licht gevoel van spijt ervaren. Hij zou perfect geschikt zijn geweest voor dit multimediale universum. Twitter en Facebook en dergelijke zouden veel beter bij hem hebben gepast dan bij heel wat idioten aan wie tegenwoordig de verering van het publiek ten deel viel. Dat was nog iets waar Carol Jordan en Tony Hill en die hoer van een ex-vrouw van 'm hem van hadden beroofd. Misschien moest hij wel een Twitter-account aanmaken om de politie te tergen. Vanceontherun zou hij zichzelf kunnen noemen. Het was verleidelijk, maar hij zou ervan af moeten zien. Als hij één ding had geleerd achter de tralies, dan was het dat alles wat je in cyberspace deed een spoor achterliet. Hij had al genoeg aan zijn hoofd zonder het nauwgezet uitwissen van zijn sporen dat een elektronische lange neus naar de autoriteiten maken met zich zou meebrengen. Het was voldoende dat ze wisten dat hij daar ergens rondliep en zijn ding deed.

Het was halverwege de ochtend toen hij wakker werd en het deed hem deugd een reeks foto's van de brand op een plaatselijke nieuwssite aan te treffen. Er werd blijkbaar aan brandstichting gedacht. Ja, hè hè. Vance werd nergens genoemd en degene die het verslag had geschreven had niet de moeite genomen iets meer uit te vinden over 'de eigenaar, dr. Tony Hill', die niet bereikbaar was voor commentaar. Maar er was één ding waardoor Vance' voelsprieten overeind gingen staan. Op een van de foto's kon hij op de achtergrond het karakteristieke hoofd van de politieman zien die op de tv een verklaring over zijn ontsnapping had afgelegd. Glanzende zwarte schedel, oplettende ogen en een gezicht dat eruitzag alsof het door de jaren heen een paar vuisten was tegengekomen. En nu stond hij daar ook weer bij de brand.

Iemand legde dus de juiste verbanden. En dat vond Vance best. Ze konden de puntjes met elkaar verbinden zoveel ze wilden, maar hij zou hun altijd een stap voor zijn. Bijvoorbeeld nu. De veiligste plek in het land voor hem was Worcester, omdat ze ervan overtuigd zouden zijn dat hij allang verdwenen was. Dit was de enige plaats waar ze niet naar hem zouden uitkijken. Hij zou in het Cathedral Plaza-winkelcentrum kunnen rondwandelen zonder dat het tot verbaasde blikken zou leiden. Dat idee deed hem lachen van genot.

Maar hoewel hij hier veilig was, was hij niet van plan om er te blijven hangen. Hij moest plaatsen bezoeken en mensen ontmoeten. En geen van die ontmoetingen zou er fraai uitzien. Maar eerst moest hij de laatste voorbereidingen treffen. Hij maakte een rondje langs zijn camera's. In de boerderij waren ze buiten werking; waarschijnlijk had de politie een camera gevonden en had men die ruimte vervolgens doorzocht op de andere. Dat was de reden dat de camera's in Tony Hills huis en bij de boerderij van Micky aan de buitenkant zaten: de politie zou daar op de verkeerde plekken gaan zoeken. Het leek erop dat hij wederom gelijk had gehad.

Vance bekeek de reeks beelden van het fokbedrijf in Herefordshire waar zijn trouweloze ex-vrouw en haar geliefde hun nieuwe leven waren begonnen. Hij had Micky en Betsy een zeer grote gunst verleend door met Micky te trouwen. De geruchten en roddels die over Micky de ronde deden, hinderden haar klim naar het hoogst bereikbare binnen het tv-presentatorschap. Die waren allemaal verstomd toen ze zich in de echt verbonden. Ze moest kennelijk wel hetero zijn, want waarom zou Vance met een lesbienne trouwen als hij de mooie, sexy vrouwen voor het uitkiezen had? Cynici probeerden nog rond te bazuinen dat Vance ook homofiel was, maar dat geloofde niemand. Hij had een heteroseksuele staat van dienst en er waren nooit geruchten geweest dat hij van beide walletjes zou eten.

Het huwelijk was natuurlijk een schijnvertoning geweest. Wat Micky er wijzer van werd, was van meet af aan duidelijk geweest en ze wilde zo graag van de voordelen ervan genieten dat ze ervoor had gekozen geen vraagtekens te zetten bij zíjn smoes om het te willen. Hij had haar op de mouw gespeld dat hij bescherming zocht tegen de fans die hem stalkten, overtuigde haar ervan dat hij hield van de ongebondenheid van de verbintenissen met de eersteklas hoeren die hij voor seks gebruikte en beloofde haar dat hij haar nooit in verlegenheid zou brengen door een opzichtige ontmoeting met een loslippig sletje. Dat was gemakkelijker te geloven dan de waarheid: dat hij een dekmantel wilde voor zijn andere leven als ontvoerder en seriemoordenaar van tienermeisjes. Niet dat hij die waarheid ooit met Micky had gedeeld.

Hij was zijn deel van de afspraak nagekomen. Dus hij verwachtte dat zij zich ook aan haar deel zou houden. Maar zodra de zaken akelig begonnen te worden had ze nog sneller dan Pilatus haar handen in onschuld gewassen in plaats van hem van de alibi's te voorzien die hij nodig had. Je kon Vance niet kwader krijgen dan door je verplichtingen niet na te komen. Hij hield zich altijd aan zijn woord. De enige keer dat hij iets had beloofd en zijn afspraak niet kon nakomen, was toen hij het Britse volk plechtig had beloofd dat hij een gouden Olympische medaille mee naar huis zou brengen. Maar ze hadden het hem niet kwalijk genomen, omdat de reden zo heroïsch was geweest.

Hij zou willen dat ze in staat waren geweest om zijn andere daden in hetzelfde licht te zien. Hij had gedaan wat hij moest doen. Het mocht dan niet de reactie zijn geweest die de meeste mensen zouden begrijpen, maar hij was niet als de meeste mensen. Hij was Jacko Vance en hij was uitzonderlijk. Dat betekende dat hij een uitzondering was en buiten al de bekrompen regels viel waar de rest van hen zich aan diende te houden. Zij hadden die regels nodig. Zij konden zonder niet functioneren. Maar hij kon dat wel. En dat deed hij dus ook.

Vance bekeek de beelden een voor een, keek er aandachtig naar en zoomde in waar hij kon. De vorm die hun bescherming ter plekke aannam werd al snel duidelijk. De politie hield de toegangswegen naar de boerderij in beide richtingen in de gaten. De oprijlaan werd nog altijd geblokkeerd door een paardentrailer. Er stond een Land Rover van de politie aan het begin van de oprit aan de achterkant van het huis. Hij kon er drie agenten in zien zitten. Twee paar agenten met de soldatenmutsen die leden van vuurwapenteams gewoonlijk droegen, patrouilleerden rond het huis zelf, hun automatische Heckler en Kochs diagonaal voor de borst.

Zo te zien werd het eigenlijke erf bewaakt door de stalknechten, een groep mannen die van pijpenragers, ijzerdraad en boetseerklei gemaakt leken te zijn. Een aantal van hen had opengeklapte jachtgeweren over hun armen hangen. Wat Vance vooral interesseerde was dat ze allemaal gekleed waren in varianten van dezelfde outfit. Platte petten, waxcoats of gewatteerde jassen, spijkerbroeken en rijlaarzen. De agenten schonken er nauwelijks aandacht aan wanneer een van hen het huis uit kwam en naar het stallenblok toe liep. Of andersom.

Dat zou nog interessanter zijn geweest als het zijn bedoeling was om het huis binnen te komen. Maar hij had andere plannen. En afgaande op deze opstelling zouden die zeer waarschijnlijk uitstekend gaan slagen. Vance nam een douche, kleedde zich aan en checkte een halfuur voor tijd uit. Niets wat de aandacht zou trekken.

Hij liet de auto achter in een zijstraat op korte afstand van het autoverhuurbedrijf waar Patrick Gordon al het voertuig voor vandaag had gehuurd: het soort SUV dat perfect in de plattelandsomgeving zou opgaan. En de auto beschikte zoals hij had verzocht over een trekhaak. Hij reed terug naar de vorige auto, pakte de jerrycan met benzine, de laptoptas en de reistassen uit de kofferbak en vertrok naar Herefordshire. Hij moest onderweg nog één tussenstop maken, maar hij had meer dan genoeg tijd. Het was een prachtige dag, realiseerde hij zich toen hij Bradfield achter zich liet.

Tijd om hem ten volle te benutten.

Zoals altijd wanneer hij zat na te denken was de tijd voorbijgevlogen zonder dat Tony het in de gaten had. Hij realiseerde zich pas hoe laat het was toen zijn maag begon te rommelen uit protest tegen het overslaan van het ontbijt en de lunch. Er stonden verschillende blikjes en pakjes in de kastjes van de kombuis, maar hij had zelfs op goede dagen nooit echt zin om te koken en dit was beslist geen goede dag. Daarom sloot hij de boot af en ging aan wal. Hij dacht eerst aan de kroeg, maar verwierp dat idee. Hij was er nog niet aan toe om andere mensen te zien, zelfs geen vreemden.

Een paar straten verderop vond hij de perfecte oplossing in de vorm van een fish-and-chipstent op de hoek van een straat. Hij haastte zich terug naar de *Steeler* met een geurig pakketje van kabeljauw en patat, dat zo heet was dat zijn vingertoppen er pijn van deden. Het vooruitzicht om iets lekkers te gaan eten herinnerde hem eraan het idee vast te houden dat niet alles een en al ellende was.

Hij ging de bocht om en liep de steiger op waar zijn boot lag aangemeerd en bleef toen plotseling staan. Er stond een bekende gestalte op de achtersteven van de *Steeler* met haar armen over elkaar tegen de cabine te leunen, haar dikke blonde haar in de war gemaakt door de wind. Heel even voelde hij zich vrolijker worden en trok hij zich op aan de hoop op verzoening. Maar toen maakte hij een juiste inschatting van haar lichaamstaal en accepteerde hij dat Carol hier niet was gekomen om de strijdbijl te begraven en te onderzoeken hoe ze het best samen konden voortgaan om Vance te pakken.

Als dat zo was, moest hij zich afvragen waarom ze hier dan wel was. Hier blijven staan staren zou die vraag niet beantwoorden. Alsof hij bang was voor een fysieke aanval liep Tony behoedzaam verder de steiger op totdat hij op gelijke hoogte met de boot was. 'Er is waarschijnlijk wel genoeg voor twee,' zei hij.

Carol pakte de olijftak aan en brak hem op haar knieën doormidden. 'Ik ben niet van plan lang genoeg te blijven om samen te eten,' zei ze.

Hij zou nooit iets opschieten met verzoenend tegen Carol te doen. 'Zoals je wilt,' zei hij. 'Maar ik moet iets eten.' Hij stapte aan boord en keek haar boos aan totdat ze opzij ging, zodat hij de deur van het slot kon halen en naar beneden kon klauteren. Hij liet haar geen andere keus dan hem achterna te komen als ze met hem wilde praten.

Hij haalde een bord uit het rek en pakte zijn vis met patat uit, waarna hij die op het bord kieperde. Toen ze voorzichtig de trap afkwam, trok hij zich terug in het zitgedeelte van de kajuit en schoof zijn papieren en de laptop opzij zodat hij kon eten. Hij haalde een blikje cola uit zijn jaszak tevoorschijn en zette het naast zijn bord neer. 'Sommigen zouden zeggen dat dit meer mijn stijl is dan wat ik zojuist heb verloren,' zei hij.

'Ik heb gehoord wat er met het huis is gebeurd,' zei Carol. 'Het spijt me.'

'Mij ook. Ik weet dat het vergeleken met Michael en Lucy triviaal is, maar het doet evengoed pijn. Dus ik heb een klein beetje moeten boeten voor mijn traagheid van begrip.' Hij probeerde niet verbitterd te klinken. Hij kon uit het vernauwen van haar ogen opmaken dat hij daar niet in geslaagd was.

'Ik ben hier niet gekomen om je ervanlangs te geven omdat je hen hebt laten stikken.' Ze leunde met haar armen over elkaar tegen de kombuis en de pijn stond op haar gezicht te lezen. Hij had zich zo vaak voorgesteld dat ze hier was en had voorzichtig gefantaseerd dat ze samen een eindje met de aak gingen varen zoals gewone mensen dat deden. Maar wie wilde hij nu eigenlijk voor de gek houden? Ze waren niet gewoon, geen van beiden. Zelfs als ze dit zouden overleven, zouden ze niet in het soort gepensioneerden veranderen dat over het kanalenstelsel zou ronddobberen terwijl ze ketels met kastelen en rozen beschilderden en discussieerden over welke kroeg langs de Cheshire Ring de beste rundvleespastei maakte.

Tony gooide een patatje in zijn mond en hapte naar lucht toen hij zijn mond brandde aan de hete aardappel. 'Au! Dat is heet, zeg!' Hij kauwde er met open mond op tot hij voldoende was afgekoeld om door te slikken. 'Sorry.' Een ongelukkige grijns en een licht schouderophalen. Wie dacht hij voor de gek te kunnen houden? Hij had nooit het soort charme gehad waarmee je uit de problemen kon komen en bij Carol al helemaal niet. 'Waarom ben je me dan wel komen opzoeken?'

Ze deed een paar stappen naar voren, wekte de laptop uit de slaapstand en pakte de neergekrabbelde aantekeningen ernaast op. Het scherm kwam tot leven en er kwam een foto van een plaats delict in beeld met een openstaande kartonnen doos waarin afgesneden ledematen te zien waren. Ze las hardop voor: '"*Maze Man*. 1996. Eén seizoen bij HBO. Gebaseerd op roman van Canadees James Sarrono. Website *www.maze-man.com*. Facebook? Twitter?" En nog veel meer van dezelfde strekking. Waar gaat dit in godsnaam allemaal over?'

Hij overwoog te liegen. Hij dacht erover te beweren dat hij Paula onder druk had gezet om hem die informatie te geven omdat hij het wilde goedmaken met Carol. Maar dat was een waardeloos verhaal en een van de dingen die hij in de loop van de lange nacht had besloten was dat hij zou proberen het in de toekomst beter te doen dan waardeloos zijn. 'Je teamleden houden van je. Ze willen niet dat je weggaat. En het enige wat ze als afscheidscadeau voor je kunnen bedenken is deze zaak oplossen. Dus ook al weten ze dat je er in principe op tegen bent dat ik voor niets werk en ook al hebben ze inmiddels wel door dat ik de schuld voor de dood van je broer moet dragen, ze hebben me desondanks om hulp gevraagd. Omdat ze denken dat ik kan helpen. En ik denk dat dat me ook gelukt is.' Hij maakte een gebaar naar de papieren in haar hand. 'Ik heb *Maze Man* ontdekt.'

'En dat is jouw idee van helpen bij een onderzoek? Een zwak verband met een obscure tv-serie die niet eens op dvd is uitgebracht? Wat hebben we daaraan, zelfs als het een echt verband is en geen ijdele hoop?' Ze was witheet van woede. Tony dacht niet dat die veel met de moorden in Bradfield te maken had. Onder normale omstandigheden had ze het bij teleurstelling en ergernis gehouden en zou ze Paula later verbaal ervanlangs hebben gegeven. Dit was woede van een andere orde.

Hij nam zijn tijd om een stuk vis af te breken en op te eten. 'De plaatsen delict zijn praktisch identiek. De moordenaar heeft de naam van de hoofdpersoon uit de serie gebruikt om een kamer in een motel te boeken waar hij waarschijnlijk zijn tweede slachtoffer heeft verdronken. Er is een website met een forum waaraan een tiental mensen met enige regelmaat bijdragen levert. Als een van hen in Bradfield woont, dan kan dat jullie moordenaar zijn. Of iemand die jullie moordenaar kent. Het is beter dan niets, en je team hád niets voordat ik met deze suggestie kwam.'

Carol smeet de papieren op tafel. 'Hoe kun je je hiermee bezighouden? Waarom zou je ook maar ene moer geven om een of andere gestoorde figuur die prostituees vermoordt terwijl Jacko Vance gewoon vrij rondloopt? Hij heeft jou in het vizier, en mij ook. Je zou met Ambrose en Patterson moeten samenwerken en moeten proberen Vance te vinden in plaats van hier een beetje te lopen aanrommelen met iets waarmee je niets te maken hebt.' Ze schreeuwde het nu uit en haar stem trilde van tranen waarvan hij wist dat ze er alles aan zou doen om ze niet de vrije loop te laten. 'Het is duidelijk dat je niet om mij geeft, maar geef je dan niet om jezelf?'

Tony staarde haar uitdagend aan. 'Eigenlijk is het precies andersom. Ik geef waarschijnlijk te weinig om mezelf, maar ik geef wel heel erg veel om jou. En dat weet Vance. Dat is waarschijnlijk de reden waarom Chris nu in het ziekenhuis ligt.' Op het moment dat de woorden zijn mond verlieten, vervloekte hij zijn eigen stommiteit.

Het leek wel alsof hij Carol een klap in haar gezicht had gegeven. 'Chris in het ziekenhuis? Daar heb ik nog helemaal niets over gehoord. Wat is er in hemelsnaam met haar gebeurd?'

Tony kon haar niet aankijken. 'Zíj ging Nelson ophalen in plaats van Paula. Vance is in je appartement geweest om een boobytrap in de trommel met kattenvoer te plaatsen. Ze kreeg een lading zwavelzuur in haar gezicht.'

'O, mijn god,' zei Carol nauwelijks hoorbaar. 'Dat was voor mij bedoeld.'

'Ja, dat denk ik ook. Om jou nog meer te laten lijden en om mij ook te laten lijden.'

'Wat... hoe is het met haar?'

'Niet goed.' Hij kon de waarheid niet meer voor haar verzachten nu hij er eenmaal over was begonnen. 'Ze is aan beide ogen blind, haar gezicht is gruwelijk verbrand en er wordt gevreesd voor haar longen. Ze is in een kunstmatig coma gebracht om haar stabiel te houden en van de pijn te verlossen.' Hij strekte zijn arm naar haar uit, maar ze deinsde achteruit. 'We hebben het niet aan je verteld omdat we dachten dat je al genoeg te verduren had.'

'Jezus,' zei ze. 'Dit wordt alleen maar erger. Waar ben je nu mee bezig? Waarom ben je niet met Vance bezig?'

'Ik heb Alvin al geholpen zoveel ik kan. Hij weet me te vinden als hij me nodig heeft.' Hij kreeg het te kwaad en schraapte zijn keel. 'Ik kan geen wonderen verrichten, Carol.'

'Er was een tijd dat ik dacht dat je dat wel kon,' zei ze met een vertrokken gezicht. Ze beet op haar lip en wendde zich van hem af.

Tony's mond glimlachte, maar op de rest van zijn gezicht stond een andere stemming te lezen. 'Je kunt de mensen een tijdje voor de gek houden... Het spijt me, Carol. Het spijt me echt. Als je je er iets veiliger door voelt, kan ik wel zeggen dat ik denk dat hij nu zal proberen Micky pijn te gaan doen. En dat betekent waarschijnlijk dat Betsy degene is die momenteel gevaar loopt. Alvin heeft zijn best gedaan bij de plaatselijke politie en die hebben gewapende bescherming naar hun huis gestuurd.' Hij speelde een beetje met zijn eten, maar hij had geen trek meer. 'Ik weet niet wat we voor de rest nog kunnen doen. En ja: ook ik ben verschrikkelijk bang voor wat hij nog allemaal van plan is.'

'Ironisch, nietwaar? We beschermen de vrouw die de criminele carrière van Vance al die jaren mogelijk heeft gemaakt. Hun schijnhuwelijk maakte het makkelijker voor hem om jonge vrouwen te ontvoeren, gevangen te houden, te martelen, te verkrachten en te vermoorden. En jij en ik, degenen die hem hebben tegengehouden, wij zijn degenen die verliezen hebben geleden. Zij gaat er wederom ongeschonden van afkomen,' zei Carol, die weer kwaad begon te worden. 'Het is zo oneerlijk.' Ze liet zich in de grote leren draaistoel tegenover hem vallen en had eindelijk geen puf meer.

'Ik weet het. Maar je bent hier in ieder geval veilig.'

'Hoe bedoel je?'

'Ik geloof niet dat hij van deze plek weet. Ik denk dat hij iemand onze gangen heeft laten nagaan, iemand die heeft gekeken waar we naartoe gaan, wat we doen en met wie we omgaan. Die verborgen camera's in de boerderij...'

'Welke verborgen camera's? Waarom is mij daarover niets verteld?' Ze slaagde erin haar laatste restje verontwaardiging aan te spreken. 'En hoe komt het in vredesnaam dat jij er wel van wist?'

'De mannen van de technische recherche ontdekten ze toen ik daar nog was. Heeft Franklin je dat niet verteld?'

'Franklin vertelt me ongeveer evenveel als jij blijkbaar doet.'

Tony ging daar niet op in. Hij wilde sowieso geen ruzie met haar. 'Hoe dan ook, ik denk niet dat hij van de boot weet. Ik ben hier in geen tijden geweest. Saul van de kroeg houdt het hier voor me in de gaten. En toen ik hier gisteravond naartoe kwam, heeft Alvin de boot door een van de technische rechercheurs laten controleren; geen camera's en geen afluisterapparatuur. Dus ik denk dat Vance er geen weet van heeft. Het is een goed onderduikadres.'

'Heeft hij hen in de gaten gehouden?'

'Hij heeft het juiste moment afgewacht: toen het het minst waarschijnlijk was dat ze zouden merken dat hij zo naar hen toe kwam lopen.'

'Smeerlap,' zei ze. Ze sloot haar ogen en liet haar hoofd in haar handen vallen.

'Er is een slaaphut in het vooronder,' zei Tony. 'Met een goed bed. Arthur hield wel van comfortabel. Je zou er een paar uur slaap kunnen pakken voordat je echt omvalt.'

Ze schudde zichzelf uit, stond op en ging meteen weer zitten. 'Ho, ik heb nog geen zeebenen. Bedankt, maar ik moet...'

'Je hoeft helemaal nergens heen. Je team in Bradfield weet hoe een operatie geleid moet worden. Alvin Ambrose en Stuart Patterson hebben wat ruimte nodig om zichzelf tegenover jou te bewijzen voordat je daadwerkelijk hun baas wordt. Als ze je echt voor iets nodig hebben, dan zal iemand je wel opbellen.' Hij had nog nooit zo zijn best gedaan om haar op hem te laten vertrouwen. Zelfs al was het maar tot ze weer wakker werd, het was het proberen waard.

Carol keek nadenkend om zich heen. 'En jij dan? Je ziet er niet uit. Heb jij vannacht wel geslapen?'

'Ik slaap toch nooit,' zei hij. 'Waarom zou één nacht langer dan nog iets uitmaken?' Het was niet helemaal waar. De vreselijke slaappatronen die het grootste gedeelte van zijn volwassen leven hadden beheerst waren geweken voor de rust die het huis van Arthur Blythe hem schonk. Het was een van de redenen waarom hij er zo gek op was geweest. Maar dat had hij niemand ooit verteld en hij kon het haar nu niet gaan vertellen. Dat zou te veel overkomen als een wanhopige vraag om medelijden. 'Ga slapen, Carol. Je kunt weer helemaal opnieuw ruzie met me maken wanneer je wakker wordt.'

'Dat is waar,' zei ze. Maar ze ging er verder niet meer tegenin. Hij keek met pijn in zijn hart toe hoe ze de paar meter naar de slaaphut in het vooronder aflegde. Hij kon zich niet aan de indruk onttrekken dat er zich iets zeer beslissends tussen hen aan het voltrekken was.

44

Je kon alles huren in het Engeland van de coalitie, dacht Vance. Vroeger was alles te koop, maar nu leek het erop dat alles te huur was. Als je het je niet kon veroorloven om iets te bezitten, dan kon je in ieder geval net doen alsof. En dankzij internet kon je de persoon vinden die in je behoeften wilde voorzien.

Tegen de namiddag had hij een quad op een trailer achter zijn SUV hangen. Bij dezelfde buitenlevenwinkel had hij een enorme zak speciaal voor fokhengsten ontwikkelde biks gekocht. Hoe ironisch was dat, een stel lesbiennes dat een stoeterij voor racepaarden runde? Maar het maakte het wel eenvoudiger voor hem om zich passend te kleden. Hij had ook nog een gewatteerd groen gilet, een lamswollen sweater, een tweed pet en een paar rijlaarzen gekocht. Hij was er helemaal klaar voor.

Drie kilometer van Micky's boerderij verliet hij de secundaire weg en reed een landweg op die door een stuk bos leidde. Toen hij vanaf de weg niet meer gezien kon worden, rolde hij de quad van de trailer, koppelde de trailer los en keerde de SUV, zodat hij snel zou kunnen wegkomen. Hij trok zijn vermomming aan, knipte zijn snor bij tot een smalle strook en verruilde zijn Patrick Gordon-bril voor een motorbril. Hij zette de zak biks achter op de quad, boven op zijn brandstichtingsuitrusting, en startte de motor.

Hij reed ongeveer anderhalve kilometer verder over de weg en sloeg toen, zoals hij van kaarten en Google Earth in zijn hoofd had geprent, rechts af, een doorgang naar het boerenland op. Hij hobbelde over een uitgestrekt veld gemaaid gras en was blij dat het de laatste tijd niet veel geregend had. Aan de overkant van het veld was nog een doorgang, die naar een veld leidde waar een stuk of zes paarden ongeïnteresseerd opkeken toen hij dicht langs de rand van hun weiland reed. Nu kon hij Micky's boerderij zien, het huis nog net zichtbaar achter het stallenblok en de hooischuur.

Vance kon zijn hart voelen bonzen toen hij dichterbij kwam. Hij nam veel meer risico dan hem lief was. Maar hij was vastbesloten om Micky te laten boeten voor wat ze hem had aangedaan. Hij had eerst overwogen haar een tijdje met rust te laten. Om te wachten tot de politie er genoeg van kreeg om een oogje op haar te houden. Om haar een paar maanden angst en ongerustheid te bezorgen waarin ze nooit zou weten wanneer hij haar te grazen zou komen nemen. Daar zou een zekere bevrediging in hebben gescholen, maar wat hij nog liever wilde, was er in één keer helemaal klaar mee zijn. Hij wilde niet nog een keer naar het Verenigd Koninkrijk hoeven terugkeren als hij eenmaal was vertrokken. Hij wilde zijn vergeldingsactie afgerond hebben: de rekeningen vereffenen en ervandoor gaan.

Dus hier was hij dan, op de motor op weg naar Micky's vervloekte, perfecte leven. Hij hoopte dat ze genoot van deze laatste vredige avond.

Toen de schaduwen langer werden ging hij het laatste hek door en reed naar de schuur toe. Een van de stalknechten kwam de hoek van het stallenblok om toen hij naderde en maande hem met zwaaibewegingen tot stoppen. 'Micky vroeg me deze biks langs te brengen,' zei Vance nonchalant, met een zo aristocratisch mogelijk accent. 'Wat is er aan de hand? Het ziet hier verdorie zwart van de politie.'

'Ken je Vance, die vent die uit de gevangenis is ontsnapt? Die op de vlucht is?' Hij klonk Iers, wat perfect was. Hij kon alle naburige landeigenaren nooit zo goed kennen als een plaatselijk iemand dat zou doen. 'Hij is Micky's ex. Hij heeft haar blijkbaar met van alles bedreigd.'

Vance floot laag. 'Dat is pech hebben. Dat zal zwaar zijn voor Micky. En voor Betsy ook, het arme mens. Hoe dan ook, ik moest deze maar eens zoals beloofd in de schuur zetten.'

De stalknecht fronste zijn voorhoofd. 'Dat is niet ons gebruikelijke merk.'

'Dat weet ik. Ik heb er ontzettend goede resultaten mee behaald. Echte verbeteringen in de algehele conditie. Ik heb beloofd ze langs te brengen, zodat ze ze kan uitproberen.' Hij glimlachte berouwvol. 'Ik had beloofd het gisteren te doen, maar ik had het toen zo druk met allerlei andere dingen.' De stalknecht ging opzij, waarna Vance de motor in zijn versnelling zette en naar voren reed.

De hooischuur was een ouderwetse houten schuur die met de achterkant tegen het stallenblok stond. Aan de ene kant lagen balen stro en aan de andere kant stonden zakken en balen voer. Dat alles interesseerde Vance totaal niet. Hij reed met de motor naar de achterste wand en keerde hem voordat hij afstapte. Hij trok het voer van de motor af en ging aan de slag.

Vance sleepte een van de strobalen dichter naar de achterkant van de schuur, zodat die dienst kon doen als een brug tussen de houten wand en de stapel strobalen. Vervolgens zette hij hem rechtop tegen de wand zodat eronder een wigvormige ruimte ontstond. Hij goot de benzine over het stro en vulde de lege ruimte op met schuimchips. Ten slotte stak hij een zestal sigaretten aan en stak die in het schuim. Als de pyromaan die hij in de gevangenis voor zich had gewonnen hem de waarheid had verteld, zou het schuim eerst een tijdje gaan smeulen en dan zouden de benzinedampen het stro doen ontbranden. De schuur was een brandgevaarlijk gebouw en het vuur zou zich naar het dak van de stallen uitbreiden, waardoor het dak boven op de doodsbange paarden zou vallen.

Het enige minpunt was dat hij er niet bij zou zijn om het te zien. Opgaan in de omgeving was een stuk lastiger op het platteland van Herefordshire dan in een stad als Worcester. Vance klom weer op de motor en nam dezelfde weg terug. Dit keer hield niemand hem tegen. De stalknecht met wie hij eerder had gesproken zwaaide zelfs naar hem.

De mensen waren zo eenvoudig voor de gek te houden. De snelheid van de hand misleidde het oog telkens weer. Hij had niets van zijn magie verloren. Zoals Micky op het punt stond te ontdekken.

45

Paula zat op Staceys stoel, omdat ze de computersystemen van het TZM in theorie onder haar hoede had gekregen. Stacey had haar afschrikwekkende waarschuwingen gegeven over waar ze niet aan mocht komen. Paula mocht dan bereid zijn het erop te wagen achter Carols rug om dingen te doen, maar ze was wel zo wijs om dat niet bij Stacey uit te halen. Dus drie van de zes schermen waren verboden terrein voor haar. Op die beeldschermen werden continu gegevens verwerkt, maar ze had geen idee waar het mee te maken had en of er resultaten waren waarvan ze het team op de hoogte moest stellen. Stacey had haar verzekerd dat ze het systeem op afstand in de gaten zou houden en dat vond Paula best.

Maar de overige schermen waren haar verantwoordelijkheid. Alle gegevens van het onderzoek ter plekke door de noordelijke divisie werden in hun computers ingevoerd, vanwaar ze onmiddellijk werden gedeeld met het TZM. Er vanzelfsprekend van uitgaande dat de noordelijke divisie ook alles wat men tegenkwam daadwerkelijk uploadde en geen verkeerde inschattingen maakte van welke gegevens belangrijk waren. Ze hoopte ook dat er geen idioten tussen zaten die dachten dat ze naam konden maken door de resultaten van hun verhoren voor zich te houden, zodat ze zelf met hun eigen aanwijzingen aan de slag konden gaan in plaats van ze met anderen te delen. Sam had daar een beetje de neiging toe en de afgelopen paar jaar hadden aangetoond dat je dat Lone Ranger-gedrag alleen maar tot op zekere hoogte kon uitbannen.

Zodoende was zij degene geweest die te horen kreeg dat het vierde slachtoffer geïdentificeerd was. Dit keer was de moordenaar iets minder grondig geweest met zijn voorzorgsmaatregelen en had hij de handtas van het slachtoffer in een afvalbak gegooid, vlak om de hoek van de plek waar het lichaam was achtergelaten. Paula riep de beelden van de tas op en zag een vies geworden kralentasje met een lange dunne draagband. De inhoud was ernaast uitgestald: een stuk of tien condooms, een portemonnee met zevenenzeventig pond, een lippenstift en een mobiele telefoon. Een triest punt achter een leven, dacht Paula.

De telefoon stond op naam van Maria Demchak, met een bijbehorend adres in de wijk Skenby. Voorbereidend onderzoek, wat dat ook mocht betekenen, dacht Paula sceptisch, wees erop dat ze waarschijnlijk illegaal het land in gesmokkeld was uit de Oekraïne en met een tiental andere jonge vrouwen in een rijtjeshuis woonde, waar ze onder bescherming van een professionele bokser leefde die met een ex-stripteasedanseres was getrouwd die toevallig Russisch was.

'Dit is interessant,' zei ze. Kevin Matthews, de enige andere agent in de teamkamer, kwam een kijkje nemen. 'Deze lijkt een pooier te hebben gehad.'

'Hij wordt brutaler,' zei Kevin. 'Zijn eerste drie werkten alleen en hadden niemand die op hen lette wanneer ze aan het werk waren. Maar een pooier houdt zijn bedrijfsmiddelen in de gaten. Die klootzak denkt dat hij onoverwinnelijk is. Misschien zullen we hem daardoor wel te pakken gaan krijgen.'

'Ik hoop dat je gelijk hebt. Hij wordt ook onvoorzichtig. We hebben van die andere drie geen identiteitsbewijzen of handtasjes gevonden. Tony zei dat hij ze mogelijk als souvenirs bij zich houdt.'

'Ik zeg het je, dit was wel een heel erg publieke manier om het vierde slachtoffer af te leveren,' zei Kevin. 'Iedereen die boodschappen doet in die winkelgalerij zal alle informatie krijgen over elk bloederig detail. Penny Burgess zal niet de enige zijn die een gruwelverhaal gaat rondbazuinen. Dit zal de nationale pers halen. Nee, meer dan de nationale pers: dit gaat internationaal nieuws worden, net zoals Ipswich een paar jaar geleden.' Hij grinnikte. 'Ik was op vakantie in Spanje toen dat plaatsvond. Je had moeten horen hoe de Spaanse nieuwslezers probeerden Ipswich goed uit te spreken. Ik zeg het je, vergeet Vance maar. Wij zullen over heel de wereld groot nieuws zijn.'

'Dat zal de chef niet leuk vinden.'

'Ze is er niet. Ze zal er niets over te zeggen hebben. Pete Reekie is degene die gaat bepalen wat er op de persconferentie over deze moord gezegd gaat worden en ik denk niet dat hij dit keer informatie zal achterhouden. Wen maar vast aan het idee, Paula, we zullen morgen worden belegerd door de reptielen van de landelijke pers. En we hebben nul komma nul voor ze.'

Precies op dat moment ging de telefoon op Staceys bureau over. Ze staken er allebei hun hand naar uit, maar Paula was sneller. 'Rechercheur McIntyre,' zei ze.

'Met Stacey.'

'Hallo, Stacey. We hebben de identiteit van nummer vier...'

'Ik weet het. Ik zei je toch dat ik het dataverkeer over de zaak in de gaten zou houden. Ik heb iets voor jullie van die website in Oklahoma.'

Paula grijnsde en stak haar duim op naar Kevin. 'Je bent een genie, Stacey. Heb je een naam voor ons?'

'Ik heb een beginpunt,' zei Stacey streng. 'Er zit niemand uit het Verenigd Koninkrijk tussen de mensen die op het forum actief zijn, maar ik heb een achterdeurtje naar de site gevonden en het is me gelukt om het e-mailarchief op te roepen. Ongeveer een jaar geleden is er een e-mail binnengekomen die nu bij de binnenkomende berichten op scherm nummer één van mijn systeem zit. Ik ben bezig de afzender op te sporen en ik zal zijn gegevens doorsturen zodra ik ze heb.'

'Bedankt. Hoe gaat het daar verder? Hoe staat het met de chef?'

'Daar heb ik het te druk voor, Paula. Ik zal je de relevante informatie geven zodra ik die heb.' En de verbinding werd verbroken.

'De sociale vaardigheden van een heremietkreeft,' zei Kevin.

'Ik dacht dat ze er wat beter in werd, maar ik zal er toch gewoon aan moeten wennen: die meid zal nooit een roddeltante worden. Eens zien wat ze voor ons heeft.' Paula had de e-mail al geopend. Ze zoomde in zodat het bericht het scherm vulde en las het hardop voor: 'Hallo Maze Man-man. Te gekke site. Ik ben een Brit, niemand hier lijkt zich de serie te herinneren. Ik heb de hele reeks op video, maar ze beginnen een beetje versleten te raken. Ken je iemand in Engeland die een verzameling heeft die ik zou kunnen kopiëren? Groeten, MAZE MAN-FAN.'

Eronder stond een berichtje van Stacey: 'Zie ook het antwoord:

"Sorry MMF, er komen hier geen Britten. Succes met je zoektocht." Zie bovendien het e-mailadres: ik ben op mijn systeem bezig met datamining over Kerry Fletcher. Later meer.'

Paula draaide zich om en gaf Kevin een high five. 'Het is een begin,' zei ze.

'Het is meer dan dat. Het is een naam. Een echte aanwijzing, iets wat we tot dusverre bij deze zaak node hebben gemist. Laten we proberen dit hele gebeuren te hebben afgerond voordat de chef uit Worcester terugkomt.' Hij schudde zijn hoofd. 'Dat verdomde Worcester. Ik had er een halfjaar geleden amper van gehoord. Nu kan ik me niet omdraaien zonder erover te vallen.'

Paula's mobiele telefoon ging over en toen ze naar de nummerherkenning op het scherm keek betrok haar gezicht. 'Ik kan je wel één positief ding vertellen over Worcester,' zei ze. 'Die vervloekte Penny Burgess werkt er in ieder geval niet.'

Rookslierten kringelden omhoog en smolten samen voordat ze in nevelige pluimpjes uiteenvielen die in de steeds bewolkter wordende lucht oplosten. Er ontstonden gele en rode speldenprikken op afzonderlijke strohalmen, waar ze tot piepkleine vlammetjes uitgroeiden die voor het grootste deel wat knetterden en daarna uitdoofden. Maar sommige overleefden het en spatten als gepofte maïskorrels in een pan tot echte vlammen uiteen. Ze knetterden en spetterden en veranderden de strohalmen in vuurgeleiders die de brand omhoog en opzij voerden.

De vuurzee groeide exponentieel, verdubbelde zijn bereik binnen enkele minuten en vervolgens binnen enkele seconden, totdat de stapel strobalen tegen de achterzijde van de schuur een muur van vlammen was geworden en de onder het dak opgesloten rookwolken steeds dikker werden. Vlammentongen likten aan de houten dakbalken en spreidden zich erover uit zoals water dat op een vlakke ondergrond wordt gemorst. Op dat moment had nog niemand in de gaten wat er aan de hand was.

Het waren de dakbalken die de brug naar het eigenlijke stallenblok vormden. Ze liepen door tot in de dakruimte van de stal, zodat de twee gebouwen elkaar steunden en tegelijkertijd versterkten. Het vuur kroop verder langs de stevige dwarsbalken en werd vertraagd, maar niet verslagen, door de metselspecie die was bedoeld om de openingen naar het stallenblok op te vullen.

De paarden roken de brandlucht eerder dan de mensen. Ze stonden onrustig te stampen en te snuiven in hun stal, te schudden met hun hoofden en te rollen met hun ogen. Een grijze merrie schopte hoog en luid hinnikend tegen de wanden van haar paardenbox, het wit van haar ogen in scherp contrast met de zwarte randen van haar oogleden. Toen de eerste vlammen door de vloer van de hooizolder boven de paarden likten, ging de onrust in paniek over. Er klonk getrappel van hoeven en het schuim stond in hun mondhoeken.

Het vuur greep inmiddels snel om zich heen en vond onderweg overal brandbaar materiaal: hout, hooi en stro viel er al snel aan ten prooi. Doodsbange paarden gilden en schopten tegen de houten deuren van hun stal. Ook al waren er buiten stalknechten in de buurt die patrouilleerden om hun bazen te verdedigen, tegen de tijd dat iemand doorkreeg wat er aan de hand was, zat het vuur al stevig in het zadel.

Johnny Fitzgerald, de stalknecht die als eerste ter plekke was, deed de dichtstbijzijnde staldeur open en zag een tafereel uit de hel. Paarden waarbij de vlammen in stroompjes over de rug liepen en die gillend steigerden, hun in het rond trappende hoeven als woeste wapens tegen iedereen die hen zou willen redden.

Maar dat deerde Johnny niet. Hij schreeuwde 'Brand! Brand! Bel de brandweer!' en rende naar de vosmerrie met het witte masker toe waarop hij die ochtend nog had gereden. Hij hield alleen even in om een halster te grijpen die naast de deur aan een haak hing. Falier's Friend was een van zijn favorieten, een rustige merrie die in een voortsnellende kogel veranderde bij het zien van de hekken van een National Hunt-race en dan niets anders wilde dan in de voorste rij van het deelnemersveld lopen. Johnny liep op haar af terwijl hij met een lage en monotone stem constant tegen haar bleef praten. Het paard bleef nu op al haar vier hoeven staan. Ze zwaaide heen en weer met haar hoofd, rolde met haar ogen, snoof en maakte fluitende geluiden terwijl er brandende klodders op haar rug landden en langs haar flanken omlaag liepen, waar ze op de vloer nieuwe vuurstromen vormden. De hitte was enorm en verschroeide Johnny's neus en keel terwijl hij verder naar binnen liep.

Het lawaai van de paarden en de brand deed hem pijn in zijn hart en er welde angst en medelijden in hem op. Hij hield van deze dieren en het leek erop dat er hier geen uitkomst denkbaar was waarbij de dood geen acte de présence zou geven.

Johnny zorgde dat hij het paard snel dicht genoeg was genaderd om de halster over het hoofd van het dier te gooien en de grendel van de staldeur open te schuiven. 'Kom op, mooie meid van me,' zei Johnny. Falier's Friend had geen aanmoediging nodig. Ze schoot vooruit naar de opening en gooide Johnny bijna omver toen ze allebei naar het erf renden.

Daar gonsde het inmiddels van de activiteit. Het vuur had vooral één kant van het stallenblok in zijn greep en overal om hem heen deden stalknechten en beveiligers van de politie alles wat ze konden om de paarden te redden en te voorkomen dat de brand zich zou uitbreiden. Johnny besteedde een paar kostbare seconden aan een poging de vosmerrie te kalmeren en gaf toen het touw aan een agent. Hij trok zijn sweater uit en dompelde hem onder in een drinkbak, waarna hij hem om zijn hoofd bond en weer naar binnen ging.

Was het er eerder verschrikkelijk geweest, nu was het er hels. Hij kon de hitte nauwelijks verdragen toen hij zichzelf dwong verder naar binnen te gaan op weg naar het volgende paard: Midnight Dancer, een zwarte schoonheid wier conditie op elk erf in de omtrek werd benijd. Nu waren haar glimmende flanken mat geworden door rook, as en zweet, en haar gillende gehinnik sneed als een mes door Johnny's door rook verdoofde geest. Hij verbrandde zijn hand aan de haak waaraan de dichtstbijzijnde halster hing, maar het lukte hem het touw vast te houden.

Het paard met een lasso vangen was bijna onmogelijk. Haar schuddende hoofd, ontblote tanden en zenuwachtig bewegende oren maakten van haar een verraderlijk doelwit. Johnny vloekte zacht en probeerde zijn gevloek als lieve woordjes te laten klinken. Ineens werd hij zich bewust van een gedaante naast zich. Door de dichte zwarte rook kon hij het vertrouwde gezicht van Betsy Thorne, zijn baas en mentor, onderscheiden. 'Ik heb water,' schreeuwde ze. 'Ik zal het over haar heen gooien om haar te laten schrikken, gooi jij de halster erom.' Haar woorden waren moeilijk te onderscheiden te midden van het geknetter van de vlammen, het hoefgetrappel en de kakofonie van gekrijs en geschreeuw, maar Johnny snapte de essentie ervan.

Betsy gooide de emmer water leeg op Midnight Dancer en gedurende een fractie van een seconde verroerde het paard zich niet. Johnny aarzelde geen moment en gooide de halster naar haar toe. Hij bleef achter de oren van het paard hangen en gleed toen langs haar nek omlaag. Toen Betsy haar hand naar de deurgrendel uitstak klonk er een luide knal en vervolgens een piepend gekraak. Ze keken allebei omhoog en zagen een van de zware eikenhouten dwarsbalken van het dak loskomen, een enorm brandend projectiel dat recht op hen afkwam.

Johnny liet onmiddellijk het touw van de halster vallen en gooide zich tegen Betsy aan, zijn geringe gewicht voldoende om haar uit de baan van de vallende balk te duwen. Nadat ze overeind was gekrabbeld draaide ze zich om en zag Johnny en Midnight Dancer dodelijk gewond onder de nog altijd brandende dakspar bekneld liggen. Toen er boven haar hoofd weer gekraak klonk, klauterde Betsy vlug over de dode stalknecht en de balk in de richting van de vale rechthoek van de deur.

Toen ze het erf op strompelde, ving Micky haar op in haar armen. Betsy trok zich los en warm braaksel golfde uit haar maag omhoog en spatte op de in visgraatpatroon gelegde bakstenen van de binnenplaats. Tranen stroomden over haar gezicht, en niet alleen vanwege de rook. Toen ze weer tot bedaren was gekomen en met één hand tegen de koele muur van een gebouw leunde dat niet in brand stond, draaiden de brandweerauto's het erf op en wierpen blauw licht op de scharlakenrode vlammen die door het dak omhoogschoten.

Betsy hijgde en haar benen werden plotseling slap. Dus zo voelde het wanneer Jacko Vance het op je gemoedsrust gemunt had. Bij die gedachte moest ze opnieuw kokhalzen.

46

De boot schommelde en Tony's hart sloeg op hol. Alleen het gewicht van een menselijk lichaam veroorzaakte dat effect. Hij probeerde overeind te krabbelen, maar de ruimte tussen de zitting van de bank en de tafel was te nauw. Hij schraapte paniekerig met zijn voeten heen en weer om grip te krijgen en huilde vervolgens bijna van opluchting toen hij Ambrose hoorde roepen: 'Mag ik naar beneden komen?'

'Godallemachtig,' zei Tony. 'Je hebt me bijna een hartaanval bezorgd.'

Ambrose verscheen, zijn benen eerst. 'Je moet een deurbel aanschaffen. Of zo'n koperen bel als sommigen hebben, zodat je een echt bootmens wordt.' Hij keek om zich heen en zag de laptop en de verspreid liggende papieren. 'Hoofdinspecteur Jordan was naar je op zoek,' zei hij. 'Ik heb haar verteld dat je waarschijnlijk hier zou zijn.'

'Bedankt,' zei Tony. 'Heb ik je verteld dat ze denkt dat het mijn schuld is dat haar broer dood is?'

'O,' zei Ambrose. 'Ze heeft er niets over gezegd. Ik dacht...'

'Tot gisteren zou dat ook de juiste gedachte geweest zijn.'

'Waar is ze dan naartoe gegaan?'

Tony maakte een hoofdbeweging naar de boeg. 'Ze ligt te pitten.'

Ambrose glimlachte vermoeid zoals de getrouwde man die weet hoe die dingen gaan. 'Dus jullie zijn eruit gekomen?'

Tony schudde zijn hoofd en probeerde niet te laten zien hoe overstuur hij was. 'Ik denk dat je het eerder een gewapende vrede zou moeten noemen waarbij uitputting het op punten van woede heeft gewonnen.'

'Ze praat tenminste met je.'

'Ik weet niet of dat een pluspunt is,' zei Tony zuur. Het geven van verdere uitleg werd hem bespaard, omdat de deur van de slaaphut openging.

Carol kwam met licht uitgelopen mascara en verfomfaaid haar tevoorschijn. 'Heeft dit geval ook een... O, brigadier Ambrose. Ik had geen idee dat je er was.'

'Ik kom net binnen, hoofdinspecteur. Ik hoopte u hier te vinden. Ik heb nieuws voor u beiden,' zei hij, een en al ernstige zakelijkheid nu zijn aankomende baas in de ruimte stond.

'Ik kom eraan,' zei Carol. 'Tony, heb je hier iets van een wc?'

'De deur links van je,' zei hij terwijl hij naar rechts wees. Carol keek hem pissig aan en verdween in de voorsteven. 'Het is feitelijk een echte badkamer,' zei hij tegen Ambrose. 'Ze zal onder de indruk zijn.'

Ambrose leek dat te betwijfelen. 'Als jij het zegt.'

'Dat nieuws... het is geen goed nieuws, hè? Dat kan ik opmaken uit het feit dat je ons geen van beiden aankeek.'

Ambrose keek hem dreigend aan. 'Je zou moeten weten dat ik je dat nu nog niet ga vertellen.' Hij keek met een waarderende blik de kombuis rond. 'Het is een mooi ding, dit. Ik zou graag een boot hebben. Ik, mijn vrouw en de kinderen, we zouden ons er prima mee vermaken.'

'Echt waar?' Tony probeerde niet verbijsterd te klinken.

'Zeker. Wat is er niet leuk aan? Je eigen baas zijn, geen verkeersopstoppingen, rustig aan doen, maar nog altijd van alle huiselijke gemakken voorzien zijn.'

'Je zou hem van me kunnen lenen, weet je.' Tony maakte een weids gebaar met zijn hand. 'Ik maak er nauwelijks gebruik van. Waarom niet?'

'Meen je dat?'

'Natuurlijk. Geloof me, Alvin. Dit gaat niet mijn nieuwe thuis worden. Ik ben momenteel alleen maar hier omdat ik vanmorgen besefte dat het hier veiliger is dan in Bradfield.'

Carol kwam net op tijd de badkamer uit om die laatste uitspraak op te vangen. Ze was erin geslaagd de plooien glad te strijken en zag er fris en alert uit. 'Had je maar wat eerder aan veiligheid gedacht,' zei ze voordat ze Ambrose met een brede, uitnodigende glimlach aankeek. Tony vroeg zich af waar ze de energie vandaan haalde om tegen hem te blijven sneren. 'En, brigadier, wat is er zo belangrijk dat je het niet per telefoon kunt afhandelen?'

De mondhoeken van Ambrose krulden even op tot iets wat een glimlach zou kunnen zijn geweest. 'Om eerlijk te zijn moest ik even het gebouw uit. Er bouwt zich een bepaald soort energie op wanneer een onderzoek niet loopt zoals je wilt. Het is geen positieve energie en soms moet je er gewoon even uit. Ik moet mijn magie hervinden. Daarom heb ik van de gelegenheid gebruikgemaakt om u het laatste nieuws persoonlijk te vertellen.' Hij zuchtte. 'Het is niet best, ben ik bang, hoewel het een stuk minder erg is dan het had kunnen zijn.'

'Micky?' vroeg Tony. 'Heeft hij haar te grazen genomen? Is ze in orde? Is Betsy in orde?'

Ambrose knikte. 'Ze zijn allebei in orde.'

'Wat is er gebeurd, brigadier?' kwam Carol kalm en vastberaden tussenbeide; ze had zichzelf weer helemaal onder beroepsmatige controle.

'Het is Vance gelukt om door het beveiligingskordon te breken.' Hij schudde verwonderd zijn hoofd. 'Hij reed op een quad met een grote zak biks voor dekhengsten achterop, wat dat ook mag zijn. Hij had zich gekleed als een lid van de plaatselijke landadel. Een van de stalknechten hield hem tegen, maar hij hing een overtuigend onzinverhaal op dat hij Micky had beloofd dat speciale voer bij haar af te leveren. Hij reed zo de schuur in en stak er een langzaam brandend vuurtje aan. Vervolgens is hij in het volle zicht van de agenten op die vervloekte quad weggereden. Hij was al uit het zicht verdwenen tegen de tijd dat de schuur in brand vloog.'

'Zijn er gewonden?'

'Er is een stalknecht omgekomen toen hij Betsy Thorne probeerde te redden. Ze werd bijna geraakt door een vallende dakbalk. En hij zou haar ook zeker geraakt hebben als die inmiddels overleden jongeman haar er niet onder vandaan had geduwd. Verder hebben een paar stalknechten kennelijk nog wat lichte brandwonden opgelopen. Ze denken dat het eigenlijke doelwit het stallenblok zelf was. Hij had het op de paarden gemunt.' Ambrose keek haar verontschuldigend aan. 'Zoals Tony al zei: hij heeft het voorzien op waar zijn slachtoffers om geven, zodat ze moeten leven met de consequenties van wat ze hem hebben aangedaan.'

Carols gezicht verstrakte tot een masker.

'Hoe is het met de paarden afgelopen?' vroeg Tony. Het was het eerste wat in hem opkwam.

'Twee dood, de rest stond ergens op het land of werd gered door de stalknechten. Ze waren ongelooflijk dapper volgens de politiemensen die ter plekke waren.'

'En ze hebben hem niet opgepakt? Hij is gewoon weggereden op zijn quad,' zei Carol wanhopig en woedend.

'Ze hebben de quad in een nabijgelegen bos gevonden. En ook nog een trailer. Afgaande op de bandafdrukken reed hij in een SUV. De politie van West Midlands weet al om welk trailerverhuurbedrijf het gaat en ze hopen erachter te komen in wat voor auto hij rijdt. Maar het is zaterdagavond en er is daar niemand aanwezig, dus het is de vraag wanneer dat iets gaat opleveren.'

'Gisteravond reed hij toch niet in een SUV?' vroeg Tony. 'Een van jouw mensen vertelde me dat een van de buren een Ford sedan op de oprit heeft zien staan voordat de brand uitbrak.'

'Klopt, we hebben het teruggekeken op de verkeerscamera's en we denken dat hij inderdaad in een dergelijke auto reed. Maar hijzelf komt niet duidelijk in beeld. En we raken hem ongeveer anderhalve kilometer van je huis weer kwijt. Hij moet binnendoor zijn gereden om de hoofdwegen te vermijden.'

'Dus hij heeft die auto ergens achtergelaten en heeft vervolgens een SUV gehuurd,' zei Carol. 'Hebben jullie navraag gedaan bij alle autoverhuurbedrijven in de omgeving? Hij heeft ergens van auto moeten wisselen en hij zal niet langer in de Ford hebben willen rijden dan nodig was. Die was besmet en moest weg.'

Ambrose zag er geschrokken uit. 'Ik geloof niet dat we dat al gedaan hebben,' zei hij met een bezorgde klank in zijn stem. En die bezorgdheid was terecht, dacht Tony.

Carol staarde hem met een ijskoude blik aan. 'Je bent echt niet gewend aan een operatie van dit formaat, hè, brigadier? Jullie hebben hier in West Mercia zeker niet veel ervaring met het coördineren van klopjachten? Heb je soms nog wat moeite met de grondbeginselen?'

'We wisten het nog maar net van die SUV, vlak voordat ik het kantoor verliet,' zei Ambrose. 'Ik verwacht dat daar inmiddels wel actie op ondernomen is. Maar dat weet ik niet, omdat ik er niet was. We zijn niet incompetent, hoofdinspecteur.'

'Nee. Dat zal dan wel niet.' Carol zuchtte. 'Ligt het aan mij of hebben jullie ook het gevoel dat Micky er in dit alles nog makkelijk van af is gekomen? Vergeleken met mij en Tony? En met Chris natuurlijk, die incasseerde wat voor mij was bedoeld.'

'Waar wil je heen?' zei Tony, die tussenbeide kwam voordat Ambrose iets kon zeggen waarmee ze hem om de oren zou slaan.

Ze knipperde krachtig met haar ogen en kneep ze tot spleetjes. 'Ze heeft zijn misdaden jarenlang mogelijk gemaakt. Oude gewoonten slijten moeizaam. Is dat niet wat je ons altijd vertelt, Tony? Wat als Vance deze brand alleen maar heeft gesticht om ons zand in de ogen te strooien? Wat als Terry Gates niet Vance' enige helper buiten de gevangenis was?'

47

Zelfs op zaterdagavonden was het op Heathrow nog altijd zo druk dat alleen het beveiligingspersoneel acht sloeg op de passagiers. Niemand vroeg zich af waarom een bebrilde man met donker haar, bruine ogen en een snor weer uit het herentoilet tevoorschijn kwam met donkerblond haar dat heel anders zat, lichtblauwe ogen en zonder enige vorm van gezichtshaar. Patrick Gordon zat voorlopig weer even terug in de doos en zijn plaats werd ingenomen door Mark Curran, directeur van een bedrijf in Notting Hill.

Hij had de SUV achtergelaten op het parkeerterrein voor langparkeerders en binnen een halfuur zat hij achter het stuur van een andere Ford, een zilveren Focus stationcar dit keer. Hij had de *Greatest Hits* van Bruce Springsteen keihard op staan. Dat waren nog eens tijden. Vannacht zou hij in zijn eigen bed slapen, weer terug in Vinton Woods. Misschien nam hij morgen zelfs wel een dagje vrij. Zelfs God rustte op de zevende dag uit. Hij moest nog meer vergeldingsacties uitvoeren, spectaculairdere sterfgevallen orkestreren en bewerkstelligen. En daarna werd het tijd om dit oude, vermoeide land achter zich te laten. Hij had aanvankelijk gedacht dat het Caraïbisch gebied het geschiktst was om zijn nieuwe leven te beginnen. Maar de Arabische wereld was op het moment de smeltkroes van verandering. Een bemiddeld man kon heel goed leven in een stad als Dubai of Jeddah. Er waren plekken rond de Perzische Golf waar het leven nog goedkoop was en waar een man ongehinderd zijn driften kon bevredigen zolang er maar voldoende geld op tafel kwam. Maar belangrijker nog was dat deze plekken geen uitleveringsverdragen met het Verenigd Koninkrijk hadden. En iedereen sprak er Engels. Dus hij had op zeker gespeeld en had in elke regio onroerend goed gekocht.

Vance kon de warmte op zijn huid al bijna voelen. Het werd tijd dat hij zijn rechtmatige eigendom ging opeisen. Hij had hard gewerkt voor zijn succes. Al die jaren van zich anders voordoen terwijl hij zijn minachting moest verbergen voor al die onbeduidende lieden tegen wie hij aardig moest zijn en moest doen alsof hij een van hen was. Dat hij zo gewoon was gebleven, zei men over hem. Maar dat konden ze vergeten: de enige manier waarop hij echt contact met gewone mensen wilde maken, was door hen bewusteloos te slaan.

De gevangenis was bijna als een opluchting gekomen. Hij moest zich natuurlijk nog steeds anders voordoen tegenover de autoriteiten. Maar er waren genoeg mogelijkheden achter de tralies om alle maskers af te zetten en mensen de echte Jacko Vance in zijn volle brute kracht te laten zien. Hij genoot van het moment waarop zogenaamde harde jongens zich realiseerden dat hij niet de ongevaarlijke tegenstander was waarvoor ze hem hadden aangezien. Hij genoot van de manier waarop hun ogen zich verwijdden en hun mond van angst verstrakte wanneer het hun begon te dagen dat ze tegenover iemand stonden die geen grenzen kende. Niet op de manier waarop zij grenzen opvatten. Ja, de gevangenis was de perfecte plek geweest om zijn vaardigheden aan te scherpen.

Maar nu was het tijd om dat allemaal achter zich te laten en een nieuw leven te beginnen waarin hij zich op de aangename dingen kon richten. Terwijl hij door het donker reed zette hij de radio op het nieuwskanaal voor het bulletin op het hele uur. Berichten over zijn aanslag op Micky's renstal zouden inmiddels volop in het nieuws moeten zijn. De hoofdpunten trokken in een verward rumoer van geluid aan hem voorbij: Arabische straatprotesten, bezuinigingen door de coalitie, de moord op een prostituee in Bradfield. En toen kwam het onderwerp waarop hij zat te wachten.

'De renpaardenboerderij van voormalig tv-ster Micky Morgan is vanavond doelwit van brandstichting geweest. Een stalknecht is in de vuurzee omgekomen terwijl hij paarden uit de brandende stallen probeerde te redden. Er zijn ook nog twee paarden omgekomen bij de brand, die begon in een hooischuur. Omdat het stalpersoneel snel actie ondernam, konden de overige vijftien rasrenpaarden worden gered. Het gebouw zelf werd zwaar beschadigd. De politie weigerde commentaar te geven op de vraag of de aanslag verband hield met de ontsnapping uit de gevangenis eerder deze week van de ex-man van mevrouw Morgan, de voormalige topsporter en tv-presentator Jacko Vance. Maar een bron uit de directe omgeving van mevrouw Morgan zei: "We hebben onze adem ingehouden, omdat we er rekening mee hielden dat die duivelse man Micky zou aanvallen. Maar weerloze paarden aanvallen is wel het laagste wat je kunt doen." Meer over dit onderwerp in onze volgende nieuwsuitzending over een halfuur.'

Vance sloeg met zijn hand tegen het stuur, zodat de auto heen en weer begon te zwaaien en er achter hem getoeter klonk. 'Twee paarden en een stalknecht?' schreeuwde hij. 'Twee klotepaarden en een miezerige staljongen? Al die risico's, al die voorbereidingen voor twee klotepaarden en een staljongen?' Het was niet voldoende. Het was lang niet genoeg. Het was niet eens Micky die van de paarden hield, het was Betsy. Het was de bedoeling dat de stallen tot de grond toe zouden afbranden en dat Betsy's tweede leven zou worden verwoest, zodat Micky niet bij machte zou zijn om haar pijn te verzachten. De pyromaan op wiens informatie hij had vertrouwd, had ernaast gezeten. Of die geslepen, hebberige klootzak had opzettelijk tegen hem gelogen.

De woede raasde door zijn lichaam, deed zijn lichaamstemperatuur stijgen en maakte dat hij zich opgesloten voelde in de auto. Vance nam de eerstvolgende afslag en parkeerde in een parkeerhaven. Hij stapte uit de auto en trapte, de nacht vervloekend, tegen de plastic afvalbak. Alle spanning die hem tijdens de voorbereidingen voor de aanslag op Micky's boerderij op de been had gehouden kwam tot ontploffing in de vorm van een gewelddadige uitbarsting. 'Teef, kreng, hoer,' schreeuwde hij tegen de lucht.

Uiteindelijk raakte hij uitgeput en wankelde hij achterwaarts tegen de auto aan terwijl golven van ellende hem nog altijd overspoelden. Wat hij van plan was geweest, zou voldoende geweest zijn. Daar zou hij tevreden mee zijn geweest. Maar ze was er toch weer in geslaagd hem te slim af te zijn. Dat kon hij niet laten passeren. Nu zou hij zijn activiteiten moeten opvoeren. Hij zou de missie van morgen vanavond nog afronden. Dankzij zijn obsessieve mate van rekening houden met onvoorziene omstandigheden had hij alles wat hij daarvoor nodig had voor de zekerheid al meegenomen. Na afloop zou hij naar Vinton Woods kunnen terugkeren en zich een paar dagen gedeisd kunnen houden. Hij zou de andere camerasystemen kunnen activeren om uit te vinden hoe hij de andere politiemensen te gronde kon richten. Daarna kon hij nog een keer terugkomen voor een herkansing om het Micky echt betaald te zetten.

Iets anders was niet acceptabel.

Ondanks de jaren die er waren verstreken sinds ze voor het laatst op hun tv-schermen te zien was, zou haar schare fans Micky Morgan nog steeds hebben herkend. Het maakte niet uit dat er zilveren draden door het dikke blonde haar liepen of dat ze naast haar blauwe ogen kraaienpootjes had. De jukbeenderen, die haar schoonheid benadrukten, gaven aan dat ze nog altijd duidelijk dezelfde vrouw was die vier dagen per week rond lunchtijd met een glimlach hun woonkamers binnenkwam. De constante lichaamsbeweging die bij het werken met paarden hoorde had ervoor gezorgd dat ze in vorm was gebleven en de lange, welgevormde benen waarom ze bekendstond, zagen er nog steeds goed uit, zoals Betsy haar met regelmaat verzekerde.

Maar vanavond was haar uiterlijk wel het laatste waar Micky mee bezig was. Het had niet veel gescheeld of Betsy had het leven gelaten voor haar geliefde paarden. Als Johnny Fitzgerald niet zo vlug van geest en nog sneller van reactie was geweest, dan zou zij degene zijn geweest die onder een smeulende balk was verpletterd en zou Micky de enige persoon hebben verloren die haar leven nog de moeite van het leven waard maakte. Ze waren nu al meer dan vijftien jaar samen en Micky kon zich geen leven zonder Betsy voorstellen. Het ging verder dan liefde: het was een gedeelde reeks waarden en genoegens en een aanvullende reeks vaardigheden en tekortkomingen. En vanavond had ze dat alles bijna verloren.

Steeds dezelfde gedachten en angsten bleven door haar hoofd spoken en duwden al het andere naar de periferie. Haar verstand zei haar dat Betsy veilig en wel boven in de badkuip lag te weken om de rooklucht uit haar haar en van haar huid te krijgen, maar Micky's emoties draaiden nog steeds op volle toeren. Ze was niet echt met haar aandacht bij de politieagent die haar maar vragen bleef stellen waarop ze de antwoorden niet wist.

Ja, ze dacht dat dit het werk van Jacko was. Nee, ze had niets van hem gehoord sinds hij was ontsnapt. Ze had zelfs al jaren niets meer van hem gehoord en dat beviel haar uitstekend. Nee, ze wist niet waar hij zou kunnen zijn. Nee, ze wist niet wie hem zou kunnen helpen. Hij had nooit veel vrienden gehad. Hij gebruikte mensen alleen maar. Nee, ze had vanavond niets ongewoons gezien of gehoord. Zij en Betsy hadden met vriendinnen uit een nabijgelegen dorp zitten bridgen, toen het alarm was afgegaan.

Micky huiverde bij de herinnering. Betsy was als eerste opgesprongen, had haar kaarten op tafel gegooid en was naar de deur gerend. De agenten die voor politiebescherming zorgden hadden geprobeerd hen ervan te weerhouden het huis te verlaten. Ze hadden duidelijk niet verwacht dat ze afgeweerd en weggeduwd zouden worden door een vrouw van middelbare leeftijd die sterker dan ieder van hen bleek te zijn. Micky was haar achternagerend, maar een van de agenten was iets oplettender en greep haar bij haar middel, waarna hij haar naar binnen had gewerkt. 'Het zou tactiek kunnen zijn, die brand,' schreeuwde hij tegen haar. 'Het kan een poging zijn om u naar buiten te lokken, zodat hij u makkelijk onder vuur kan nemen.'

'Hij doet niet aan schieten,' had Micky hem toegeschreeuwd. 'Je hebt twee armen nodig om van een afstand goed te kunnen schieten. En hij doet niets waar hij niet goed in is.'

Ze wist niet waar dat vandaan was gekomen. Tot aan de gebeurtenissen van die week was het langgeleden geweest dat ze aan Jacko had gedacht. Maar sinds zijn ontsnapping had ze hem als een constante aanwezigheid gevoeld, altijd naast haar, haar onophoudelijk bekijkend en haar vertellend hoe ze zichzelf kon verbeteren. Toen de politie op haar stoep stond en haar vertelde wat hij volgens hen van plan was, had ze geen moeite gehad om te geloven dat ze hoog zou staan op zijn lijst met mensen die gestraft moesten worden.

Als Betsy en de paarden er niet waren geweest, dan was ze gevlucht. Daphne, een van de vriendinnen met wie ze hadden zitten bridgen, had haar aangeraden ervandoor gegaan. 'Hij is een bruut, schat. Je moet zorgen dat je geen doelwit van zijn wrok wordt. Betsy, zeg het tegen haar. Ze moet ergens naartoe gaan waar hij haar niet zal vinden.'

Maar dat was niet aan de orde. Ze kon Betsy niet achterlaten. En trouwens, hoe lang moest ze dan wegblijven? Als ze hem binnen een dag of twee te pakken kregen, oké. Dan kon ze weer terugkomen. Maar Jacko was vindingrijk. Hij zou zijn ontsnapping en alles erna heel precies en tot in de details hebben gepland. Hij kon wel maanden voortvluchtig zijn. Voor altijd. En wat moest ze dan doen? Nee, vluchten was geen optie.

De politieman vroeg iets en Micky vermande zich voldoende om hem te vragen of hij zijn vraag kon herhalen. 'Ik vroeg u of u ons een lijst zou kunnen geven van de mensen die zullen langskomen om uw paarden hier weg te halen.'

'Dat kan ik wel doen,' zei Betsy, die de kamer binnenkwam. Het eerste wat ze had gedaan nadat het ambulancepersoneel haar gezond had verklaard was de telefoon pakken en iedereen in de omgeving vragen of ze boxen in hun stal overhadden zodat ze haar geliefde paarden daar kon onderbrengen. 'Het spijt me, ik had jullie de details moeten doorgeven. Maar ik wilde de rookgeur gewoon zo graag van me afwassen.'

'Dat begrijp ik,' zei hij.

Betsy was al namen op een kladpapiertje aan het neerkrabbelen in haar kleine, precieze handschrift. Ze gaf het aan de politieagent en legde een geruststellende hand op Micky's schouder. 'En als dat alles is, zouden we graag eventjes met rust gelaten willen worden,' zei ze charmant maar resoluut. Toen ze alleen waren, legde ze Micky's hoofd tegen haar borsten, die loshingen onder haar zeer degelijke kamerjas van Schotse geruite wollen stof. 'Ik hoef voorlopig niet meer een avond als deze mee te maken,' zei ze.

'Ik ook niet,' zuchtte Micky. 'Ik kan niet geloven dat hij heeft geprobeerd de paarden te doden. Waarom zou hij dat willen?'

'Het heeft ermee te maken dat hij ons pijn wil doen, denk ik,' zei Betsy verstandig. Ze liet Micky los en ging een glas Schotse whisky voor zichzelf inschenken. 'Wil jij ook?'

Micky schudde haar hoofd. 'Als dat het geval is, dan ben ik blij dat hij ervoor heeft gekozen de paarden te grazen te nemen in plaats van jou.'

'Ach, lieverd, zeg dat nu niet. Het heeft Johnny het leven gekost, vergeet dat niet. En die arme paarden. Ze moeten in totale doodsangst en met extreme pijn aan hun einde zijn gekomen. Het maakt me woedend. Arme Midnight Dancer en Trotters Bar. Onschuldige dieren. Er is niet veel waartoe ik Jacko niet in staat zou achten, maar door die schitterende, onschuldige dieren kwaad te doen is hij dieper gezonken dan ik voor mogelijk hield.'

Micky schudde haar hoofd. 'Er is niets wat Jacko niet zou doen als het zijn ambities helpt te vervullen. Dat zouden we ons moeten hebben realiseren voordat we onze levens aan het zijne verbonden.'

Betsy nestelde zich in de stoel tegenover Micky. 'We konden niet weten waaruit zijn geheime leven bestond.'

'Misschien niet. Maar we hebben wel altijd geweten dat hij zo'n leven had.' Micky speelde met haar haar en wond een sliert om haar vinger. 'Ik ben zo blij dat je ongedeerd bent.'

Betsy grinnikte. 'Ik ook. Er was een verschrikkelijk moment waarop ik dacht: Dat is het dan, Betsy. Je bent er geweest. En toen schoot Johnny me te hulp.' Haar gezichtsuitdrukking werd ernstig.

Micky huiverde. 'Laten we het er maar niet over hebben.' Terwijl ze dat zei, hoorden ze stemmen in de hal. Wat er werd gezegd was onduidelijk, maar het klonk als een man en een vrouw.

De deur ging open en er kwam een vrouw de kamer binnen. Ze kwam haar bekend voor – kort, vol en in laagjes geknipt blond haar, gemiddelde lengte, grijsblauwe ogen, haar schoonheid aangetast door vermoeidheid en de jaren – maar Micky kon haar niet helemaal plaatsen. Van de kleding werd ze ook niets wijzer: een marineblauw mantelpak van een behoorlijke maar niet extravagante snit, een lichtblauwe blouse waarvan de bovenste knoopjes open waren en een lichtgewicht leren jasje dat tot haar heupen reikte. Ze zou alles van een advocaat tot een journalist geweest kunnen zijn. Haar mond verstrakte toen ze naar Micky en Betsy keek, die een ontspannen indruk maakten in de keuken van hun boerderij. 'Jullie herinneren je mij niet, hè?' zei ze terwijl ze hen beiden met een koude blik aanstaarde.

'Ik wel,' zei Betsy. 'U bent de politieagent die Jacko heeft gearresteerd. Ik herinner me uw getuigenverklaring in de Old Bailey nog.'

'Je noemt hem Jacko? De man probeert jullie broodwinning plat te branden en hij is nog steeds Jacko voor jullie?'

Micky keek Betsy vragend aan. De gezichtsuitdrukking van haar geliefde werd harder en er was een nieuw soort waakzaamheid in haar blik gekropen. 'Hij is jarenlang Jacko voor ons geweest. Het is een gewoonte, meer niet.'

'Is dat zo? Is dat echt alles? Of verraadt het uw eigenlijke houding, mevrouw Thorne?' De stem van de vrouw klonk gesmoord, alsof ze moeite had zichzelf onder controle te houden.

'U weet meer dan wij. Het spijt me, maar ik herinner me uw naam niet.'

'Dat zou wel moeten. Hij is deze week genoeg in het nieuws geweest. Mijn naam is Jordan. Carol Jordan. Hoofdinspecteur Carol Jordan. Zuster van Michael Jordan.'

De stilte die na Carols woorden viel, leek aan te zwellen tot ze de ruimte tussen de drie vrouwen vulde. Het was Betsy die haar uiteindelijk verbrak. 'Het spijt me heel erg. Wat er met uw broer en zijn vrouw is gebeurd, is onvergeeflijk.'

'Partner. Lucy was zijn partner, niet zijn vrouw. Ze zijn nooit getrouwd. En nu, dankzij jouw ex...' ze gaf een knikje naar Micky '... zullen ze dat ook nooit doen.'

'Ik kan u niet zeggen hoezeer het me spijt,' zei Micky.

'Je zou het kunnen proberen,' zei Carol met een felle blik in haar ogen.

'Wij zijn ook slachtoffers, hoor,' zei Micky. 'Betsy had dood kunnen gaan in dat brandende stallenblok.'

'Maar dat deed ze niet, hè? Ze is op miraculeuze wijze ontsnapt.' Ze gooide haar schoudertas op de keukentafel. 'En in het soort werk dat ik doe zijn miraculeuze ontsnappingen verdachte zaken en geen "halleluja-loof-de-Heer-zaken". De miraculeuze ontsnappingen zijn vaak doorgestoken kaart, zie je. Ze zijn in elkaar gezet om de verdenking af te wenden.' Ze bleef van de een naar de ander kijken en lette op hun reacties om te kijken of ze de tekenen kon zien die ze door jarenlang aan Tony Hills zijde te werken had leren oppikken.

'Dat is een schandalige opmerking. Een van onze medewerkers is vanavond omgekomen toen hij mij het leven redde,' zei Betsy, die onverstoorbaar kalm bleef. Maar Micky wist wel beter. Ze wist dat Betsy onder de oppervlakte een temperament had waarmee mensen als Carol Jordan niet konden wedijveren.

'Is het echt zo schandalig? Ik vergelijk het met de rest van Vance' wraak. Tony Hills huis brandde tot de grond toe af. Het was de enige plek in de wereld waar hij zich ooit thuis heeft gevoeld. Maar alles wat er met jullie is gebeurd, bestond uit een kleine brand in een stallenblok. Mijn broer en zijn partner werden op wrede wijze vermoord. Ik heb nog nooit zoveel bloed op een plaats delict gezien. Maar alles wat jullie overkomt is dat er twee paarden omkomen. En een stalknecht die jullie niet eens bij naam noemen. Vinden jullie dat dan in gelijke verhouding staan?'

'Het was de bedoeling dat het veel slechter zou aflopen,' zei Betsy. 'De brandweer zei dat het hele dak naar beneden zou zijn gekomen als we de balken van het stallenblok niet met een brandvertragende coating van chemicaliën hadden laten behandelen. Jac... Vance kon dat natuurlijk niet weten.'

Carol haalde haar schouders op. 'Behalve wanneer jullie het hem verteld hadden.' Ze staarde nu Micky aan.

'Waarom zouden we dat in hemelsnaam doen? Waarom zouden we hem helpen? Het is niet zo dat hij ons door de jaren heen veel goeds heeft gebracht. Zijn daden hebben Micky's tv-carrière om zeep geholpen.' Betsy sprak haar lettergrepen nu kort en bits uit en moest haar woede onderdrukken.

'En dat kwam je ook eigenlijk wel goed uit, hè? Laten we eerlijk zijn, Betsy, dat tv-wereldje is nooit iets geweest voor jou, toch? Dit lijkt er veel meer op. Sportieve tweedstoffen en paarden. Bekakte accenten en pololaarsjes. Ik zou zeggen dat Vance je met zijn val een dienst heeft bewezen.'

'Zo is het niet gegaan,' zei Micky met een smekende uitdrukking op haar gezicht. 'We waren paria's en het heeft ons jaren gekost om ons leven weer op de rails te krijgen.'

'Jullie maakten zijn misdaden mogelijk, jullie waren zijn vermomming. Bijna zijn medeplichtigen. Hij heeft zich jarenlang achter jullie kunnen verschuilen terwijl hij tienermeisjes ontvoerde en martelde. Jullie moeten hebben geweten dat er iets was wat hij al die tijd verborgen hield. Waarom zou ik geloven dat jullie hem niet nog altijd helpen? Iemand heeft hem geholpen om dit allemaal te regelen. Waarom jullie niet? Jullie hebben ooit om hem gegeven.'

'Dit is schandalig,' zei Betsy op een toon die als een mes door Carols tirade sneed.

'O ja? En hoe werkt het dan wel, Betsy? Ik heb geen groot huis of een reeks paarden waarom ik geef en dus moet ik mijn broer maar verliezen?' Plotseling liet ze zich op de dichtstbijzijnde stoel zakken. 'Mijn broer.' De woorden kwamen eruit als een snik. Ze begroef haar gezicht in haar handen en voor het eerst sinds Blake haar op de hoogte had gebracht, begon ze echt te huilen. Ze huilde alsof ze nog nooit eerder in haar leven had gehuild en vastbesloten was om alle beschikbare varianten op het thema af te werken. Haar hele lichaam schokte.

Micky keek Betsy aan met een blik die onzekerheid uitdrukte over wat hun te doen stond, maar ze was al te laat. Betsy was al halverwege de keuken. Ze pakte er nog een stoel bij en hield Carol dicht tegen zich aan alsof ze een kind was. Betsy streelde haar hoofd en maakte binnensmonds troostende geluiden terwijl Carol uithuilde. Omdat ze niet wist wat ze anders moest doen liep Micky naar de kast toe en schonk drie flinke glazen whisky in. Ze zette ze op tafel en pakte vervolgens de keukenrol.

Eindelijk hield Carol op met huilen. Ze tilde haar hoofd op, snakte hikkend naar adem en veegde met de rug van haar hand haar gezicht af. Micky scheurde een paar vellen keukenpapier af en gaf ze aan haar. Carol snoof, snoot en veegde en zag toen de whisky staan. Ze leegde een glas in één enkele, sidderende teug en haalde vervolgens diep adem. Ze zag er gebroken uit, dacht Micky. Letterlijk en figuurlijk. 'Ik heb geen spijt van wat ik gezegd heb,' zei ze.

Betsy glimlachte bewonderend naar haar. 'Natuurlijk niet. Ik begin te denken dat u een vrouw naar mijn hart bent, hoofdinspecteur Jordan. Maar gelooft u me alstublieft. Het ziet er misschien vanuit uw positie niet zo uit, maar wij zijn ook slachtoffers van Jacko Vance. Het enige verschil tussen ons is dat u nog maar net lid van de club bent geworden.'

48

Na Carols haastige vertrek van de kanaalboot was Alvin teruggegaan naar het hoofdbureau. Normaal gesproken was Tony blij wanneer mensen hem aan zijn lot overlieten. Zelfs mensen die hij aardig vond. Maar momenteel werd hij telkens wanneer Carol hem in de steek liet gegrepen door de angst dat het de laatste keer zou kunnen zijn. Haar bezoek aan de kanaalboot was geen verzoeningspoging geweest, dat wist hij wel. Ze was langsgekomen omdat ze iets van hem nodig had en die behoefte had haar verlangen om hem niet te hoeven zien overstegen. Wat zou er gebeuren als dit alles achter de rug was? Dat vooruitzicht vervulde hem van zwaarmoedigheid.

Wanneer hij zoals nu zijn eigen gezelschap haatte, was zijn werk de enige remedie die hij kende. Dus daarom ging hij maar weer achter zijn laptop zitten en probeerde hij niet meer aan Carol Jordan te denken. Maar dat was niet zo eenvoudig. Hij moest steeds weer aan haar verdriet denken. Hij haatte het haar te zien lijden, zeker wanneer de schuld voor dat lijden op zijn minst deels bij hem kon worden neergelegd. Het ergste was nog wel dat ze woedend was vertrokken. Hij wist niet waar ze was of hoe hij haar kon helpen.

Tony probeerde zich te concentreren, maar het lukte niet. Het hielp ook niet dat de kajuit naar het restje vis en patat rook dat hij niet meer had kunnen opeten. Hij trok de zak uit de vuilnisbak onder de gootsteen en legde er een knoop in. Vervolgens klom hij naar de achtersteven en liep de steiger op naar de dichtstbijzijnde afvalbak terwijl hij de deuren openliet, zodat de boot even kon doorwaaien in de koele avondlucht. 'Als dit een thriller was,' zei hij hardop, 'zou de slechterik op dit moment aan boord sluipen en zich in de kajuit verstoppen.' Hij liep terug en zag dat de boot er bewegingloos bij lag. 'Maar helaas.'

Eenmaal terug op de boot leunde hij op het achterschip tegen de reling en keek uit over de jachthaven. De daken van de boten zagen eruit als op een rijtje gezette zwarte kevers. Op een enkele boot brandde licht en de zachte gloed verspreidde zich in poeltjes over het zwarte water. In de verte liet een man een stel Westies uit. De stemmen van een groep jongemannen die de kroeg verlieten dreven in een wirwar van geluid over de jachthaven. In de oude pakhuizen die nu waren verbouwd tot appartementen met uitzicht over het kanaalbekken verdeelden vierkanten en rechthoeken van licht de donkere gevels in willekeurige patronen.

'Motief,' zei hij tegen een voorbijkomende wilde eend. 'Dat is wat psychologen van politiemensen onderscheidt. We kunnen niet zonder. Maar het kan hun eigenlijk niet echt schelen. Alleen de feiten, mevrouw. Dat is wat ze willen. Forensisch bewijs, getuigen; zaken waarvan ze denken dat je ze niet kunt fingeren. Maar mij kunnen de feiten eigenlijk niet zo heel veel schelen. Omdat feiten als uitzichten zijn. Ze zijn allemaal afhankelijk van waar je staat.'

De eend zwom niet langer bij hem vandaan en kwam terug om nog wat meer te horen. 'Ik heb een motief nodig voor deze moorden,' zei Tony. 'Mensen moorden niet gewoon zomaar, ongeacht wat sommigen er ook over zeggen. In hun hoofd is wat ze doen logisch. Dus we hebben een moordenaar die prostituees vermoordt, maar het draait er niet om seks met hen te hebben. En het heeft ook niet te maken met het feit dat hij opgewonden raakt van het moorden zelf, want dat doet hij telkens op een andere manier. Mensen die opgewonden raken van het moorden hebben heel specifieke psychologische triggers. Wat bij mij een gevoelige snaar raakt, doet dat niet bij jou.' Hij zuchtte en de eend verloor zijn interesse. 'Ik neem het je niet kwalijk, makker. Ik heb soms ook genoeg van mezelf.'

Hij stond op en sprong weer op de steiger. Eindelijk had hij een plek gevonden waar hij kon ijsberen. Met zijn hoofd naar beneden gericht liep hij naar het uiteinde toe, draaide toen om en liep vervolgens weer helemaal terug, waarbij hij iets minder mank liep omdat met zijn hersenen ook zijn ledematen werden losgemaakt. 'Dus als je het niet doet om de voldoening van het moorden zelf, wat levert het je dan op? Wat probeer je te bereiken? Ik geloof niet dat het je om algemene bekendheid gaat. Als je bekendheid wilt en je krijgt die niet, dan begin je e-mails naar mensen als Penny Burgess te sturen. Als er iemand is op wie je indruk wilt maken, dan bevindt die zich al in een positie om het te begrijpen.' Hij draaide zich om en begon weer over de steiger te lopen, maar dit keer langzamer.

'Laten we eens nadenken over de slachtoffers. Het gaat hoe dan ook om de slachtoffers. Prostituees. Je bent geen religieuze mafkees die de straten wil schoonvegen. Een man met een missie gaat zich niet bezighouden met al dat bewerkelijke gedoe met die tv-serie. Dan gaat het om het schoonvegen, niet om een of andere mysterieuze boodschap.

Wat is het effect van wat je doet? Wat bereik je ermee?' Hij bleef plotseling staan, omdat het hem mogelijk begon te dagen. 'Je probeert hen van de straat te jagen? Is dat het?' Hij had het gevoel dat hij dicht bij een openbaring was, bij iets wat de informatie die hij had zitten bestuderen in een zinnig kader plaatste. 'Niet hen. Haar,' zei hij langzaam. 'Je wilt dat ze ermee stopt. Je wilt dat ze van de straat verdwijnt. En dat ze thuiskomt.'

Hij draaide zich om op de ballen van zijn voeten en rende terug naar de *Steeler*. Hij had het gevoel dat hij een idee achtervolgde dat hem zou kunnen ontglippen als hij het niet met iemand zou delen. Toen hij weer aan boord was, pakte hij zijn telefoon en belde Paula door een snelkeuzetoets in te drukken. Meteen toen ze opnam, zei hij: 'Hij probeert iemand bang te maken.'

'Ben jij dat, Tony?'

'Ik ben het, Paula. Jullie moordenaar, hij probeert iemand bang te maken.'

'Hij maakt een boel mensen bang, Tony.' Ze klonk geïrriteerd. Hij stelde zich zo voor dat het een lange dag was geweest zonder Carol aan het roer om hen op koers te houden.

'Dat realiseer ik me wel, maar er is één persoon in het bijzonder die hij bang probeert te maken. Hij probeert haar zo bang te maken dat ze niet meer op straat durft te werken. Hij wil dat ze naar huis komt. Dat kun je afleiden uit de escalatie. Hij is begonnen op het allerlaagste niveau om vervolgens een stijgende lijn af te werken. Hij zegt: "Het maakt niet uit op welke sport van de ladder je staat, het kwaad kan je nog altijd te grazen nemen." Hij wil dat ze begrijpt dat datgene waar ze voor op de vlucht is altijd nog beter is dan waar ze naartoe vlucht.'

'Klinkt logisch.' Paula zuchtte. 'Maar hoe kan ik daar iets mee?'

'Dat weet ik niet. Misschien bij de zedenpolitie? Houden zij bij welke meiden er nieuw zijn? Ze zouden in ieder geval moeten weten waar je daarover navraag kunt doen. Jullie zijn op zoek naar iemand die nog niet heel lang op straat werkt. Ze zal waarschijnlijk enkele weken voor de eerste moord zijn opgedoken. Kijk wat jullie kunnen ontdekken. Namen, achtergrondinformatie, alles wat je maar kunt vastleggen. Als je háár eenmaal hebt gevonden, zul je hem ook gevonden hebben. De man die haar weer terug wil.'

'Waarom haalt hij haar niet gewoon terug? Hij heeft die andere vrouwen tenslotte ook van de straat gehaald.'

'Hij moet zichzelf wijsmaken dat ze uit eigen vrije wil terugkeert. Vergeet niet, Paula, hij bekijkt de wereld niet zoals wij dat doen. Stel je normale motieven voor en geef er vervolgens een draai aan. Ik denk dat dit er allemaal om draait haar terug naar huis te jagen, zodat hij zichzelf kan vertellen dat hij degene is bij wie ze wil zijn.'

'Weet je, soms maak ik me zorgen om je,' zei Paula. 'Zoals je de verwrongen ideeën in hun hoofden uitvogelt.'

'Ik maak me soms ook zorgen. Is Stacey trouwens nog iets opgeschoten met die *Maze Man*-website?'

'Min of meer. De site heeft geen regelmatige bezoekers uit het Verenigd Koninkrijk, maar ze heeft wel een e-mail gevonden van een vent die in contact probeerde te komen met iemand in het Verenigd Koninkrijk die de complete serie op video heeft. Hij maakt gebruik van een *hot*-mailadres, dus het is moeilijk aan betrouwbare gegevens te komen. Maar Stacey heeft met een van haar goocheltrucs kunnen vaststellen dat de meeste e-mails die vanaf dat adres werden verstuurd uit de omgeving van Bradfield afkomstig zijn. Ze is ook bezig geweest met de gegevens van de automatische nummerbordherkenning en heeft zijn uitvalsbasis kunnen terugbrengen tot een gebied in Skenby. De hoge flats en een paar straten eromheen.'

'Dat is nog een stap in de goede richting. Veel succes met dat alles. Hou me op de hoogte van wat je bij de zedenpolitie ontdekt.'

'Zal ik doen. Heb je de chef nog gesproken?'

Tony sloot zijn ogen een moment. 'Ik heb haar eerder gezien. Ze dook opeens op en is erachter gekomen dat ik met jullie zaak bezig ben.'

'O, shit,' zei Paula.

'Momenteel heeft ze belangrijker dingen aan haar hoofd. Ze vlucht voor haar emoties. Wanneer die haar uiteindelijk hebben ingehaald, zal het geen fraai schouwspel worden.'

'Ze heeft jou in ieder geval aan haar kant.'

Tony voelde tranen in zijn keel prikken. 'Ja, voor wat dat waard is. Hoe dan ook, jij moet weer verder. Hou me op de hoogte.'

Hij verbrak de verbinding en richtte zich weer op de computer. Als al het andere mislukt, praat dan tegen de machine.

Stacey staarde ingespannen naar haar monitor en drukte zo nu en dan een paar toetsen in of klikte iets aan met haar muis. Ambrose zat aan een bureau achter haar heimelijk over zijn eigen scherm naar haar te kijken en bewonderde de totale concentratie waarmee ze zich aan haar taak wijdde. Hij zou willen dat ze een agent zoals zij in hun team hadden in plaats van afhankelijk te zijn van de onbetrouwbare Gary Harcup. Gary was wel goed, maar hij was er niet altijd wanneer je hem nodig had en hij was zeker niet in staat tot de dingen die deze vrouw klaarspeelde. Hij was er niet zeker van of al haar gegraaf wel helemaal conform de wet was, maar dat kon hem niet schelen zolang ze maar met resultaten kwam en met een verhaal dat het Openbaar Ministerie en de rechtbanken tevreden zou stellen.

Terwijl hij zo zat te kijken duwde ze haar stoel achterwaarts van het scherm weg en draaide zich om, zodat ze hem op heterdaad betrapte. 'Hebbes,' zei ze, waarbij ze niets van het triomfalisme vertoonde waarmee zo'n mededeling normaal gesproken gepaard ging.

'Echt waar?' Ambrose stond op en kwam naast haar staan om op haar scherm te turen. 'Vinton Woods? Wat is dat?'

'Een exclusieve wijk binnen ideale forensenafstand van Bradfield en Leeds,' zei Stacey. 'Het is in West Yorkshire, dus ik vermoed dat het valt onder het werkterrein van hoofdinspecteur Franklin of daar ergens vlakbij ligt. Ik heb een stukje van de naam gevonden tussen het gedeeltelijk verwijderde materiaal op de harde schijf van Terry Gates en heb er vervolgens binnen het Kadaster een universele zoekopdracht op losgelaten naar onroerend goed dat het afgelopen halfjaar van eigenaar is veranderd. Dat leverde een paar treffers op, maar dit is het enige huis dat aansluit bij een profiel dat bij Vance zou passen.' Ze klikte iets aan en tikte iets in, waarna een gedetailleerde makelaarsbeschrijving van een ruim namaakvictoriaans huis op het scherm verscheen. 'Dit werd gekocht door een in Kazachstan geregistreerd bedrijf. De betaling werd uitgevoerd via een trustfonds in Liechtenstein dat bankiert op de Caymaneilanden. Het gaat weken duren om dat allemaal te ontrafelen. Maar het is precies het soort constructie dat Vance zou gebruiken om zich achter te verschuilen.'

'Als jij het zegt,' zei Ambrose. 'Ik krijg al hoofdpijn als ik erover nadenk.'

Stacey haalde haar schouders op. 'Nou, we weten dat Vance al zijn geld naar het buitenland heeft gesluisd toen hij gearresteerd werd en ook dat hij behoorlijk wat bezat. Een huis als dit zou de perfecte uitvalsbasis zijn. Ook al is hij hier maar voor een paar weken, hij heeft wel complete controle over zijn schuilplaats, het is zijn eigendom en hij kan zich ervan ontdoen wanneer hij het niet meer nodig heeft.'

'O, ik geloof je wel,' zei Ambrose. 'Ik kan me alleen moeilijk voorstellen dat iemand er zin in heeft al deze moeite te doen alleen maar om wraak te nemen.'

Stacey draaide zich om en glimlachte goedig naar hem. 'Dat is waarschijnlijk wel zo gezond, brigadier.'

'Ik moet ernaartoe,' zei hij.

'Moeten we de plaatselijke jongens het niet op een discrete manier in de gaten laten houden? Het gaat u zeker twee uur kosten om er te komen, zelfs met zwaailichten en sirene aan.'

Ambrose schudde zijn hoofd. 'Dit is onze klopjacht. Als ik je baas mag geloven, zal Franklin er met groot machtsvertoon op afgaan. Ter meerdere eer en glorie van zichzelf. We moeten dit voorzichtig aanpakken en ik denk dat wij het verdienen om de leiding te nemen. Ik ga er met een eigenhandig samengesteld team naartoe en we zullen pas hulp van de plaatselijke politie inroepen als we eenmaal weten waar we mee te maken hebben.' Hij gaf haar een schouderklopje. 'Je hebt geweldig werk verricht. Ik zal ervoor zorgen dat mijn baas te weten komt wie voor deze doorbraak verantwoordelijk is. Praat er alleen niet met Franklin over. Of met een van de andere rechercheurs uit West Yorkshire.'

Paula hoopte dat er zo laat op de zaterdagavond nog iemand aan het werk was op het bureau van de zedenpolitie. Ze verwachtte dat de meesten van hen bezig waren met wat politieagenten in hun vrije tijd op een zaterdagavond zoal uitspookten. Degenen die wel dienst hadden zouden waarschijnlijk buiten op straat zijn op deze drukste avond van de week voor de seksindustrie. Maar ze had geluk, ook al klonk de agent die de telefoon opnam alsof hij aan het eind van zijn Latijn was. 'Rechercheur Bryant. Zegt u het maar.'

Paula stelde zich voor en vertelde hem van welke eenheid ze deel uitmaakte. 'Ik heb wat informatie nodig,' besloot ze haar verhaal.

'Paula McIntyre? Ben jij niet degene die werd neergeschoten tijdens die undercoveroperatie die een tijdje terug in de soep liep?' Zijn toon was beschuldigend, alsof het op de een of andere manier haar fout was dat de blunder van haar collega's haar bijna het leven had gekost. Alleen de gedachte eraan bezorgde haar al een klamme nek.

'En jij bent van de afdeling die de rechercheur leverde die het probleem veroorzaakte, maar dat zal ik je niet aanrekenen,' snauwde ze terug.

'Zo naar hoef je nu ook weer niet te doen,' gromde hij. 'En wat wil je weten?'

'Wordt er informatie bijgehouden over nieuwe meiden op straat?' vroeg ze.

'Wat voor informatie?'

'Namen. Achtergrond, dat soort zaken. Hoe lang ze dit werk al doen. Of in ieder geval hoe lang jullie het van hen weten.'

Hij snoof luid. 'We zijn verdomme geen maatschappelijk werkers, zeg.'

'Geloof me, die gedachte was nooit bij me opgekomen. Hebben jullie dat soort informatie of niet?'

'De brigadier houdt een dossier bij. Maar ze is vrij vanavond.' Hij klonk alsof hij het gesprek wilde afkappen.

'Kun je haar te pakken krijgen? Het is echt heel belangrijk.'
'Dat is het altijd met jullie van het TZM.'
'Het gaat verdomme inmiddels om vier moorden, rechercheur Bryant. Ik heb er geen reet zin in om mijn baas lastig te vallen met je onbeschofte houding, maar als het nodig is om hier wat gedaan te krijgen, dan zal ik het zonder meer doen. Dus, wil jij je brigadier bellen om het haar te vragen of wil je dat mijn baas het gaat doen?'
'Je moet even een beetje dimmen, rechercheur,' zei hij. Ze kon de spot in zijn stem horen. 'Ik zal haar bellen. Maar het kan wel even duren.' Hij smeet de telefoon erop.
'Klootzak,' zei Paula. Ze vroeg zich af of er een manier was om de zedenpolitie te omzeilen, maar ze kon niets bedenken. Niet op een zaterdagavond waarop al haar contactpersonen bij maatschappelijk werk gezellig voor de televisie zaten met een afhaal-curry en *Casualty*. Ze zou gewoon moeten wachten tot rechercheur Bryant zijn handen zou laten wapperen, die klootzak.

Stacey keek toe hoe Ambrose ruggespraak hield met inspecteur Patterson. Ze was niet gerust op de door hem voorgestelde aanpak wat betreft Vance' vermeende schuilplaats. Ze begreep zijn wens om degene te zijn die Vance weer te pakken zou krijgen. Zij hadden tenslotte al het veldwerk gedaan. Het was dan ook wel zo eerlijk dat zij de meeste aandacht in de nieuwsberichten zouden krijgen, zodat hun kinderen hen op televisie konden zien en trots op hen konden zijn. Maar het zou minder goed zijn als hun aanpak betekende dat Vance door de mazen van het net glipte. Stacey had een vreemd voorgevoel dat het haar aangerekend zou worden als dat gebeurde.
Ze pakte haar telefoon en belde het nummer van haar baas. Zelfs in haar huidige toestand was Carol nog altijd beter in staat operationele zaken te beoordelen dan deze buitengewoon aardige mannen die, met alle respect, bijna nooit te maken hadden met zaken van het niveau waar het Team Zware Misdrijven van Bradfield zich continu mee bezighield. Toen Carol opnam klonk haar stem raar. Alsof ze verkouden was of zoiets.
'Hallo, Stacey? Nog nieuws?'
Stacey bracht verslag uit over haar ontdekking van het adres in Vinton Woods en over wat Ambrose van plan was. Carol luisterde

zonder haar te onderbreken en zei toen: 'Ik vertrouw Franklin ook niet. Hij was heel erg sceptisch over het idee dat het überhaupt om onze vriend ging. Ik denk dat we hem er voorlopig nog even helemaal buiten moeten houden. Dat is beter dan wanneer hij er halfhartig mee aan de slag gaat.' Ze zweeg een moment. 'Ik ga ernaartoe. Als ik nu vertrek, dan zou ik er eerder moeten aankomen dan de politiemacht. Ik kan de natuurlijke ligging van het terrein vast in kaart brengen en bekijken wat onze mogelijkheden zijn. Bedankt dat je het mij hebt laten weten, Stacey.'

En weg was ze. Stacey staarde naar de telefoon en voelde zich allesbehalve gerustgesteld. Dit begon aan te voelen als iets wat op volle snelheid op een regelrechte ramp zou uitlopen. En met Jacko Vance achter het stuur wist je slechts één ding zeker: er zou niets halfhartigs zijn aan wat er dan zou gebeuren.

49

Toen Staceys telefoontje binnenkwam, had Carol zichzelf weer bijna helemaal onder controle. Hoewel ze uitgeput en gekwetst was, wist ze dat er beweging was gekomen in een innerlijke loden last. Ze was in staat zichzelf bijeen te rapen en zou de klus die geklaard moest worden aankunnen. En die bestond uit Jacko Vance ervan weerhouden nog meer schade aan te richten.

Ze stond op en liep bij Betsy vandaan om met Stacey te praten. Dus ze had al een begin gemaakt met het proces van afstand scheppen tussen zichzelf en de twee vrouwen. Ze wist in ieder geval zeker dat ze niet wilde dat ze van haar plannen op de hoogte zouden raken voor het geval ze gelijk had gehad wat betreft hun loyaliteitsgevoelens. Carol beëindigde het gesprek en zei: 'Ik moet gaan.'

'Volgens mij ben je niet goed in staat ergens naartoe te gaan,' zei Betsy op eerder vriendelijke dan bazige toon.

'Ik stel je bezorgdheid op prijs,' zei Carol. 'Maar ik ben elders nodig. Ik heb een team in Bradfield dat hun leider nodig heeft. Je ex-man is niet de enige die momenteel zijn zinnen op vernietiging heeft gezet.' Ze pakte haar tas van tafel en haalde een hand door haar haar, waarbij ze het zweet op haar voorhoofd voelde. Ze nam aan dat ze koortsig was. Dat was ook niet verwonderlijk na die uitbarsting. 'Ik kom er zelf wel uit.'

Ze vond het niet erg om de keuken te verlaten. Betsy was op een ontwapenende manier lief voor haar geweest, maar ze had wel heel koeltjes gereageerd op het menselijke slachtoffer van Vance' aanslag. Als ze erover nadacht, deed dat haar vriendelijkheid weer teniet en dat kwam Carol wel goed uit, omdat ze niet ontwapend wilde zijn, zeker niet als het om Micky Morgan ging. Ze was er nog altijd niet van overtuigd dat de vrouw echt helemaal van Vance was losgekomen. Het maakte niet uit of het charisma of angst was waardoor ze aan hem vast bleef zitten, maar Carol dacht dat er nog altijd onafgemaakte zaken tussen hen speelden.

Eenmaal buiten zat ze nog even stil in haar auto om haar gedachten op een rijtje te zetten. Ze zou Vance te pakken nemen. Zijn gevangenneming was iets wat zij moest opeisen. Niemand had meer recht op dat moment dan zij. Als Ambrose een team aan het samenstellen was, dan zou hij nog niet uit Worcester zijn vertrokken. Ze kon er sneller zijn dan hij. Ze durfde te wedden dat hij niet de hele afstand tussen Worcester en Vinton Woods met zwaailichten en sirene aan zou afleggen. Ambrose en Patterson waren daar allebei niet gretig genoeg voor. Ze haalde het blauwe zwaailicht uit haar handschoenenvakje, kwakte het op het dak van haar auto en reed weg. Het grind spoot onder haar wielen vandaan toen ze optrok.

Ze zou Vance vanavond te pakken krijgen, al werd het haar dood.

Tony vroeg zich af hoe Paula het er met het team van de zedenpolitie van afbracht. Ze stelden altijd al zo hun eigen wetten en begaven zich in het grijze gebied tussen het geaccepteerde en het onfatsoenlijke. Als ze er niet in slaagden met ten minste één segment van de groep die ze in de gaten hielden een goede verstandhouding op te bouwen, dan konden ze hun werk niet doen. Die betrekkingen waren altijd hand in hand gegaan met de natuurlijke, smerige beloften van corruptie. En historisch gezien waren heel wat agenten van de zedenpolitie gezwicht voor het kwaad, hoewel niet altijd op voorspelbare manieren. Omdat ze in een geperverteerde werkelijkheid opereerden, hadden hun overtredingen de gevaarlijke neiging om minder voor de hand liggend te zijn.

En Paula was geen onbekende voor hen. Hij vroeg zich af of ze uit schuldgevoel eerder geneigd zouden zijn om haar te helpen of dat ze hen herinnerde aan een periode uit hun verleden die ze liever vergaten.

Zijn telefoon ging over en op het scherm stond: GEBLOKKEERD. Hij vroeg zich af of het Vance kon zijn met een telefoontje om zich te kunnen verkneukelen. Maar hij was eigenlijk nooit iemand geweest die het nodig had om over zijn misdaden op te scheppen. Hij moordde niet omdat hij naar aandacht hunkerde. Bijna alle andere dingen in zijn leven deed hij wel om die reden, maar het moorden niet.

Er was maar één manier om erachter te komen. Tony drukte een toets in en wachtte af. 'Dr. Hill? Bent u daar?' Het was een vrouwenstem die hem bekend voorkwam, maar hij klonk zo metaalachtig dat hij hem niet kon thuisbrengen.

'Met wie spreek ik?'

'Met Stacey Chen, dr. Hill.'

Dat zou kunnen kloppen. Ze maakte waarschijnlijk gebruik van een soort elektronische vervorming om haar stem onherkenbaar te maken. Dat zou wel passen bij haar algemene argwaan jegens de wereld om haar heen. 'Waarmee kan ik je van dienst zijn, Stacey? Goed werk met die website uit Oklahoma, trouwens.'

'Het was niet veel meer dan getallen kraken,' zei ze geringschattend. 'Met de juiste software zou het iedereen gelukt zijn.'

'Schiet je al iets op met het traceren van Kerry Fletcher? Ben je hem al tegengekomen?'

'Ik zal eerlijk tegen u zijn: het is frustrerend en ik hou er niet van door computersystemen gefrustreerd te worden. Hij komt niet voor in de kiesregisters en is ook niet bekend bij de gemeentebelasting. Hij heeft geen uitkering aangevraagd en ik kan in de medische dossiers ook geen treffer bij de juiste leeftijdsgroep vinden. Wie hij ook is, hij heeft al die tijd buiten ieders gezichtsveld geleefd.'

'Ik begrijp wel dat zoiets iemand als jij moet frustreren.'

'Het gaat me lukken. Doc... ik weet niet of ik u eigenlijk wel zou moeten bellen, maar ik maak me enigszins zorgen en u bent de enige persoon die daarbij kan helpen, denk ik.'

Tony lachte kort. 'Weet je dat wel zeker? Tegenwoordig ben ik meestal het antwoord vanwege het feit dat iemand de verkeerde vraag stelt.'

'Ik denk dat ik heb ontdekt waar Vance zich schuilhoudt wanneer hij niet bezig is met het begaan van zijn misdaden.'

'Dat is geweldig. Waar is het?'

'Het heet Vinton Woods. Het ligt tussen Leeds en Bradfield. In het laatste stuk bos voordat je in de Dales terechtkomt.'

'Betekent dat dat het op het werkterrein van Franklin ligt?'

'Het ligt inderdaad in het gebied waar het korps van West Yorkshire actief is.'

'Heb je Franklin gebeld?'

'Dat is juist het probleem. Brigadier Ambrose was erbij toen ik het ontdekte en daarom heb ik het aan hem verteld. Hij is vastbesloten om de arrestatie door West Mercia te laten doen en heeft me opgedragen Franklin noch een van de andere rechercheurs van West Yorkshire ervan op de hoogte te stellen.'

'Ik begrijp wel dat je je daarbij ongemakkelijk voelt,' zei Tony, die nog steeds niet begreep waarom Stacey hem erbij betrok.

'Een beetje wel inderdaad. Dus toen dacht ik dat ik het beter aan hoofdinspecteur Jordan kon vertellen, zodat zij erover kon beslissen.'

'Alleen wil zij Franklin ook niet opbellen, hè?'

'Precies. Ze is nu op weg ernaartoe. Ik weet niet vanwaar ze vertrokken is, maar de kans is groot dat ze er eerder zal aankomen dan West Mercia. En ik ben bang dat ze te veel hooi op haar vork zal nemen. Hij is een zeer gevaarlijke man, dr. Hill.'

'Dat heb je goed gezien, Stacey.' En terwijl hij dat zei, pakte hij zijn jas al en graaide hij in de zakken naar zijn autosleutels. Hij stak één arm in een mouw en goochelde de telefoon vervolgens naar zijn andere oor. 'Je hebt er goed aan gedaan om me te bellen. Laat het maar aan mij over.'

'Bedankt.' Stacey maakte een vreemd geluid, alsof ze iets wilde zeggen maar zich toen bedacht. Vervolgens zei ze gehaast: 'Pas goed op haar.' Daarna werd de verbinding verbroken.

Terwijl hij zijn andere arm in de mouw van zijn jas stak, zich de trap op haastte en de boot met een hangslot afsloot, bedacht Tony dat die vier woorden van Stacey hetzelfde betekenden als wanneer een van de andere leden van het TZM hem bij de keel zou grijpen en zou schreeuwen: 'Als haar iets overkomt, dan vermoord ik je.'

'Ik zal goed op haar passen, Stacey,' zei hij tegen de nacht, waarna hij over de steiger rende en door de jachthaven naar de parkeerplaats sprintte. Hij nam niet de tijd om na te denken totdat hij invoegde op de autosnelweg en zich realiseerde dat hij eigenlijk niet eens wist waar hij naartoe moest. En hij had ook Staceys nummer niet. 'Stomkop,' schreeuwde hij tegen zichzelf. 'Achterlijke idioot die je bent.'

Het enige wat hij kon bedenken was Paula bellen. Maar hij werd meteen doorgeschakeld naar haar voicemail en luisterde al vloekend naar haar ingesproken boodschap. Na de piep zei hij: 'Dit is echt belangrijk, Paula. Ik heb Staceys nummer niet en ze moet me een sms sturen met de routebeschrijving naar de plek waarover ze me zojuist heeft verteld. En vraag geen van ons beiden alsjeblieft waar dit allemaal over gaat, want dan ga ik huilen.'

En dat was niet eens een loos dreigement. Hoewel hij vastbesloten was zijn emoties op een afstand te houden, werd Tony langzamerhand radeloos, alsof de draden die hem bijeenhielden aan het rafelen waren. Het was eenvoudig om er niet aan te denken hoe belangrijk Carol voor hem was zolang ze daar ergens op de achtergrond van zijn leven aanwezig was. Hij was gewend geraakt aan hun kameraadschap, hij was het gewoon gaan vinden dat hij er vrolijk van werd als ze elkaar toevallig tegenkwamen en hij was erop gaan rekenen dat haar aanwezigheid een constante ondersteunende factor was.

In zijn jeugd had hij nooit de bouwstenen van liefde en vriendschap leren kennen. Zijn moeder Vanessa was afstandelijk, berekenend, en al haar gebaren en opmerkingen waren bedoeld om precies datgene te krijgen wat ze uit elke situatie wilde halen. Ze was de vrouw die haar verloofde Eddie Blythe had laten neersteken toen het de financieel voordeligste optie leek. Gelukkig voor Tony was het haar niet gelukt om hem te vermoorden. Ze wist hem alleen maar voor altijd te verjagen.

Toen Tony nog klein was, had Vanessa het te druk gehad met het opzetten van haar zakelijke carrière om zich te onderwerpen aan de beperkingen die het moederschap met zich meebracht. Ze had hem meestal bij zijn grootmoeder achtergelaten, die ook al geen warme persoonlijkheid bezat. Zijn grootmoeder had hem kwalijk genomen dat hij beslag op haar had gelegd in de periode in haar leven die volgens haar uit een onbezorgde oude dag had moeten bestaan en dat liet ze hem wel merken ook. Zowel Vanessa als zijn grootmoeder nam haar sociale leven niet mee naar huis, dus Tony had nooit veel gelegenheid gekregen om mensen op een normale, alledaagse manier met elkaar te zien omgaan.

Wanneer hij op zijn jeugd terugkeek, zag hij het perfecte sjabloon voor een van de beschadigde levende wezens die hij uiteindelijk als klinisch psycholoog zou behandelen of op wie hij als profielschetser zou jagen. Ongeliefd, ongewenst, hard gestraft voor het kattenkwaad en de onbezonnenheid die bij een normale jeugd horen en vervreemd van de normale interacties die groei en ontwikkeling mogelijk maakten. De afwezige vader en de agressieve moeder. Wanneer hij de psychopaten ondervroeg die hij als patiënt kreeg, hoorde hij zeer veel echo's van zijn eigen lege jeugd. Het was volgens hem de reden dat hij zo goed was in wat hij deed. Hij begreep hen omdat het maar een haartje had gescheeld of hij zou net zo geworden zijn als zij.

Wat hem had gered en hem het onbetaalbare vermogen tot empathie had geschonken, was het enige waardoor iemand zoals hij ooit werd gered: liefde. En het was uit een totaal onverwachte hoek gekomen.

Hij was geen aantrekkelijk kind. Hij herinnerde zich dat hij wist dat dat zo was, omdat men dat altijd tegen hem zei. Hij had niet veel objectieve bewijsstukken. Er waren bijna geen foto's van hem. Een paar klassenfoto's van de keren dat het de leerkracht daadwerkelijk was gelukt Vanessa uit schaamtegevoel te dwingen tot het bestellen van een afdruk, en dat was het dan. Hij wist alleen wie van de kinderen hij was doordat zijn grootmoeder hem had aangewezen. Meestal vergezeld van de woorden: 'Iedereen die naar deze foto kijkt, zou weten wie het meest waardeloze kreng van het hele stel is.' Daarna drukte ze dan haar kromme, jichtige vinger tegen de foto.

Tony Hill, het kleine kreng. Korte broeken die net iets te kort en te krap waren, met magere dijen en knokige knieën eronder. Met voorovergebogen schouders hield hij zichzelf bijeen door zijn armen stijf als een plank langs zijn lichaam te houden. Een smal gezicht onder een warrige bos golvend haar dat eruitzag alsof het nog nooit zoiets overbodigs als een kapper had gezien. De alerte gezichtsuitdrukking van een kind dat niet weet van welke kant de volgende klap zal komen, maar dat wel weet dat hij slaag gaat krijgen. Zelfs destijds en in die omstandigheden hadden zijn ogen de aandacht getrokken. Hun blauwe schittering werd er door al het overige niet minder om. Ze waren een aanwijzing dat zijn geest het niet helemaal had opgegeven. Nog niet.

Hij werd voortdurend gepest op school. Door toedoen van Vanessa en haar moeder gedroeg hij zich als een ervaren slachtoffer en er waren genoeg kinderen die graag van zijn onbeschermde status misbruik wilden maken. Je kon Tony Hill in elkaar slaan in de wetenschap dat zijn moeder de volgende ochtend niet naar school zou komen om als een viswijf uit Grimsby tegen het schoolhoofd tekeer te gaan. Hij was bij teamsporten altijd de laatste die werd uitgekozen en de eerste die ergens om werd uitgejouwd. Hij had school in een staat van algehele ellende met vallen en opstaan doorlopen.

Hij stond altijd achteraan in de rij voor het avondeten. Hij had geleerd dat dat de enige manier was om überhaupt iets van zijn eten binnen te krijgen. Als hij alle grote kinderen ruim voor liet gaan kon hij zijn dienblad vasthouden zonder dat zijn pudding met kruimeldeeg 'per ongeluk' in zijn stoofpot met meelballetjes belandde. Geen van de kleine kinderen toonde interesse om hem te laten struikelen of op zijn patat te spugen.

Hij had nooit veel aandacht geschonken aan de kantinejuffen. Tony was eraan gewend om zich gedeisd te houden in de hoop dat de volwassenen hem niet zouden opmerken. Hij werd dan ook van zijn stuk gebracht toen een van de kantinejuffen hem op een dag aansprak toen hij de warme gerechten naderde. 'Wat is er met je aan de hand?' zei de vrouw, wier zware plaatselijke accent die vraag tot een moeilijke opgave maakte.

Hij had achteromgekeken, bang dat een van de bullebakken hem van achter had beslopen. Maar toen besefte hij tot zijn schrik dat ze hem aankeek. 'Ja, jij, die grote dwaas.'

Hij schudde zijn hoofd en trok van angst zijn bovenlip op, zodat hij als een nerveuze terriër zijn tanden ontblootte. 'Niets,' zei hij.

'Je liegt,' zei ze terwijl ze een extra grote portie ovenschotel van macaroni en kaas op zijn bord schepte. 'Kom eens even achter de vitrine.' Ze maakte een gebaar met haar hoofd naar de zijdoorgang die naar de serveerkeuken leidde.

Tony, die nu pas echt goed bang was geworden, vergewiste zich ervan dat niemand naar hem keek en glipte zijdelings door de opening in de balie. Terwijl hij zijn dienblad als een horizontaal schild krampachtig tegen zijn borst drukte, bleef hij staan bij de ingang naar de keuken. De vrouw kwam naar hem toe en leidde hem de hoek om naar het achterste deel van de keuken, waar het echte werk plaatsvond. Vier vrouwen waren omringd door stoomwolken bezig enorme pannen in diepe spoelbakken af te wassen. Een vijfde vrouw leunde rokend tegen de stijl van de achterdeur. 'Ga zitten en eet,' zei de vrouw en ze wees naar een hoge kruk bij een aanrecht.

'Weer zo'n vervloekte geredde pup, Joan?' zei de rokende vrouw.

Tony's honger won het van zijn angst en hij begon gulzig te eten. De vrouw die Joan heette stond met haar armen over elkaar voor haar borst tevreden naar hem te kijken. 'Je staat altijd achteraan in de rij,' zei ze met een vriendelijke stem. 'Ze pesten je zeker, hè?'

Hij voelde tranen in zijn ogen opwellen en verslikte zich bijna in de glibberige macaroni. Hij keek omlaag naar zijn bord en zei niets.

'Ik heb honden,' zei ze. 'Ik zou wel wat hulp kunnen gebruiken om ze na schooltijd uit te laten. Zou dat iets voor jou kunnen zijn?'

Hij had niet echt zin in die honden. Hij wilde alleen maar bij iemand zijn die tegen hem praatte zoals Joan dat deed. Hij knikte, maar keek nog altijd niet op van zijn bord.

'Dat is dan geregeld. Ik zie je bij de achterpoort als de schoolbel is gegaan. Moet je het thuis nog laten weten?'

Tony schudde zijn hoofd. 'Mijn oma zal het niet erg vinden,' zei hij. 'En mijn moeder is nooit voor zevenen thuis.'

En zo was het begonnen. Joan had hem nooit iets gevraagd over zijn leven thuis. Ze luisterde toen hij eenmaal doorhad dat hij haar kon vertrouwen, maar ze had nooit doorgevraagd en oordeelde nooit. Ze had vijf honden, elk met een geheel eigen karakter, en hoewel hij nooit om de honden leerde te geven zoals Joan dat deed, leerde hij wel te doen alsof. Niet op een respectloze manier, maar omdat hij Joan niet wilde teleurstellen. Ze probeerde niet om een moeder voor hem te zijn of om hem om te kopen zodat ze een belangrijker rol in zijn leven zou gaan spelen. Ze was een vriendelijke, kinderloze vrouw die vanwege zijn lijden naar hem toe trok op dezelfde manier als ze zich bij het dierenasiel tot haar honden aangetrokken had gevoeld. 'Die met een goed karakter haal ik er altijd zo uit,' schepte ze altijd op tegen hem en de andere hondenuitlaters die ze aanhield om een praatje mee te maken.

En ze moedigde hem aan. Joan was zelf geen slimme vrouw, maar ze merkte zijn intelligentie onmiddellijk op. Ze vertelde hem dat de enige manier om te ontsnappen aan wat hem dan ook dwarszat bestond uit een goede opleiding, zodat hij keuzemogelijkheden had. Ze drukte hem tegen zich aan toen hij zijn examens had gehaald en zei tegen hem dat hij dat ook best mocht doen als hij de moed verloor. Hij was zestien toen ze hem zei dat hij maar niet meer moest langskomen.

Ze zaten in haar keuken aan de tafel met het formica bovenblad thee te drinken. 'Je kunt hier niet meer langskomen,' zei ze. 'Ik heb kanker, beste Tony. Het zit blijkbaar overal in mijn lichaam. Ze zeggen dat ik nog maar een paar weken te leven heb. Ik neem de honden morgen mee naar de dierenarts om ze te laten inslapen. Ze zijn allemaal te oud om nog aan een andere knakker te wennen en ik betwijfel of je oma ruimte voor ze wil vrij maken in haar huis.' Ze streelde zijn hand. 'Ik wil dat je je mij herinnert zoals ik ben. Zoals ik geweest ben. Dus daarom nemen we nu afscheid.'

Het was een enorme schok geweest. Hij had geprotesteerd tegen haar besluit en had verklaard dat hij bereid was tot het einde bij haar te blijven. Maar ze was onvermurwbaar geweest. 'Het is allemaal al geregeld, jongen. Ik zorg dat alles op orde is en dan vertrek ik naar het hospice. Men zegt dat ze daar allervriendelijkst zijn.'

En toen hadden ze allebei gehuild. Het was zwaar geweest, maar hij had haar wensen gerespecteerd. Vijf weken later had een van de kantinejuffen hem bij zich geroepen en hem verteld dat Joan was overleden. 'Het was een mooie dood,' zei ze. 'Maar ze heeft hier wel een enorme leegte achtergelaten.'

Hij had geknikt, omdat hij het niet aandurfde om te praten. Maar hij was er al wel achter gekomen dat Joan hem had geleerd die enorme leegte op eigen kracht op te vullen. Hij was niet meer de jongen met wie ze vriendschap had gesloten.

Pas jaren later, toen hij als ouderejaars bezig was met het bestuderen van persoonlijkheidsstoornissen en psychopathisch gedrag, begreep hij de krachtige invloed van wat Joan voor hem had gedaan. Het was niet overdreven om te zeggen dat Joan hem had gered van wat er voor hem in het verschiet lag toen ze hem uit de etensrij vandaan had geplukt. Ze was de eerste persoon geweest die hem liefde had geschonken. Een bruuske, onsentimentele liefde weliswaar, maar het was evengoed liefde geweest en ook al had hij er geen enkele ervaring mee, hij had het wel herkend.

Maar ondanks Joans inmenging had hij zich de kunst van het makkelijk contact maken met anderen nooit helemaal meester gemaakt. Hij had geleerd te doen alsof, wat hij 'voor menselijk doorgaan' noemde. Hij had geen grote verzameling kameraden zoals de meeste mannen met wie hij werkte. Hij beschikte niet over een catalogus van vriendinnetjes en geliefden zoals zij. Daarom waren de weinige mensen om wie hij gaf des te waardevoller voor hem. En het idee Carol Jordan te verliezen bezorgde hem een lichamelijke pijn in zijn borst. Voelde de voorbode van een hartaanval zo aan?

En hij zou haar op meer dan één manier kunnen kwijtraken. Er was de voor de hand liggende manier: het feit dat ze duidelijk te kennen had gegeven dat ze hem wat haar betrof nooit meer hoefde te zien. Maar er was altijd hoop dat hij haar op andere gedachten zou kunnen brengen. Andere manieren waren definitiever. In haar huidige gemoedstoestand zou ze weinig waarde aan haar leven hechten. Hij kon zich voorstellen dat ze zou besluiten het in haar eentje tegen Vance op te nemen en hij was bang dat er dan maar één uitkomst mogelijk was.

Toen begon het hem te dagen dat hij misschien niet de enige persoon was die Carol tegen zichzelf zou kunnen beschermen. Hij pakte zijn telefoon en belde Alvin Ambrose. 'Ik heb het op het moment nogal druk,' zei de brigadier toen hij opnam.

'Dan zal ik het kort houden,' zei Tony. 'Carol Jordan is onderweg om het tegen Jacko Vance op te nemen.'

50

Paula keek met een zwaarmoedig gevoel op haar horloge. Ze stond op het punt om het wat de zedenpolitie betreft op te geven en naar huis te gaan. Ze zou nu eigenlijk in haar keuken moeten zitten en met een glas rode wijn moeten toekijken hoe dr. Elinor Blessing haar chirurgische vaardigheden aanwendde bij het aansnijden van een lamsbout. Ze hoopte dat er nog iets over zou zijn nadat hun gasten genoeg hadden gehad. Ze gaapte en legde haar hoofd op haar op het bureau gevouwen armen. Ze zou hun nog vijf minuten geven en dan bekeken ze het maar.

Ze schrok wakker doordat er iemand naast haar stond. Omdat ze werd verblind door het licht van haar bureaulamp kon Paula alleen maar de omtrekken van een gedaante tegen de achtergrond van de schaarsverlichte teamkamer zien. Ze ging met een ruk rechtop zitten, schoof achteruit in haar stoel en ging gehaast staan. Er werd zacht gelachen door iemand van wie ze nu zag dat het een vrouw was. Ze was van middelbare leeftijd, had een gemiddelde lengte en een gemiddeld gewicht. Ze had een keurig kort krullend kapsel. Haar gezicht leek wel iets op dat van een tuinkabouter, compleet met dopneus en een mond als een rozenknop. 'Het spijt me dat ik je dutje kom verstoren,' zei ze. 'Ik ben brigadier Dean. Van de zedenpolitie.'

Paula knikte en veegde haar haar uit haar gezicht. 'Hallo. Het spijt me. Ik ben agent McIntyre. Ik had alleen maar even vijf minuten mijn hoofd neergelegd...'

'Ik weet wie je bent, schat.' Haar accent kwam uit het noordoosten van het land, maar de stembuigingen waren door elders doorgebrachte jaren wat afgezwakt. 'Je hoeft je niet te verontschuldigen, hoor. Ik weet hoe het is er middenin te zitten. Er zijn weken dat je je afvraagt of je bed misschien alleen maar een droom was.'

'Bedankt voor het langskomen. Ik had niet verwacht dat u er uw zaterdagavond voor zou opofferen.'

'Het leek me makkelijker om langs te komen. En bovendien zijn mijn man en mijn twee jongens naar de late wedstrijd van Sunderland toe; tegen de tijd dat ze hun kerrieschotel na de wedstrijd ophebben en weer naar huis komen zal het al over elven zijn. Dus het enige waar je me van afhoudt, zijn slechte televisieprogramma's. Wat Bryant te vertellen had klonk veel interessanter. Zou je me het hele verhaal willen vertellen?' Brigadier Dean maakte het zichzelf gemakkelijk in de bureaustoel van Chris Devine en liet de hakken van haar laarzen op de prullenbak rusten. Paula probeerde zich er niet aan te storen.

Enigszins op haar hoede voor de overduidelijke interesse van de brigadier van de zedenpolitie legde Paula Tony's theorie zo goed als ze kon uit en glimlachte vervolgens verontschuldigend. 'Nu is het zo dat dr. Hills ideeën soms nogal...'

'Compleet gestoord kunnen klinken?'

Paula grinnikte. 'Zoiets, ja. Maar ik heb lang genoeg met hem samengewerkt om te weten dat hij best griezelig vaak de spijker op zijn kop slaat.'

'Ik heb gehoord dat hij goed is,' zei Dean. 'Ze zeggen dat het voor een deel de reden is dat Carol Jordan zo'n hoog oplossingspercentage heeft.'

Paula reageerde stekelig: 'Onderschat de hoofdinspecteur ook niet. Ze is een geweldige rechercheur.'

'Daar ben ik van overtuigd, maar we kunnen allemaal zo nu en dan wel een beetje hulp gebruiken. En dat is ook de reden dat ik hier ben. Wanneer andere rechercheurs interesse tonen voor mijn werkterrein, dan wordt het tijd dat ik me er persoonlijk mee ga bemoeien. Geen van ons wil dat iemand onze behoedzaam voor ons gewonnen contactpersonen tegen de haren in strijkt.'

Nu Dean duidelijk had gemaakt waar ze in dit alles stond, voelde Paula zich meer op haar gemak met haar. 'Vanzelfsprekend,' zei ze. 'Dus u kunt me helpen?'

Dean stak een hand in de zak van haar spijkerbroek en haalde er een geheugenstick uit tevoorschijn. 'Ik zal met jullie delen wat ik kan. Bryant zei dat jullie in nieuwe meiden geïnteresseerd waren?'

'Dat klopt. Ik heb begrepen dat er meer nieuwe gezichten zijn vanwege de recessie.'

'Dat is waar, maar veel van hen werken binnenshuis en niet op straat. Hoe nieuw moeten ze zijn?'

'Vanaf een maand voordat de moorden begonnen?'

'Ik leg mijn oor graag te luisteren,' zei Dean, die weer in de zak van haar spijkerbroek graaide en haar smartphone tevoorschijn haalde. 'En ik zet ook liever niets op de computer wat er niet per se op hoeft te staan. Zeker niet als het om kwetsbare jonge vrouwen gaat.' Ze speelde wat met de telefoon en liet toen een tevreden gegrom horen.

'Er is geen vaste manier om met de rotzooi op straat om te gaan,' zei Dean terwijl ze met haar duim door een lijst scrolde. 'Je zou kunnen zeggen dat het allemaal een beetje ad hoc is. Wanneer er nieuwe gezichten verschijnen, proberen we hen te benaderen. Soms is een klein beetje druk uitoefenen alles wat er nodig is, weet je? Zeker bij de min of meer fatsoenlijke vrouwen. Als je laat vallen hoe een strafblad alles van hun kinderbijslag tot hun kredietwaardigheid in gevaar kan brengen, dan kun je hen meteen zien nadenken. Maar dat werkt alleen bij een heel kleine minderheid. Als ze eenmaal zover zijn dat ze daadwerkelijk de straat op gaan, dan is er meestal geen weg terug. Dus ik probeer op straat contactpersonen voor me te winnen. En om gewoon een oogje in het zeil te houden, weet je.'

'Niemand wil dat er doden gaan vallen.'

'Precies, maar ik probeer ervoor te zorgen dat het ons over het algemeen lukt om in te grijpen voordat het zover komt. De jongemannen in mijn team vinden dat ik in een droomwereld leef, maar ik probeer in ieder geval hun naam te achterhalen en iets van hun achtergrond, zodat we weten wat we op hun teenetiket moeten zetten als het daarop uitdraait.'

'En met wat voor situatie hebben we hier te maken?'

'Een gebied van ruim honderd vierkante kilometer dat onder verantwoordelijkheid van het stadspolitiekorps van Bradfield valt. Er wonen grofweg negenhonderdduizend mensen. Er zijn altijd wel ongeveer honderdvijftig vrouwen als prostituee aan het werk. Als je bedenkt dat ongeveer vijftig procent van de mannen toegeeft dat ze wel eens betaalde seks hebben gehad, dan weet je dat die meiden keihard werken voor hun geld.'

'En nog niet eens veel geld ook,' zei Paula.

'Genoeg om onder invloed van drugs te blijven, zodat het hun niet kan schelen wat ze doen om het geld voor het volgende shot te verdienen.' Dean schudde haar hoofd. 'Ik kan alleen maar zeggen dat ik van harte hoop dat ik mijn zonen zo heb opgevoed dat ze zich beter gedragen tegenover vrouwen.' Ze trok haar voeten van de prullenbak af en ging rechtop zitten. 'Binnen de door jou genoemde periode heb ik drie namen voor je.'

'Ik ben alleen maar blij dat het er niet meer zijn.'

'Het loopt richting zomer. De avonden zijn korter en hun klanten zijn banger om herkend te worden wanneer ze stapvoets langs de hoeren rijden.'

'Ik had nooit gedacht dat prostitutie seizoen gebonden was.'

'Dat geldt alleen voor de straatprostitutie, schat. Binnenshuis is het het hele jaar door feest. Als je in binnenkamers geïnteresseerd was, dan zouden er eerder een stuk of twaalf op deze lijst staan. Hier komen ze dan: Tiffany Sedgwick, Lateesha Marlow en Kerry Fletcher.'

Paula kon haar oren niet geloven. 'Zei u Kerry Fletcher?' vroeg ze, terwijl ze steeds opgewondener werd.

'Zegt dat je iets?'

'Kerry Fletcher is een vrouw?'

Dean keek haar aan alsof ze gek was geworden. 'Natuurlijk is ze een vrouw. Je hebt me toch niet naar schandknapen gevraagd? Hoezo? Zegt die naam je iets?'

'Hij dook eerder in een ander onderdeel van het onderzoek op. Op basis van de context dachten we dat het een vent was. Kerry zou ook de naam van een man kunnen zijn.' Ze fronste haar voorhoofd. 'Dit slaat nergens op.'

Dean glimlachte. 'Je kunt het zelf controleren. Je kunt haar bijna elke avond aan het einde van Campion Way vinden. Vlak bij de rotonde.'

'Weet u iets van haar?' Paula schreef de naam in haar notitieboekje, opende haar e-mailprogramma en tikte een bericht aan Stacey.

'Ik weet wat ze mij over zichzelf heeft verteld. Hoeveel daarvan waar is, wie zal het zeggen? Ze verzinnen allemaal dingen. Goede dingen en slechte dingen. Wat ze maar nodig hebben om een goed gevoel over zichzelf te hebben.'

'En wat heeft Kerry u verteld?' Paula vond een beetje over het werk kletsen best leuk en aardig, maar op dit moment was ze alleen geïnteresseerd in Kerry Fletcher.

'Tja, ze komt hier vandaan. Ik vermoed dat dat wel klopt, want ze heeft een zwaar Bradfields accent. Ze werd geboren in Toxteth Road, achter de hoge flatgebouwen van Skenby.'

Paula knikte. Ze kende Toxteth Road. De wijkagenten daar zeiden dat zelfs de honden er alleen maar in groepjes naartoe gingen. Het was ook in het gebied dat Stacey aan de hand van de nummerborden had weten te achterhalen. 'Desolation Row,' zei ze.

'Precies. En toen ze vijf of zes jaar oud was, verhuisden ze naar een appartement op de zestiende verdieping. En daar hield het op voor haar moeder: vanaf de dag dat ze erin trokken, is ze de flat nooit meer uit geweest. Kerry weet niet of het claustrofobie, pleinvrees of angst voor haar vader Eric was. Maar wat het ook was, ze werd een gevangene in haar eigen huis.' De brigadier liet een dramatische stilte vallen. Ze genoot duidelijk van haar eigen verhalen.

'En daarmee werd ze de perfecte onderhandelingstroef voor Eric Fletcher,' vervolgde Dean. 'Hij begon Kerry rond haar achtste jaar seksueel te misbruiken. Als ze niet precies deed wat haar werd opgedragen, dan reageerde Eric dat af op haar moeder. Hij sloeg haar dan of duwde haar naar buiten het balkon op en liet haar daar achter tot ze helemaal was doorgedraaid. En kleine Kerry hield van haar moeder.'

Paula zuchtte. Ze had zo vaak varianten op dit verhaal aangehoord, maar het kwam telkens weer net zo hard aan als de eerste keer. Ze kon niet verhelpen dat ze zich voorstelde hoe het geweest moest zijn om je zo machteloos te voelen of om een zo beperkte belevingswereld te hebben dat dit het enige model van liefde was dat je als kind kende. Als dat alles was wat je kende, hoe kon je dan geloven dat je iets anders kon bereiken? De relaties die je in tv-programma's zag, moesten net zo denkbeeldig hebben geleken als

Zweinstein. 'Natuurlijk hield ze van haar moeder,' zei ze. 'Waarom niet? Totdat ze leerde haar te verachten.'

Dean leek een beetje pissig. Dit was tenslotte haar verhaal. 'En zo ging dat door. Zelfs toen ze van school af ging en bij een tankstation aan Skenby Road ging werken. Ze had geen eigen leven. Daar zorgde Eric wel voor.' Ze keek Paula sluw aan. 'Het is zoals die Tony Hill van jullie zou zeggen: mensen worden medeplichtig aan hun eigen slachtofferschap.'

'U weet veel over Kerry Fletcher.'

Dean keek haar bedachtzaam aan. 'Ik zie het als mijn taak om zo veel mogelijk over elk van hen te weten te komen. Met een kop koffie en een moederlijke houding kun je heel veel bereiken aan de ellendige kant van de straat, Paula.'

'Wat is er dan gebeurd?'

'De moeder overleed. Ongeveer vier maanden geleden, voor zover ik kan vaststellen. Het duurde een paar weken voordat het tot Kerry doordrong dat ze eindelijk vrij was.'

'En daarom ging ze maar op straat werken? Wat is er gebeurd met die baan bij het tankstation?'

'Toen Kerry de schellen van de ogen vielen, kletterden ze figuurlijk op het trottoir. Ze wilde niet alleen vrij zijn, ze wilde het Eric Fletcher inwrijven. Hij zou haar niet meer gratis krijgen en ze liet andere mannen betalen voor wat ooit van hem was.'

Paula floot. 'En hoe vatte Eric dat op?'

'Niet best,' zei Dean droogjes. 'Hij kwam telkens opdagen op plekken waar ze aan het werk was en smeekte haar om naar huis te komen. Kerry weigerde ronduit. Ze zei dat het op straat veiliger was dan in zijn huis. We hebben hem een paar keer weggestuurd, omdat hij een scène maakte op straat en het ernaar uitzag dat het slecht zou aflopen. Sindsdien houdt hij zich voor zover ik weet gedeisd.'

'Ze zei dat het op straat veiliger was dan in zijn huis,' herhaalde Paula. 'Dat lijkt perfect aan te sluiten bij het verhaal van Tony. En hij moet dus haar e-mailadres hebben gebruikt. Natuurlijk heeft hij dat gedaan.' Weer vol energie nu tikte ze op het toetsenbord van de computer een dringend bericht aan Stacey om haar te vragen in de flatgebouwen van Skenby op zoek te gaan naar ene Eric Fletcher, waarschijnlijk op de zestiende verdieping.

Toen ze het verstuurde, zag ze dat er een bericht van dr. Grisja Sjatalov was binnengekomen. 'Ik kom zo weer bij u, hoor,' zei ze, even afgeleid. PAULA, stond er, ER ZIT EEN AFGESCHEURD STUKJE VINGERNAGEL VAST IN HET BLOOTLIGGENDE VLEES VAN HET LAATSTE LICHAAM. HET KOMT NIET OVEREEN MET DAT AAN DE VINGERS VAN HET SLACHTOFFER. HET IS BIJNA ZEKER AFKOMSTIG VAN DE DADER EN WE ZOUDEN ER DNA AAN MOETEN KUNNEN ONTTREKKEN, IN IEDER GEVAL GENOEG VOOR IDENTIFICATIE VIA STR EN MITOCHONDRIAAL DNA. IK HOOP DAT DIT JE ZATERDAGAVOND OPVROLIJKT. BRENG MIJN OPRECHTE DEELNEMING OVER AAN CAROL ALS JE HAAR EERDER SPREEKT DAN IK. DR. GRISJA.

Soms bereikte een zaak een punt dat leek op het omdraaien van een sleutel in een ingewikkeld slot. Een van de tuimelaars viel en vervolgens een andere, waarna het aanvoelde als een onvermijdelijk bij elkaar passen van pinnetjes en sleutel, waardoor de deur zou openzwaaien. Hier en nu, laat op een zaterdagavond, wist Paula dat het niet lang meer zou duren voordat het TZM met trots op het resultaat van hun laatste zaak kon wijzen. Carol zou met opgeheven hoofd kunnen vertrekken in de wetenschap dat ze iets had neergezet, terwijl Blake alleen maar kon afbreken.

Het zou een moment worden om van te genieten.

Ambrose was inmiddels aan het schreeuwen. 'Ze is wát aan het doen? Wie heeft Jordan verdomme verteld waar Vance zich schuilhoudt?'

'Stacey, natuurlijk,' zei Tony, die veel geduldiger en redelijker klonk dan hij zich voelde.

'Hoe heeft ze het in haar hoofd kunnen halen? Dat is operationele informatie.'

'En Carol Jordan is haar baas, niet jij. Ze heeft voor Carol haar expertise aangewend om dit probleem op te lossen, niet voor jou. Het zou je niet moeten verbazen dat ze loyaal is aan de persoon die haar de kans heeft gegeven om te schitteren.'

'Je moet Jordan tegenhouden,' zei Ambrose met een harde en rauwe stem. 'Ik wil niet dat ze zich hieraan vergaloppeert. Hij is te gevaarlijk om het in je eentje tegen hem op te nemen. Je moet haar tegenhouden voordat er iets vreselijks gebeurt.'

'Dat is precies waarom ik momenteel over de autosnelweg scheur,' zei Tony zonder zijn stem te verheffen, in een poging de druk van de ketel te halen. 'Wanneer vertrek jij?'

'Binnen vijf minuten. Wanneer is zij vertrokken?'

'Stacey heeft haar meteen nadat ze met jou heeft gesproken opgebeld. En daarna heeft ze mij gebeld. En ik ben ongeveer een kwartier geleden vertrokken.'

'Verdomme. Dit is een nachtmerrie.'

'Er is nog wel iets wat je zou kunnen doen,' zei Tony terwijl hij op de inhaalstrook ging rijden.

'Wat dan?'

'Je zou Franklin kunnen opbellen om hem te vragen haar te onderscheppen.'

Ambrose snoof. 'En dat is jouw idee van een oplossing? Het zal op een patstelling tussen Jordan en Franklin uitlopen terwijl Vance er via de achterdeur vandoor gaat om voorgoed te verdwijnen.'

'Zoals je wilt,' snauwde Tony hem toe. 'Ik probeer alleen maar haar leven te redden, dat is alles.' Hij verbrak de verbinding en wist nog zeven kilometer per uur meer uit zijn tegensputterende motor te persen. 'Ach, Carol,' kreunde hij. 'Doe alsjeblieft niets moedigs. Of nobels. Wacht gewoon rustig af. Alsjeblieft.'

Sam Evans vond het nog altijd fijn om de straat op te gaan en met mensen te praten. Hij beheerste niet dezelfde verhoortechnieken als Paula, maar hij was er wel goed in om mensen aan het praten te krijgen en vervolgens uit te vinden wanneer hij aardig tegen hen moest zijn of juist druk moest uitoefenen. Hij kon zich moeiteloos weer zijn arbeidersklasseaccent aanmeten en dat kwam van pas wanneer je met mensen aan de onderkant van de samenleving te maken had. Sam deed zijn mond open en ze kregen de indruk dat hij iemand was die niet op hen neerkeek of hen veroordeelde.

Toen Paula de achtergrondinformatie die ze van de brigadier van de zedenpolitie had gekregen doorgaf, was de voor de hand liggende volgende stap het opsporen en oppakken van Kerry Fletcher, zodat ze geen gevaar meer zou lopen. Paula moest op het bureau blijven om alle informatie door te spitten in de hoop dat ze een aanwijzing vond over waar ze Eric Fletcher zouden kunnen vinden.

Ondertussen zou Sam zijn best doen om Fletchers dochter te vinden.

Temple Fields zag op zaterdagavond zwart van de mensen. Travestieten, mooie jongens, zeer aantrekkelijke jonge lesbo's met hun tatoeages en piercings en gasten die erg hun best deden om op Lady Gaga te lijken zorgden er voor een mooi schouwspel, maar er liepen ook zat conventioneler uitziende mensen rond die plezier wilden maken in de homobars en de restaurants aan weerszijden van de straat. Het gebied was in de jaren negentig van een hardcore rosse buurt in een homodorp veranderd, maar de nieuwe eeuw had er een eclectischer buurt van gemaakt waar de hipste jonge hetero's graag uithingen in wat zij als de coole clubs en bars beschouwden. Tegenwoordig was het een smeltkroes, een gedeelte van de stad waar alles kon. En de straatprostitutie tierde er nog altijd welig, als je wist waar je moest kijken.

Sam baande zich zigzaggend een weg door de menigte en hield zijn ogen open voor vrouwelijke of mannelijke hoeren. Soms zagen ze hem aankomen en roken ze 'smeris' aan hem, waarna ze in de anonieme mensenmassa opgingen voordat hij hen kon aanspreken. Maar het was hem gelukt om een handjevol vrouwen aan te spreken. Enkelen van hen hadden hem compleet genegeerd en weigerden om ook maar iets tegen hem te zeggen. Sam vermoedde dat ze wisten dat hun pooier hen in de gaten hield.

Twee anderen ontkenden iets over Kerry Fletcher te weten. Een vijfde zei dat ze Kerry kende, hoewel ze haar al een dag of twee niet had gezien, maar dat kwam waarschijnlijk omdat Kerry meestal op Campion Way werkte en niet in de hoofdstraat. Daarom was Sam de boulevard op gelopen die Temple Fields van de rest van het stadscentrum scheidde. Daar vond hij een mededeelzamer bron.

De vrouw leunde bij de ingang van een steeg tegen de muur en stond te roken en kleine slokjes koffie te nemen. 'Jezus, kan ik niet eens even tien kloteminuten voor mezelf hebben?' zei ze toen Sam op haar afkwam. 'En ik geef ook geen gratis ritjes aan smerissen.'

'Ik ben op zoek naar Kerry Fletcher,' zei Sam.

'Je bent niet de enige,' zei de vrouw bitter. 'Ik heb haar vanavond niet gezien, maar haar ouwe was gisteravond nog naar haar op zoek.'

'Ik dacht dat hij was gewaarschuwd om bij haar uit de buurt te blijven?'

'Dat kan wel zo zijn, en hij houdt zich tegenwoordig ook wel iets meer koest, maar hij hangt hier nog steeds rond en houdt haar continu in de gaten. Maar gisteravond viel ze tegen hem uit en zei hem dat hij moest opzouten.'

'Hoe vatte hij dat op?'

'Hij had niet veel keus, want ze vertrok met een klant.'

'En wat had hij dan tegen haar gezegd om haar zo op de kast te jagen?'

'Ik lette er niet echt op. Ik probeerde ook mijn brood te verdienen. Hij ging tegen haar tekeer over het feit dat het niet veilig was op straat. Dat iemand hoeren zoals wij vermoordt en dat ze naar huis moest komen. Ze zei dat ze liever risico op straat liep dan risico met hem. En hij zei dat hij alles zou doen wat ze wilde als ze maar zou ophouden zichzelf op straat te verkopen. En ze zei: "Ik wil dat je hier gewoon mee ophoudt. En nou opgerot." Vervolgens liep ze weg en stapte bij die vent in de auto.'

'Heb je hen eerder zo tegen elkaar tekeer horen gaan?'

De vrouw haalde haar schouders op. 'Hij probeert haar al een tijdje de stuipen op het lijf te jagen door te zeggen dat er hier ergens een seriemoordenaar rondloopt.' Ze krulde haar lippen minachtend. 'Alsof we niet weten dat er klootzakken zijn die er opgewonden van worden om ons pijn te doen. Je doet dit werk niet als je je zorgen maakt over je gezondheid of je veiligheid, verdomme. We weten het allemaal, de hele tijd. We proberen er gewoon niet aan te denken, verdomme.'

'En wat deed haar vader toen?'

Ze gooide haar peuk op de stoep en drukte hem uit. 'Hij deed wat hem werd gezegd. Hij smeerde hem. En ik wil dat jij nu hetzelfde doet.' Ze maakte met haar vingers een wegwerpgebaar naar Sam. 'Ga nu maar, want je verpest mijn handel.'

Sam liep achteruit weg en keek hoe de vrouw op krankzinnig hoge hakken naar de stoeprand trippelde. Met wat hij te weten was gekomen kwamen ze niet veel verder. Maar het was wel ondersteunend bewijs. En soms was dat het beste waarop je kon hopen wanneer je een zaak aan het opbouwen was.

51

De manier waarop het blauwe licht het verkeer spleet had iets goddelijks. Wanneer ze haar zagen aankomen stoven auto's en bestelwagens zijwaarts weg als krabben. Carol genoot vooral van de mensen die de maximumsnelheid aan flarden reden totdat ze haar in hun achteruitkijkspiegel zagen. Ze remden dan plotseling af en zwenkten naar de middelste rijstrook op een manier die zei: 'Wie, ik, meneer?' Wanneer ze hen dan seconden later voorbijreed keken ze altijd strak voor zich uit, waardoor hun vruchteloze huichelarij des te duidelijker werd.

Soms zagen mensen haar echt niet. Ze waren verdiept in muziek of radio 4 of in een of ander belprogramma over voetbal op Talk Sport. Dan ging ze vlak achter hen rijden en claxonneerde vervolgens stevig. Een enkeling kon ze letterlijk zien opspringen. Daarna gaven ze een ruk aan het stuur en was ze hen al voorbij, waarbij ze zo vlak langs hen reed dat ze zich voorstelde dat ze zaten te vloeken.

Het was opwekkend, dit gevoel dat ze eindelijk actie ondernam. Het leek een eeuwigheid geleden dat ze in de boerderij naar de lichamen van Michael en Lucy stond te kijken, een stroperige zee van tijd die aan haar voeten trok en haar ervan weerhield vooruit te komen. En ze wilde verder om de verschrikking te begraven. Maar daar was überhaupt geen beginnen aan zolang Jacko vrij rondliep. Op vrije voeten was hij een belediging voor haar rechtvaardigheidsgevoel.

Carol wilde hem niet straffen door hem te doden. Ze wist dat veel mensen, als ze in haar schoenen zouden staan, met niets minder genoegen zouden willen nemen. Maar ze geloofde niet in de doodstraf en zelfs niet in persoonlijke wraak met lijken op de grond als uiteindelijk resultaat. Op dit punt waren zij en Vance het vreemd genoeg met elkaar eens. Ze wilde dat hij met de consequenties van zijn daden zou moeten leven. Ze wilde dat hij elke dag zou beseffen dat hij nooit meer als vrij man naar de lucht zou kijken.

En ze wilde dat hij wist wie hem opnieuw achter de tralies had gezet. Ze wilde dat hij haar met de dag meer ging haten.

Vance kon zich niet herinneren wanneer hij voor het laatst in Halifax was geweest. Het moest in de tijd zijn geweest toen hij met zijn succesvolle tv-serie *Vance's Visits* bezig was. Hij wist dat hij er eerder geweest moest zijn, omdat de spectaculaire weg die vanaf de autosnelweg rond één kant van het komvormig heuvelgebied waarin de stad zelf lag naar beneden krulde hem nog duidelijk voor de geest stond. Vanavond was het een bekken van lichten die onder hem schitterden en fonkelden. Het moest hels zijn geweest in het Halifax van na de industriële revolutie. Al die wolfabrieken die rook en roetdeeltjes uitspuugden en kolengruis, zodat de lucht vol schadelijke dampen en viezigheid kwam te zitten. Viezigheid die nergens naartoe kon ontsnappen, omdat die er vanwege de omsluiting door de heuvels werd vastgehouden. Hij kon zich wel voorstellen dat de arbeiders het aantrekkelijk vonden om de dalen en de heidevlakten in te trekken, waar ze schone lucht konden inademen en zich weer mens konden voelen in plaats van alleen maar een onderdeeltje van de enorme machine.

Hij scheurde van de hooggelegen autosnelweg omlaag de vallei in en keek of hij onderweg een plek zag die mogelijk als tijdelijke basis kon dienen. Hij had iets nodig met wifi, zodat hij kon controleren of zijn doelwit zich daar bevond waar hij hoopte dat ze zich zou bevinden. Het was te laat voor een espressobar, ervan uitgaande dat er in Halifax dat soort hippe etablissementen waren. En hij wilde niet in een internetcafé zitten, omdat mensen daar over je schouder konden meekijken en zich zouden afvragen waarom je naar beelden van een gesloten videocircuit zat te kijken van een vrouw in haar woonkamer die de leeftijd om seksuele fantasieën over te koesteren duidelijk ver gepasseerd was.

Toen hij een bocht omkwam, zag hij de gouden bogen van een McDonald's. Hij herinnerde zich dat Terry tegen hem had gezegd dat je als al het andere misliep altijd nog op McDonald's kon rekenen. 'Koffie, een warme hap of internet, je kunt het er krijgen.'

Vance huiverde bij de gedachte. Zelfs wanneer hij net had gedaan alsof hij heel gewoon was gebleven, trok hij de grens bij McDonald's. Maar misschien kon hij voor deze ene keer een uitzondering maken. Er moest toch een rustig hoekje zijn waar hij koffie kon drinken en internet op kon.

Op het allerlaatste moment draaide hij de inrit op en parkeerde de auto. Hij pakte zijn laptoptas en ging naar binnen. Het was verrassend druk in het restaurant, voor het merendeel met tieners die net iets te jong waren om zelfs de meest bijziende barmannen ervan te overtuigen dat ze oud genoeg waren om alcohol te drinken. Hun wanhopige behoefte om zich cool te voelen had hen uit huizen waar *Match of the Day* op de late zaterdagavond standaard op het menu stond naar het harde, verblindende licht van een McDonald's gedreven. Ze hingen er rond met hun milkshakes en cola's, de jongens met hun baseballcaps in allerlei standen op hun hoofd, behalve op de conventionele manier, en de meisjes, die een verbazingwekkende hoeveelheid bloot lieten zien. Hun aanblik stond Vance, die zichzelf als een fijnproever van tienermeisjes beschouwde, een beetje tegen. Hij was niet geïnteresseerd in meisjes die geen waardigheidsgevoel hadden. Wat viel er nog af te breken als de meisjes alles al hadden prijsgegeven?

Vance bestelde een beker koffie en vond een klein tafeltje in de verste hoek. Hoewel het in de buurt van de toiletten was, kon hij zijn beeldscherm wegdraaien van nieuwsgierige blikken. Hij negeerde zijn koffie en startte snel op om zijn cameralocaties langs te gaan. Niets bij het huis van Tony Hill, hoewel de ingang was dichtgespijkerd en er borden met de tekst GEVAAR! NIET BETREDEN! waren neergezet. Via de andere camera's kon hij zien waarom: het pand was uitgebrand. Geen dak, geen ramen, alleen maar een gedeeltelijk ingestort geraamte.

Het derde tafereel maakte dat hij wilde gaan schelden tegen het beeldscherm. Maar Vance wist dat hij uiterlijk kalm moest blijven. Het laatste wat hij wilde was de aandacht op zich vestigen. Tieners waren alleen met zichzelf bezig, dat wist iedereen, maar er was evengoed maar één enkele oplettende waarnemer voor nodig om allerlei problemen te veroorzaken. Maar het vervulde hem niettemin van razernij om het stallenblok nog overeind te zien staan. Terwijl hij zat te kijken kwam Betsy zelf in beeld met een gewapende politieman en een paar spaniëls achter zich aan. Ze wees verschillende kanten van het betrekkelijk onbeschadigde stallenblok aan terwijl ze erlangs liepen en ze waren duidelijk in een levendig gesprek gewikkeld. Ze leek er helemaal niet onder te lijden, die teef. Hij wilde haar op haar knieën krijgen, dat ze huilend haar haren uittrok en in pijnlijke rouw zat opgesloten. Misschien moest hij volgende keer de honden te grazen nemen. Hun kelen doorsnijden en ze op het bed van Micky en Betsy neerleggen. Dat zou hun laten zien wie de macht in handen had. Of misschien moest hij Betsy gewoon pakken.

Hij haalde diep adem en klikte door naar de laatste reeks actieve camerabeelden. Met de klok mee bewegend was daar de oprijlaan en de voorgevel van een vrijstaand stenen huis in een betere buitenwijk te zien dat er op de een of andere manier onmiskenbaar noordelijk uitzag. Het was geen groot huis: zo te zien drie woonvertrekken en drie slaapkamers, maar het was degelijk gebouwd en goed onderhouden. Op de oprit stond een Mercedes-twoseater voor een vrijstaande garage.

Het volgende beeld toonde een moderne keuken met het smetteloze voorkomen van een plek die alleen maar werd gebruikt voor het opwarmen van maaltijden die bij Waitrose of Marks and Spencer vandaan kwamen. De verlichting onder de bovenkasten was aan en wierp een koude gloed op de lichtkleurige houten werkbladen. Achter de keuken doemden vaag de ribben van een serre op uit het donker.

De derde camera had een visooglens en was blijkbaar in een hoek van het trapbordes geïnstalleerd. Je kon ermee naar boven kijken naar de bovenkant van de trap en door een open deur die naar een slaapkamer leidde en ook langs de trap naar beneden naar de voordeur, waarvan het gebrandschilderde glas zwak oplichtte vanwege het licht dat de straatlantaarns er vanbuiten op wierpen.

De vierde camera toonde beelden van een woonkamer die eruitzag alsof er niet veel in geleefd werd. Er was geen rommel, geen boeken of tijdschriften, alleen een met dvd's gevulde nis. In het midden van de ruimte stond een lange brede bank, bijna net zo groot als een bed en met kussens bedekt. Er stond een met fijn houtsnijwerk versierde salontafel voor met daarop een drietal afstandsbedieningen, een wijnfles en een halfvol glas rode wijn. Aan één kant van de tafel stond een geopende aktetas op de grond. In de tegenoverliggende muur zat een sierlijke victoriaanse open haard. Waar je een bewerkte schoorsteenspiegel verwacht zou kunnen hebben, hing echter een plasma-tv-scherm dat de hele schoorsteenmantel vulde. De kamer leek op een privébioscoop, een triest filmzaaltje voor één persoon. Er kwam een vrouw in een wijde kaftan de kamer binnenlopen die haar goudbruine haar dat in een kort kapsel tot op haar schouders kwam achter haar oren had gestoken. De resolutie was niet hoog genoeg om veel details te kunnen onderscheiden, maar Vance was verbaasd om te zien dat de vrouw er niet uitzag als iemand van achter in de zestig en zich ook niet zo voortbewoog. Ze pakte twee afstandsbedieningen en nestelde zich op de bank, waarbij ze grotere en kleinere kussens zo verplaatste dat ze behaaglijk zat. Het scherm kwam tot leven. De kijkhoek maakte het onmogelijk voor Vance om te kunnen vaststellen waar ze naar zat te kijken, maar ze leek erin verdiept te zijn.

En dat was alles wat hij moest weten. Het kwam niet zo nauw. Een bejaarde vrouw die alleen thuis was vormde nu niet bepaald een lastig doelwit. Zeker niet nu er geen voor de hand liggende wapens in de kamer leken te zijn, geen handig haardgereedschap of bronzen beelden. Een wijnfles vormde een risico dat hij wel durfde te nemen.

Hij bleef nog een paar minuten kijken, klapte toen zijn laptop dicht en liep naar buiten, waar hij zijn onaangeroerde koffie in een afvalbak gooide. Niemand lette op hem. Ooit zou hij daar pissig om zijn geworden. Maar Jacko Vance begon langzamerhand de schoonheid van anonimiteit te waarderen.

Tony geloofde niet in voortekenen. Dat hij ruim boven de maximumsnelheid over de autosnelweg scheurde zonder verkeerspolitie te zijn tegengekomen betekende nog niet dat de sterren hem gunstig gezind waren. Op een gegeven moment was er een blauw zwaailicht in zijn achteruitkijkspiegel verschenen, maar hij was opzij gegaan en de surveillancewagen was zonder hem een blik waardig te keuren voorbijgeraasd. Iemand anders hield zich blijkbaar zelfs nog minder aan de wet dan hij. Het betekende nog steeds niet dat de goden aan zijn kant stonden.

Bovendien waren zijn pogingen om contact met Carol op te nemen allemaal mislukt. Hij had haar om de paar minuten geprobeerd te bellen, maar hij werd telkens direct doorgeschakeld naar haar voicemail. Eerst had hij nog de hoop gehad dat ze zich in een van de weinige overgebleven zwarte gaten wat betreft telefoonbereik bevond, maar dat optimisme kon hij niet veel langer volhouden. Om te beginnen had hij haar voicemail meerdere keren ingesproken, maar daar was hij mee opgehouden. Je kon iemand maar een beperkt aantal keren waarschuwen voorzichtig te zijn voordat diegene zich dodelijk beledigd zou gaan voelen.

Het enige wat hij nog kon bedenken was proberen haar zo te laten schrikken dat ze niets zou ondernemen. Daarom ging hij bij het eerstvolgende tankstation van de weg af en tikte een sms in: IK HOU VAN JE. DOE NIETS VOORDAT IK BIJ JE BEN. Hij had het nog nooit uitgesproken. Het was misschien niet de meest romantische gelegenheid, maar hij dacht dat ze er zo van zou schrikken dat het haar zou doen stoppen. Zodra ze haar telefoon aanzette zou ze het zien. Hij verstuurde het bericht voordat hij erover kon nadenken of zijn woorden wel zo verstandig waren.

Tony ging weer de weg op en vroeg zich af hoe het met Ambrose ging. Misschien was het wel zijn team geweest dat daarnet over de inhaalstrook voorbij was komen denderen. Hij wist niet of die mogelijkheid hem blij of angstig moest stemmen. Hij overwoog Ambrose te bellen, maar voordat hij in actie kon komen belde Paula hem. 'Kun je praten?' vroeg ze.

'Ik zit achter het stuur, maar ik heb hem op handsfree staan,' zei hij.

'Ik denk dat je gelijk had,' zei Paula, waarna ze hem de informatie van brigadier Dean doorgaf. 'Ik zit alleen nog te wachten op Stacey, die het adres voor me aan het achterhalen is. Ze had al wel voorbereidend onderzoek gedaan, maar met het verkeerde geslacht. Nu is ze het nogmaals aan het proberen. Tot dusver komt ze Fletchers naam in geen van de flats in Skenby tegen.'

'Probeer het eens onder de meisjesnaam van zijn vrouw,' zei Tony.

'Zou je denken? Volgens brigadier Dean wonen ze er al minstens tien jaar.'

'Voor sommige mensen is het uitwissen van je sporen een tweede natuur geworden. Ze doen het gewoon omdat ze het kunnen, niet omdat er een specifieke reden voor is.'

'Ik zal het aan Stacey doorgeven.'

'Goed zo. Ik kan vanavond wel een succesje gebruiken.'

'Gaat het niet goed met je?'

'Ik knijp 'm behoorlijk, Paula. Ik denk dat Carol op een ramp afstevent en ik weet niet of ik haar kan tegenhouden.'

'Dat klinkt wat melodramatisch, Tony,' zei Paula rustig. 'En de baas doet niet echt aan melodrama.'

'Ik denk dat ze vanavond wel eens een uitzondering zou kunnen maken.'

'Kan ik iets doen?'

'Nee, en ik wil niet eens dat je iets probeert. Je moet Eric Fletcher arresteren.'

'Hij kan wachten.'

Tony zuchtte. 'Daar ben ik eigenlijk niet zo zeker van, Paula. Er is sprake van escalatie, niet alleen wat betreft de intervallen tussen zijn moorden, maar ook in het risico dat hij neemt bij het uitkiezen van zijn slachtoffers. Hij nadert een omslagpunt. Als Kerry niet snel gehoor geeft aan zijn eisen, dan zal hij geen andere optie meer hebben.'

'En wat dan? Dan pleegt hij zelfmoord? Daar wens ik hem dan veel succes bij,' zei ze vol minachting. Het kon Paula aanzienlijk minder schelen dan Carol of de slechteriken in leven bleven. Ze had altijd gedacht dat het kwam omdat ze een groter verlies dan haar baas had geleden. Maar misschien was dat niet waar. Misschien hadden ze gewoon een andere opvatting over dat fundamentele uitgangspunt.

'Als hij haar niet naar huis kan jagen, dan zal hij haar naar huis meenemen,' zei Tony.

Er volgde een lange stilte waarin Paula tot zich door liet dringen wat Tony bedoelde. 'Dan kan ik beter zorgen dat Stacey haast maakt met het opsporen van dat adres,' zei ze zacht.

'Doe dat. Ik zou deze avond graag zonder nog meer bloedvergieten doorkomen.'

Carol raakte de verkeersdrempel zo hard dat haar ophanging ervan piepte en ze met het stuur moest worstelen om rechtdoor te blijven rijden. Als er iemand naar de beelden van het gesloten videosysteem zat te kijken waarvan de cameralampjes boven haar rood oplichtten, dan zou die nu de noodknop indrukken. Mensen die in afgeschermde woonwijken zoals Vinton Woods woonden, betaalden voor beveiliging, omdat ze niet het soort gasten door hun straten wilden hebben toeren dat met tachtig kilometer per uur over verkeersdrempels reed. Carol remde af en probeerde een snelheid aan te houden die meer in overeenstemming was met haar *Stepford Wives*-omgeving.

Toen ze langs de huizen in namaak-Queen Anne-stijl reed, zag Carol nergens een teken van leven. Er waren wel verlichte ramen en er stonden wel auto's op opritten, maar het enige levende wezen dat ze zag, was een schichtige vos die uit het licht van haar koplampen wegsloop toen ze een bocht omkwam. Ze moest toegeven dat Vance een slimme zet had gedaan. Het soort mensen dat naar een dergelijk zielloos bestaan hunkerde, zou gewoon niet opmerken dat er een uit de gevangenis ontsnapte seriemoordenaar naast hen was komen wonen zolang hij maar in een mooie auto reed en niet bij hen kwam aankloppen omdat zijn melk op was.

Ze zette haar auto aan de kant en keek op de kaart die ze op haar smartphone had gedownload. Vinton Woods was nog te nieuw om in het gps-systeem van haar auto opgenomen te zijn, maar ze had de kaart op de website van de projectontwikkelaar gevonden. Ze bepaalde waar ze zich ten opzichte van Vance' huis bevond en reed toen weer verder. Binnen enkele minuten reed ze de doodlopende straat in waar zijn huis stond. Ze probeerde het erop te laten lijken alsof ze verkeerd was gereden, draaide achteruit de inrit van een van de buren op en reed meteen weer terug naar de hoofdweg.

Ze had een vluchtige blik geworpen, maar er waren geen duidelijke aanwijzingen dat er iemand thuis was. Carol reed de straat weer uit en overdacht haar mogelijkheden. Ze wilde het huis van dichtbij bekijken, maar dat was nog niet zo eenvoudig. Op deze trottoirs weerklonken geen toevallige voetstappen. Er liep hier niemand, omdat er niets was om naartoe te lopen. Er stonden geen auto's op straat geparkeerd, omdat de mensen hier over voldoende opritten en garages beschikten voor alle voertuigen die hun huishoudens maar zouden kunnen bekostigen.

Ze reed langzaam terug en zag dat het huis tegenover het begin van de doodlopende straat in duisternis was gehuld. En er stonden ook geen auto's op de oprit. Carol besloot de gok te wagen en reed dus achteruit de oprit op en parkeerde voor een garagedeur. Langs het huis van zijn buren had ze vrij uitzicht op het huis van Vance. Het was de perfecte plek voor een surveillancepost.

Het leverde geen oplossing op voor het probleem dat ze het huis van dichterbij wilde bekijken. Maar misschien was het niet nodig dat ze echt boven op het daadwerkelijke gebouw zat. Voor zover ze kon zien hingen er geen gordijnen voor de ramen die op de doodlopende straat uitkeken. Ze zag nergens licht in het huis. Behalve als Vance in het donker in een kamer aan de achterkant van het huis was, was de kans groot dat er niemand thuis zou zijn. En als hij in een slaapkamer aan de achterkant lag te slapen, dan zou Carol er goed aan doen om te blijven waar ze was. Joost mocht weten wat hij aan bewegingssensoren en camera's rondom het huis had geplaatst om hem voor indringers te waarschuwen. Alles wat hij tot nu toe had gedaan, was goed overdacht en gepland geweest. Met het huis zou dat precies zo zijn.

Als ze bleef zitten waar ze zat, zou ze hem bovendien meteen zien zodra hij het huis verliet. Ze kon hier van de oprit vandaan schieten om hem te rammen, hem de weg te versperren of hem te volgen. Dat was verstandig vanuit politieoogpunt.

Het leek alleen niet zo verstandig vanuit het perspectief van Carol Jordan. Hoe langer ze wachtte, hoe waarschijnlijker het werd dat Ambrose met veel manschappen zou komen opdagen om de hele zaak te verpesten. Er leidde maar één weg van en naar Vinton Woods. Als Vance lucht van de interesse van de politie kreeg, dan zou hij gewoon door blijven rijden en weer verdwijnen. Ze zou Ambrose moeten proberen over te halen om haar de meest vooruitgeschoven deelnemer aan de operatie te laten zijn. Ze moesten op ruime afstand blijven, uit het zicht van iedereen die naar de woonwijk wilde rijden, en ze zouden erop moeten vertrouwen dat zij hen zou waarschuwen zodra hij zich liet zien. Ambrose had eerder onder haar bevel gewerkt en Carol dacht dat ze hem er waarschijnlijk van zou kunnen overtuigen dat haar die rol zou kunnen worden toevertrouwd.

De vraag was of ze zichzelf daarvan zou weten te overtuigen.

De suggestie die Tony haar via Paula had doorgegeven maakte Stacey woedend. Niet omdat ze dacht dat het tijdverspilling was, maar omdat ze er zelf op had moeten komen. Ze keurde uitvluchten voor jezelf verzinnen niet goed – haar moeder had er altijd op gehamerd dat je in dezelfde mate verantwoordelijk was voor je succes als voor je falen – maar ze dacht wel dat het nalopen van alle mogelijkheden veel eerder een automatisme voor haar zou zijn geweest als ze achter haar eigen werkstation had gezeten. Het was op zijn zachtst gezegd lastig gebleken om twee grote operaties tegelijk te behappen op een laptop en een desktopcomputer van de politie van West Mercia met een processor die de snelheid van een kreupele landschildpad bezat.

Het kostte haar maar een paar minuten om details te vinden over het overlijden van de moeder van Kerry Fletcher. Toen ze eenmaal de meisjesnaam van de vrouw had gevonden, was het vergelijken van die gegevens met de huurderslijst van de gemeente waartoe ze zich eerder op de avond toegang had verschaft een fluitje van een cent voor Stacey.

Binnen tien minuten na Paula's telefoontje kon Stacey haar al weer terugbellen. 'Je had gelijk wat betreft de zestiende verdieping. Pendle House 16c. Het spijt me, ik had er zelf aan moeten denken.'

'Dat geeft niets, we zijn er nu alsnog uit.'

Stacey trok een gezicht alsof ze een vieze smaak in haar mond had. 'Dat weet ik wel en ik vind het ook niet erg als dr. Hill met dingen aankomt die buiten ons vakgebied liggen, maar dit hadden we als rechercheurs zelf moeten kunnen verzinnen.'

'De baas zou er wel aan hebben gedacht,' zei Paula terneergeslagen ondanks het resultaat.

'Ik weet het. Ik weet niet of ik nog wel bij de politie wil blijven als Blake me routineklussen van de algemene opsporingsdienst geeft.'

'Dat zou gestoord zijn,' zei Paula. 'Iedereen weet dat je een enorme computerfreak bent. Waarom zou Blake niet zo veel mogelijk van je vaardigheden profiteren?'

'Mijn ouders hebben familieleden wier levens tijdens de Culturele Revolutie kapot zijn gemaakt. Ik ben ervan doordrongen dat mensen soms worden gestraft omdat ze te bekwaam zijn.' Stacey was nog nooit zo open geweest tegen een collega. Het was ironisch dat de naderende opheffing van hun eenheid haar tong had losgemaakt.

'Blake is voorzitter Mao niet,' zei Paula. 'Hij is te ambitieus om niet ten volle gebruik van je te maken. Het is waarschijnlijker dat je aan een batterij monitoren zult worden vastgeketend en maar één keer per maand in het daglicht mag. Geloof me, Stacey, niemand gaat jou uitpluggen. Alle stinkklussen zullen zoals gebruikelijk bij mensen als Sam en mij terechtkomen. En over Sam gesproken: denk je niet dat het tijd wordt om eens iets tegen hem te zeggen?'

'Waar heb je het over?'

'Je hoeft je bij mij niet van den domme te houden, Stacey. Ik ben de beste ondervrager van dit team en er ontgaat mij niets. Vraag hem mee uit. Het leven is te kort. We zullen niet zo lang meer met elkaar werken. Je zou hem wel eens maandenlang niet meer kunnen zien. Laat hem weten wat je voor hem voelt.'

'Je gaat je boekje te buiten, Paula,' zei Stacey zwak.

'Nee, dat doe ik niet. Ik ben je maatje. En ik ben Elinor bijna misgelopen omdat ik helemaal in beslag werd genomen door mijn werk. En toen ze me een piepklein kansje gaf, heb ik dat aangegrepen. En dat heeft mijn leven veranderd. Jij moet hetzelfde doen, Stacey. Anders zal hij weg zijn en daar zul je spijt van gaan krijgen. Hij is een lul en hij verdient je niet, maar blijkbaar wil jij hem, dus maak er werk van.'

'Moet je niet iemand gaan arresteren?' zei Stacey, die weer enigszins in haar normale doen kwam.

'Bedankt voor de informatie.'

Stacey legde de telefoon neer en staarde naar het beeldscherm van haar laptop. Daarna stond ze op, liep naar het raam toe en keek omlaag naar de parkeerplaats terwijl ze over Paula's woorden nadacht. Blijkbaar waren er zaken die je niet kon oplossen door naar een scherm te staren.

Wie had dat gedacht?

52

Vanessa Hill stak haar hand uit en vulde haar glas nog een keer bij, waarna ze het zich weer gemakkelijk maakte op de kussens van haar bank. Ze hield van deze bank met zijn geweven bekleding, zijn brede kussens en zijn hoge zijkanten. Als ze zich erop uitstrekte, voelde ze zich net een pasja, wat dat ook mocht zijn, of een Romein bij een feestmaal. Ze vond het heerlijk om zich tussen de kussens en de plaids te nestelen en aan delicate hapjes te knabbelen terwijl ze aan een glas wijn nipte. Ze was zich er terdege van bewust dat het personeel van haar wervingsbureau zich op de werkvloer te buiten ging aan sensationele roddels en speculaties over haar privéleven. De waarheid was dat haar succes en haar geld haar het recht hadden opgeleverd om het zichzelf naar de zin te maken. En hier beleefde ze plezier aan: haar eigen bedrijf, verdomd goede rode wijn, satelliettelevisie en een uitgebreide collectie dvd's. Het was nu ook weer niet zo dat ze vaak de kans kreeg zichzelf te verwennen. Hoogstens een paar avonden per week. De rest van de tijd was gewijd aan het uitbouwen van haar imperium. Ze mocht dan wel een ouderenpas voor de bus hebben, maar Vanessa was nog ver van haar pensionering verwijderd.

De aflevering van *Mad Men* ging op zwart en de titelrol kwam voorbij. Ze overwoog nog een aflevering te gaan kijken, maar besloot eerst naar het nieuws te kijken voordat ze weer naar de dramaserie zou terugkeren. Ze schakelde van het dvd-kanaal naar het televisiekanaal en zag nog net het laatste stuk van het zoveelste nieuwsbulletin over de onrust in het Midden-Oosten. Vanessa schraapte haar keel. Ze zou hun maar wat graag een opdonder geven. Geen van die mannen had de ballen om te zeggen wat ze van plan waren. Ze had gedacht dat het de zaken zou opschudden toen Hillary Clinton zich ging bezighouden met de Amerikaanse buitenlandse politiek, maar over het algemeen genomen was het gewoon allemaal bij het oude gebleven. Zelfs de nieuwslezers leken er moe van te worden. De enige persoon die erdoor leek op te bloeien was die akelige vrouw bij de BBC die alleen maar op het scherm kwam als alles in de vernieling ging. Er verscheen een kleine strakke glimlach op het gezicht van Vanessa waardoor je precies kon zien waar de botox geïnjecteerd was. Je zou de heuvels in vluchten als je haar ooit met een cameraploeg je straat in zou zien komen lopen.

'Voormalig tv-presentatrice Micky Morgans renstal was eerder vanavond het toneel van een gewelddadige aanslag,' zei de nieuwslezer, die nu wat levendiger overkwam. Achter hem was op een in tweeën gedeeld scherm een ogenschijnlijk idyllische boerderij met stallenblok te zien en een foto van Micky Morgan op haar bekoorlijkst: schuins op de bank gezeten met die welbekende prachtige benen van haar over elkaar geslagen. Ze haalde het niet bij Anne Bancroft, dacht Vanessa. 'Een stalknecht en twee paarden kwamen om bij een gruwelijke brand in haar woning in Herefordshire, die aangestoken bleek te zijn. Alleen door snel ingrijpen van haar personeel konden de levens van de overige kostbare renpaarden, die voor fokdoeleinden op de boerderij verbleven, worden gered. Een andere stalknecht werd met rookvergiftiging naar het ziekenhuis gebracht. Hij schijnt buiten levensgevaar te zijn.'

Achter de nieuwslezer verscheen een jonge verslaggeefster aan het einde van een oprijlaan live in beeld. Op de achtergrond waren politieagenten te zien. De wind blies haar haren alle kanten op. Ze had het licht geschrokken voorkomen van een vrouw die voor de televisie werd weggerukt terwijl ze naar de *X-factor* zat te kijken. Ze wachtte geduldig af tot de vaste presentator haar de uitzending zou binnenloodsen, maar hij moest eerst nog het laatste stukje script afwerken. 'Micky Morgan presenteerde vroeger het paradepaardje onder de lunchprogramma's: *Midday with Morgan*. Ze gaf haar tv-carrière op toen haar toenmalige echtgenoot, collega-tv-presentator en voormalig atletiekkampioen Jacko Vance, als seriemoordenaar van tienermeisjes werd ontmaskerd. Vance zelf is eerder deze week op spectaculaire wijze ontsnapt uit de Oakworth-gevangenis, iets meer dan zeventig kilometer van de boerderij van zijn ex-vrouw. En dan gaan we nu over naar Kirsty Oliver, die ter plekke is.

Kirsty, brengt de politie deze aanslag in verband met Vance?'

'Nou, Will, daar doen ze nog geen officiële uitspraken over. Maar ik begrijp dat er hier op de boerderij gewapende politie aanwezig is geweest vanaf het moment dat het nieuws over de ontsnapping van Jacko Vance twee dagen geleden bekend werd. Desondanks is iemand erin geslaagd om tot het erf met de stallen door te dringen en brand te stichten in een hooischuur achter het belangrijkste stallenblok, dat je op de achtergrond kunt zien.' Ze gebaarde vaag naar achteren over haar schouder. 'De boerderij is nog steeds niet toegankelijk voor bezoekers en we hebben Micky zelf of haar partner Betsy Thorne nergens gezien, hoewel ons is verteld dat ze wel aanwezig zijn.'

'Fijn dat je Vance laat weten dat ze thuis zijn,' mompelde Vanessa.

'Dank je, Kirsty. We komen bij je terug als er daar bij jou nieuwe ontwikkelingen zijn.' Een oprecht bezorgde gezichtsuitdrukking. 'De politie heeft aangegeven dat ze Jacko Vance willen horen in verband met twee andere incidenten: de dubbele moord in Yorkshire van gistermorgen en een ander geval van brandstichting gisteravond in Worcester.' Foto's van twee aantrekkelijke dertigers kwamen achter de nieuwslezer in beeld. 'Een nieuwe ontwikkeling is dat de politie de moordslachtoffers heeft geïdentificeerd als Michael Jordan, een ontwikkelaar van gamesoftware, en zijn partner, strafpleiter Lucy Bannerman. Michael Jordans zus is rechercheur bij de politie van Bradfield en er wordt gezegd dat zij de politievrouw is die Jacko Vance op verdenking van moord heeft gearresteerd.' Vanessa zette gehaast haar glas neer en drukte zichzelf rechtop. 'Carol Jordan,' spuugde ze uit met een van afkeer vertrokken gezicht, voor zover dat tegenwoordig nog kon.

Maar weinig mensen hadden Vanessa ooit gedwarsboomd. En nog minder mensen waren ermee weggekomen. Carol Jordan was lid van die zeer kleine club. Ze was een van de zandkorrels in de oester van Vanessa's leven. Ze kon zichzelf er met tegenzin bijna toe brengen een soort respect voor dat mens van Jordan op te brengen. Ze had macht en was bereid die te gebruiken, ze was meedogenloos en kon klaarblijkelijk zeer vastberaden zijn in het najagen van haar doel. Dat waren kwaliteiten die Vanessa zelf in zeer grote mate bezat en die ze ook in anderen waardeerde. Ze vermoedde ook dat

Jordan net zoals zij het vermogen had om de sterke en zwakke punten van mensen in te schatten. Maar waar Vanessa die eigenschap in haar eigen voordeel gebruikte om haar reputatie als scherpzinnige headhunter te versterken, leek Jordan die in te zetten om misdadigers voor het gerecht te brengen. Vanessa zag er het nut niet van in. Wat voor winst viel daarmee te behalen? Het was niet zo dat ze iets op de politie tegen had, want iemand moest het tuig in toom houden. Maar het was niet het soort carrière voor iemand die iets in zijn mars had. En dat was de reden dat ze, als puntje bij paaltje kwam, toch geen respect voor Carol Jordan kon opbrengen.

Voordat ze al te ver over het pad van haar gevoelens voor Carol Jordan kon dwalen, werd haar aandacht opnieuw gegrepen door de nieuwsuitzending, en dit keer zat ze als aan de bank genageld. De nieuwslezer was klaar met de moord en ging verder: 'Vance wordt ook gezocht om gehoord te worden in verband met een andere brandstichting. Gisteravond werd in Worcester dit huis met de grond gelijkgemaakt.' Er kwam een foto van een rokende ruïne in beeld. 'Gelukkig was er niemand thuis toen de brand begon. De politie heeft de naam van de bewoner niet vrijgegeven, maar buren vertelden dat de vorige bewoner, ene Arthur Blythe, vorig jaar was overleden en dat de nieuwe eigenaar er niet veel tijd doorbracht.'

Arthur Blythe. De naam die Eddie voor de rest van zijn leven had aangenomen, nadat hij voldoende was hersteld om haar te verlaten. Alsof hij zichzelf had willen verliezen. Zij had dat huis verdiend na alles wat ze had moeten doormaken. Maar hij had het aan dat rotjong nagelaten. Waarom iemand iets aan Tony zou nalaten ging haar verstand te boven. Zij zou dat zeer zeker niet doen. Ze zou alles opmaken voordat ze dit aardse tranendal zou verlaten. Over een jaar of twee, wanneer de economie weer zou aantrekken, zou ze het bedrijf dat ze gedurende haar leven had opgebouwd in de verkoop gooien. En dan zou ze alles op haar lijstje met zaken die ze voor haar dood nog wilde meemaken gaan afwerken: de beste plaatsen bij alle vier de grandslamtoernooien, safari's om alle grote zoogdieren van Afrika te zien, een boottocht langs de Galapagoseilanden, waarbij je ook zelf aan land ging om dieren van dichtbij te bekijken, het filmfestival van Cannes, het noorderlicht en nog een tiental andere dingen. Tegen de tijd dat ze klaar was, zou er nog geen stuiver voor Tony over zijn.

De nieuwslezer was inmiddels bij het voetbal beland, maar het beeld van het verwoeste huis stond Vanessa nog steeds scherp voor de geest. Het was een vreemde handelswijze wanneer je je best deed om iemand leed te berokkenen. Maar Jacko Vance was nog zo iemand voor wie Vanessa onwillekeurig respect had. Hij was ook iemand die wist wat hij wilde en er vervolgens helemaal voor ging. Even afgezien van het feit dat wat hij wilde in strijd met de wet was en immoreel en nog een stuk of wat adjectieven die de media hanteerden zodra er een dode was gevallen. Hij was vastbesloten zijn doelen te bereiken en als Carol Jordan er niet was geweest – en Tony, die waarschijnlijk als een schoothondje achter haar aan was gedribbeld – dan zou hij nog altijd doen waar hij het beste in was. Geen wonder dat hij zich wilde wreken. Als ze in zijn schoenen zou staan, zou ze er precies hetzelfde over gedacht hebben.

Vanessa grinnikte spottend. Als ze ooit hardop de waarheid zou uitspreken, dan zouden de mensen bij haar op de werkvloer het in hun broek doen. Als je iets wilde bereiken in deze wereld, dan moest je met meel in de mond praten. En ze moest toegeven dat Jacko Vance ook op dat gebied indruk op haar had gemaakt. Met al zijn liefdadigheidswerk en zijn zogenaamde steun aan stervende mensen had hij hen er allemaal van weten te overtuigen dat het niet veel scheelde of hij was een heilige.

Maar hij had Jordan niet kunnen overtuigen. En het zag ernaar uit dat Vance Tony daar ook verantwoordelijk voor hield. Maar zijn huis tot de grond toe laten afbranden? Het zei genoeg over wat een zinloze ruimteverspilling die klootzak van een zoon van haar was. Jordan had tenminste nog mensen in haar leven om wie ze verdriet zou hebben als ze hen zou verliezen. Alles wat Tony had was een huis. En als je dacht dat Tony er de persoon naar was om erg veel last te hebben van het verliezen van materieel eigendom, dan was je research niet grondig genoeg geweest.

Op hetzelfde moment dat die gedachte haar door het hoofd schoot, voelde Vanessa een koude rilling langs haar nek omlaag glijden. Wat als het huis alleen maar een begin was? Wat als Vance zijn research echt heel slecht had gedaan? Carol Jordan had haar broer verloren. Wat als het de bedoeling was dat Tony ook een bloedverwant zou verliezen?

Tony was net de ringweg van Manchester opgereden, toen zijn telefoon ging. Hij schrok er zo van om Carols naam op het schermpje te zien dat hij bijna de middenberm op schoot, zodat zijn banden als automatisch geweervuur over de wegpunaises aan de rand van de rijstrook ratelden. Volkomen van zijn stuk ramde hij de spreektoets van zijn telefoon in en schreeuwde: 'Ik ben het, ik ben er. Alles in orde met je?'

'Het zou beter met me gaan als je geen domme, om aandacht vragende boodschappen op mijn telefoon zou achterlaten,' zei ze. Er klonk niets vriendelijks in haar stem door. 'Waar is Vance?'

'Ik heb geen idee,' zei hij.

'Je stelt ook niet veel voor als profielschetser, hè?'

Hij negeerde haar belediging. Hij dacht dat ze hem alleen maar op de kast probeerde te jagen. Dat hoopte hij in ieder geval. 'Waar ben jij?'

'Ik ben in Vinton Woods. Ik hou het huis in de gaten, maar ik denk niet dat hij daar is. Waar is Ambrose?'

'Onderweg naar waar jij bent, net als ik.'

'Ik heb geprobeerd hem te bereiken, maar hij neemt niet op. Er loopt maar één weg naar dit nieuwbouwproject. Ik vind dat ze buiten de woonwijk posities moeten innemen. Als Vance lucht van hen krijgt, zal hij de hoofdweg niet eens verlaten en zullen we hem kwijt zijn. En dit keer zullen we niet kunnen profiteren van een of andere handige aanwijzing op de harde schijf van Terry Gates.'

'Dat klinkt logisch,' zei Tony.

'Ik weet dat het logisch klinkt, maar ik kan het niet aan Ambrose doorgeven. Ik weet niet of hij oproepen van mij blokkeert, maar ik kan hem maar niet te pakken krijgen. Jij moet hem opbellen om het aan hem te vertellen. Naar jou zal hij luisteren. Hij denkt dat jij doorhebt wat er aan de hand is.'

Ze was aan het doordraaien, dacht hij. Ze was aan het doordraaien en hij was nog te ver bij haar vandaan. 'Zelfs al zou ik hem kunnen bereiken, hij zal niet naar me luisteren. Ik ben geen politieman. Ik heb niets te zeggen in deze operatie. Je moet met Patterson praten. Of met iemand boven hem. Dit is niet iets wat ik kan doen, Carol.'

'Je bedoelt dat je het niet wílt doen,' zei ze met een lage en verbitterde stem. 'Je kunt het niet helpen, hè? Omdat je er een puinhoop van hebt gemaakt, ben je nu aan het overcompenseren. Je moet me op de een of andere manier beschermen. Je zou Vance nog liever laten ontsnappen dan dat ik het tegen hem opneem, omdat je denkt dat ik het zal verknallen en dat hij me zal vermoorden. Nou, dat heb je dan mis, Tony. Ik weet wat ik doe. En als je me niet wilt helpen, dan rot je maar op.'

De verbinding werd verbroken. Tony sloeg met zijn vuist op het stuur. 'Geweldig!' schreeuwde hij. 'Echt fantastisch!' Zijn zelfverachting bereikte een nieuw dieptepunt toen zijn woede eenmaal iets bekoeld was. Het enige positieve was dat Vance niet thuis was toen Carol daar was aangekomen. De confrontatie was dan misschien alleen iets uitgesteld, maar die had in ieder geval nog niet plaatsgevonden.

Hij reed verder en ging ondertussen in gedachten gehaast na wat hij wist en wat de mogelijkheden zouden kunnen zijn. Waarom was Vance niet naar zijn thuisbasis teruggekeerd? Hij was al een behoorlijk lange tijd onderweg. Hij zou echt goed moeten uitrusten, niet in een hotelkamer, waar hij geen controle over zijn omgeving had. Hij zou zijn uiterlijk moeten veranderen op een plek waar niemand zou opmerken dat hij er bij zijn vertrek anders uitzag dan bij zijn aankomst. Het instinct van het roofdier was om altijd naar zijn hol terug te keren. Dus waarom was Vance niet in Vinton Woods? Waar kon hij zijn? En waarom?

Tony dacht na over dit vraagstuk terwijl hij langs Manchester en Stockport, Ashton en Oldham reed en vervolgens de M62 op schoot. Over een paar kilometer zou hij de afslag naar de autosnelweg richting Bradfield bereiken. Hij kwam nu in de buurt van Vinton Woods. Hij kon ter plekke met Carol verder ruziën over wat de beste handelwijze was.

Maar de vraag waar Vance kon zijn bleef aan hem knagen. 'Je wilt dat we met de pijn leven,' zei hij. 'De meeste mensen zouden denken dat Carol de enige is die tot nu toe met dat soort leed te maken heeft gekregen. Het is alsof zij het complete menu kreeg, terwijl ik en Micky alleen nog maar ons voorgerecht hebben gehad.' Hij greep het stuur zo strak vast dat zijn knokkels er pijn van deden.

'Zelfs als je het als afdoende bedoeld had, dan liep het bij Micky's huis allemaal faliekant verkeerd af. Twee dode paarden en een omgekomen stalknecht, dat is triest, maar het is niet echt een drama, zelfs niet voor Betsy, die zo van haar paarden houdt. Je zult niet in staat zijn het daarbij te laten zitten. Maar je kunt het niet meteen vanavond nog rechtzetten. Niet terwijl het er zwart van de politieagenten ziet. Je zult ermee moeten wachten.' Hij zuchtte geïrriteerd. 'Dus des te meer reden om naar je hol onder de grond terug te keren, naar de plek waar je je veilig waant. Je rust uit, je komt weer op krachten en je maakt plannen. En dan doe je Micky iets aan waar ze de rest van haar leven een litteken aan zal overhouden.' Het voelde juist en leek in overeenstemming met Vance' manier van denken. Het had even geduurd voordat Tony weer in de geest van Vance had weten te kruipen. Maar nu wist hij het zeker. Hij wist het niet alleen op verstandelijk, maar ook op empathisch niveau. Hij begreep wat Vance dreef, wat hij nodig had en wat hem bevrediging zou schenken.

'Je dacht dat dit met een snelle actie klaar zou zijn. Dat je je lijst vlotjes zou afwerken en dat je je in je eer hersteld zou voelen. Maar nu weet je dat het niet zo eenvoudig is. Het lijden moet zeer specifiek zijn...' Zijn stem stierf weg.

Als de paarden niet genoeg waren, dan was het huis ook niet genoeg. In Tony's belevingswereld was dat net zo schokkend en ontwrichtend als een sterfgeval. Maar anderen zouden dat niet zo zien. Vance zou het misschien wel hebben opgepikt als hij het bespieden en beslissingen nemen zelf had kunnen doen. Als hij Tony met eigen ogen in het huis had gezien, zou hij precies geweten hebben wat hij ermee zou bereiken. Maar zo was het niet gegaan: hij had op de verslagen van anderen moeten vertrouwen. Anderen die zich niet met enig inzicht in andermans geest konden verplaatsen.

Onder die omstandigheden kon het huis niet voldoende zijn. Carol zou de voor de hand liggende persoon zijn om hem van te beroven. Dat zou zijn hart verscheuren, zonder enige twijfel. Maar Vance kon Carol niet vermoorden, omdat haar aanhoudende lijden een wezenlijk onderdeel van zijn bevrediging was. En wat er met Chris was gebeurd in plaats van met Carol, zou dat voldoende zijn geweest? Misschien. Maar als een verminkte en beschadigde Carol niet genoeg was, dan bleven er niet veel andere mogelijkheden over. Tony barstte nu niet bepaald van de vrienden. Er waren kennissen, collega's en voormalige studenten zat. Er was een handvol mensen die hij als vrienden beschouwde, maar daar was hij niet zo hecht mee als nodig was voor Vance. Bovendien leken ze voor een buitenstaander waarschijnlijk niet veel meer dan collega's. Wanneer hij met Ambrose of Paula iets ging drinken, zou het eruitzien als collega's die na hun werk een paar biertjes gingen drinken. Als iets wat niet veel om het lijf had. Alleen iemand die Tony een stuk beter kende dan voor Vance mogelijk was, zou het belang van die relaties ingezien kunnen hebben. Als mogelijke doelwitten voor wraak zouden ze niet eens opgemerkt worden.

En om echt iets waard te zijn moest de wraak hem diep raken. Tony wist hoe belangrijk het was om op de juiste manier wraak te nemen, dat was iets wat bij hem in de familie zat. Zijn moeder had hem zijn hele leven lang als een emotioneel bokskussen gebruikt. Ze had hem gekleineerd, bekritiseerd en de draak met hem gestoken. Ze had ervoor gezorgd dat hij zonder vader zou opgroeien, zonder bescherming en zonder liefde. Het had haar niet kunnen schelen of hij ergens in slaagde of faalde. En hij was opgegroeid tot een emotioneel beperkte, slecht functionerende man die slechts van de ondergang werd gered door kleine beetjes liefde van andere mensen en een aanleg voor empathie.

Toen hij Vanessa's leugens en bedrog voor het eerst in hun volle omvang doorzag, had hij gezworen dat hij haar nooit meer wilde spreken. Maar hoe meer hij neigde gehoor te geven aan het idee om zijn leven te veranderen en de hand die Arthur Blythe van over het graf naar hem uitstak aan te nemen, hoe meer hij haar wilde laten weten dat hij ondanks haar inspanningen niet ten onder was gegaan. Dat de man die ze uit zijn leven had verdreven een ander soort kracht had gevonden, een kracht die Vanessa's confronterende negativiteit kon omzeilen. En dat dat alles een zeker vitaal onderdeel van Tony's geest had genezen. Hij kon niets bedenken wat haar pissiger zou maken dan die wetenschap.

Daarom was hij op een middag naar Halifax gereden en had daar gewacht tot ze thuis zou komen. Ze was verrast geweest hem te zien, maar ze had hem wel binnen gevraagd. Hij had gezegd wat hij te zeggen had, waarbij hij zijn stem verhief en door haar heen praatte wanneer ze zijn verhaal probeerde te ondermijnen. Op het laatst had ze haar mond maar gehouden en had ze zich tevredengesteld met een uitdrukking van geamuseerde minachting. Maar hij kon haar lichaamstaal lezen en wist dat ze ziedde van machteloze woede. 'Ik zal hier nooit meer een voet over de drempel zetten,' zei hij. 'Ik zal je nooit meer zien. Je kunt je begrafenis maar beter zelf regelen, Vanessa, want ik zal er zelfs niet zijn om je te begraven.'

En hij was er weggegaan met een opgewektheid die hem volkomen vreemd was. Je gelijk halen was iets geweldigs. Hij begreep precies naar wat voor gevoel van bevrijding Vance op zoek was.

En toen drong het besef tot hem door: hij had het huis van zijn moeder bezocht. Iemand die hem in de gaten hield, zou geen idee hebben gehad waarom hij daar was en wat er daarbinnen was gebeurd. Hij zou alleen maar hebben gezien hoe een plichtsgetrouwe zoon bij zijn moeder op bezoek ging en het huis met een glimlach op zijn gezicht en een verende tred weer verliet. Die toeschouwer had verslag uitgebracht en Vance was tot de verkeerde conclusie gekomen.

Plotseling wist Tony precies waar Jacko Vance was.

53

Paula stond van de ene voet op de andere te wippen en nam voortdurend trekjes van haar sigaret. 'Waar blijven ze, verdomme?' vroeg ze zich hardop af terwijl ze de toegangswegen naar de groezelige betonnen toren waarbij ze stonden te wachten afspeurde. Boven hen bevonden zich eenentwintig verdiepingen eierdoosappartementen, met dunne muren, goedkope verf en loslatend laminaat op koude vochtige betonnen vloeren. Meer gestolen televisies dan warme maaltijden. De flatgebouwen van Skenby waren Bradfields antwoord op *Blade Runner*.

'Ze komen altijd te laat. Het is hun manier om te laten zien hoe belangrijk ze zijn,' gromde Kevin, die een plekje onder het appartementenblok probeerde te vinden waar het niet aanvoelde als in de uitlaat van een windtunnel. 'Waar is Sam?'

'Die is naar Temple Fields om te kijken of hij Kerry kan oppikken. Je weet het nooit, misschien is ze bereid hem aan te geven vanwege die jarenlange ellende.' Paula blies een lange sliert rook uit die rechtstreeks in het beton leek op te gaan. 'Ik snap gewoon niet hoe je je mond kunt houden wanneer een man je kind begint te misbruiken.' Kevin opende zijn mond om iets te zeggen, maar bleef stil toen hij haar dreigend met haar hoofd zag schudden. 'Ik ken alle feministische argumenten over onderworpen en tot slachtoffer gemaakt zijn. Maar je moet toch weten dat er niets fouter is dan dat. Niets ergers dan dat. Eerlijk gezegd begrijp ik niet waarom ze zichzelf niet allemaal van kant maken.'

'Dat is wel wat hardvochtig voor jouw doen, Paula,' zei Kevin toen hij zeker wist dat ze was uitgesproken. De liftdeuren gingen kreunend open. Een stel jongens met *hoodies* en laaghangende trainingsbroeken aan sjokten hen voorbij in een walm van cannabis en zoete wijn.

'Wat zou jij doen als je erachter kwam dat iemand je kinderen had misbruikt en dat je vrouw er weet van had, maar er niets aan had gedaan?'

Er verscheen een verlegen, scheve glimlach op Kevins gezicht. 'Dat is een domme vraag, Paula, omdat het bij ons thuis niet op die manier zou gebeuren. Maar ik snap wel wat je wilt zeggen. Je moet toch kunnen begrijpen dat er een enorm gat gaapt tussen zielsveel van hen houden en hen misbruiken. Ik ben blij dat ik Tony Hill niet ben en de binnenkant van mijn hoofd niet met dat soort bagger hoef te laten bevuilen. En over Tony gesproken, heeft iemand gehoord hoe het met hem gaat? Met die toestand met het huis en zo?'

Paula haalde haar schouders op. 'Ik geloof niet dat het lekker met hem gaat. Vanwege het huis, maar zeker ook vanwege de hoofdinspecteur. En hij is natuurlijk ook van streek over Chris.'

'Is er wat haar betreft nog nieuws?'

'Elinor heeft me nog een sms gestuurd. Er is geen verandering in haar situatie en hoe langer dat zo blijft, hoe groter haar kansen blijkbaar zijn om er geen ernstig longletsel aan over te houden.'

Geen van beiden zei enige tijd iets. En toen zei Kevin met zachte stem: 'Als ze dit alles goed doorstaat, dan weet ik zo net nog niet of ze hen dankbaar zal zijn dat ze haar hebben gered.'

Paula had diezelfde gedachte ook al gehad. 'Laat dat,' zei ze. 'Heb het daar maar niet over. Stel je eens voor hoe het voor de hoofdinspecteur zal zijn.'

'Waar is ze eigenlijk?'

'Ik heb geen idee. Eerlijk gezegd heb ik het gevoel dat we van geluk mogen spreken dat wij er persoonlijk niets mee te maken hebben. En daar gaan we dan,' zei ze terwijl ze naar de straat wees. Er kwam een groep van zes agenten in tactische uitrusting naar hen toe draven: steekvesten en soldatenmutsen, een deurram en een paar semiautomatische wapens. Paula keek Kevin aan. 'Heb jij om vuurwapens verzocht?'

'Nee,' zei hij. 'Dat zal Pete Reekie zijn, die op het publiek speelt.'

De in het zwart geklede agenten bereikten hen en liepen met strakke kaken rond in een poging er als harde jongens uit te zien. Geen van hen had zijn nummer of rang op zijn trui staan. Paula werd zenuwachtig van hen.

'Mijn operatie,' zei Kevin. 'We gaan dit op de ouderwetse manier doen. Ik ga op de deur kloppen om te kijken of Eric Fletcher thuis is en of hij ons zal binnenlaten. En als hij dat niet doet, dan mogen jullie aankloppen,' zei hij terwijl hij met zijn knokkels tegen de deurram tikte. 'Daar gaan we.' Hij drukte de liftknop in.

'We zouden de trap moeten nemen,' zei de ogenschijnlijke leider.

'Ga je gang,' zei Paula. 'Ik rook er twintig per dag en Eric woont op de zestiende verdieping. Ik zie jullie daar,' voegde ze er nog aan toe terwijl ze gevolgd door Kevin door de openschuivende deuren in de lift stapte. 'Ooit heb ik mij aangemeld voor werk dat in theorie hetzelfde was als dat van hen. Vind je dat niet beangstigend?'

Kevin lachte. 'Het zijn gewoon nog jongens. Ze zijn banger dan de schurken zijn. We moeten hen alleen ver uit de buurt van het daadwerkelijke gebeuren houden.'

Ze bleven bij de liften wachten totdat de elite-eenheid de trappen had beklommen. Paula gebruikte de tijd om nog een sigaret op te steken. 'Ik ben zenuwachtig,' zei ze toen ze Kevins afkeurende blik opving.

Toen de tactische eenheid eindelijk arriveerde, werden de manschappen verspreid over het trapportaal opgesteld. Een regenvlaag sloeg hun in het gezicht toen Kevin en Paula over de galerij liepen. De deur van nummer 16C was zo vaak slecht overgeschilderd dat hij er door de reeksen druppels, bladders en slijtplekken in verschillende kleuren uitzag als een inzending voor de Turner Prize. Tegenwoordig was hij overwegend koningsblauw met een huisnummer van wit plastic.

Kevin klopte op de deur en ze hoorden onmiddellijk geschuifel van voeten in het halletje. De deur werd binnen een minuut geopend en voerde een walm van bacon en sigaretten met zich mee. De man die in de deuropening stond, zou op het eerste gezicht niet echt opvallen. Hij was een paar centimeter langer dan Paula en had dun vaal haar dat aan dat van een kind deed denken. Hij droeg een spijkerbroek en een T-shirt waaruit bleke, pafferige armen staken. Zijn gezicht was boller dan zijn lichaam en er was niets bijzonders aan zijn lichtblauwe ogen. Maar zijn manier van doen had een intensiteit die onmiddellijk opviel. Als hun vermoeden dat hij de moordenaar was klopte, dan was Paula verbaasd dat hij erin was geslaagd om prostituees bereid te vinden met hem mee te gaan. In haar ervaring hadden de meeste meiden op straat een zesde zintuig voor klanten met wie iets niet helemaal in orde was. En Eric Fletcher kwam op haar overduidelijk over als 'fout'.

Ze legitimeerden zich en Kevin vroeg of ze mochten binnenkomen. 'Waarom willen jullie dat?' zei Fletcher. Hij sprak met matte en raspende stem. Hij hield zijn hoofd iets scheef en staarde hen uitdagend, maar niet opstandig, aan.

'We moeten het met u over uw dochter hebben,' zei Paula.

Hij deed zijn armen over elkaar voor zijn borst. 'Ik heb niets te zeggen over mijn dochter. Ze woont hier niet meer.'

'We maken ons zorgen over haar welzijn,' zei Kevin.

Fletcher krulde een hoek van zijn bovenlip op tot een spottend lachje. 'Nou, ik niet, rooie.'

'Heeft u een auto, meneer Fletcher?' vroeg Paula, in de hoop dat hij door een koersverandering van zijn stuk zou raken.

'Wat gaat jullie dat aan? Eerst is het mijn dochter en nu is het mijn auto. Maak een keus, schat. O, maar wacht even. Dat kun je zeker niet, hè? Vanwege het feit dat je een vrouw bent.' Hij maakte aanstalten om de deur te sluiten, maar Kevins arm schoot naar voren om de deur tegen te houden.

'We kunnen dit binnen doen of we kunnen het op het bureau verder afhandelen,' zei Kevin. 'Wat wordt het?'

'Ik ken mijn rechten. Als jullie willen dat ik meega naar het bureau, dan kunnen jullie me arresteren. En anders kunnen jullie oprotten.' Fletcher glimlachte zelfgenoegzaam en zag de blik van verstandhouding tussen Kevin en Paula. Het was alsof hij wist hoe weinig bewijs ze hadden en hij hen daarmee wilde tergen.

Aan de ene kant wilde Paula hem wel arresteren op verdenking van moord. Op basis van haar jarenlange ervaring had ze het gevoel dat hij iets verborgen wilde houden. Maar als ze dat deed, zou de klok beginnen te tikken en zouden ze maar zesendertig uur hebben om hem te ondervragen voordat ze hem in staat van beschuldiging moesten stellen of moesten laten gaan. 'Ik denk dat u ons moet binnenlaten,' zei Paula met haar stoerste stem.

'Ik dacht het niet,' zei Fletcher. Er klonk een vastbeslotenheid uit die vier woorden die Paula onverdraaglijk vond. Ze wist dat ze goed zaten en ze zou hem niet door hun vingers laten glippen.

Paula zette haar hand aan haar oor en hield haar hoofd iets schuin naar het halletje toe. 'Hoor je dat, brigadier? Iemand die om hulp roept?' Ze liep naar voren totdat haar vooruitgestoken elleboog Fletchers borst raakte.

Nu werd Fletcher wat nerveus. 'Dat is geen hulpgeroep. Dat is *Match of the Day*, stom wijf. Dat zijn voetbalsupporters.'

'Ik denk dat je gelijk hebt, rechercheur,' zei Kevin terwijl hij achter haar kwam staan. Fletcher zou opzij moeten gaan of aan de kant moeten worden geduwd. Hij zette zijn benen iets verder uit elkaar en hield stand. Kevin draaide zich om en schreeuwde naar het trapportaal: 'We hebben hierbinnen iemand die om hulp schreeuwt.'

En vervolgens werd het één wirwar van lawaai, beweging en zwart. Paula drukte zich tegen de muur aan terwijl de tactische eenheid Fletcher tegen de grond sloeg en hem handboeien omdeed. Ze stormden de huiskamer aan het uiteinde van het halletje binnen alsof ze verwachtten daar de geest van Osama Bin Laden geknield bij de gashaard aan te treffen. Twee van hen schoten weer terug naar de hal en stormden de eerste kamer in. Paula zag de hoek van een badkamer voordat de twee mannen er weer achterwaarts uit kwamen en de deur ertegenover opengooiden. Ze bleven op de drempel staan en een van hen zei: 'O, kut.'

Paula drong zich langs hen en keek naar binnen. Het enige waar je naar kon kijken lag op het tweepersoonsbed. De overblijfselen van een vrouwenlichaam leken op een zee van rood te drijven. Ze was in repen gesneden en op sommige plaatsen was haar vlees van de botten gestroopt. Haar hoofd was het enige lichaamsdeel dat nog intact was, net zoals Tony had voorspeld. De muren zaten onder de vlekken en druppels bloed en het leek enigszins op een moderne kunstinstallatie. Paula wendde zich af en een verpletterend besef van verspild leven deed haar naar adem snakken. Tony had ook nog ergens anders gelijk over gehad. Er was sprake van urgentie. En ze waren bij lange na niet doortastend genoeg geweest.

Kevin dreunde boven Fletchers uitgestrekte lichaam de waarschuwende woorden op waarmee hij hem op zijn rechten wees. Een van de leden van de tactische eenheid nam radiocontact op en vroeg om een team van de technische recherche voor de plaats delict en een ander belde met commissaris Reekie om verslag uit te brengen van wat ze hadden gevonden. Als dit een schitterende gloriedaad was, dan kon je hem in je hol steken, dacht Paula.

De twee agenten bij de deur van de slaapkamer liepen achterwaarts de huiskamer in. Paula liep achter hen aan de stoffige wanorde in en wierp een lege blik op de televisie. 'Het was toch *Match of the Day*,' zei ze vermoeid. 'Mijn fout.' Naast de tv stond een ingelijste foto op een prominente plek. Ze was daar overduidelijk een paar jaar jonger, maar er bestond geen twijfel over dat de vrouw op het bed Kerry Fletcher was.

'Ze had naar huis moeten komen,' schreeuwde Fletcher. 'Niets van dit alles zou gebeurd zijn als ze gewoon was thuisgekomen.'

Tony schoot de afrit op en zijn banden gierden toen hij de rotonde opreed en de auto eromheen jaagde totdat hij de autosnelweg in de tegenovergestelde richting weer op scheurde. Zodra hij een hand van het stuur kon oplichten greep hij naar zijn telefoon en drukte de terugbeltoets in om met Ambrose te spreken. Hij kreeg direct zijn voicemail. Hetzelfde wat Carol had ervaren.

'Nee, alsjeblieft,' jammerde hij. 'Wat een klotezooi.' De telefoon piepte. 'Alvin, met Tony. Ik weet waar Vance is. Bel me alsjeblieft zo snel mogelijk terug.'

Nog acht kilometer om weer terug op de M62 te komen en dan nog een paar kilometer voordat hij de afslag naar Halifax zou bereiken. Wat als hij te laat was? Zou hij daarmee kunnen leren leven?

Zijn telefoon ging over en hij werd uit zijn overpeinzingen gerukt. De stem kraakte en klonk ver weg. 'Dr. Hill? Met rechercheur Singh. Ik handel de telefoongesprekken van brigadier Ambrose af, omdat hij aan het rijden is en niet wil worden afgeleid. U zegt dat u weet waar Vance is?'

'Geef me Alvin. Dit is belangrijk en ik heb geen tijd om het vanaf het begin uit te leggen.'

Hij hoorde krakende stemmen door elkaar heen praten en vervolgens zei Ambrose met bulderende stem: 'Wat zullen we nu krijgen, doc? Ik dacht dat Vinton Woods honderd procent zeker was?'

'Dat is zijn thuisbasis, niet waar hij op dit moment is.'

'En waar is hij op dit moment dan wel?'

'Ik denk dat hij bij het huis van mijn moeder is,' zei Tony. 'Hij wil bloed, Alvin. Het huis was alleen maar een voorproefje. En de enige bloedverwant die ik heb, is mijn moeder.'

'Ik ben met een compleet team onderweg naar Vinton Woods. Hoe kun je er zo zeker van zijn dat hij daar niet is?'

'Omdat Carol Jordan daar is en zij zegt dat het huis leeg is.'

'Kun je haar vertrouwen?'

'Ja.' Daarover hoefde Tony niet eens na te denken. Ze mocht dan misschien niet in één ruimte met hem willen zijn, maar dat betekende nog niet dat ze over de echt belangrijke dingen tegen hem zou gaan liegen.

'En jij denkt dat hij bij het huis van je moeder is? Heb je daar ook maar enig ondersteunend bewijs voor, doc?'

'Nee,' zei Tony. 'Alleen maar een levenslange ervaring met gestoorde geesten zoals Vance. Ik zeg het je: hij wil bloed aan zijn handen. Hij heeft Carols broer vermoord en mijn moeder is de logische volgende stap.' Het had geen zin om te proberen uit te leggen dat Vance de relatie tussen Tony en Vanessa waarschijnlijk verkeerd had ingeschat. 'Ik ben nu onderweg ernaartoe. Ik ben er waarschijnlijk over een kwartier.'

Er klonk lange tijd alleen geruis, maar toen zei Ambrose: 'Geef het vervloekte adres dan maar aan rechercheur Singh door. En haal geen stommiteiten uit.'

Tony gaf gehoor aan het eerste bevel. 'Waar zijn jullie nu?' vroeg hij aan rechercheur Singh.

'We zitten op de M62, een paar kilometer voor de afrit naar Bradfield.'

Hij was hun nog voor, maar niet veel. En Vance was hun allemaal een heel stuk voor.

54

Er stonden een paar auto's geparkeerd in de stille straat in Halifax. Niet alle huizen beschikten over opritten die aan al hun voertuigen plaats boden, en al helemaal niet op een zaterdagavond waarop er mensen langskwamen om bij hen te eten en over de regering te klagen. Dat kwam Vance goed uit. Niemand zou een extra geparkeerde auto opmerken tussen die van de plaatselijke bevolking. Hij zette de zijne tussen een Volvo en een BMW drie huizen voorbij het huis van Vanessa Hill en opende een venster op zijn smartphone waarop livebeelden te zien waren van de camera in haar huiskamer. Het beeld was klein en op dat formaat ook nog van een lage resolutie, maar het was duidelijk genoeg om haar nog altijd opgerold op haar vorstelijke bank naar de televisie te kunnen zien kijken.

Hij kon zich moeilijk voorstellen dat Tony Hill zich in die kamer op zijn gemak zou voelen, omdat hij zo gericht was op het bevredigen van de behoeften van één enkele persoon. Waar zat hij wanneer hij bij haar op bezoek was? Gingen ze in die steriele keuken zitten of was de serre de plek waar Vanessa enige aandacht schonk aan het comfort van haar gasten? Of was het eerder zo dat haar zoon zijn gebrek aan doodgewone sociale vaardigheden van haar had geërfd? In de loop der jaren had Vance zijn ontmoetingen met het vreemde mannetje dat hem had weten op te sporen op basis van instinct en inzicht in plaats van op basis van sterk forensisch bewijs meermaals in zijn hoofd afgespeeld. Hij had zich vaak afgevraagd of Hill autistisch was, omdat hij zo onhandig was in contacten die niet uitsluitend om het verkrijgen van informatie van de andere persoon draaiden. Maar misschien was het wel minder interessant dan dat. Misschien was hij opgegroeid met een moeder die geen zin had in bezoek bij hen thuis, zodat Hill daarmee niet in aanraking was gekomen in zijn jeugd en het geen tweede natuur voor hem had kunnen worden.

Hoe een en ander hier ook in zijn werk ging, het zou niet veel langer meer bestaan.

Vance keek nog een laatste keer om zich heen om te controleren of er buiten iemand rondliep, stapte vervolgens uit de auto en pakte een reistas uit de kofferbak. Hij liep met ferme pas over straat en ging Vanessa's hek binnen alsof hij er woonde. Hij liep langs de Mercedes en zijn schoenen met rubberen zolen maakten geen enkel geluid op de betegelde oprit. Er was een smalle strook tussen de houten garage uit de jaren dertig en het huis. Een volwassene paste daar net zijdelings tussen. Vance glipte erin en liep zijwaarts naar de achtertuin toe. Hij had geen mogelijkheid gehad om de achterkant van het huis te verkennen en wist dus niet eens of er beveiligingslampen waren. Maar voor deze ene keer was hij bereid het erop te wagen. Ze was tenslotte nu niet bepaald een moeilijk doelwit. Bij een oude vrouw met een fles wijn achter haar kiezen zouden niet echt meteen alle alarmbellen gaan rinkelen als de verlichting in haar achtertuin plotseling zou aanspringen. Zelfs als ze het al zou opmerken, dan zou ze denken dat het door een kat of een vos kwam.

Maar toen hij uit de tussenruimte stapte, baadde het terras niet in het licht. Alles was rustig en afgezien van het gezoem van verkeer in de verte was het stil. Hij zette zijn reistas neer en ging er gehurkt naast zitten. Hij haalde er net zo'n papieren overall uit als door CSI-teams werd gedragen en wurmde zich erin, waarbij hij bijna omviel toen hij zijn armprothese in een mouw probeerde te krijgen zonder een cruciaal verbindingsstuk los te wrikken. Hij trok korte plastic laarzen over zijn schoenen aan en blauwe nitril rubberen handschoenen over zijn handen. Hij probeerde daarmee niet zozeer te voorkomen dat hij forensische sporen zou achterlaten. Dat kon hem niets schelen. Maar hij wilde er snel weer vandoor en wilde niet dat hij onder het bloed zou zitten tijdens de korte rit terug naar Vinton Woods. Dat zou het soort onvoorzichtigheid zijn dat het verdiende te worden bestraft door een toevallig verkeersongeluk.

Vance stond op, maakte een rollende beweging met zijn schouders en kromde zijn ruggengraat, zodat de overall goed om zijn lichaam ging zitten. Hij pakte de koevoet op en legde het mes op de vensterbank van het raam bij de achterdeur neer. Hij keek eens goed naar de deur om de sterke en zwakke punten ervan in te schatten en glimlachte. Iemand had de oorspronkelijke massief houten deur vervangen door een veel minder stevige deur met glazen panelen. Gelukkig hadden ze voor hout gekozen en niet voor pvc. Houten deuren werden tegenwoordig van zacht hout gemaakt dat betrekkelijk eenvoudig versplinterde en brak. Dit zou geen erg lastige opgave worden.

Hij duwde tegen de boven- en onderkant van de deur om te testen of er deurgrendels zaten, maar blijkbaar had Hill zijn goede vriendin hoofdinspecteur Jordan niet uitgenodigd om de beveiliging van zijn moeder in orde te maken. Het leek erop dat de deur alleen maar was beveiligd met het ingelaten deurslot en de deurpal.

Vance duwde de punt van de koevoet tegen de plek waar de deur de stijl raakte. Het was krap, maar hij was sterk genoeg om hem ertussen te krijgen en deukte daarbij het zachte hout van de deurstijl in. Hij duwde harder en probeerde meer druk op het slot uit te oefenen voordat hij met het echte forceren ervan begon.

Toen hij er eenmaal van overtuigd was dat hij de juiste druk te pakken had, ging Vance tegen de koevoet hangen en gebruikte hij zijn gewicht en zijn kracht tegen het hout en het metaal dat de deur gesloten hield. Aanvankelijk was zijn enige beloning een zacht gekraak van hout. Hij deed iets meer zijn best en kreunde zacht zoals een zeer stille tennisspeler bij het serveren. Dit keer voelde hij dat er iets meegaf. Hij stopte even om de punt van de koevoet weer op de goede plaats te zetten en gebruikte al zijn kracht om de slotkast uit de slotplaat te werken. Dit keer klonk er gepiep van metaal en het versplinteren van hout, waarna de deur openbrak.

Vance stond hijgend op de drempel en was zeer tevreden met zichzelf. Hij nam de koevoet over in zijn kunsthand en controleerde of hij hem stevig vasthad. Het was verbazingwekkend hoe goed dat werkte. Hij kon echt 'voelen' dat hij iets vasthield en kon beoordelen hoeveel druk hij moest uitoefenen om hem goed vast te houden. En die klootzakken hadden hem de toegang tot deze technologie willen ontzeggen. Hij schudde zijn hoofd en glimlachte terwijl hij zich zijn vreugde herinnerde toen ze bij het Europese

Hof het onderspit dolven. Maar dit was niet het moment om van voorbije overwinningen te genieten. Hij had werk te doen. Vance pakte het mes met het achttien centimeter lange lemmet van de vensterbank en stapte de keuken in.

Hij was verbaasd dat Vanessa Hill nergens te bekennen was. Hij had weliswaar niet veel lawaai gemaakt, maar de meeste mensen waren onbewust afgestemd op de geluiden in huis, zeker wanneer ze alleen thuis waren. Een ongewoon geluid zorgde er in de regel voor dat ze opstonden om op onderzoek uit te gaan. Blijkbaar was Vanessa Hill slechthorend of ze werd zo in beslag genomen door de rotzooi waarnaar ze op de televisie zat te kijken dat ze hem niet had horen inbreken. Het was wel zo dat de deur naar de gang dicht was, en dat zou er ook aan kunnen hebben bijgedragen dat ze hem niet had gehoord.

Vance liep zo stil mogelijk door de keuken en tilde zijn voeten hoog op om geschuifel van zijn korte laarzen over de tegelvloer te vermijden. Hij deed de deur langzaam open en was niet verbaasd om Amerikaanse stemmen te horen spreken en lachen. Hij liep de gang verder in en zijn bewegingen waren losjes en ontspannen nu hij zo dicht bij het bereiken van zijn doel was. Eerst had hij Tony Hill zijn thuis afgenomen en nu zou hij hem van zijn enige bloedverwant beroven: zijn geliefde moeder. Het enige wat Vance speet, was dat hij niet in de buurt zou zijn om zijn lijden met eigen ogen te aanschouwen.

Twee stappen van de drempel van de woonkamer verwijderd hield hij even in, rechtte zijn ruggengraat en zette zich schrap. Het flikkerende licht van de televisie weerkaatste tegen het glimmende staal van zijn mes.

En toen was hij de drempel over en om de bank heen en stond hij dreigend met zijn wapens te zwaaien naar de vrouw die rechtop tussen de kussens zat. Haar reactie was anders dan hij had verwacht. In plaats van in paniek te gaan gillen keek Vanessa Hill hem enigszins nieuwsgierig aan.

'Hallo, Jacko,' zei ze. 'Waar bleef je nou?'

55

Tony nam aan dat de blauwe zwaailichten die steeds dichterbij kwamen in de hoofdstraat van Ambrose waren. Hij sloeg net voor hen de zijstraat in die naar de weg voerde waaraan zijn moeder woonde en slaagde erin te voorkomen dat ze hem inhaalden voordat ze allemaal scherp linksaf haar straat insloegen.

Tony liet zijn auto op de weg achter en nam niet de moeite om hem te parkeren. Hij rende naar de voordeur toe, maar voordat hij daar aankwam, greep een jonge Aziatische man hem in een houdgreep en gooide hem tegen de zijkant van het huis. 'Nee, dat dacht ik niet,' zei hij. En toen stond Ambrose voor hem, die zich in een steekvest ter grootte van een autoportier probeerde te wurmen.

'Rustig aan, Tony,' zei hij zacht. 'Jij gaat niet als eerste naar binnen. Heb je een sleutel?'

Tony voer tegen hem uit: 'Nee. En nee, ik weet niet of een van de buren er eentje heeft. Maar ik betwijfel het. Ze is erg op zichzelf, mijn moeder.'

Een paar andere agenten hadden zich iets naar achteren in de buurt van het hek opgesteld. 'We zouden gewoon kunnen aanbellen,' zei een van hen.

'We willen geen gijzelingssituatie creëren,' zei Ambrose.

'Er zal geen sprake van een gijzeling zijn,' zei Tony. 'Hij is hier met een doel. Hij zal moorden en vervolgens vertrekken. Als hij nog hier is, dan komt dat alleen maar omdat hij nog bezig is met weggaan.' Hij maakte een gebaar met zijn hoofd naar de nauwe doorgang bij de garage. 'Ik zou daar maar een van je mannen doorheen sturen voor het geval Vance het huis via de achterdeur verlaat.'

Ambrose wees een van de agenten aan en maakte met zijn duim een gebaar naar de doorgang. 'Ga eens kijken.' Hij keek Tony onthutst aan. 'Laten we dan maar aanbellen.' Hij wees met zijn vinger naar Tony. 'Maar jij blijft achter ons. Wat er ook gebeurt, jij blijft achter ons.'

Ze liepen verrassend geruisloos voor zulke grote mannen naar de deur toe. Tony vond genoeg ruimte tussen Singh en Ambrose om te kunnen zien wat er gebeurde. Ambrose belde aan en deed vervolgens een stap naar achteren, zodat hij buiten bereik bleef van iemand die vanuit de deuropening een klap wilde uitdelen.

Tony voelde zijn maag samentrekken. Hij was ervan overtuigd dat hij dichter bij Vance in de buurt was dan hij de afgelopen twaalf jaar ooit geweest was. Of de moordenaar nu al in het huis was of onderweg hiernaartoe, dit was de plek waar ze hem zouden vinden. Tony wilde er op dit moment niet aan denken wat de prijs van die confrontatie zou kunnen zijn. Hij wilde alleen maar dat Vance weer achter de tralies verdween en daar voor altijd zou blijven. Er bestond geen twijfel over dat hij een van de mensen was die nooit enige vorm van vrijheid zouden moeten hebben. Het druiste in tegen Tony's diepgewortelde overtuiging dat reclassering altijd het doel van het juridische proces zou moeten zijn, maar zo nu en dan werd hij ertoe gedwongen te accepteren dat iemand niet meer te helpen was. Niet meer te redden. Vance was daar een levend bewijs van en zijn bestaan voelde op zich al als een belediging. Hij en zijn soort herinnerden Tony eraan dat het falen van het systeem over het algemeen meer nare bijverschijnselen opleverde dan het succes ervan aan positiefs opbracht.

Er ging een lamp aan achter het glas en ze konden een sleutel horen draaien in het slot. De deur ging op een kier open en Vanessa's hoofd verscheen in de opening, haar haar in de war alsof ze haar dutje hadden verstoord. Ambrose en Singh lieten hun legitimatiebewijzen zien en ratelden hun naam en rang op. Tony glimlachte dunnetjes en zwaaide naar haar. 'Hallo, mam,' zei hij en hij klonk net zo vermoeid als hij zich ineens voelde.

'Dat is snel,' zei Vanessa terwijl ze de deur wijder opendeed en er een scharlakenrode vlek zichtbaar werd die zich van haar borst tot haar heupen over haar kaftan uitstrekte. 'Ik heb het alarmnummer nog maar net gebeld. Jullie kunnen maar beter binnenkomen.'

Ambrose draaide zich om en keek Tony aan met grote schrikogen. Toen Vanessa de deur helemaal opendeed en hen binnen vroeg, drong Tony zich met een licht gevoel in zijn hoofd langs de politiemannen en stapte naar binnen.

Ze wees naar de amper op een kier staande deur van de woonkamer en zei nuchter: 'Daar kun je beter niet naar binnen gaan. Dat is wat jullie een plaats delict noemen. Maar we kunnen wel naar de eetkamer gaan. Daar is hij helemaal niet binnen geweest, dus daar valt niets te vervuilen.' Ze ging hun voor door de gang naar een andere deur en gooide hem open. 'Blijf daar niet zo staan, kom verder.'

Ambrose deed een stap naar voren en duwde de woonkamerdeur verder open. Tony liep om hem heen, zodat hij langs hem kon kijken. Er lag een man languit op de vloer als een marionet, met gespreide benen en armen en een blonde pruik ergens boven zijn hoofd. 'Het is Vance,' zei Tony. 'Ik herken hem.' Vance' overall was opengescheurd. Zijn onderlichaam was lichtrood van kleur en om hem heen was bloed op het tapijt gestroomd. Zijn borst bewoog niet. Tony wist niet veel van spoedeisende hulp, maar hij vermoedde dat Jacko Vance geen ambulancepersoneel meer nodig had.

'Heeft ze hem vermoord?' vroeg Ambrose vol ongeloof.

'Daar ziet het wel naar uit,' zei Tony.

'Je lijkt niet verbaasd.'

Tony had het gevoel dat hij in tranen zou kunnen uitbarsten. 'Niets aan Vanessa heeft me ooit verbaasd. Laten we eens zien wat ze ter verdediging aan te voeren heeft voordat de plaatselijke politie arriveert.'

Ze liepen achter Singh en de andere agent aan naar de eetkamer, waar Vanessa aan het hoofd van de tafel was gaan zitten. Toen ze binnenkwamen, zei ze: 'Tony, haal eens een cognacje voor me. De fles en de glazen staan in het dressoir.'

'Ik denk dat u beter niet kunt drinken,' zei Ambrose. 'U verkeert in shocktoestand.'

Vanessa wierp hem de minachtende blik toe die haar personeel had geleerd te vrezen. 'In shocktoestand, aan m'n hoela!' zei ze, waarbij ze griezelig veel op Patricia Routledge in de rol van Hyacinth Bouquet leek. 'Dit is mijn huis en mijn cognac en ik laat me niet door mensen als u de les lezen.'

'Geloof me, het is eenvoudiger om haar haar zin te geven,' zei

Tony, die het dressoir opende en een borrel voor zijn moeder inschonk. Hij bracht hem naar haar toe en zei: 'Wat is er gebeurd?'

'Hij is via de achterdeur naar binnen gekomen en kwam gewapend met een koevoet en een mes hondsbrutaal mijn woonkamer binnenlopen. Ik herkende hem natuurlijk wel.' Ze nam een slokje cognac en tuitte haar lippen. Voor het eerst sinds ze er waren, viel haar masker af en kon je de ouderdom en de vermoeidheid zien die normaal gesproken door cosmetica en wilskracht op afstand werden gehouden. 'Ik had eerlijk gezegd al op hem zitten wachten.'

'Op hem zitten wachten?' Ambrose klonk zo verbijsterd als Tony zich voelde.

'Ik kijk ook naar het nieuws, brigadier. En zit u eigenlijk niet een beetje laag op de totempaal om een moordzaak op u te nemen?'

'Brigadier Ambrose is hier niet gekomen in reactie op je telefoontje. Hij is hier omdat we Vance probeerden op te pakken.'

Vanessa lachte schamper. 'Dan hadden jullie hier eerder moeten zijn, hè?' Ze schudde geërgerd haar hoofd. 'Ik zag het nieuws en herkende dat huis in Worcester dat Eddie je heeft nagelaten. En ik had al gehoord over de broer van je vriendin.'

Ambrose keek Tony verrast aan.

Tony zuchtte. 'Ze is mijn vriendin niet. Hoe vaak moet ik dat nog zeggen?'

Vanessa wuifde dat weg met een afwijzend handgebaar en dronk nog wat cognac. 'En toen die aanslag op zijn ex-vrouw. Ik dacht bij mezelf: hij is bovenaan begonnen met moord, maar nu zit hij in een neerwaartse spiraal en zal hij niet van zichzelf onder de indruk zijn met die twee renpaarden en een niet bij naam genoemde stalknecht. Dus ik vermoedde dat hij misschien zo dom zou zijn om te denken dat hij hém daar enig verdriet zou bezorgen door mij te vermoorden.' Ze maakte een gebaar met haar hoofd naar Tony. 'Stomme zak.' Het was geenszins duidelijk of ze daarmee op Tony of op Vance doelde. 'Dus ik dacht dat ik maar beter het zekere voor het onzekere kon nemen. Ik heb een mes uit de keukenla gepakt en heb het ergens tegen de zijkant van de bank verstopt. Ik heb hem helemaal niet horen inbreken. Voor ik het wist, stond hij in mijn woonkamer alsof die van hem was.' Ze huiverde. Tony dacht dat die huivering helemaal bewust zo gepland was.

'Hij kwam op me af met het mes. Ik greep mijn eigen wapen en haalde uit naar hem. Dat overrompelde hem. Hij viel boven op me en ik had al mijn kracht nodig om hem weg te duwen. Daardoor kwam ik onder het bloed te zitten.' Ze veegde met haar hand van haar kin tot haar knieën. 'Het was hij of ik.'

'Ik begrijp het,' zei Ambrose.

'Zou iemand haar niet moeten waarschuwen voorzichtig te zijn met wat ze zegt?' Tony kon niet echt geloven dat Ambrose blijkbaar in de monsterlijke ban van zijn moeder was geraakt.

'Me waarschuwen? Terwijl het enige wat ik heb gedaan is dat ik me tegen een veroordeelde moordenaar heb verdedigd die me in mijn eigen huis aanviel?' Vanessa ging op de verongelijkte toer in plaats van woedend te worden.

'Het is voor uw eigen bescherming,' zei Ambrose. 'En Tony heeft gelijk. We zouden u moeten vertellen dat u niets hoeft te zeggen, maar dat het uw verdediging kan schaden als u nu iets niet vermeldt waarvan u later tijdens de rechtszaak gebruik wilt maken. Alles wat u zegt kan tegen u worden gebruikt.'

Vanessa wierp Tony een van haar ondefinieerbare blikken toe. Hij had door bittere ervaring geleerd dat het betekende dat hij er later voor zou moeten boeten. Het was een van de geneugten van het feit dat ze niet langer deel van zijn leven uitmaakte dat er geen later meer zou komen. 'Bedankt, brigadier,' zei ze, waarbij ze hem een zwak glimlachje schonk.

Voordat iemand verder nog iets kon zeggen klonken er stemmen vanuit de gang. Ambrose verliet de keuken en kwam vlak daarna weer binnen met een paar plaatselijke agenten in uniform. 'Ik heb tegen deze agenten gezegd dat ze zo snel mogelijk contact moeten opnemen met hoofdinspecteur Franklin,' zei hij tegen Tony. 'Op een gegeven moment zullen ze een verklaring van je nodig hebben. Maar ik denk dat je er nu vandoor moet.'

Tony leek even beduusd. 'Je wilt niet dat ik hier blijf?'

Ambrose keek hem indringend aan alsof hij hem iets meer duidelijk wilde maken dan in zijn woorden besloten lag. 'Die collega met wie we eerder hebben gesproken? Bij de jachthaven? Ik denk dat je contact moet gaan opnemen.'

Nu begreep Tony het. Hij wendde zich tot Vanessa. 'Zal het verder wel weer gaan met je?'

'Natuurlijk. Deze aardige mannen zullen wel voor me zorgen.' Vanessa stond op en liep achter hem aan de gang in.

Toen ze buiten gehoorafstand waren, zei hij bitter: 'Je was altijd al handig met een mes, moeder.'

'Je moet je hebben gerealiseerd dat ik een doelwit was. Je had me moeten waarschuwen,' snauwde ze onmiddellijk terug. Met haar rug naar iedereen toe kon ze haar ware gezicht laten zien: rancuneus, haatdragend en onverzoenlijk.

Tony bekeek haar van top tot teen en schrok van de gedachte die in de duisternis van zijn achterhoofd rondsloop. Hij geloofde dat dit werkelijk de laatste keer zou kunnen zijn dat hij uit eigen vrije wil in eenzelfde ruimte met haar zou zijn. 'Waarom?' zei hij terwijl hij wegliep.

56

Het was middernacht toen Tony uitgeput de woonwijk Vinton Woods binnenreed. Hij zag maar weinig lichten branden toen hij probeerde zijn weg te vinden door het nieuwbouwproject. Hij sloeg een paar keer verkeerd af voordat hij uiteindelijk in de juiste straat belandde. Hij reed stapvoets verder en keek van de ene kant naar de andere in een poging Carols auto te vinden.

Toen zag hij haar staan: tegenover een doodlopende straat, verborgen op de oprit van iemand anders. Hij parkeerde in de straat en legde zijn hoofd even op het stuur. Hij had dat punt van uitputting bereikt waarop zelfs zijn botten pijn leken te doen. Hij kwam met moeite van de bestuurdersplaats en liep terug naar Carols auto, waarbij hij amper in staat was om een rechte lijn aan te houden.

Tony liep het hek binnen en bleef midden op de oprijlaan staan. Zoals de zaken er momenteel voor stonden, had hij niet het gevoel dat hij zo vrij kon zijn om de passagiersdeur te openen en naast haar te gaan zitten. Daarmee leek hij te veel inbreuk op haar persoonlijke ruimte te maken.

Er leek een lange tijd voorbij te gaan, maar uiteindelijk ging de deur aan de bestuurderskant open en kwam Carol naar buiten. Ze zag er verwilderd, opgefokt en voor hem onbereikbaar uit. 'Je zult hem wegjagen door daar zo te staan,' siste ze hem toe. 'Stap in godsnaam in de auto.'

Tony schudde zijn hoofd. 'Hij zal niet komen, Carol.'

Hij zag hoop in haar ogen opleven. 'Is hij gevangengenomen?'

'Hij is gedood.'

Ze staarde hem, voor zijn gevoel minutenlang, sprakeloos aan en de kleine spiertjes in haar gezicht gaven het afwisselend een blije en een gepijnigde uitdrukking. 'Wat is er gebeurd?' zei ze uiteindelijk met amper bewegende lippen.

Tony stak zijn handen in zijn broekzakken en haalde als een verlegen tiener zijn schouders op. 'Het is belachelijk.'

'Vertel me wat er gebeurd is.'

'Vanessa... ze heeft hem neergestoken.'

'Vanessa? Je moeder, Vanessa?'

Ongeloof, dacht Tony. Daar zou hij aan moeten gaan wennen – ja, het was inderdaad mijn moeder die de beruchte seriemoordenaar Jacko Vance heeft gedood. Heel wat mensen zouden hem daardoor heel vreemd gaan aankijken. Maar nu moest hij zich door de enige uitleg heen bijten die ertoe deed. 'Hij had ingebroken in haar huis. Om haar te vermoorden. Maar dat had ze al door. Dat geloof je toch niet? De vrouw met de empathiebypass had uitgedokterd wat geen van ons met al onze ervaring kon uitpuzzelen: dat ze op zijn lijst stond.' Hij kon de verbittering en de woede in zijn stem horen, maar dat kon hem niet schelen. 'Dus ze had verdomme een mes tegen de zijkant van haar bank verstopt.'

'Heeft ze hem aangevallen?'

Hij verplaatste zijn gewicht van de ene voet naar de andere. 'Ze zegt dat hij haar aanviel en dat ze hem overrompelde. Wat er ook is gebeurd, dat zal de officiële versie worden.'

Carol giechelde, een gesmoord hysterisch geluid. 'Vanessa heeft hem gedood? Ze heeft hem neergestoken?'

'Ze is er beter in geworden sinds de vorige keer.'

'En wat vindt u daarvan, dr. Hill?' Er klonk scherp sarcasme door in Carols vraag.

'Het spijt me niet dat Vance dood is.' Hij hief zijn kin op en keek Carol recht in haar ogen. 'Maar als het andersom was geweest, zou het me ook niet hebben gespeten. Dat is het lastige gegeven waarmee ik zal moeten leven.'

'Nog altijd heel wat eenvoudiger dan het feit waarmee ik zal moeten leven.'

Hij spreidde zijn handen in een gebaar van hulpeloosheid. 'Het spijt me.'

'Dat weet ik wel, maar dat maakt het er niet makkelijker op.'

'Maar hij is nu tenminste dood. Meer schade zal hij niet aanrichten. Het is voorbij.'

Carols gezichtsuitdrukking was een mengeling van verdriet en medelijden. 'Dat is niet alles wat er voorbij is, Tony.' Ze draaide zich om en stapte weer in de auto. De motor kwam tot leven en hij werd verblind door de koplampen. Hij sprong opzij en keek toe hoe ze wegreed, en hij wist niet of het de plotselinge felheid van de koplampen of de totale uitputting was waardoor hij tranen in zijn ogen kreeg.

DANKWOORD

Dit is mijn vijfentwintigste roman en nog steeds moet ik gebruikmaken van de kennis van anderen om het allemaal te laten werken. Zoals gebruikelijk zijn er mensen die liever anoniem willen blijven. Ik ben altijd weer onder de indruk van hun bereidheid hun ervaring met me te delen en ik ben dankbaar voor het kijkje in hun wereld.

Carolyn Ryan was gul met haar contacten en ik ben haar en Paul ook dankbaar dat ze het met me hebben uitgehouden tijdens de cafeïnevrije wandelingen met de hond. Professor Sue Black en Dave Barclay hebben me laten profiteren van hun forensische kennis en dr. Gwen Adshead heeft verstandiger dingen gezegd over psychopathologie dan ik ooit van iemand anders heb gehoord.

Ik schrijf alleen de boeken maar. Er is een klein leger van toegewijde mensen voor nodig om ze bij de lezer te krijgen. Zoals altijd gaat mijn dank uit naar iedereen van Gregory & Co, naar mijn ondersteunende team bij Little, Brown en naar de ongeëvenaarde Anne O'Brien en naar Caroline Brown, die de treinen op tijd zou kunnen laten rijden als ze zich ermee zou gaan bemoeien.

En ten slotte bedank ik mijn vrienden en familie, wier liefde eigenlijk alles is wat ik nodig heb, in het bijzonder Kelly en Cameron, het beste gezelschap dat een vrouw zich zou kunnen wensen.